Les Poilus

Pierre Miquel

Les Poilus

La France sacrifiée

Avec 30 illustrations hors texte
6 cartes
3 index

INTRODUCTION

On oublie trop souvent qu'ils ont fait deux guerres, les poilus. Ceux qui sont partis à dix-neuf ans en 1918 en avaient quarante en 1939. Beaucoup sont restés quatre ans prisonniers dans les camps. Ils ont, toute leur vie, subi dans leur chair les effets de l'affrontement franco-allemand.

« En août 1914, écrit Marc Bloch, soldat des deux guerres, les hommes n'étaient pas gais, ils étaient résolus, ce qui est mieux. » L'historien rejoint alors son corps à Amiens. Quand son train passe par Sedan, « il est heureux de parler de victoire devant le grand champ de bataille de la défaite de 1870 ». Son régiment, le 273e d'infanterie, est promis à une autre défaite, celle de Charleroi. Bientôt Marc Bloch recule sans pouvoir se battre, « le dos à la frontière ». Il perd tous ses officiers, et un grand nombre de ses compagnons quand l'armée se redresse, à la bataille de la Marne. Puis il s'enterre dans la tranchée pour quatre ans, comme les autres, autour de Sainte-Menehould. Il entendra longtemps « le tap tap des gouttes de pluie sur le feuillage, si semblable au rythme des pas lointains ».

Le même Marc Bloch est mobilisé en 1939, sans marquer le moindre étonnement. Les vingt ans de trêve ont permis à l'Allemagne de se reconstituer sous Hitler, de devenir encore plus agressive, encore mieux armée. Toutes les raisons qui avaient poussé des millions de Français à partir aux frontières en août 1914, quand trois armées allemandes envahissaient la Belgique, marchant vers Paris à grands pas, se retrouvaient en septembre 1939, quand on attendait la Wehrmacht, de retour de Pologne, sur les bords du Rhin et de la Meuse.

Le 10 mai 1940, ils sont de retour. Le 12, Marc Bloch, de nouveau sous l'uniforme, voit les soldats belges débandés qui commencent « à se glisser à travers les villages ». Il plie le dos sous les bombes des stukas à Valenciennes. C'est « l'étrange défaite », celle qui porte le « lansquenet » Ernst Jünger, héros des offensives allemandes de 1918 vers Paris qu'il occupe en 1940 avec plaisir, ne fréquentant que l'exquis milieu littéraire de Saint-Germain-des-Prés. Bloch, à l'état-major, voit de près les responsables de la déroute, le général Blanchard, commandant de la 1re armée, « un homme, écrit le général anglais Ironside, dont le cerveau avait cessé de fonctionner ». Les anciens de la 14-18 se montrent, à l'instar de Gamelin, ancien de l'état-major de Joffre à la Marne, ex-commandant héroïque d'une division d'infanterie à la bataille de Picardie en 1918, particulièrement incapables ou impuisssants dans la guerre-éclair.

Le général Villemin était, comme Hermann Göring, un as des as de l'aviation de toile et de bois, mais, en 1940, il n'avait pas assez d'avions. De Gaulle, promu général de brigade et sous-secrétaire d'Etat en 1940, défenseur des divisions cuirassées, avait, en août 14, franchi, lieutenant d'infanterie, le passage à niveau de Dinant sous la mitraille. Il avait longtemps lutté pour obtenir des chars mais, en 1940 ils étaient saupoudrés, au lieu d'être regroupés, sur toute la ligne française.

Les généraux allemands aussi sont des anciens combattants de l'autre guerre, mais ils sont en mesure de diriger avec efficacité et maîtrise l'invasion de la France. Heinz Guderian, le théoricien allemand des blindés nommé par Hitler en 1938 inspecteur des troupes rapides, était en 1914 officier de transmission. L'un des héros allemands de mai 1940, Erwin Rommel, chef de la VIIe *Panzerdivision*, ancien membre des SA en 1930, avait gagné comme officier d'infanterie l'ordre pour le Mérite en se battant sur l'Isonzo en 1918. Rommel et Göring sont les plus jeunes de la nouvelle équipe. Tous les généraux de Hitler sont des anciens de l'autre guerre, y compris l'amiral Dönitz, spécialiste de la guerre sous-marine dès 1916 et l'un des artisans de la reconstitution de la flotte de haute mer en 1934.

Les réflexions de Jünger dans *Le Boqueteau 125* montrent comment les anciens de la Grande Guerre ont réussi à mobiliser dans la Wehrmacht de 1939 les cent mille jeunes de 18 à 20 ans dont elle avait besoin pour vaincre, avec les nouvelles armes d'acier : ceux des écoles de vol à voile enrôlés dans la Luftwaffe, ceux des *Hitlerjungen* recrutés dans les Panzers. « Nous attaquerons en échelons sur des machines fabuleuses, écrivait Jünger le 1er juillet 1918, par des cercles de feu et par des avions blindés, dirigés par la télégraphie sans fil. » Il concevait déjà, en pleine défaite allemande, l'assaut de juin 40, l'adversaire « en chaos de ferraille », les « masses humaines désorganisées ». Cette « épreuve » démontrerait « clairement et incontestablement si une nation donnée mérite encore de vivre ou si, ayant fini de jouer son rôle, elle doit céder la place à une autre plus puissante et par là même meilleure ». Elle pourra ainsi gagner « un certificat définitif d'aptitude à édifier un Etat ». Il s'agit, pour la « civilisation », de montrer qu'elle « possède encore assez d'avenir et d'énergie pour mobiliser cent mille jeunes gens supérieurement intelligents et durs comme de l'acier, à qui s'offrent toutes les joies de la vie et qui, en faisant fi, considèrent leur propre mort comme un mal négligeable ».

Ces jeunes de la revanche, Hitler les a trouvés déjà rassemblés, déjà en partie recrutés dans l'armée, ou partiellement instruits, regroupés dans les puissantes associations paramilitaires de droite, dûment fanatisés, vêtus de noir ou de *feldgrau*, marqués dans les SA de la *swastika* aux branches coudées. Pour reprendre, avec d'autres armes, la même guerre, celle qui lui a valu personnellement la croix de fer de seconde puis de première classe, pour avoir sauvé au front un officier blessé.

*

Dans *Mein Kampf*, écrit dès 1924, Hitler ressentait d'autant plus durement la défaite de l'Allemagne que la constitution du IIe Reich avait été le résultat, en 1871, d'une campagne glorieuse. Une guerre perdue avait en 1918 défait l'Empire, livré le pays aux intérêts étrangers, à la « gangrène marxiste », permis à l'hégémonie française de se développer sur le continent, jusqu'à occuper la Ruhr en 1922, sans que l'Angleterre puisse l'en empêcher.

Avant 1914, la politique irréaliste de l'Allemagne l'avait conduite à s'allier à l'Etat « dégénéré » d'Autriche-Hongrie, qui s'apprêtait à devenir trialiste, en faisant leur part aux Slaves. L'assassinat de l'archiduc pro-tchèque François Ferdinand par un Serbe (Hitler avait d'abord cru au meurtre d'un illuminé pangermaniste) avait été la divine surprise obligeant la faible Autriche à soutenir l'Allemagne dans un combat perdu d'avance contre les peuples de la mer, parce qu'elle ne disposait sur le continent que de faibles alliés, comme la Bulgarie et la Turquie, alors que les pays industriels puissants s'étaient ligués contre elle. Le peuple allemand avait perdu la guerre « pour son existence sur le globe terrestre », il devait se préparer à se battre pour garder sa place en Europe.

Il ne s'agissait pas, poursuivait l'auteur de *Mein Kampf*, de retrouver les frontières de 1914, mais de rassembler tous les Allemands pour porter leur population à 250 millions d'hommes grâce à une extension par la force des armes vers les territoires de l'Est. Ainsi était-il « convaincu de la nécessité d'un règlement de comptes avec la France [...] comme une couverture de nos arrières pour l'extension en Europe de notre habitat ». Seule une alliance, ou une neutralisation de l'Angleterre devait permettre d'atteindre ce but. Hitler attendait Chamberlain et Munich.

La guerre contre la France était, dans son esprit, inévitable et déjà programmée. « On rassemblera, disait-il, toute notre énergie pour une explication définitive contre la France [...] à condition que l'Allemagne ne voie dans l'anéantissement de la France qu'un moyen de donner enfin à notre peuple toute l'extension dont il est capable. » La guerre serait rendue possible par le réarmement clandestin de la Reichswehr dont il découvrirait, en prenant le pouvoir en 1933, les heureux résultats. Pour convaincre de repartir en guerre « la grande foule moutonnière et stupide de notre peuple », il suffira d'axer la propagande sur le diktat de Versailles et les méfaits de « l'internationale juive » qui tient l'Allemagne en tutelle.

Car le nouveau combat de l'Allemagne est raciste, et non pas seulement national. Il a pour but de préserver et d'étendre la race allemande aux dépens des races inférieures, par exemple de la France, « péché contre l'existence de l'humanité blanche » qui favorise « la naissance d'un Etat africain sur le sol de l'Europe », d'un « immense territoire de peuplement autonome s'étendant du Rhin au Congo ». L'Allemagne « sera une puissance mondiale ou bien elle ne sera pas », non en englobant des populations inférieures comme les Slaves et les « Africano-Européens » dans son espace vital à égalité de droits, mais en les réduisant à merci pour faire place nette, en devenant la « puissance de la terre » dont parlent déjà les modernes géopoliticiens allemands, inspirateurs du futur Führer.

Cet espace n'est pas le rêve d'un illuminé, emprisonné pour tentative de putsch en 1924. Les armées allemandes du quartier-maître général Ludendorff l'occupaient effectivement huit ans plus tôt après l'écroulement de la Russie tsariste. L'état-major s'était bien gardé, lors de l'offensive vers l'Est du 18 février 1918, de marcher sur Moscou et Pétersbourg et de balayer le pouvoir bolchevik. Les unités n'avaient pas dépassé Minsk en Russie blanche, elles s'étaient arrêtées sur une ligne prédéterminée Narva-Pskov-Polotsk-Mohilev-Gomel. Le Baltikum, corps de von der Goltz, tenait la Baltique, Memel, Riga et Dantzig et la Finlande avec l'aide des volontaires de Karl Gustav Mannerheim.

Gardant sur le sol russe trente-sept divisions qui lui manqueraient cruellement dans ses offensives vers l'ouest, Ludendorff traçait un axe double de pénétration en direction des champs de blé et de pétrole. La Roumanie était conquise, son armée défaite. On lui attribuait la Bessarabie russe, riche en blé, pour l'arrimer à la machine de guerre allemande. Le financement des puits de pétrole roumains était à 56 % allemand, à 44 % austro-hongrois. La flotte anglaise du Danube était captive, utilisée par les vainqueurs. Un armistice était signé avec les Roumains le 5 mars 1918, qui livrait le pays à l'administration de guerre allemande.

L'armée poursuivait son avance vers les terres à blé d'Ukraine. Les dix-huit divisions du groupe Eichhorn occupaient Kharkov et la Crimée, puis Rostov-sur-le-Don pour empêcher toute descente des bolcheviks vers le Caucase. Si Ludendorff ne pouvait s'emparer des puits de Bakou, disputés entre les Russes, les Anglais et les Turcs, von Lossov investissait la Géorgie devenue comme l'Ukraine protectorat. Les Allemands affirmaient ainsi leurs prétentions sur le pétrole de Bakou, au moment où les Anglais affermissaient leur pouvoir sur les puits de l'Iran et occupaient l'Irak, engageant au Proche et au Moyen-Orient deux armées totalisant 400 000 hommes. Pétrole et blé, les objectifs géostratégiques de Hitler en 1941 étaient les mêmes que ceux de Ludendorff en 1918.

*

Ludendorff, dans ses offensives à l'Ouest, avait pour absolue priorité d'anéantir l'armée britannique, parce qu'il considérait la Grande-Bretagne comme sa principale ennemie. Battue en Picardie et dans les Flandres, elle n'aurait plus les moyens de défendre ses objectifs stratégiques en Orient. Quant aux Français, ils ne pourraient plus poursuivre la guerre sans leur allié et les renforts américains arriveraient trop tard.

Le même calcul est celui de Hitler en 1940. Il faut d'abord imposer la paix à l'Angleterre, avant d'entreprendre la conquête de la terre centrale jugée essentielle dans *Mein Kampf*. Quand échouent l'offensive aérienne de l'été et le projet de débarquement en Angleterre, il semble s'être efforcé en vain d'obtenir une paix séparée lors du parachutage de Rudolf Hess sur le territoire britannique. Il dut se retourner en juin 1941 contre l'Est sans avoir abattu la Grande-Bretagne.

La carte de guerre de 1918 se reproduit presque exactement en 1942 quand Hitler donne l'ordre, le 21 août 1941, contre l'avis de Guderian, de foncer vers l'Ukraine et le Caucase. « L'objectif le plus important, dit-il, n'est pas la prise de Moscou mais la conquête de la Crimée. » Moscou n'est pas prise, pas plus que Leningrad, mais la Wehrmacht occupe bientôt l'Ukraine, la Crimée, et le Donetz. La campagne d'été de 1942 porte les armées allemandes sur des chemins qui lui sont familiers, ceux du Caucase, par Rostov-sur-le-Don.

Comme en 1918, elles ne peuvent s'emparer des puits de pétrole de Bakou, malgré le renfort de divisions roumaines, italiennes, hongroises, et même slovaque et espagnôle, avec des régiments de volontaires norvégiens, danois, hollandais et flamands, sans compter les *Volksdeutsche* levés en Roumanie, en Hongrie, en Yougoslavie et en Pologne.

Comme en 1918, les Allemands avaient choisi d'être des prédateurs, et non des libérateurs. Dans les conquêtes d'Ukraine, de Crimée, et d'une partie du Caucase, ils n'avaient pas cherché à gagner la confiance des populations, mais à exploiter drastiquement l'*Ostland*. L'Ukraine occidentale était rattachée au gouvernement général du gauleiter Frank, bourreau de la Pologne. Koch était tout-puissant dans le reste du pays, comme Lohse dans les Pays baltes et la Biélorussie.

La germanisation des marches s'accompagnait de la confiscation des terres qui seraient un jour distribuées à des colons allemands, avant d'être exploitées par des esclaves slaves. L'essentiel de la production devait, dans l'immédiat, nourrir l'armée. Les mines et l'industrie, une fois remises en état, alimenteraient la machine de guerre du Reich.

L'offensive n'avait pas atteint tous ses objectifs. Les Waffen SS s'étaient rendus maîtres de Maïkop et de la raffinerie de Mouk, mais les Soviétiques avaient détruit toutes les installations. Les énormes réserves en grains des kolkhozes avaient été évacuées par bateaux sur la mer Noire. La main-d'œuvre manquait pour la mise en valeur économique de l'Est, parce que Fritz Sauckel avait recruté près de trois millions d'hommes et de femmes en Ukraine et en Russie blanche comme *Ostarbeiter* en Allemagne. Les Allemands avaient eu le temps de mettre le pays en coupe réglée.

La carte de guerre était bien la même au début de 1943 qu'en 1918, avec un projet de mise en exploitation de la sidérurgie d'Ukraine et une tentative d'appropriation des récoltes céréalières. Elle s'était étendue à toute l'Europe balkanique, les Anglais n'ayant pas réussi à tenir la Grèce. Les Croates pro-nazis avaient contribué à réduire les Serbes antiallemands. Les Bulgares et les Roumains avaient rejoint le camp de l'Axe, même si le gouvernement bulgare s'était refusé à combattre physiquement les Russes qui jadis avaient libéré le pays des Ottomans. Cette fois l'Italie mussolinienne, hostile à Berlin en 1918, avait contribué à la conquête allemande, en s'emparant de l'Albanie. Il ne manquait à l'hégémonie que la Turquie, restée neutre. De la Baltique à la Méditerranée et à la Caspienne, l'Europe était allemande.

De la Manche et de l'Atlantique à la Volga, la machine industrielle tournait à plein régime. Les rêves des pangermanistes étaient dépassés. Les nazis ne disposaient pas seulement du charbon belge, comme en 1918, mais de toutes les mines françaises. Renault fournissait la Wehrmacht en chars et en camions, Citroën en automobiles. Les firmes françaises d'aéronautique équipaient la Luftwaffe. L'Allemagne n'exploitait en 1918 que dix départements français. Elle comptait à partir de 1942 sur la totalité des ressources du territoire entièrement occupé, en partie annexé. Dans l'affrontement trentenaire franco-allemand déchaîné en 1914, la France de 1942 avait entièrement perdu son indépendance. Le drapeau de la

France libre ne flottait qu'à Londres, dans les colonies d'Afrique équatoriale, et dans les possessions du Pacifique.

La France occupée contribuait à un effort de guerre allemand sans précédent, organisé dans toute l'Europe par Albert Speer à partir de 1943. Les Allemands fabriqueraient alors deux fois plus de chars que les Britanniques, bien qu'ils aient mobilisé cinq millions et demi d'hommes. Ils avaient recours largement à la main-d'œuvre forcée étrangère, déportée en Allemagne par Sauckel, aux wagons, aux locomotives, aux machines-outils d'un continent. 800 000 des 1 500 000 cheminots allemands étaient des étrangers. Huit millions d'étrangers européens travaillaient en Allemagne au début de 1945, dont deux millions de femmes, sans compter les prisonniers de guerre et les déportés. Plus de 600 000 travailleurs français avaient pris le chemin du Reich, au titre du STO.

En 1914 déjà, les Allemands utilisaient dans leurs usines des travailleurs forcés saisis dans les régions occupées, mais à une échelle infime. Le conflit déchaîné en août 1914 avait abouti en 1942 à cet anéantissement de l'Europe, à cet esclavage industriel généralisé. Au prix de semaines de travail imposé de 90 heures, 3 000 avions par semaine sortiraient des usines allemandes en 1944, trois fois plus qu'en 1942.

Pour obtenir la victoire programmée du Reich, une immense machine de guerre s'était mise en place, où figurait plus que jamais Alfred Krupp, dans le Conseil de l'armement. Elle se croyait capable, grâce aux nouveaux chars, aux avions à réaction et aux armes nouvelles, d'obtenir encore la victoire. L'Allemagne de Hitler était allée jusqu'au bout des plus folles ambitions du Reich wilhelminien. Elle menait la même guerre, utilisant les mêmes cartes, avec des moyens techniques considérablement accrus.

*

Le reproche fait par Hitler à Guillaume II dans *Mein Kampf* n'était pas d'avoir engagé les Allemands dans la guerre, mais de les avoir exposés à la défaite par une politique étrangère « inepte » qui attachait l'Allemagne à un « Etat-momie ». L'Autriche-Hongrie était un mauvais allié. Sans l'attentat de Sarajevo, elle ne se serait pas laissé entraîner dans la guerre et l'empereur d'Allemagne, une fois encore, l'aurait empêchée de risquer un conflit contre les Serbes. En vérité, Guillaume II lui-même avait penché vers la guerre bien malgré lui, toutes les forces de la nouvelle Allemagne le poussant seulement à la victoire économique, maritime et coloniale dans le monde. Une compétition qui malheureusement déchaînait l'hostilité implacable de la Grande-Bretagne, le seul allié « racial » de l'Allemagne.

Il n'était jamais trop tard, expliquait l'auteur de *Mein Kampf*, pour s'allier à la Russie contre l'Angleterre, mais, dans ce cas, il fallait lâcher résolument l'Autriche, « Etat malade » de l'Europe. Hitler ferait son profit du réalisme bismarckien en concluant l'alliance de 1939 avec Staline qui lui permettrait de liquider les démocraties de l'Ouest à peu de frais. Il se fournirait en blé et en fer en URSS grâce à des accords économiques avec les soviets qui, jusqu'au dernier moment, veilleraient à l'acheminement régulier des convois ferroviaires vers l'Allemagne. Il consentirait à fournir aux Soviétiques non sans parcimonie des procédés de fabrication aussi pointus que des laboratoires balistiques, des usines d'essence synthétique, des prototypes d'avions et de canons.

En échange, Staline lui accorderait une base navale près de Mourmansk pour acheminer vers l'URSS sur des navires de commerce américains, japonais et hollandais, l'étain et le caoutchouc de Malaisie. Molotov promettrait de fournir 900 000 tonnes de pétrole et d'énormes quantités de minerai de fer à faible teneur, des milliers de tonnes de denrées alimentaires, de graisses, de bois et de peau pour faire tourner la machine de guerre allemande.

Ces livraisons considérables permettraient d'achever de sortir hâtivement des chaînes des usines de guerre les blindés des dix *Panzerdivisionen* qui feraient la conquête de la France. En outre, les accords militaires autoriseraient les Allemands à étrangler la Pologne en quelques jours et les Soviétiques à écraser la courageuse résistance des Finlandais du maréchal Mannerheim. Hitler consentirait, pour le bien d'une alliance qui lui garantît la victoire, à laisser disparaître ses alliés naturels que les démocraties occidentales seraient impuissantes à soutenir. Seul Mussolini aiderait Mannerheim en lui expédiant quelques avions. Les nazis le laisseraient mourir.

Ainsi la seconde guerre, conçue par Hitler, prétendait corriger les erreurs de la première en éliminant la principale cause de la défaite : le combat à mener sur deux fronts. Il avait partiellement réussi ce que le plan du général von Schlieffen, chef d'état-major de l'armée allemande, avait souhaité en 1906. Contrairement à von Moltke, qui voulait attaquer d'abord la Russie, Schlieffen, arguant de la mise en place plus lente des masses russes avait prévu d'anéantir en peu de jours l'armée française concentrée dans le Nord-Est, en envahissant la Belgique neutre pour organiser un vaste mouvement de faux.

Les élèves officiers de la nouvelle armée allemande étudiaient encore, dans les années 1970 à l'Ecole de Hambourg, les causes de l'échec du plan Schlieffen. Hitler y songeait-il quand il imposait ses vues offensives à son état-major ? Il avait réussi, par la percée sur la Meuse, à mettre la France à genoux en un mois d'opérations. Il avait les mains libres pour se retourner contre l'Est, étant maître de toute l'Europe continentale.

L'Angleterre avait pu à grand-peine rembarquer, sans le matériel, l'essentiel de son corps expéditionnaire à Dunkerque, mais elle n'avait nullement les moyens d'envisager un débarquement en Europe. Quant aux Etats-Unis, comme en 1914, ils avaient élu sur un programme de paix un président démocrate qui n'avait aucune intention d'intervenir. Hitler se trouvait, à peu de frais, grâce au succès de la *Blitzkrieg*, soudainement débarrassé de la France, « l'ennemi mortel, l'ennemi impitoyable du peuple allemand ».

L'heure du règlement de comptes avec l'Est et de la conquête du *Lebensraum* était venue. Dans le chapitre « Orientation vers l'Est ou politique de l'Est » de *Mein Kampf*, Hitler explique que la restauration des frontières de 1914 ne saurait être un but politique, car elles étaient seulement « le résultat des jeux du hasard » et ne garantissaient ni la sécurité du peuple allemand, ni son expansion vers un statut de grande puissance que seul le rapport territoire-population pouvait donner. C'était un trop maigre résultat que de verser le sang allemand dans une guerre de revanche pour rectifier le traité de Versailles. « Dans l'ivresse d'un pareil succès, si dénué de portée qu'il soit, on renoncerait d'autant plus volontiers à s'imposer de nouveaux buts que "l'honneur national" aurait reçu réparation et que quelques nouvelles portes se seraient ouvertes, au moins pour un certain temps, au développement commercial. » Les grands intérêts allemands, après la victoire éclair de 1940 sur la France, souhaitaient-ils rien d'autre qu'une paix précipitée avec l'Angleterre dont le Führer lui-même affirmait qu'elle n'était pas « l'ennemi de race » de l'Allemagne ?

Pendant plus d'un an, de juin 1940 au 22 juin 1941, le monde retient son souffle. Aucune opération importante de la Wehrmacht n'est réalisée en Europe. L'Allemagne est-elle disposée à camper sur l'espace conquis, à offrir la paix à l'Angleterre ? Restera-t-elle fidèle au pacte germano-soviétique qui assure une sorte de partage continental ? Hitler renoncera-t-il à ses objectifs à l'Est ?

*

« Un règlement de comptes avec la France, avait-il écrit, demeurerait inefficace si nos buts de politique extérieure se bornaient à cela. » La victoire en France ne peut être qu'une « couverture de nos arrières pour l'extension en Europe de notre habitat ». Il s'agit d'acquérir à l'Est un « territoire de peuplement », de renoncer à toute idée d'expansion coloniale ou commerciale et de parvenir au statut de puissance mondiale auquel l'Allemagne n'a encore jamais pu prétendre que par l'*Ostpolitik* de conquête territoriale, pour disposer d'un espace comparable à celui des Etats-Unis. « Nous commençons, dit Hitler, là où l'on avait fini, il y a six cents ans. »

Le modèle d'occupation territoriale est donné par la zone tenue par l'armée allemande après le traité de Brest-Litovsk et la marche vers l'Ukraine et le Caucase des unités de Ludendorff en 1918. Les rêveries de *Mein Kampf*, assorties d'un commentaire racial inusité et de références historiques vagues, entrent dans le moule d'une organisation très précise des territoires de l'Est mise en place après le deuxième traité de Brest-Litovsk signé le 28 août 1918.

Non seulement la Pologne russe mais l'Ukraine étaient alors menées par la direction de la guerre. Ludendorff affirmait déjà son intention d'organiser les terres conquises en espace de colonisation, d'y installer des colons dotés de capitaux et de moyens de culture. Le bureau économique du général Groener[1], qui avait dirigé en 1916 l'économie de guerre allemande, comprenait un directeur de Krupp, Wiedfeldt, chargé de remettre en marche les mines et les

1. Le général Groener avait apporté en 1918 l'aide de l'armée au socialiste Ebert pour réprimer la révolution en Allemagne. Il serait de 1928 à 1932 ministre de la Guerre et de l'Intérieur dans le cabinet Brüning.

aciéries. La bureaucratie de l'Est était directement rattachée à celle de Berlin. Une « Société pour la mise en valeur du sol et des industries de l'Ukraine » avait été mise sur pied pour inventorier les ressources en fer, mercure, manganèse et autres minerais stratégiques.

Les experts avaient lancé des missions d'enquête. Une société avait été spécialement créée pour raccorder au gabarit allemand les voies ferrées russes. Le travail forcé permettrait d'assurer rapidement le remplacement des rails. Les locomotives viendraient d'Allemagne et le bassin houiller du Donetz fournirait l'énergie nécessaire. Ludendorff promettait d'en rendre seulement une partie aux Russes, et demandait un tiers du pétrole de Bakou.

Les vues de Hitler sur l'espace vital de l'Est étaient donc partiellement la reprise d'une ambition allemande déjà affirmée sur le terrain par le quartier-maître général Ludendorff. Il ne croyait pas pouvoir poursuivre la guerre sans le fer et le blé d'Ukraine, le pétrole de Ploiesti et de Bakou. La conquête continentale était donc la clé de la victoire allemande, ou, comme le dit Hitler, de la sécurité du peuple allemand. *Mein Kampf*, de ce point de vue, est la reprise des ambitions du haut état-major de la fin de la guerre, quand l'Allemagne avait pu, en engageant seulement dix-huit divisions, conquérir, dans la débâcle du bolchevisme, un espace inespéré. Cet espace, Hitler le revendique avec force, sans mettre en avant la seule justification idéologique ou raciale, d'un point de vue d'abord géostratégique, comme si la conquête allait de soi.

Par rapport à cette orientation, les buts de guerre du chancelier allemand de Bethmann-Hollweg, affirmés dans une lettre au ministre de l'Intérieur Clemens von Delbrück le 9 septembre 1914, sont très différents. Alors qu'il ignore encore le reflux allemand de la Marne sur l'Aisne, le Chancelier s'intéresse presque exclusivement à l'Ouest. A l'Est, il n'exige que la création d'un Etat-tampon entre l'Allemagne et la Russie. On peut penser, comme l'historien français Jean-Baptiste Duroselle, que ces revendications sont celles d'un homme politique qui estime la victoire proche, ou avec l'historien allemand Fritz Fischer que Bethmann-Hollweg reprenait des buts de guerre affirmés par les milieux économiques dès avant la guerre. Il est de fait que le pouvoir impérial les a maintenus jusqu'au bout : ils supposaient l'annexion du bassin français de Briey, du versant occidental des Vosges, des places de

Belfort et Longwy, des Hauts-de-Meuse, de la côte de Dunkerque à Boulogne. Il était également question de la cession à l'Allemagne du Congo qui deviendrait le centre d'un vaste empire colonial allemand en Afrique.

Quand la défaite allemande sur la Marne est connue à Berlin le 10 septembre 1914, le nouveau général en chef Falkenhayn, qui succède à Moltke II, demande au chancelier s'il est possible de conclure la paix avec la France ou avec la Russie. Il ne veut plus continuer à se battre sur deux fronts, n'étant plus sûr de remporter la victoire. Les ambitions du milieu économique allemand s'opposent alors à toute concession. Le programme rédigé à l'intention de l'état-major par le professeur Schumacher maintient l'annexion de Toul, Verdun, Belfort, Briey, étend les revendications au bassin houiller du Nord et de toute la côte jusqu'à l'embouchure de la Somme : c'est approximativement le tracé de la « zone interdite » imposée par Hitler à Vichy en 1940.

Ces vues ne sont absolument pas conformes aux ambitions de Hitler affirmées dans *Mein Kampf*, parce qu'il ne s'intéresse pas alors exclusivement aux visées du commerce, de l'industrie lourde et qu'il n'envisage pas la création d'un espace économique à l'ouest et aux colonies. Les ambitions de Gwinner, directeur de la Deutsche Bank, inspirateur de la *Mitteleuropa*, une vaste union douanière comprenant autour de l'Allemagne la France, la Belgique, la Hollande, le Danemark et l'Autriche-Hongrie, ont pu inspirer le chancelier allemand de 1914 qui demandait la vassalisation de la Belgique et l'annexion du Luxembourg. Mais, pour Hitler, l'occupation de la France et de la Belgique industrielle n'implique pas une révision des frontières, même s'il fait abattre par les généraux de la Wehrmacht, contrairement aux stipulations de l'armistice de juin 1940, les poteaux de l'Alsace et de la Lorraine, il ne conçoit de colonisation que dans la Lorraine allemande, l'Alsace étant réputée terre du Reich. Les pays de l'Ouest sont certes occupés provisoirement par la carte de guerre, mais c'est vers l'Est que se porte surtout l'annexionnisme allemand.

*

De la sorte, l'invasion de l'URSS se rapproche plus du plan offensif de Ludendorff que des buts de guerre traditionnellement affichés par les gouvernements allemands successifs pendant le premier conflit mondial. En 1918 l'Allemagne a besoin d'essence pour ses camions et ses avions, encore plus en 1941 : il est inévitable que l'Est, riche en blé et en pétrole, intéresse en priorité les planificateurs de la guerre. Le blocus anglo-saxon des mers en 1918, et de nouveau en 1942 impose la maîtrise du blé et des terres continentales. L'Allemagne ne peut vaincre qu'au prix d'une conquête de l'Ukraine, de la Roumanie et du Caucase.

Hitler ajoute à ses mobiles stratégiques des raisons idéologiques. Il rejette, dans *Mein Kampf*, toute possibilité d'alliance avec la Russie bolchevique alors considérée comme mûre, dit-il, pour l'effondrement, menée par la « lie de l'humanité », ces bolchevistes dont la doctrine peut encore infester l'Allemagne, si elle ne prend soin de les détruire.

L'accord germano-soviétique de 1939 ne peut être, pour Staline comme pour Hitler, qu'une opportunité momentanée. Staline l'utilise pour occuper sans coup férir les Etats baltes où il crée de nouvelles Républiques inféodées à Moscou, dirigées par des commissaires politiques, occupées par l'Armée rouge. La victoire de Joukov sur les Japonais en Mongolie avait permis au maître du Kremlin de se rapprocher du Japon, qui préparait son entrée en guerre et voulait avoir les mains libres sur les rives du Khalkhin Gol. L'avancée des Russes en Finlande et leurs visées sur la Baltique irritaient autant Hitler que leurs prétentions affichées contre la Bulgarie et la Roumanie.

Dès le 21 juillet 1940, il avait jeté les bases du plan Barbarossa d'invasion de la Russie. Von Brauchitsch avait reçu l'ordre d'y préparer les unités. Le 29 juillet, il avait réuni les officiers du grand quartier général pour leur donner la date de l'assaut : le printemps de 1941 au plus tard. Le général Marks, dont les blindés avaient fait le plein de munitions le long de la frontière de l'Est, était chargé des premiers plans. Le 9 août, le général Walrimont était officiellement nommé à la tête de la force d'intervention.

Dès le 26 août 1940 avait commencé le transfert vers l'Est des divisions de l'Ouest. Le 5 décembre, l'ordonnance n° 21 fixait le jour du départ au 15 mai. La date n'avait été retardée au 21 juin qu'en raison des campagnes préalables de la Wehrmacht en Yougoslavie et en Grèce, rendues nécessaires par la menace que les Britanniques pouvaient faire planer sur l'Europe méditerranéenne.

L'ouverture de la carte de guerre à l'Est, presque immédiatement décidée après la victoire à l'Ouest, montrait que la stratégie de Hitler restait en tous points conforme à celle de Schlieffen en 1914. L'Angleterre impuissante était isolée, l'Amérique restait neutre obstinément. L'heure était venue d'agir à l'Est. La victoire acquise plus rapidement que prévu en France rendait immédiatement caduc le pacte germano-soviétique. Hitler pouvait habiller la guerre d'un appareil idéologique, la représenter comme une entreprise d'élimination sans pitié du bolchevisme, comme une victoire continentale au demeurant conforme à la recherche de l'espace vital annoncée par *Mein Kampf*.

Sur ce point seulement elle se distinguait de la politique impériale, qui n'avait jamais envisagé aux dépens du tsar, cousin du Kaiser, époux d'une princesse allemande, une sorte de reprise du *Drang nach Osten* des chevaliers teutoniques. Hitler innovait, en poussant l'esprit de guerre jusqu'à ses limites ultimes, la conquête du continent. « Assurer au peuple allemand le territoire qui lui revient en ce monde. Cette action est la seule qui justifie de faire couler le sang. »

Il tournait le dos aux ambitions occidentales, marchandes et africaines bien vues à l'ancienne Deutsche Bank, mais reprenait à son compte la reconstitution de l'espace militaire et colonial européen déjà occupé en 1918 par les armées de Ludendorff. Ainsi les deux guerres avaient-elles une continuité manifeste, même si elles avaient changé de buts et d'idéologie, même si la deuxième était conduite par un esprit immensément rétrograde, qui ne croyait guère, pour l'avenir de la race allemande, qu'à la conquête du sol et à l'asservissement, et pas du tout à l'expansion mondiale, fût-elle impérialiste, du commerce.

Où conduirait-il son pays ? Jusqu'au bout de la nuit où sombrait l'humanité. Il entraînait même les officiers de l'ancienne armée allemande dans cette guerre à l'Est qui devait être aussi son tombeau. Car le succès de l'opération ne tenait pas qu'à la stratégie. Les Allemands entreraient dans des villes entièrement aux mains des soviets, purgées de leurs opposants par les moyens les plus brutaux, les plus sanguinaires. Contre l'envahisseur, le parti communiste développerait une propagande de résistance, animerait une lutte à mort. Qu'ils le veuillent ou non, les généraux allemands auraient devant eux l'appareil idéologique d'un Etat qui avait refusé d'adhérer aux accords internationaux de Genève sur le traitement des prisonniers. Comme l'empereur du Japon, Staline n'imaginait pas qu'il pût y avoir des prisonniers de l'Armée rouge en Allemagne. Il s'apprêtait à les considérer comme des déserteurs et à frapper leurs familles rendues responsables de leur indignité. Hitler comblerait ses vœux : deux millions et demi d'entre eux mourraient de faim et de maladie dans les camps.

« La lutte qui va s'engager est une lutte d'extermination » prévient Hitler. Rien de comparable aux campagnes glorieuses de Hindenburg contre les généraux du tsar. D'entrée de jeu, le 13 mai 1941, quelques semaines avant l'opération Barbarossa, les généraux allemands reçoivent un nouveau décret relatif à la juridiction militaire en temps de guerre. Il précise les « mesures spéciales à exécuter par les troupes ». Une directive de Hitler, publiée le 6 juin, contient des instructions relatives aux commissaires politiques. L'armée doit isoler et exécuter immédiatement les responsables bolchevistes. Plus de conseils de guerre ni de cour martiale. Pas plus d'égards pour la population civile. Les actes délictueux commis par les soldats à l'égard des habitants ne seront pas nécessairement sanctionnés. Les généraux, recommande le Führer, doivent faire preuve d'un « manque total de pitié ».

Brauchitsch et Halder tentent d'atténuer les instructions, redoutant qu'elles n'engendrent des désordres, mais ils ne démissionnent pas. Henning von Tresckow prétend sauver l'honneur de l'armée en protestant. Mais que peut le simple chef d'état-major d'un Fedor von Bock ? Avec Berndt von Kleist et le baron Rudolf-Christoph von Gersdorff, ces officiers contestataires risquent une démarche auprès d'un général adjoint de Brauchitsch qui les éconduit. A cela se borne, pour l'heure, la résistance au sein de l'armée.

Dès lors les massacres peuvent se perpétrer, sous le couvert de la Wehrmacht. En attendant l'entrée en action des *Einsatzgruppen* de Himmler, qui expérimentent en Ukraine les camions à gaz contre les communistes et les Juifs, avant d'ouvrir les camps d'extermination où les ingénieurs et employés des chemins de fer allemands devaient convoyer les six millions de Juifs d'Europe promis par la conférence de Wannsee à la mort programmée.

*

Sans doute l'ancien chancelier Schmidt a-t-il raison de dire, quand on lui parle de l'exposition itinérante sur les crimes de la Wehrmacht qui a parcouru l'Allemagne en 1999, qu'il ne faut pas « inculper dix-huit millions de soldats de la Wehrmacht de crimes contre l'humanité ».

Sans doute les SS et non la Wehrmacht étaient-ils présents à Auschwitz, mais combien d'exécutions sommaires et de crimes de guerre dans tous les pays occupés de l'Est, dans les Balkans, dans toute l'Europe, commis sous l'autorité de la Wehrmacht ? Les maréchaux von Reichenau et von Manstein estimaient que les opérations antijuives en Russie étaient des représailles nécessaires dans la guerre des partisans animée à l'arrière du front par Staline. Les commandos spéciaux étaient chargés de leur élimination. La lutte contre le communisme remplaçait dans la propagande, pour expliquer les exécutions sauvages d'une colossale ampleur prises par les officiers allemands contre les populations suspectes d'aider les partisans, ce que les simples mesures contre-terroristes des officiers prussiens occupant la Belgique et la Lorraine en 1914 à une échelle infiniment plus modeste il est vrai, ne suffisaient plus à couvrir. L'alibi du communisme et de la longue série de massacres de l'Armée rouge dans la guerre civile était passé par là. Il était constamment utilisé dans la propagande au front.

La résistance à Hitler ne pouvait venir d'abord que des officiers de l'armée allemande. Il est vrai que Hitler a liquidé nombre de généraux prussiens hostiles ou simplement suspects. Il n'a pas tardé à placer le général nazi Keitel (que ses ennemis appelaient le laquais) à la tête de l'OKW. Il est vrai que les tentatives de complots des officiers résistants ont été nombreuses et infructueuses, et que l'ancien nazi Rommel lui-même a fini par s'insurger, au péril de sa vie, contre l'ordre noir. Il reste que la logique de l'engagement de l'armée au sein du régime l'a conduite progressivement à accepter, sinon toujours à participer, à sa politique d'extermination raciale particulièrement meurtrière dans l'Est.

Un von Tresckow discuterait avec Himmler du nombre des SS dont il aurait besoin en Russie pour « nettoyer » les régions occupées. Sans doute parce qu'il ne voulait pas que l'armée assure le « sale boulot ». Mais il tolérait Himmler, il reconnaissait son rôle. Un Arthur Nebe, l'un des conjurés du putsch raté contre Hitler en

1938, semble bien l'un des premiers commandants de l'*Einsatzgruppe B* responsable en 1941 de 40 000 morts dans la région de Smolensk et de Biélorussie. Un Rommel, victime de la répression nazie contre les conjurés du complot de juillet 1944, honneur de l'armée allemande, ancien combattant glorieux d'Italie en 1918, attachait en 1940 les prisonniers français sur ses chars, pour avancer aisément sur les routes de Normandie pendant la période de négociation de l'armistice, comme l'atteste la première version non expurgée de ses Mémoires. Un Friedrich Paulus, officier d'infanterie comme Rommel pendant la Première Guerre mondiale, reste en fonction dans la Reichswehr pendant les années 20 et le régime nazi assure sa promotion au grade de général en 1939, puisqu'il est nommé en 1940 premier quartier-maître général à l'OKW. Peut-il ignorer les exactions de la Wehrmacht dont il commande une armée sur le front russe ?

Hitler sait qu'il peut compter sur lui pour tenir jusqu'au bout à Stalingrad et le nomme feld-maréchal le 29 janvier 1943, deux jours avant sa capitulation. Utilisé et recyclé par les Soviétiques, il prend la parole en août 1944 pour appeler le peuple allemand à la résistance contre Hitler. Il est cité comme témoin à charge au tribunal de Nuremberg et libéré dès 1953. Ainsi les généraux les moins prussiens de l'état-major, ceux qui devaient le plus au Führer pour leur carrière, ont-ils été généralement absous après 1945 par les Alliés sur ce point d'accord de tout soupçon de nazisme, de toute participation, de loin ou de près, aux crimes de guerre.

Le cas le plus singulier d'absolution est celui de von Rundstedt. Cet ancien officier de la Grande Guerre commandait la 3ᵉ division de la Reichswehr à Berlin en 1932. Homme lige de von Papen qui devait introduire Hitler dans les milieux dirigeants allemands et nommé commandant de la circonscription militaire de Berlin, il avait donné des gages politiques certains en appuyant le renversement du gouvernement social-démocrate de Prusse, qui faisait obstacle aux nazis. S'il était démissionnaire en 1938, c'est qu'il refusait la mainmise des créatures du nazisme, jugées incapables, sur l'état-major. Rappelé en activité, répondant aussitôt présent au nom de la discipline due à l'Etat, il ne refusait pas de commander les armées opérant au sud de la Pologne, ni de mettre la main au plan de son adjoint von Manstein, imposé par Hitler, d'invasion de la France. Commandant le front méridional en Russie, il avait refusé pour des raisons seulement stratégiques le plan d'offensive d'automne conçu en 1941 par Hitler. De nouveau démissionnaire, il avait repris du service à l'Ouest pour lutter contre les forces alliées de débarquement en 1944.

Serait-il, comme Rommel, absous en raison de ses démissions successives ? Elles n'étaient dues, en fait, qu'à son opposition de technicien supérieur de l'état-major aux décisions du caporal-amateur qui opprimait l'OKW. On le vit quand il refusa de se joindre à la conjuration de juillet. Il accepta de faire partie avec Guderian du tribunal d'honneur qui livrait ses collègues à la Gestapo et aux « tribunaux du peuple ». Fait prisonnier par les Anglais, le dernier général en chef de Hitler, le vaincu de la bataille des Ardennes fut interné en 1945 et libéré par les Britanniques dès 1949.

On considérait donc, à l'évidence, que les militaires allemands de haut rang qui avaient obéi, même en Russie, aux ordres du régime nazi n'étaient que les continuateurs d'une guerre nationale, engagée jadis par le Kaiser, qu'ils ne servaient pas Hitler, même s'ils lui devaient leur carrière, même s'ils l'avaient aidé puissamment de tout leur pouvoir et de leur compétence, mais bien la patrie allemande, celle de Hindenburg et de Ludendorff.

Ce n'est sans doute pas seulement pour sa participation au complot de juillet que Rommel fut absous, mais aussi peut-être parce qu'il avait été l'adversaire malheureux, pourtant pugnace et loyal, de Montgomery dans la moderne expédition d'Egypte. Il avait, par l'éclat de sa propre campagne, grandi son adversaire et rétabli l'*Union Jack* dans toute sa gloire au Caire. Cela seul méritait des égards.

*

Le ralliement de la Reichswehr à Hitler était l'événement décisif qui rétablissait le fil de l'histoire coupé par les accords de Locarno, l'entrée de l'Allemagne à la SDN, grâce au « pacifisme » de Stresemann, alors condamné par les nazis. Réduite à cent mille volontaires par le traité de Versailles, elle avait été prise en main par von Seeckt et orientée délibérément dans une direction nouvelle, celle de la primauté de la technique et de la mobilité.

Son rôle politique, après l'armistice, n'était pas négligeable. Elle avait été utilisée par le social-démocrate Noske, auteur de la loi du

6 mars 1919 qui créait la Reichswehr. Elle avait permis de liquider les spartakistes à Berlin, pendant que les corps francs guerroyaient à l'Est contre les bolchevistes. Von Seeckt, qui avait été placé par les socialistes à la tête de l'armée, était le général qui s'était emparé de Riga en mai 1919 après une brillante manœuvre.

L'intervention de Wilson dans la négociation d'armistice avait eu pour conséquence l'absolution inattendue du personnel militaire et de l'empereur par l'opinion allemande. Le Président américain, lors des négociations de l'armistice, exigeait leur départ, avant de signer. Ludendorff avait démissionné, Guillaume II était parti en exil. Ils n'étaient donc en rien considérés par l'opinion allemande nationaliste comme les responsables du *Diktat* de Versailles. La propagande extrémiste en accuserait bien plus volontiers les « traîtres juifs », socialistes et communistes ou pacifistes.

Hindenburg, vieille gloire de Tannenberg, était resté en poste seulement pour assurer, victime du devoir militaire, le sauvetage de l'armée en retraite. Recourant aux services des officiers prussiens contre les communistes, les sociaux-démocrates n'avaient pas manqué de saluer le mérite militaire. Le chancelier socialiste Ebert avait lui-même harangué les troupes de Berlin, les proclamant « invaincues ». Il avait fait graver sur le monument élevé à la gloire des étudiants berlinois morts au combat l'inscription « *invictis victi victuri* ». L'armée n'avait pas pour seul objet d'assurer l'ordre social, mais de préparer la revanche.

Telle était la tâche assignée aux 4 000 officiers triés sur le volet, héros des champs de bataille des Flandres et de Picardie, de Russie et d'Italie : reconstruire une armée avec des armes et des principes tactiques nouveaux, mais ancrée sur le prussianisme aristocratique du corps des officiers plus que jamais indépendant de la politique. La loi militaire de 1921 a bien supprimé le grand état-major, selon l'exigence du maréchal Foch. Mais le luthérien von Seeckt, qui a le culte de l'Etat fort et centralisé, substitue aux quatre armées distinctes de jadis, obéissant individuellement à l'empereur, un organisme unique, aux ordres du président du Reich et organisé avec méthode par le *Chef der Heeresleitung*. Il devient ainsi le responsable de l'ordre en Allemagne.

L'armée, grâce à von Seeckt, reprend rapidement la situation en main. La Reichswehr devient un Etat dans l'Etat. L'état-major reparaît sous la forme d'un corps fermé, exclusivement militaire, qui regroupe toutes les directions, le *Truppenamt*. Von Seeckt lui impose d'abord le culte de la technique. Il écarte les agités, les nationalistes bouillonnants et intransigeants, ceux qui ont suivi, avec Hitler, Ludendorff et von Lüttwitz dans leurs tentatives de putsch. Il garde les officiers de valeur totalement apolitiques, mais foncièrement anticommunistes, les fidèles de Hindenburg, ceux qui ne cherchent que le redressement de l'Allemagne dans la patience, mais aussi l'obstination.

Il introduit dans l'état-major de la Reichswehr cent quatre-vingts officiers d'aviation qui font construire des prototypes essayés en Russie, selon des accords secrets conclus avec les bolchevistes. Les jeunes apprennent à devenir pilotes dans les prétendues écoles de vol à voile, déclarées associations sportives. Von Seeckt engage un officier prussien, fils de général, Heinz Guderian, pour étudier le problème des blindés auxquels Ludendorff avait eu le grand tort de ne pas croire en 1918. En 1929 Guderian demandera la création d'une brigade de chars autonome, agissant en étroite synchronisation avec l'aviation et l'infanterie d'assaut.

La guerre change de caractère, elle s'appuie sur une logistique beaucoup plus importante qui exige rationalisation, planification, concours étroit avec la recherche industrielle et avec les forces productives. La liaison est constamment établie avec les responsables industriels pour étudier la mise en fabrication rapide des armements les plus récents dès que l'ouverture politique le rendra possible. C'est en 1927 que la firme Krupp achète un tiers des actions de la firme suédoise de canons antiaériens à tir rapide Beaufor. En 1929 l'étude des prototypes est achevée. En 1932, von Schleicher, ministre de la Reichswehr, a imposé *l'Umbau*, le plan de réorganisation de l'armée. On peut passer à la phase suivante du réarmement et du rétablissement du service militaire. Hitler y pourvoira.

Le seul obstacle du traité de Versailles est en effet la limitation des effectifs et l'interdiction des armes lourdes. Il a été tourné sur tous les points, sauf pour la mise en fabrication de masse qui exige la révision des accords internationaux. En 1930 l'industrie est prête. La rationalisation est accomplie dès *avant* la crise de 1929, au prix de deux millions de chômeurs en Allemagne. L'industrie lourde, dont les débouchés mondiaux se rétrécissent par l'autarcie des grands ensembles, attend avec impatience les commandes du réarmement.

Elle s'est organisée pour peser d'un poids prépondérant sur le pouvoir politique, soutenue, après 1926, par Hindenburg élu à la présidence du Reich. « Nous avons l'industrie ! » s'était écrié von Seeckt quand il avait appris la réduction drastique de l'armée allemande par le traité de Versailles en 1919. Groupées dans l'Union nationale de l'Industrie, les firmes se concentrent, leurs représentants au Parlement s'allient aux agrariens pour constituer des groupes de pression dès les années 20. Les grandes entreprises sont sorties enrichies de la crise monétaire et financière des années 1921-1923. Elles tirent profit de l'inflation en accroissant les ventes à l'étranger payables en devises fortes, non rapatriées en Allemagne et décident de traiter directement avec les alliés en commercialisant la dette pour sortir du drame de l'occupation de la Ruhr. Elles maintiennent intact le matériel économique tout en pulvérisant les institutions paritaires mises en place avec les syndicats en 1918.

Le docteur Schacht a restauré le mark quand von Seeckt redressait la Reichswehr, profitant largement des crédits anglo-saxons. Le retour de la confiance internationale a permis de lancer avant la crise de 1929 dans l'industrie le programme de rationalisation destiné à l'exportation, car le marché intérieur allemand était incapable d'absorber les excédents de produits finis. Les bons esprits prophétisaient le retour de l'Allemagne sur la scène mondiale grâce à son modèle de production planifiée, de mobilisation industrielle totale qui annonçait celle du régime nazi. L'AEG assurait la distribution de l'électricité à tout le pays, l'IG Farben tenait l'ensemble du marché des produits chimiques, comme Siemens pour le matériel électrique.

*

Le traité de Versailles n'avait pas gravement affaibli la capacité industrielle de l'Allemagne, amputée cependant du dixième de sa population d'avant 1914 et du huitième de son territoire, même si les Français avaient fait main basse sur les brevets de la chimie rhénane, et occupé les mines de la Sarre, administrée par la Société des Nations.

Même si les Polonais devaient utiliser la houille de Haute-Silésie. Cette riche province industrielle allemande, conquête de l'obstiné Frédéric II, roi de Prusse, avait été soumise à plébiscite en mars 1921. Les Allemands l'avaient emporté sur les Polonais par 60 contre 40 %. Malgré cette sanction populaire, la Pologne avait obtenu de la SDN la disposition du riche secteur de Katowice, entièrement développé avant la guerre par le capital et la technologie allemandes.

On comprend pourquoi Stresemann ne voulait pas reconnaître les frontières orientales de l'Allemagne. La perte de la Silésie était difficile à admettre, du point de vue du droit des peuples à disposer d'eux-mêmes. Le « corridor de Dantzig » séparant la Prusse-Orientale du reste de l'Allemagne était une autre pomme de discorde : le port avait reçu jadis d'un roi de Pologne le statut de liberté qui avait permis aux marchands allemands de la Hanse d'en faire le premier entrepôt de la Baltique. Annexé par la Prusse, de population mixte, il avait été enlevé à l'Allemagne par le traité de Versailles, contre l'opinion de Lloyd George qui redoutait, au Conseil des Quatre en 1919, une nouvelle guerre avant vingt ans à cause de Dantzig.

Du point de vue allemand, il n'était pas davantage admissible que, pour donner à la Pologne un accès à la mer, on lui attribuât la Posnanie et la Prusse-Occidentale, ni qu'on retirât Memel à la Prusse-Orientale. Les clauses les plus explosives du traité concernaient l'Est de l'Europe. Elles répondaient au désir des alliés de construire, aux dépens de l'Allemagne, une Pologne forte contre le bolchevisme.

Mais auraient-ils les moyens de défendre les nations qu'ils avaient ainsi renforcées à l'Est, Pologne, Tchécoslovaquie et Roumanie, qui toutes intégraient sur leur sol de fortes minorités étrangères ? Ces questions allemandes de l'Est n'avaient pas reçu de solution d'avenir et ne pouvaient en recevoir, parce qu'elles ne se réclamaient nullement du principe wilsonien du droit des peuples à disposer d'eux-mêmes. Les autres problèmes non réglés, ceux des Sudètes, ou du district de Teschen dans l'ancienne Silésie autrichienne, concernaient bien des sujets allemands, mais de l'ancien Empire des Habsbourg.

A l'Ouest, en revanche, Stresemann devait liquider facilement une situation qui avait déjà gommé les excès de Versailles : dans ce qu'il avait de dur, le traité imposait une occupation de quinze ans de l'Allemagne rhénane et la démilitarisation de la région, ainsi qu'un plébiscite sur le sort futur de la Sarre. L'occupation ne pouvait se prolonger sans l'accord des alliés. Clemenceau, négociateur français de la paix, avait assez déclaré : « Ma politique est celle d'une entente étroite avec la Grande-Bretagne et l'Amérique. » La « garantie anglo-américaine » négociée au moment de Versailles était devenue caduque après la non-ratification du traité par le Sénat américain.

Les Français n'avaient donc nullement les moyens d'imposer la poursuite de l'occupation. On le vit quand ils décidèrent, avec le seul concours des Belges, d'occuper la Ruhr pour « tenir un gage » d'exécution de la politique des réparations. Ils ne purent s'y maintenir longtemps. Poincaré devait susciter une violente opposition en Allemagne, et l'organisation d'une « résistance passive » dans la Ruhr, qui ferait évidemment le jeu d'une propagande nationaliste très ardente.

Les gouvernements de Londres et de Washington étaient résolument hostiles à l'opération. Ils ne pouvaient pas être accusés de soutenir l'opération française, défendaient au contraire les intérêts allemands en imposant le plan Dawes de règlement des réparations. La Ruhr était évacuée dès 1925. A la suite du traité de Locarno, le nord de la province était libéré en janvier 1926. Le reste suivrait, après la signature du plan Young en 1930. L'Allemagne était entrée à la SDN, elle devenait une puissance européenne à part entière, encore limitée dans sa souveraineté par la démilitarisation toujours imposée de la Rhénanie, et l'attente du futur statut de la Sarre, réglé par plébiscite en 1935 seulement.

En réoccupant militairement la Rhénanie en mars 1936, Hitler pouvait se donner à peu de frais l'allure d'un vengeur. Le dommage était déjà réparé. Quant au réarmement allemand, il était clandestinement en cours depuis longtemps, au point que la SDN avait accepté l'entrée de l'Allemagne, en même temps que de l'URSS, dans la commission internationale pour le désarmement en 1926.

Le premier principe adopté était celui de l'égalité des droits : il devenait aussitôt la plate-forme de la revendication allemande. Qui pouvait contrôler l'état du réarmement déjà entrepris par l'industrie ? En 1927 la Commission interalliée de contrôle cessait son activité avant d'être supprimée. En septembre 1929, Stresemann avait pu dire, avant de mourir : « *Wir sind wieder Herr in Hause* » (nous sommes de nouveau maîtres chez nous). En 1930, les alliés avaient évacué définitivement la zone de Cologne, puis, en juin, l'ensemble de la Rhénanie.

A l'évidence le traité de Versailles n'avait pas été un obstacle au redressement de l'Allemagne, du fait du soutien jamais défaillant des gouvernements de Londres et de Washington à celui de Berlin contre « l'impérialisme français » en Europe. Depuis les accords Stresemann-Briand, les problèmes posés, qui avaient fortement indigné l'opinion allemande, étaient en voie de solution, sauf celui de l'égalité des droits qui serait à son tour reconnue à l'Allemagne en 1932, avant l'arrivée de Hitler au pouvoir. Il ne pourrait donc plus guère utiliser la propagande contre Versailles que pour accélérer et officialiser le réarmement, et pour entreprendre une politique de force à l'Est. Il lui resterait seulement en mars 1935 à déclarer son intention de rétablir en Allemagne le service militaire obligatoire et de reconstituer une force de trente-six divisions.

Bien avant son arrivée à la Chancellerie, les futures bases de l'économie de guerre étaient en place. L'industrie attendait l'ouverture politique permettant de lancer sur une grande échelle, le moment venu, l'économie allemande de réarmement et dans l'immédiat un programme ambitieux et rémunérateur de production d'armes déjà fort prometteur depuis l'ouverture d'un vaste marché en Extrême-Orient, après l'invasion de la Mandchourie par les Japonais en 1931.

Dès 1928, Stresemann lui-même, appuyé par le socialiste Hermann Müller, demandait la récupération de la Sarre, l'Anschluss avec l'Autriche, le droit pour les minorités allemandes d'Europe comme les Sudètes de Tchécoslovaquie de disposer d'elles-mêmes, l'égalité absolue des droits de réarmement pour le Reich : à la lettre près, le futur programme de Hitler.

*

Stresemann avait ainsi réglé, au cours de sa longue carrière ministérielle, de 1923 à 1929, tous les différends avec l'Ouest, au risque de passer aux yeux des nazis pour un traître pacifiste. Ce luthérien parfaitement proche d'un autre luthérien de la grande réforme allemande des années 20, von Seeckt et de l'Américano-Schleswigois Horace Greeley Hajmar Schacht, était à la fois un libéral partisan de l'ouverture commerciale à l'Ouest, et un romantique allemand de la tradition nationale regrettant la disparition du grand Reich. Il expliquait à Poincaré, en 1928, que l'Anschluss n'était pas pour lui une revendication impérialiste. Aux yeux de tous les Allemands dénationalisés, robotisés, américanisés par la rationalisation, le retour au germanisme autrichien du vieil Empire était, assurait-il, une bouffée d'oxygène [1].

Il n'avait pas cessé de travailler à l'avenir radieux du Reich. Lecteur de Frédéric Naumann en 1907, il croyait à un modèle allemand de socialisme national, il avait adhéré au parti national-libéral et soutenu l'entrée en guerre du Reich dans l'esprit d'une défense du germanisme en Europe. Il soutiendrait les thèses de Naumann sur la *Mitteleuropa* et, plus tard, sans hésitation, les plans annexionnistes de Ludendorff.

Il avait rejoint en 1918 le parti populiste des industriels et des hommes d'affaires. Opposé à la ratification du traité de Versailles, il s'était converti après 1921 à une fructueuse politique d'entente avec les Anglo-Saxons, et par voie de conséquence avec la France, pour rétablir le crédit de l'Allemagne à l'étranger, et reprendre la voie glorieuse de l'expansion, fâcheusement interrompue par la défaite, sur des bases solides. Son programme extérieur, fondé sur le principe des droits des peuples du président Wilson, consistait à récupérer les communautés allemandes de Dantzig et de Haute-Silésie et à rattacher l'Autriche au Reich. Son but était de rétablir la souveraineté de l'Allemagne, sa diplomatie, son armée, ses finances. Il était prêt à payer rançon pour y parvenir, à entrer à la SDN, à signer avec Briand le pacte de Locarno, à reconnaître les frontières occidentales du Reich pour rassurer les Français.

Mais le but de Stresemann était la reprise de la politique traditionnelle allemande vers l'Est. D'abord renouer des liens avec l'URSS. L'*Ostpolitik* était alors renforcée dans ses vues par la théorie géopolitique d'un Halford Mackinder qui soutenait [2] que la puissance de la terre devait l'emporter à la longue sur celle de la mer,

1. Cité par Edmond Vermeil, *Histoire de l'Allemagne contemporaine*, Paris, Aubier, 1952, t. 2, p. 127.

2. Sir Halford Mackinder, *Democratic Ideals and Reality*, Londres, 1919.

dont la décadence avait commencé. Cet auteur lu par l'élite d'outre-Rhin estimait que l'Allemagne aurait dû prendre immédiatement l'offensive à l'Est en 1914 pour abattre le principal obstacle à sa puissance. Elle aurait ainsi pu l'emporter sur les nations maritimes de l'Ouest.

Von Seeckt et Stresemann, au début des années 20, avaient orienté la diplomatie allemande vers Moscou, contre la Pologne, nouvel Etat reconstitué par la paix de Versailles. Le traité de Rapallo du 3 avril 1922 avait jeté les bases d'une collaboration qui ne devait pas s'interrompre. En 1926 le traité de Berlin prolongeait Rapallo, avant l'accord sur la neutralité signé par Hitler en 1933 et qui démentirait pour un temps les propos délirants de *Mein Kampf* sur la Russie bolcheviste, enfin par l'accord de 1939. L'Allemagne avait dans l'immédiat besoin, pour reprendre l'*Ostpolitik* contre les petites nations créées par Wilson à Versailles, de la complicité de Moscou.

La politique de Stresemann avait pour article un de ne jamais reconnaître la frontière polonaise. Reprendre Dantzig et la Posnanie, le bassin charbonnier de Haute-Silésie et la Poméranie, c'était annuler les clauses orientales de Versailles. L'Anschluss, un moment souhaitée à Vienne par les socialistes, combattue par les Seipel, Dolffus et Schuschnigg qui lui préféraient la reconstitution de l'ancien empire autour de Vienne par une fédération danubienne, était reprise par le projet d'union douanière de 1931 qui favorisait la pénétration de l'espace autrichien par les industries du Reich mais devait être torpillé in extremis par les Français. Stresemann n'était pas seulement favorable à l'Anschluss, mais aussi au rattachement des Sudètes de Bohême, brimés et occupés militairement par les Tchèques alliés des Français.

Mais il pensait que la politique de l'Est devait d'abord s'attaquer au gouvernement de Varsovie, avant d'aborder la question de Prague. Obtenir, par la voie pacifique, la restitution des territoires enlevés à l'Allemagne à l'Est lui semblait-il possible ? Sarcastique, Hitler se riait dans *Mein Kampf* de cette prétention à vouloir obtenir sans verser le sang la reprise des terres allemandes. Stresemann manœuvrait obstinément pour faire tomber les villes, les ports et les régions économiques dans l'escarcelle de l'Allemagne, guettant le moment de la rectification. Il pensait que la puissance économique supérieure de son pays suffirait à soigner les plaies de la défaite et à reconstituer la Grande Allemagne, grâce à l'appui des puissances anglo-saxonnes et à l'entente avec les Soviétiques. Seule l'Allemagne, estimait-il, pouvait garantir la paix en Europe en imposant silence aux petites nations querelleuses issues du traité de Versailles.

S'il était européen, il voulait une Europe unifiée économiquement par l'Allemagne, prenant la place de l'Europe de Versailles dont les notions de droit international semblaient périmées. La France devait être liée à cette *Mitteleuropa* des intérêts allemands par des accords économiques fructueux pour les deux pays, servant au mieux les visées hégémoniques allemandes sur le continent. Les accords Rathenau-Loucheur et Stinnes-de Lubersac avaient montré la voie : la liaison du charbon de la Ruhr et du fer lorrain s'imposait. A quoi bon avoir fait la guerre pour annexer le bassin de Briey, et refusé de rendre aux Français l'Alsace, alors que l'on pouvait si bien s'entendre ! On avait conclu les premiers accords industriels sur l'acier, les produits chimiques et la potasse, préludant à la visite du docteur Schacht à Paris en 1937, aux conversations de 1938 entre le Quai d'Orsay et Ribbentrop. La diplomatie nazie reprendrait sur ce point comme sur tant d'autres les sillons tracés par la Wilhelmstrasse au temps de Stresemann.

*

Sa politique servait, à l'évidence, les intérêts des affaires allemandes. Après sa mort, les effets de la crise avaient jeté le doute sur les chances d'un développement pacifique de la grande industrie, bien plus gravement que la récession étudiée par Fischer qui, de 1913 aux premiers mois de 1914, avait créé 450 000 postes de chômage dans les mines et l'industrie lourde, et provoqué une chute des cours en Bourse. S'il est vrai que la droite allemande se rassemblait alors contre la social-démocratie et que la réunion de Leipzig d'août 1913 avait demandé l'arrêt de toute politique sociale et « une nouvelle organisation professionnelle de la vie politique » en dehors des partis et des syndicats, nul ne s'intéressait encore aux projets de coup d'Etat des milieux d'extrême droite, sauf peut-être le Kronprinz. Nul n'attachait d'importance au général en retraite Gebsattel qui rédigeait pour le prince héritier un mémoire demandant la mise en tutelle de la presse de gauche et une législation antisémite. Le trône était assez solide pour écarter toute menace de subversion sociale et travailler au contraire, comme le chancelier du Reich, à l'intégration politique de la social-démocratie.

La menace communiste est autrement précise en 1930, quand les députés de ce parti sont nombreux au Reichstag et quand l'organisation dispose d'importants services d'ordre musclé dans les usines et dans les rues. Les nazis sont les spécialistes de la lutte violente contre les communistes et même contre les socialistes antifascistes regroupés dans l'association de la *Reichsbanner*. Les SA paramilitaires sont une troupe nazie toujours prête pour les mauvais coups, qui ne recule pas devant les batailles urbaines. Ils sont, de toutes les ligues d'extrême droite, les plus violents, les mieux encadrés. En 1932 une bataille rangée près de Breslau a provoqué l'intervention de l'armée. A Altona, douze morts et quarante-cinq blessés lors d'un affrontement entre nazis et communistes, à Fürstenwalde, seize morts et deux cents blessés. On se battait dans les rues à la grenade.

Il est vrai que, cette année-là, tout le redressement de la fin des années 20 semblait compromis par la crise mondiale. Le retrait des capitaux américains s'était accéléré en 1930 et 1931 et la faillite des grandes banques semblait compromettre l'ensemble et justifier l'intervention dirigiste de l'Etat sur l'économie. La chute des exportations, tombées à moins de 6 milliards de marks en 1932 contre 13,5 en 1929 portait un coup à la production industrielle qui s'effondrait, obligeant même l'IG Farben à procéder à des réductions de capital. Sur soixante-cinq millions d'Allemands, six étaient au chômage, sans compter les huit millions de chômeurs partiels. Les caisses de secours ne bénéficiaient qu'à un tiers des sans travail.

Ils tombaient ainsi sous la dépendance des organisations paramilitaires extrémistes, SA et *Rote Frontkämpferbund* « organisation de défense prolétarienne », reconstituée après son interdiction en 1929 en *Antifa* (*Antifascistischer Geheimbund*) beaucoup plus violente que la *Reichsbanner* socialiste. Les *Schutzstaffeln* (groupes SS de protection) et les *Sturmabteilungen* (SA) recrutaient des agitateurs de rue, des colleurs d'affiches brutaux, des propagandistes à matraques qui l'emportaient dans la jeunesse sur les groupes de Casques d'Acier organisés par d'anciens militaires (le *Stahlhelm*) ou les autres associations d'extrême droite jusqu'à constituer une force de 400 000 hommes jeunes, portant l'uniforme fourni par les fabriquants de draps et le brassard à croix gammée, dotés de moyens de transport automobiles, de camps pourvus de tentes, de lieux d'hébergement, nourris abondamment par les soins d'une logistique efficace, dotés même d'un service de santé, flanqués de 200 000 jeunes de la *Hitlerjugend*.

Comment expliquer la réussite d'une mobilisation d'une telle ampleur sans les concours publics ou privés dont bénéficiait de plus en plus, avec le succès, le mouvement hitlérien ? Les milieux d'affaires souffraient de l'impuissance politique des derniers cabinets de la République de Weimar. Ils avaient longtemps soutenu médiocrement le parti nazi de leurs gratifications électorales, beaucoup moins que d'autres formations favorables à leurs intérêts. Ils avaient été longtemps sceptiques sur les chances de succès du caporal candidat. Ils gardaient leur puissance intacte, ayant moins souffert des mesures de déflation d'après-crise que les classes moyennes et le prolétariat. Plus l'Etat intervenait dans l'économie, plus ils devaient s'insérer dans ses structures, imposer une politique intérieure et extérieure conforme à leurs besoins.

Ils avaient parfaitement compris l'utilité des manifestations de rues pour obtenir l'annulation du plan Young et la fin des réparations, ainsi que les vertus de l'agitation nazie dans la Sarre pour contrer les ambitions françaises. Ce secours inattendu des SA aidait puissamment l'industriel sarrois Röchling, qui souhaitait le rattachement au Reich. La campagne nazie et nationaliste pour la *Gleichberechtigung* (égalité des droits) faisait l'affaire des responsables de l'industrie, car elle annonçait la reprise massive des commandes d'armements. On découvrait même que l'on pouvait employer les formations paramilitaires pour appuyer la politique allemande de récupération des territoires de l'Est. La crise polonaise sur Dantzig de 1932 avait alerté l'opinion, puissamment secouée par les mots d'ordre nazis.

Les industriels étaient prêts à soutenir une politique plus hardie, un pouvoir renforcé, mais hésitaient encore à jouer la carte nazie. Le plus grand intérêt, à leurs yeux, des formations paramilitaires était de lutter quotidiennement contre les communistes et d'intimider la social-démocratie. L'interdiction de la *Rote Fahne* et la dissolution du *Rotkämpferbund* à la suite de l'émeute communiste à Berlin le 1er mai 1929 n'avait pas réduit à l'impuissance le parti d'extrême gauche. Il revenait, plus agressif que jamais, jusqu'à faire élire 77 députés aux élections du 14 septembre 1930, contre 107 nazis.

*

Les patrons allemands et les officiers de la Reichswehr ont-ils cru à la possibilité de sauver la République de Weimar par le recours à un régime présidentiel confié à Hindenburg ? Le vieux président avait maintenu au pouvoir Brüning, le financier du Centre catholique, sans qu'il eût de majorité au Parlement. Il était entendu qu'il gouvernerait par décrets-lois. Les partis traditionnels avaient été désavoués par leurs électeurs, sauf le Centre catholique qui avait la charge de défendre la démocratie.

Les industriels allemands groupés dans la *Reichsverband der deutschen Industrie* obtenaient la démission de Brüning, dont la politique déflationniste nuisait aux affaires en octobre 1931, et portaient l'un des leurs, Warmbold, de l'IG Farben, au portefeuille de l'Economie du nouveau cabinet Brüning qui, sur ordre de Hindenburg, se succédait à lui-même. Un patron de presse d'extrême droite, Hugenberg, d'origine juive et ancien président du conseil d'administration de Krupp, constituait alors contre Brüning le « front de Harzburg » qui réunissait SA et Stahlhelm, les agrariens, les industriels comme Thyssen, Poennsgen, Blohm et l'économiste Schacht. Le ministre de l'Armée et de l'Intérieur Groener tentait de lutter contre la subversion. Hindenburg, candidat en mars-avril 1932 à sa propre succession l'emportait contre Hitler, mais ce dernier rassemblait plus de 13 millions de voix en Allemagne.

Il se sentait alors assez fort pour ne pas protester contre la dissolution des SA, rassuré par ses succès dans les élections partielles des Länder. Brüning, lâché par la grande industrie, était combattu par les agrariens, bousculé par le maître de la Reichswehr, le général von Schleicher, appelé au ministère en mai 1932 dans un cabinet von Papen. Cet élégant diplomate du parti du Centre n'avait pas plus de majorité que son prédécesseur. Il brûlait de se concilier les nazis vainqueurs aux élections de Prusse à qui il concédait le rétablissement des SA et les pleins pouvoirs à Berlin, où von

Rundtstedt assurait l'ordre militaire. Pour trouver une majorité, il avait dissout le Reichstag. Les communistes revenaient à 89, et gagnaient douze sièges sur le dos du SPD, les nazis étaient 230. Les extrêmes avaient l'absolue majorité. Von Papen était à son tour abandonné par les industriels. Il avait échoué dans sa tentative d'intégration des nazis aux autres partis de la droite. Hitler avait refusé d'entrer dans son gouvernement.

Pourtant, aux élections de novembre 1932 les nazis perdaient 34 sièges et les communistes étaient 100. Le général von Schleicher, devenu chancelier, parviendrait-il à sauver le régime ? On craignait alors une révolution armée des communistes à Berlin. On disait que les militants constituaient des stocks. Il était urgent de rétablir l'ordre. Le général-chancelier avait réussi en décembre 1932, pour diviser le parti nazi, à gagner Gregor Strasser, l'homme de gauche du national-socialisme. Pain béni pour Hitler qui devenait ainsi utilisable contre Strasser, mais surtout contre les communistes, par la haute industrie. Dans les discours du NSDAP, il ne serait plus jamais question de nationalisation des entreprises industrielles, mais de respect de la propriété.

Cette démagogie de la violence, soutenue dans le pays aux élections, approuvée par les chômeurs, les ouvriers attirés par la propagande, des jeunes fanatisés, des petits bourgeois allemands cotisant au parti de Hitler et qui demandaient à être rassurés par un régime d'ordre musclé, recevrait-elle l'accord de l'ancienne Allemagne et l'appui des milieux dirigeants de l'industrie ?

La démocratie parlementaire ne représentait plus dans ce pays une valeur à défendre à tout prix, dès lors qu'elle ouvrait légalement la route au bolchevisme. Elle était du reste mise en question, avec une moindre violence, dans toute l'Europe. Le fascisme italien était depuis 1922 devenu un modèle pour les droites extrêmes et il n'était nullement un repoussoir pour les droites classiques. En France, l'opinion déçue par la paix, secouée par la crise, voyait s'écrouler la fragile construction de Genève sous les coups des puissances totalitaires, sans que le personnel politique pût mettre en œuvre une réponse efficace. Les anciens combattants dégoûtés de la grisaille radicale adhéraient à la ligue des Croix-de-Feu du colonel de La Rocque. Ils défilaient sur les Champs-Elysées sous le casque Adrian, les décorations de guerre sur la poitrine, moins pour rappeler leur sacrifice que pour avertir qu'il fallait rester en armes, et ne pas se fier aux parlotes du Palais-Bourbon, à cette majorité Blum-Herriot qui, en 1932, venait de sortir des urnes. On était sur le chemin du 6 février 1934.

Si le coup bas contre la démocratie échouait en France, il avait réussi en Allemagne : jouant très tardivement la carte en apparence gauchisante de Gregor Strasser contre Hitler, sans obtenir de résultats, von Schleicher condamnait son cabinet à mort. Il chutait le 28 janvier 1933, réunissant contre lui la réprobation des industriels et des agrariens pour la couleur sociale marquée de son programme, alors que les bandes nazies chantaient plus que jamais dans les rues le *Horst-Wessel-Lied*. Le docteur Schacht et l'industriel Thyssen, amis de Göring, se hâtaient d'introduire Hitler dans les milieux d'affaires, par l'intermédiaire du banquier Schroeder, à Düsseldorf, le 27 janvier 1932. Il parlait alors devant 650 patrons rassemblés par le Club de l'industrie.

Il « flatte leur nationalisme et leur anticommunisme », assure le dernier biographe français de Hitler, François Delpla[1]. Il va « tirer le plus grand parti d'une progression, celle des communistes, qui passent de 89 à 100 députés » aux élections du 6 novembre 1932. Selon le banquier Schroeder, qui commente plus tard cette journée, « Le désir général des industriels était de voir un chef énergique prendre le pouvoir [...] Le sentiment commun à toute l'industrie était la crainte du bolchevisme [...] Il y avait un autre point commun, le désir de réaliser le programme industriel de Hitler. Ce programme, c'était le réarmement. » Dans une adresse envoyée à Hindenburg en novembre 1932, les Schacht, Krupp, Thyssen, Haniel, Bosch, Siemens, Cuno et beaucoup d'autres demandaient à Hindenburg d'appeller au pouvoir « le chef du parti national le plus important[2]. »

Le futur dictateur obtenait enfin des subsides suffisants (trois millions de Reichsmarks) de quelques grandes entreprises allemandes jusque-là soucieuses de se concilier les faveurs des grands partis plutôt que du nazisme, et surtout l'appui politique qui lui manquait pour s'imposer au vieil Hindenburg, le seul maréchal de

1. Voir François Delpla, *Hitler*, Grasset, 1999, p. 175.

2. Voir R. Poitevin, *L'Allemagne impériale et républicaine*, Collection Duroselle, Editions Richelieu, Paris, 1972, p. 367.

la Grande Guerre encore vivant, à qui Hitler faisait des grâces. Le 30 janvier 1933, il était officiellement nommé chancelier du Reich.

Un grand concours populaire suivait l'annonce de cette prise du pouvoir. Les SA aux flambeaux défilaient dans Berlin sous la porte de Brandebourg, suivis par les casques d'acier en uniformes gris-vert. Une résurrection, écrit Ernst Nolte [1], de « l'Allemagne nationale » qui « habitait le cœur de tous les Allemands ». Elle rappelait l'enthousiasme « quasi général » des journées d'août 1914, et Nolte de préciser : « Ce qui a vaincu le 30 janvier ce ne fut pas tant Hitler, dans un premier temps, qu'une certaine idée de l'histoire, la légende de l'Allemagne nationale, avec toute la force de conviction que peuvent détenir les sentiments simples et purement émotionnels. » Ainsi s'affirmait ce jour-là à Berlin, sous le martèlement de la chaussée d'Unter den Linden par les bottes cloutées des SA, l'esprit de guerre trentenaire.

Que dirait l'armée de cette prise de pouvoir dont beaucoup d'officiers mesuraient les dangers ? N'avait-elle pas acquis, sous la République de Weimar, une sorte d'indépendance, et même de prépondérance lorsque von Schleicher avait été appelé au pouvoir par Hindenburg ? N'était-elle pas le seul corps que le IIIe Reich ne pourrait absorber facilement ? Les officiers étaient certes de tradition apolitiques, mais ils étaient d'abord anticommunistes. Hitler ne s'y trompait pas. Quelques jours après sa victoire, il avait tonitrué au Sportpalast : « Le marxime doit mourir. Pacifiste à l'extérieur, il est terroriste à l'intérieur. Ou c'est le marxisme qui vaincra, ou c'est le peuple allemand et c'est l'Allemagne qui vaincra. » Devant le danger de subversion à Berlin et dans la Ruhr, et devant l'impuissance de l'Etat, l'armée s'était inclinée. La cérémonie de Postdam du défilé des drapeaux de la vieille Prusse, portés par les officiers de l'armée devant Hindenburg, était significative d'un respect apparent des hitlériens pour l'état-major : Hitler et Göring étaient en civil. Ils assistaient à la parade. L'hommage ne leur était pas destiné. Le vieux maréchal, isolé sur une estrade, était seul en mesure d'en bénéficier, ainsi, peut-être, que les mânes de Frédéric II enfouies dans le tombeau de la Teresiankirche.

Mais le véritable caractère de la cérémonie devait se révéler en

1. Ernst Nolte, *La Guerre civile européenne. 1917-1945*, Ed. des Syrtes, Paris, 2000, p. 54 et suiv.

toute clarté. En ce jour anniversaire de l'inauguration du IIe Reich par Bismarck en 1871, le 21 mars 1933, où le drapeau impérial noir blanc rouge était très officiellement rétabli, Hindenburg et les chefs militaires avaient admis que Hitler fît défiler devant Hindenburg ses bataillons de SS et de SA. L'ancienne Allemagne acceptait la nouvelle, dont les militants militarisés marchaient au pas cadencé, sous les drapeaux « du sang » ornés de la croix gammée.

L'Allemagne était sous les armes : déjà cent mille SS, plus d'un million et demi de SA entretenus plus ou moins par l'administration de l'armée. Hitler tolérerait-il, imposerait-il, l'intégration immédiate à la Reichswehr de cette milice populaire, qui aurait mis immédiatement le pays sur le pied de guerre ? Il refusait, probablement pour se concilier l'état-major. Von Blomberg, en 1934, avait prévenu Hitler que l'armée ne pourrait prêter serment qu'à un chef d'Etat.

Dès lors Hitler était prêt à sacrifier Röhm, chef des SA, dont la puissance pouvait l'empêcher d'exercer le pouvoir suprême. La Nuit des longs couteaux du 30 juin 1934 donnerait au général von Blomberg débarrassé à la fois de l'encombrant Röhm et de l'intrigant von Schleicher l'occasion de remercier le Führer. Il serait lui-même remercié, peu après la remilitarisation de la Rhénanie et avant l'Anschluss, par le dictateur désireux d'établir aussi sa mainmise sur l'armée. La nomination de Keitel était le symptôme de la mise en tutelle de l'état-major. L'armée de terre était confiée à un homme docile, Walther von Brauchitsch, quatorze généraux étaient mis à la retraite, quarante mutés. La purge, moins importante, était pourtant comparable à celle de l'Armée rouge par Staline. Les généraux prussiens avaient la chance d'échapper au goulag, mais pas toujours au déshonneur. La Gestapo avait monté aux généraux Blomberg et Fritsch des procès accablants et louches. Désormais les officiers maintenus ou promus se le tiendraient pour dit : ils prêteraient serment de fidélité à Hitler. Ils n'auraient plus seulement Dieu pour maître.

*

Quant aux SA, les plus jeunes, selon leurs aptitudes, seraient affectés aux chantiers des autoroutes ou incorporés dans la nouvelle Wehrmacht qui obtiendrait très vite l'égalité des droits. La production de guerre pourrait être planifiée, à la satisfaction des dirigeants des industries, sous l'œil vigilant de Göring. L'influence dominante du Führer serait renforcée sur l'état-major — et sur la diplomatie — à chaque étape heureuse de la politique du bluff : réoccupation de la Rhénanie, Anschluss, coup de Prague.

Si heureuse que personne ne s'étonne quand tombe la nouvelle de la déclaration de guerre de la Grande-Bretagne et de la France à l'Allemagne, alors que Hitler a déjà envahi la Pologne. On cherche encore, soit directement, soit par l'intermédiaire de l'Italie, à reculer l'échéance. Quand il est clair qu'il ne bluffe plus, puisque ses unités ont franchi la frontière polonaise, l'Occident recourt à la légalité par une déclaration formelle d'entrée en guerre, selon les rites de la diplomatie de 1914, comme si Hitler était Guillaume II. Une initiative des alliés que le dictateur utilisera dans sa propagande : ne peut-il pas se prétendre agressé par les puissances de l'Ouest, alors qu'il essaie seulement de rétablir une injustice dont souffrent depuis 1919 les Allemands de Dantzig ? A Paris et à Londres, on a assez reproché à Chamberlain et Daladier d'avoir traité sous la menace à Munich en 1938 pour ne pas approuver une entrée en guerre qui fait suite à une situation nouvelle : cette fois la Wehrmacht a reçu le signal de départ pour le 1er septembre 1939, à 4 h 45 du matin, sans autre forme de procès.

Les Polonais sont déjà aux prises avec les blindés allemands quand les alliés discutent encore. Daladier est fort déçu de n'avoir pas reçu de réponse positive de Hitler à qui il avait écrit, le 26 août, une lettre émouvante : « Vous avez été, comme moi-même, un combattant de la dernière guerre. Si le sang français et le sang allemand coulent de nouveau, comme il y a vingt-cinq ans [...] la victoire la plus certaine sera celle de la destruction et de la barbarie. » Le président français feint de considérer le Führer comme un dirigeant ordinaire. Il le croit accessible aux sentiments humains, évoque la guerre qui s'engage comme la suite insensée de la précédente. Dantzig est la réédition de Sarajevo. Son ministre des Affaires étrangères Georges Bonnet, apaiseur impénitent, sautait sur une proposition de Mussolini prétendant tenter de retarder l'entrée en guerre. Quand elle est déclarée le 3 septembre à 17 heures par la France, c'est six heures après la Grande-Bretagne.

Ces tergiversations françaises montrent bien que ni la Grande-Bretagne ni la France ne recherchaient la guerre, qu'elles avaient au contraire tenté de l'éviter, précisément parce qu'elle était, pour l'opinion publique des deux pays, la poursuite de la Première Guerre et que l'on en redoutait les effets dramatiques. La France était tétanisée. La mobilisation hâtivement menée déployait sur les boulevards une gaieté factice qui dissimulait une angoisse profonde : on retournait au casse-pipe sans aucune confiance. « Il y a seulement vingt ans que le carnage a pris fin, note Duroselle[1]. Des centaines de milliers de survivants en portent les stigmates. Des millions en rêvent parfois avec horreur. Des millions d'hommes et de femmes songent à leurs disparus. » Si l'on part « pour en finir une fois pour toutes », c'est avec le sentiment d'avoir à terminer un travail non achevé en 1919. Un des premiers sondages de Stoetzel le montre : « Si l'Allemagne tentait de s'emparer de la ville libre de Dantzig, devrions-nous l'en empêcher au besoin par la force ? » 76 % des Français interrogés avaient répondu oui.

Cette guerre était entièrement préméditée par Hitler. Pour son anniversaire, en avril 1939, une immense parade militaire avait été organisée à Berlin, filmée par les actualités pour que toute l'Europe mesurât l'effort de réarmement qui avait coûté au pays la somme de 90 milliards de marks, alors que le revenu annuel n'était que de 46,5 milliards.

Deux divisions de Waffen SS ouvraient le défilé d'avril. Ainsi les hitlériens étaient-ils intégrés dans la Wehrmacht, traités en troupe d'élite, en fer de lance. Toute différence était très provisoirement biffée entre l'ancienne et la nouvelle Allemagne l'ancien et le nouveau Reich, unis dans la même guerre, comme si l'Allemagne n'était pas devenue nazie, et la Russie communiste. On était revenu aux lignes de force des impérialismes en Europe. En se dotant d'un régime alors qualifié de totalitaire, l'Allemagne hitlérienne s'était seulement donné des moyens infiniment plus brutaux, dans sa volonté d'aller jusqu'au bout, sans s'attarder aux obstacles humains, que l'empire qui l'avait précédée et dont elle était la forme pervertie. On entendait sur les pavés le bruit infernal des nouveaux canons d'assaut, de l'artillerie lourde, des camions porteurs de tubes antiaériens. Les panzers étaient massés devant la porte de Brandebourg, survolée en rase-mottes par les nouveaux

1. J.-B. Duroselle, *L'Abîme. Politique étrangère de la France. 1871-1969*, p. 17.

avions de chasse vainqueurs des concours internationaux de vitesse, les Messerchmitt 109.

Keitel croyait alors pouvoir disposer d'un délai pour organiser l'armée. Il n'en était pas question. En mai, il avait reçu une directive lui demandant d'étudier un plan d'invasion de la Pologne avant le 1er septembre 1939. Le 10 juillet, les généraux étaient convoqués au Berghof. L'un d'entre eux faisait remarquer au Führer que, malgré les travaux de l'ingénieur Todt, la ligne Siegfried ne tiendrait pas trois mois. « Le Westwall tiendra trois ans », répliquait Hitler.

Le retournement diplomatique de Staline et la signature du pacte germano-soviétique en août 1939 lui permettent d'envisager l'opération à coup sûr et de négliger les Anglais devenus menaçants. Il ne saurait être question, cette fois, d'obtenir par le bluff la révision du statut de Dantzig. Ribbentrop l'a dit clairement à Ciano, gendre de Mussolini, expédié le 13 août à Salzbourg : « Nous voulons la guerre. » Hitler a ajouté : « La *grande guerre* doit se faire pendant que le Duce et moi sommes encore jeunes. » Il emploie l'expression qui désigne en France la Première Guerre mondiale, il est déjà prêt à recommencer, quoi qu'il en coûte à l'Allemagne. Pour lui, comme pour Daladier, il ne s'agit pas d'une nouvelle guerre. La trêve de vingt ans est seulement rompue.

*

Hitler n'est pas Guillaume II, et le Reich nazi n'est pas l'Allemagne impériale. A l'évidence, les guerres seront différentes. Hitler, précisément, reprochait à Guillaume II et à son chancelier Bethmann-Hollweg de s'être engagés dans la Première Guerre sans avoir assez de chances de la gagner, et même de s'être laissé entraîner dans le conflit.

Il croyait avoir, pour sa part, réuni toutes les conditions de succès et d'abord l'essentielle : l'absence d'un second front à l'Est. La campagne de Pologne, avec l'aide de Staline, ne serait qu'une formalité. Hitler n'envisageait au départ que d'y engager les seuls effectifs de paix, sans mobilisation supplémentaire. La Wilhelmstrasse avait, à son injonction, patiemment tissé des liens diplomatiques en Europe pour s'assurer de la neutralité des Etats, et de leur coopération économique. L'Allemagne réussirait à importer

654 000 tonnes de cuivre pour la guerre en 1939 et à fournir 21 millions de tonnes de minerais de fer à ses hauts fourneaux. Elle importerait du fer, du cuivre et du plomb d'Espagne, après un accord avec Franco. La Hongrie de l'amiral Horthy, un Etat satellite, livrerait ses produits agricoles et 90 % de sa bauxite à l'Allemagne.

Le roi Carol offrirait son pétrole à Hitler à raison de 600 000 tonnes par an en échange de la mainlevée par le Führer sur le mouvement fasciste roumain des Gardes de fer, et d'une promesse de fourniture de matériel militaire. La Bulgarie démembrée, le roi Carol en fuite, le général dictateur roumain Antonescu deviendrait l'allié et le satellite de l'Allemagne. Les Bulgares expédieraient leur zinc, leur plomb et leurs denrées agricoles vers le Reich. En Yougoslavie, grâce aux amitiés slovènes et croates, les Allemands imposeraient un accord commercial au gouvernement de Stojadinovic pour acheter le cuivre et les métaux stratégiques.

Mais un des alliés inattendu de l'effort de guerre allemand est le gouvernement Daladier qui permet à l'industrie allemande, en mars 1939, quand Hitler s'apprête à envahir la Pologne, de conclure un accord avec la firme sidérurgique Châtillon-Commentry-Neuves-Maisons, qui recevra des équipements en échange de la fourniture de 300 000 tonnes de fer en deux ans et demi. Les Anglais ont également signé de bons accords sur les charbonnages. Ainsi Hitler, heureux bénéficiaire des livraisons de fer et de blé de Staline, ne se lance-t-il dans l'aventure qu'en ayant ses flancs et ses arrières assurés. Contrairement à Guillaume II, il croit avoir mis toutes les chances de son côté.

Il dispose aussi d'une avance sensible des armements. La balance de l'industrie moderne des canons et des poudres, des mitrailleuses et des mines n'était pas sensiblement en faveur de l'Allemagne en 1914, à l'exception des pièces lourdes, négligées par les Français. Chaque pays avait consenti, ou pouvait accomplir rapidement un effort équivalent. Cette fois l'Allemagne de Göring et de Guderian se flatterait à juste titre d'avoir fait les bons choix, et de devancer tous ses adversaires, y compris les Soviétiques, dont l'industrie d'armement n'était pas encore en mesure de fournir les unités en armes modernes. Hitler pouvait se vanter d'avoir construit en un temps très court l'armée la plus mobile et la plus puissante d'Europe, capable d'aligner sur la Meuse 10 divisions blindées et plus de 4 000 avions d'assaut.

Le développement du cinéma et de la radio permettrait d'organiser dans les zones occupées par l'armée une mise en condition immédiate des populations commotionnées par les raids aériens. 13 000 hommes aux ordres de von Werdel répandraient les fausses nouvelles et la bonne parole en Hollande, en Belgique et en France. Le docteur Goebbels ferait créer quatorze compagnies de propagande et mettre partout en place des émetteurs mobiles. Des unités spéciales (dites de la Ve colonne en France, en fait le Brandenburger Regiment) jetteraient le trouble dans les rangs ennemis et les planeurs ou parachutistes occuperaient les points stratégiques à l'arrière des lignes. Les recettes de la *Blitzkrieg* ont été appliquées dès la campagne de Pologne. Mais si elles actualisent la guerre, elles ne la renouvellent pas.

Les bombardements aériens terroristes de Varsovie et de Rotterdam, qui multiplient les victimes civiles, n'innovent pas : les villes martyres d'Arras, de Dunkerque, de Nancy et de Reims ont été rasées par les canons allemands de la Première Guerre sans égards pour les civils. Le tube à longue portée de Ludendorff en 1918 avait tué les fidèles de l'église Saint-Gervais, réunis pour le vendredi saint. Les raids des sous-marins contre les neutres dans l'Atlantique reprenaient les usages des U-Boot de la « guerre sous-marine à outrance » de 1917. Seuls les gaz asphyxiants étaient restés en 1940 dans les magasins de l'armée, ce qui permettait à la propagande hitlérienne de se targuer de respecter le droit international.

Même la traque des « francs-tireurs » n'était pas une innovation, ainsi que les prises d'otages dans la population civile. Elles étaient conformes aux usages de l'armée prussienne depuis le XIXe siècle. Les représailles étaient seulement plus dures. On n'oubliait pas, dans le Nord et dans l'Est de la France, les nombreuses exécutions ou brûlements de villages. Nomény, village lorrain, en 1914, ou Rossignol, village ardennais, avaient été presque des Oradours.

Ces mesures d'horreur étaient commandées au nom de la lutte contre les irréguliers. Les réquisitions forcées de main-d'œuvre civile avaient indigné les Belges en 1914. Les récalcitrants étaient conduits en Allemagne dans des camps d'internement. Toute presse libre était interdite dans les dix départements français occupés. On pouvait y lire seulement une feuille de propagande, la *Gazette des*

Ardennes. Ainsi nul ne pouvait en juin 1940 dénoncer de nouvelles mesures arbitraires, et moins encore, faute d'informations, les crimes de guerre.

*

Ignorait-on les forfaits des nazis en Pologne ? Le Vatican ne s'était pas manifesté en 1914 malgré les protestations du cardinal archevêque de Malines contre les exactions de l'armée allemande en Belgique, mais les crimes commis en Pologne l'obligeraient à s'exprimer. Au moins 50 000 personnes avaient été assassinées en Poméranie au cours de l'opération *Intelligenzaktion*. On sortait du cadre des représailles à la prussienne pour entrer dans la guerre d'extermination raciale. Une « réserve juive » de 78 000 personnes déportées des territoires annexés était parquée autour de Lublin, mourant de froid et de faim. Plus tard le ghetto de Varsovie en 1941 compterait jusqu'à 500 000 Juifs prisonniers. Aucune intervention efficace du Vatican et nul secours des Américains, uniquement préoccupés pour l'heure de la préparation de leur guerre du Pacifique.

Le pape avait seulement exprimé sa compassion, le 20 octobre 1939. « La Pologne, avait-il dit, a bien droit à la sympathie humaine et fraternelle du monde entier. » Les autorités nazies refusaient aux envoyés du Vatican et à ceux de la Croix-Rouge l'accès à Varsovie, on apprenait que 3 000 prêtres étaient captifs dans des camps de concentration, et que 700 étaient déjà morts. Quand on sut le massacre des malades mentaux par les gaz dans les hôpitaux, les autorités religieuses allemandes émirent des protestations, dès novembre 1940. La guerre avait changé de caractère. La tuerie organisée annonçait Auschwitz. On était sorti, dès la fin de 1940, avant l'entrée de la Wehrmacht en Russie, du cadre de la Première Guerre mondiale remis à jour. On entrait dans l'horreur absolue des crimes racistes que l'on étendrait à toute l'Europe.

La rupture était nette, spectaculaire, indiscutable. La guerre nazie était bien en apparence la simple extension à la population civile des charniers militaires de la première guerre. Mais elle était toute autre qu'une guerre civile à la soviétique, qui avait accumulé les massacres, notamment en Ukraine, toute autre que les purges staliniennes, qui envoyaient au goulag les « ennemis de classe », elle s'en prenait aux Juifs pour toutes les fausses raisons du monde, celles qui avaient construit l'antisémitisme en Europe, mais pour la seule raison véritable qu'ils étaient juifs, maudits, condamnés à mort par cela seul. Elle débouchait sur le massacre systématique, que l'on prétendait tenir secret, de six millions de Juifs dans les camps glacés de Pologne. Elle rendait possible la Shoah par un détournement raciste qui était en fait au cœur du nazisme. Elle permettait de traquer dans toute l'Europe, d'acheminer sur les réseaux de chemin de fer, d'utiliser les produits de l'industrie chimique, d'étudier les techniques de crémation des corps, d'organiser scientifiquement l'extermination qui n'avait aucune justification dans la logique de la guerre, mais seulement dans l'exaspération de la folie raciste et de la rage inhumaine de détruire. Ainsi se levait le soleil noir de la Shoah, devenue le symbole universel, engageant les siècles futurs, du crime majeur : l'éradication de l'humain dans l'homme. Toute tentative d'explication seulement historique ne pouvait être que réductrice.

Et pourtant seul l'esprit de guerre poussé à ses limites ultimes avait permis de matérialiser le crime majeur, donné à ses auteurs sinistres les moyens de le perpétrer. Il n'y avait évidemment aucune commune mesure entre ces criminels et les responsables de la première guerre, celle qui avait abouti au dérèglement général. A tout le moins l'histoire pouvait-elle prétendre rechercher les causes profondes du premier engagement fatal, par une tentative de catharsis forcément limitée à la politique des Etats, aux motivations des hommes d'Etat, et tout particulièrement de ceux du IIe Reich qui avaient conçu et lancé la première machine de guerre dans un climat d'affrontement impérialiste et de lutte pour le pouvoir planétaire ou, dans le cas de la Russie, de la Turquie et de l'Autriche-Hongrie, pour la survie des Empires. Il ne s'agissait pas de rouvrir le débat sur la responsabilité de la guerre, mais bien pour les historiens allemands de s'interroger sur la responsabilité propre de leurs dirigeants au temps de Guillaume II.

Le personnel impérial et l'empereur lui-même avaient-ils décidé, comme l'a dit et écrit, dans les années 50, l'historien allemand Fischer, d'engager la guerre mondiale pour « étendre la puissance de l'Allemagne » par des buts de guerre ambitieux, affirmés dès 1914 par le chancelier Bethmann-Hollweg ? Démontrant l'unité et la continuité des buts de guerre allemands, repris et largement étendus d'abord en 1918 puis sous le IIIe Reich vers l'Est, Fischer les attribuait non seulement « aux dirigeants politiques et militaires », mais aussi aux « milieux industriels ». Il reprenait ainsi l'analyse de l'impérialisme, non réductible au simple nationalisme. Le réarmement allemand d'avant la guerre n'était pas lié à une simple « culture » de guerre. Portant beaucoup, par ses investissements les plus lourds, sur la flotte du Kaiser, il s'engageait dans la compétition mondiale et le pangermanisme n'était qu'un air de flûte plus aigrelet que les autres dans le concert de la Weltpolitik. La formulation des buts de guerre dès les débuts du conflit affirmait la volonté allemande de constituer, s'il le fallait par la force, une puissance mondiale.

Le « vertige impérialiste » se serait, assurait Fischer, emparé de l'Allemagne. Dès 1915, le ministre des Affaires étrangères Jagow expliquait la guerre à l'Est comme un « règlement de comptes entre Slaves et Germains ». L'immense empire russe devait être rejeté loin vers l'Est jusqu'à la ligne Mitau-Bug, il était « totalement étranger aux nations romanes et germaniques de l'Ouest ». En Belgique, où devait s'affirmer définitivement la puissance allemande, le général Bissing et le baron von Lancken devaient établir « un Etat tributaire ».

Et de démontrer que les ambitions initiales de l'Allemagne ne s'étaient nullement démenties jusqu'à la fin du conflit. La mission des Brockdorff-Rantzau et autres spécialistes des affaires de l'Est était, au dernier moment de la guerre, de convaincre Wilson que seule l'Allemagne était en mesure de dresser une barrière efficace contre le bolchevisme. Le vice-chancelier von Payer, un libéral, déclarait en septembre 1918, alors que l'on s'orientait déjà vers une politique de concession à l'Ouest : « A l'Est nous avons la paix, et nous voulons la conserver, peu importe que cela plaise à nos ennemis ou non. »

Bethmann-Hollweg avait été, selon Fischer, « le représentant d'un système dans lequel les intérêts économiques, militaires et politiques de l'Allemagne se conjuguaient pour faire de l'Allemagne une puissance mondiale ». Et l'historien montrait que la Première Guerre résultait de l'esprit offensif de l'Allemagne, qu'elle était due à la pression constante exercée sur les gouvernements des « forces conservatrices » : l'armée, l'université, l'industrie. Les mêmes qui devaient favoriser, à tout le moins accepter ou subir Hitler dans les années 30.

Cette thèse de la grande culpabilité provoquait dans le pays un puissant rejet de Fischer, en particulier par l'historien antinazi Gehrard Ritter. On reprochait au maître de Hambourg d'avoir uniquement étudié les buts de guerre allemands, sans se préoccuper de ceux des alliés. Il existait aussi bien des buts de guerre impérialistes français et britanniques. Ils n'avaient pas, il est vrai, été affirmés dès 1914. Avant la Marne, le but de guerre des Français était de ne pas reculer jusqu'à la Bidassoa.

On n'a jamais assez souligné que l'affichage en petits comités des buts de guerre était l'affaire des politiques, que la prolongation du conflit plaçait dans une situation difficile. L'opinion leur demandait des comptes. Ils en exigeaient eux-mêmes des états-majors. Seuls les militaires et les grands industriels avaient des réponses, touchant à la sécurité ou à la puissance. Pourquoi le chancelier, en Allemagne, aurait-il imposé aux militaires un programme de paix conquérante ? C'est l'inverse qui deviendrait vrai : questionné, en 1917, par le pouvoir civil, soucieux d'apaiser les oppositions et peut-être d'imaginer une sortie honorable du conflit, l'état-major opposerait constamment la rigidité de ses buts de guerre à toute velléité de négociations.

On accusait en Allemagne Fischer de globalisation frauduleuse. Qu'avaient de commun Bethmann-Hollweg, Stresemann et Hitler ? En réalité, le chancelier de 1914 avait progressivement perdu pied devant les exigences de l'état-major devenu le maître du pays en 1917. On ne pouvait confondre Bethmann-Hollweg avec les pangermanistes.

Les historiens français étaient, avec Pierre Renouvin, les défenseurs d'une thèse de la responsabilité partagée : Poincaré s'était gardé de retenir les Russes, comme le Kaiser avait accepté de soutenir François-Joseph, tant ils craignaient que leurs alliés ne pussent prendre part au conflit. Ils considéraient la polémique allemande comme une affaire intérieure, une sorte d'examen de conscience national.

De la sorte, rien n'était changé depuis la publication, en 1951, d'un document mixte à la suite de la rencontre de deux délégations française et allemande dirigées par Gerhard Ritter et Pierre Renouvin : « Les documents ne permettent pas d'attribuer en 1914 une volonté préméditée de guerre européenne à aucun gouvernement ou à aucun peuple. La méfiance était au plus haut point, et, dans les milieux dirigeants, régnait l'idée que la guerre était inévitable. Chacun attribuait à l'autre des pensées d'agression. Chacun acceptait le risque d'une guerre [...] Les peuples allemands et français ne voulaient pas la guerre, mais en Allemagne, surtout dans les cercles militaires, on était plus disposé qu'en France à accepter l'éventualité d'un conflit. Cette disposition tenait à la place qu'occupait l'armée dans la société allemande ; en outre l'Allemagne s'est toujours sentie, du fait de sa situation géographique au centre de l'Europe, particulièrement menacée par les alliances entre ses adversaires possibles. La coopération franco-russe fut ressentie du côté allemand comme un danger direct[1]. »

*

Comment ne pas convenir cependant, après Fischer, que l'Allemagne est entrée, dès août 1914 et non pas avec l'avènement de Hitler, dans le tourbillon trentenaire de la violence ? Non par une sorte de fatalité, par un enchaînement inéluctable des causes et des effets. Il n'y a pas de mécanique de l'Histoire, mais des forces profondes qui surgissent, donnant rétrospectivement un sens aux événements qui ont précédé la catastrophe. On ne peut sans doute pas évoquer les neuf millions de tués de la Première Guerre mondiale sans partir des ruines fumantes de Berlin en 1945. C'est l'après qui donne son sens tragique à l'avant.

De la sorte, qu'on discute les arguments de Fischer, qu'on estime caricatural et indécent son portrait de Bethmann-Hollweg importe peu. Que les dirigeants de 1914 aient reculé devant la guerre, selon les reproches amers de Hitler, qu'ils l'aient déclarée au dernier moment, quand il ne leur paraissait plus possible de l'éviter, n'empêche pas ce premier massacre collectif, cette première grande guerre européenne de s'être prolongée jusqu'à la ruine de l'Europe, avant de repartir, sous les effets de la crise mondiale de 1929 et de la menace communiste intérieure et extérieure aux Etats (et non sous les dramatiques effets psychologiques pourtant indiscutables du traité de Versailles, mais qui n'ont jamais servi que de prétextes à l'action de Hitler) dans un nouveau cycle d'horreurs qui ont

1. Bulletin de la Société des professeurs d'histoire, 1952.

culminé, après le massacre des Polonais et des populations civiles d'URSS, par la Shoah.

Un historien germaniste aussi modéré, aussi convaincu de la responsabilité partagée des belligérants de 1914 que Jacques Droz a pu écrire en 1973 [1] : « Le succès de Hitler n'aurait sans doute pas été aussi facile si les historiens allemands avaient pris leurs distances à l'égard d'une politique de puissance qui couvrait les aspirations de l'impérialisme wilhelminien. » Citant l'Autrichien Fellner [2], il ajoute : « Ces historiens [allemands] se fussent-ils abstenus de fournir des preuves à la dénonciation démagogique du Diktat de Versailles (réitérée par le chancelier Schroeder dans une déclaration à l'occasion du 11 novembre 1998) un argument de poids aurait été certes retiré à la propagande hitlérienne. » La « révision déchirante » proposée par Fischer était, selon Droz, « passagèrement impopulaire, mais nécessaire ». Son livre « n'est pas un livre d'histoire, mais un livre qui fait l'histoire ».

Sans doute est-il injuste et vain de faire porter sur les hommes politiques allemands la seule responsabilité du drame de 1914. Il est encore plus inadmissible de les considérer comme les initiateurs de l'hitlérisme. Fischer n'est pas tombé dans ce panneau. Il a toujours refusé de considérer les mobiles de Bethmann-Hollweg comme identiques à ceux de Hitler. Mais la tradition militaire, diplomatique, bureaucratique a joué pour imposer la « continuité » d'une certaine politique de guerre, jusqu'à reconduire en 1939 les buts de guerre de 1914 et surtout de 1918. Aucune fatalité historique ne devait mettre en place le système nazi, il n'y a pas de destin particulier du peuple allemand, il n'échappe pas à l'histoire universelle. Pas plus qu'il n'était dans la destinée du peuple russe de construire le premier Etat totalitaire communiste. Quelle que soit l'issue de la nouvelle « querelle des historiens » qui fait rage en Allemagne depuis la fin des années 1980, et qui discute sur le point de savoir si l'hitlérisme est ou non la réplique donnée par le nationalisme allemand au bolchevisme de Lénine et Staline, les massacres de l'un précédant et justifiant en quelque sorte les hor-

1. Jacques Droz, *Les Causes de la Première Guerre mondiale. Essai d'historiographie*, Paris, Le Seuil, 1973.

2. F. Fellner, *Zur Kontroverse über Fritz Fischers Buch* « Griff nach der Weltmacht », Mitteilungen des Instituts für Geschichtsforschung, 1964.

reurs nazies, il est clair que la thèse d'Ernst Nolte n'intervient nullement dans l'explication de la reprise de la guerre. Elle ne rend compte en rien, sinon par incidences, du fait fondamental, que dans les configurations des intérêts et des passions qui ont porté Hitler au pouvoir en Allemagne, dans l'ignorance du développement futur monstrueux de cette calamiteuse initiative, la reprise de la guerre, celle des nations, était inscrite. Une guerre de trente ans.

*

Les futurs poilus des tranchées de 1915 savaient-ils qu'ils vivraient quatre ans dans la boue, bravant la mort chaque jour ? Pouvaient-ils imaginer qu'ils repartiraient en ligne en 1939, après vingt ans de fausse paix ? Les pertes subies par l'ensemble des belligérants au cours de la Première Guerre mondiale sont immenses : sur soixante millions de mobilisés, neuf millions ont été tués au feu. Sur huit millions de mobilisés français, on compte, selon les archives officielles de l'armée, 1 397 000 morts essentiellement dans l'infanterie, sans compter les disparus et les blessés : quatre soldats sur dix ont reçu au moins une blessure, la moitié des blessés l'ont été deux fois, parfois trois ou quatre. La guerre a laissé à la diligence du ministère des Anciens Combattants le service de pensions d'invalidité à deux millions d'hommes, et à 300 000 mutilés dont les aveugles de guerre et les blessés de la face récemment étudiés par Sophie Delaporte[1].

Ces chiffres couvrent une période de guerre longue de 1 560 jours et sont, pour la France, sans commune mesure avec ceux de la Seconde Guerre mondiale. Ils ont touché pratiquement toutes les familles françaises. Il n'est pas surprenant que quatre-vingts ans plus tard, même après la disparition des derniers témoins, cette guerre ait laissé un souvenir collectif très vivace pour une nation qui ne comptait, en 1914, que trente-neuf millions d'habitants et quarante-deux en 1939, contre soixante-dix millions d'Allemands.

Les pertes étaient d'autant plus vivement ressenties par les combattants qu'elles provenaient de la pratique des guerres nationales livrées par des armées de masse issues de la conscription et qualifiée récemment par un historien américain, George L. Mosse,

1. Sophie Delaporte, *Les Gueules cassées*, Paris, Noêsis, 1996.

de *brutalization*[1]. L'enjeu patriotique des guerres les conduirait à une recherche de la victoire à tout prix, au prix des horreurs accumulées et couvertes par la propagande. De la sorte le massacre de grandes masses de mobilisés de 1914-1918, puis de 1939-1945, sans oublier les populations civiles, trouverait sa source dans le principe de la guerre nationale impliquant le sacrifice consenti des citoyens. Une guerre livrée pour la première fois à l'Europe par les armées de la Révolution française. L'exécution de Louis XVI aurait, selon Mosse, rendu cette guerre inexorable.

On peut ne pas suivre aveuglément l'historien américain dans les prémices d'une analyse qui n'a pour but que de dénoncer avec de justes raisons la sacralisation de la guerre et le développement du culte du héros mort qui envahit l'Europe de 1919 à 1939, permettant ainsi, entre beaucoup d'autres facteurs, la reprise des hostilités. Il reste que les combats de la Première Guerre mondiale ont exhibé la brutalité jusqu'au-boutiste de la guerre « nationale », même si les moyens de destruction massive débordaient très largement, et dès le départ, l'emploi des armes blanches. La « brutalisation » va beaucoup plus loin que la simple horreur des corps à corps de tranchées. Elle tient au fait que l'on estime indispensable et comme inévitable l'ensevelissement, l'anéantissement, la défiguration, la déshumanisation de millions d'hommes sous un déluge de feu.

Encore reste-t-il à poser la question essentielle : pourquoi ce sacrifice quotidien est-il accepté si longtemps par les combattants et les nations ? La simple « culture de guerre » n'explique pas la fixation française, et allemande, sur l'Alsace et la Lorraine. Il faut aussi évoquer l'impérialisme de ce temps, et la croyance forcenée des responsables à la nécessité d'asseoir la puissance d'une nation sur la possession du sol et du sous-sol, qui donne curieusement aux guerres un aspect national dans leur aspect défensif, parfaitement assimilable par la propagande, mais aussi un revers mercantile, remontant à une culture beaucoup plus ancienne, celle de la guerre qui rapporte, celle de Frédéric II et de Colbert.

Pour les masses, le massacre est justifié par la menace contre la nation encerclée (l'Allemagne) ou amputée (la France). Pour les

1. George L. Mosse, *Fallen Soldiars. Reshaping the Memory of the World Wars*, New York, Oxford University Press, 1990.

élites de l'industrie allemande, des armateurs de Hambourg, des constructeurs anglais de superdreadnoughts et du comité des Forges, la guerre doit rapporter des marchés et des territoires et le vaincu doit payer le vainqueur. Que les masses accusent des millions de morts dans ces affrontements ne conduit pas à un renoncement au principe constitutif de base des Etats modernes.

Il faut comprendre que cette culture ne peut se réduire au pangermanisme ou au nationalisme français, elle repose sur la transformation,la perversion pourrait-on dire, sous l'effet de la révolution industrielle, de la nation en Empire. La nation a des intérêts (le fer, le charbon, le pétrole, la potasse, mais aussi le blé, ou pour les Etats-Unis, le coton) qu'elle doit défendre et accroître aux dépens des autres nations, sous peine de disparaître. Pas un ministre anglais, français ou allemand des années d'avant et après la Première Guerre mondiale ne pense autrement. Le pavillon est un *casus belli*, pas seulement sur l'Atlantique mais au Congo, au Maroc comme en Alsace ou en Silésie. Il marque la terre. Sous ses plis, Français et Allemands doivent mourir.

L'évolution vers le massacre industriel ne tarde pas à s'affirmer au cours des batailles. Les états-majors sont constamment entraînés vers la recherche d'armements plus meurtriers, capables de leur assurer la supériorité sur le champ de bataille par la destruction de l'ennemi, et non par les manœuvres stratégiques enseignées dans les écoles de guerre qui, dans l'esprit des stratèges, étaient destinées à conclure la guerre au prix d'un minimum de pertes.

Ils sont ainsi conduits à associer étroitement l'industrie et la nation toute entière dans l'effort de guerre. Dès lors qu'elle se prolonge, il faut la poursuivre jusqu'à son terme. Aucun état-major n'envisage jamais la recherche d'une paix blanche, d'une trêve laissant la place à des négociations. Ludendorff ne se résout à demander l'armistice qu'au dernier moment, quand il est assuré de sa défaite à terme et qu'il veut la faire endosser par les civils.

Cet enchaînement modifie profondément la nature des combats et le sort des combattants. Il est vrai que le « poilu » de 1915 n'est déjà plus que le frère cadet du combattant en pantalon rouge de 1914. Celui-ci attaque volontiers « à la baïonnette », selon les préceptes de l'Ecole de guerre française. Mais il meurt déjà en grappes sans avoir vu l'ennemi. S'il creuse des tranchées, elles sont très provisoires, car les marches et les contremarches sont incessantes, en Alsace, puis en Lorraine, dans le Nord, de Charleroi à la Marne, enfin vers la mer. Ces premiers soldats de la guerre, qui tombent dans les rangs français à raison de 60 000 en moyenne par mois laisseront 360 000 des leurs dans les cimetières et fosses communes, tués le plus souvent, dans les mois terribles de 1914, par les éclats d'obus et les balles de mitrailleuses.

Les *poilus* viennent plus tard, lors des « offensives » de 1915. Ils sont alors protégés par des lignes continues de tranchées, dont ils ne sortent que pour mourir dans une série d'attaques provoquant, pour cette seule année, 320 000 décès dans leurs rangs. Les quatre grandes offensives de 1915 durent en tout cent jours et accumulent les cadavres. Mais pendant les deux tiers du temps, les poilus doivent s'organiser pour survivre sur les lignes du feu. Ils livrent alors leur bataille quotidienne contre le froid, les maladies, l'humidité mortelle, le gel qui gagne les pieds et les jambes, la pollution de l'eau qui provoque des épidémies de dysenterie, surtout en Orient où les soldats français sont abandonnés sans moyens médicaux suffisants pour lutter contre les effets du climat et les endémies.

Pendant les cent jours tragiques de 1915 et en 1916, l'année de Verdun et de la Somme, les tranchées n'existent plus, elles sont submergées par les tirs d'artillerie de plus en plus puissants, qui réduisent en bouillie l'hiver, en croûte l'été, les paysages du front. Il n'y a pas alors de repos pour le poilu, qui n'a pas le temps de creuser, du côté français, des abris protecteurs, et dont les lignes sont des boyaux hâtivement aménagés entre des trous d'obus. L'armée s'enterre à la diable, sous le feu du canon, et survit comme elle peut : 270 000 morts français en 1916. Quand les dernières offensives alliées sont lancées en 1917, on enterre encore 145 000 hommes lors de l'affaire désastreuse du Chemin des Dames.

La révolte des poilus change alors sensiblement leur condition. Les mutins ne sont pas des déserteurs, mais des grévistes de la guerre. Ils exigent l'arrêt immédiat des offensives inutiles. Ils n'acceptent de se battre que si l'état-major prend toutes les dispositions nécessaires au succès des actions ponctuelles qu'il entreprend encore sur le front. Ils ont gagné le droit de survivre en êtres humains, d'obtenir des permissions régulières, un roulement dans l'occupation des secteurs. Ils s'installent pour une guerre longue, une « guerre d'usure », en ménageant leurs forces.

Les Allemands, depuis Falkenhayn, ont multiplié sur leur ligne de front les ouvrages défensifs, bétonnés, à l'épreuve du feu, pour économiser le plus possible leurs combattants, alors qu'ils livrent une guerre dure à l'Est. Les soldats en *feldgrau* ne sont sortis de leurs abris que pour livrer en 1916, sous une protection d'artillerie jamais encore réalisée, la bataille d'extermination de Verdun. Après leur échec manifeste, ils se sont enterrés dans la ligne Hindenburg, dont l'expérience des dernières offensives alliées devait montrer qu'elle était imprenable.

Mais ils sont encore sortis de leurs casemates et de leurs *Stollen* en mars 1918 pour reprendre la guerre de mouvement, perçant les lignes alliées à leur guise, en raison du renfort de troupes et d'artillerie venus de l'Est, après la paix de Brest-Litovsk, conclue avec les bolchevistes. Jusqu'au 11 novembre 1918, les poilus français sont de nouveau des errants sans tranchées. Ils retraitent, contre-attaquent, s'enterrent dans des trous, tentent d'organiser des positions toujours remises en question par les assauts ennemis. Ils perdent 250 000 des leurs tués dans la guerre de mouvement de 1918.

Les périodes de veille dans les tranchées sont, certes, dans l'espace et dans le temps, les plus longues de la guerre. Pendant des mois, des deux côtés du front, les hommes sont embusqués. Ils attendent, organisent les positions, déjouent les ruses ennemies, les sapes et les contre-sapes, se battent pour s'emparer des pitons où l'adversaire a installé des observateurs d'artillerie. Les rares survivants de la première mobilisation de 1914 ont passé dans les tranchées le plus clair de leur temps de guerre. Beaucoup de secteurs du front restaient calmes, quand les offensives faisaient mourir, par ailleurs, les hommes par dizaines de milliers.

Mais l'importance des pertes était telle dans les périodes de grandes offensives (deux à trois divisions par jour devaient monter en ligne à Verdun au plus fort des attaques allemandes) que les poilus n'étaient jamais longtemps des guetteurs immobiles. Ils étaient appelés en renfort, souvent en catastrophe, sur les points brûlants des coups de chien.

Ils ne livraient pas le même combat, ceux d'août 1914 et ceux de juillet 1918. Ils avaient appris à lutter contre les gaz, les grenades, les mortiers de tranchées. Ils s'étaient entraînés à progresser derrière les chars d'infanterie, à correspondre par radio avec les artilleurs de l'avant, qui recevaient eux-mêmes les messages des aviateurs. Le poilu en bleu horizon était déjà devenu ce combattant de la guerre moderne, utilisant, selon les prédictions de Jünger, les découvertes de la technique pour un combat plus efficace. Les grenadiers oubliés avaient ressurgi du passé, avec les mitrailleurs, les éclaireurs, les aviateurs et les tankistes. L'image d'Epinal du poilu dans la tranchée doit être corrigée, enrichie de tous les aspects changeants du combat, au cours d'une aussi longue guerre.

*

Le caractère moderne du conflit s'était immédiatement affirmé, dès 1914, dans le désastre des batailles de frontière : on avait alors découvert, du côté français, la violence destructrice du feu des mitrailleuses et des canons, et de la nature des projectiles utilisés. Les soldats américains devaient à leur tour faire l'expérience en 1918 à bois Belleau, pendant la seconde bataille de la Marne, des effets de ce feu meurtrier dont ils n'avaient pas l'idée en débarquant en France, parce qu'il était sans rapport avec la capacité de destruction des armées pendant la guerre de Sécession.

L'héroïsation des combattants par l'arrière, la mobilisation pour soigner les blessés font oublier les pertes par simple maladie, considérables. Celles de la grippe espagnôle en 1918 équivalent à la destruction de deux divisions. La boue humide des automnes glacés, le froid d'hiver, les chaud et froid d'été sur le front d'Orient submergent les antennes du service de santé et obligent à renvoyer les hommes incapables de combattre à l'arrière pour y soigner les pneumonies, les tuberculoses, les maladies vénériennes, sans oublier le typhus. 14 % des soldats recueillis dans les hôpitaux sont morts de maladie. La proportion est plus forte dans l'armée d'Orient, où le paludisme et la dengue ont décimé les unités.

Seuls les organismes les plus robustes pouvaient survivre à cette vie de plein air, dans des conditions d'inconfort total. La vie dans les tranchées doit être décrite comme une survie : comment les hommes ont-ils pu s'enterrer pendant de longs mois sans périr ? Comment les organismes des individus urbanisés, habitués à la protection sociale des populations, à l'eau courante, au gaz qui ne tue pas, à la surchauffe des bureaux et des habitations ont-ils pu s'adapter brusquement à ce retour à la vie animale, celle des taupes, des renards et des rats, caractéristique de la situation des hommes en ligne ?

Ces conditions de survie sont parfaitement connues des familles de l'arrière : quand un poilu rentre du front, ses vêtements sont immédiatement mis à bouillir par les femmes dans d'immenses lessiveuses de fer-blanc chauffées en plein air sur des braseros. Il faut tuer la « vermine ». Rituel de purification collective auquel tous les villages de France ont sacrifié pendant quatre ans. Il en est un autre, plus pénible : le passage de gendarmes annonçant les morts. On les suit à la trace, d'une rue à l'autre, derrière les persiennes. Où vont-ils s'arrêter ?

La survie, la mort, l'oubli. Les combattants ne se comprennent qu'entre eux, parce qu'ils ont vécu l'indicible. Seuls les très grands écrivains, Genevoix, Dorgelès, Jünger, Remarque, ont pu reconstituer avec des mots la peur viscérale, celle qui fait revenir au cri originel, quand tombe l'apocalypse qui précède les grandes offensives.

Oublier ces peurs paniques, les refouler au plus profond de l'âme. Les corps ne sont plus des objectifs, sauf pour les tireurs d'élite du petit matin, ils sont la matière première sanglante de la guerre, celle qui justifie la forte consommation d'obus et de balles de mitrailleuses. Ils sont compris dans les statistiques de la guerre industrielle, au même titre que les matières premières stratégiques. Il faut se procurer à tout prix des hommes et des chevaux.

Le refus, la révolte, l'abandon de poste ? Ils sont presque impossibles dans l'encadrement de la guerre par les états-majors et les effectifs de gendarmerie présents à l'arrière immédiat du front. La répression, d'abord aveugle, est sévèrement réglementée. Quand les mutins sont des centaines de milliers sur le front de l'Ouest et dans les régiments métropolitains de l'armée d'Orient, les condamnations à mort sont limitées, les cours de justice régulièrement constituées, la grâce du président de la République toujours possible. Plus le mouvement gagne en ampleur, plus la répression est mesurée et la politique de guerre alterne les décisions jugées indispensables avec les mesures de clémence.

Les insoumis, plus nombreux en 1918 parmi les jeunes classes qu'en 1914 à Paris, sont traqués, retrouvés, expédiés au front dans les unités disciplinaires. La répression est stricte, elle peut être injuste, mais il est dans l'intérêt des états-majors qu'elle soit dominée. Les grandes défaites, Charleroi, Caporetto chez les Italiens, conduisent à des excès. Ils sont officiellement dénoncés, tout comme les violences au front. Des directives signées d'un général du corps expéditionnaire en Orient recommandent aux hommes de l'avant de traiter les Bulgares comme des êtres humains. Violences des corps à corps, brutalisation des hommes engendrant le retour des crimes à main nue, des luttes sans merci, pas même pour les blessés. La peur engendre la haine.

Aussi l'héroïsme, le dépassement de soi, le sacrifice pour sauver l'ami, le frère, le gradé même. On voit les hommes prendre des risques pour ramener les blessés abandonnés par les brancardiers dans le no man's land entre les lignes. Pas d'obligation de trêve pour les enlèvements. Les blessés doivent y mourir. C'est la loi de la guerre totale. Il arrive pourtant qu'ils en réchappent, parce que des accords ont été conclus ponctuellement, d'une ligne à l'autre, ou plus souvent parce qu'ils ont été recueillis par l'ennemi, au cours de l'action.

Mais la peur des fraternisations est telle que le rituel des enlèvements de corps, jadis admis et encouragé par les états-majors, a pratiquement disparu de la guerre moderne. Seule la peur des épidémies peut éventuellement conduire les responsables à décider l'arrêt du feu pour enfouir les cadavres. Les récits de guerre fourmillent de visions de l'espace entre les lignes, où les tués pourrissent dans les réseaux de fils de fer barbelés. Les blessés meurent lentement, faute de secours. Morts, ils sont abandonnés sans sépulture.

Il n'existe pas de répit, ni d'humanité. De plus en plus les soldats montant en ligne ont le sentiment d'être des morts en sursis. Ils maudissent la guerre et tiennent cependant, parce qu'ils n'ont pas d'autre choix, parce que la patrie n'a pas d'autre choix, et que chacun est logé à la même enseigne. Plus ils survivent dans les tranchées, moins ils sont statistiquement de chances de s'en tirer indemnes. Les blessures sont pour eux le seul espoir d'échapper à la mort programmée. Ou la lassitude de l'ennemi, également enlisé dans une lutte sans fin.

Le regard à la fois sauvage et traqué, toujours aux aguets, le visage immobile des hommes de l'avant en disent long sur les souffrances subies et les peurs réprimées. Ces hommes ne sont pas nos aïeux lointains, ils restent nos frères, ils ont vécu ce que nous aurions pu vivre. Ils ont droit à toute notre attention.

1.
LES PANTALONS ROUGES

L'imaginaire des Français de 1914 est encore peuplé de sons, de bruits non identifiables aujourd'hui. Les roues cerclées de fer des charrettes sur les chemins rocailleux, l'assourdissement de la forge et des marteaux laminant l'acier porté au rouge, les sifflements des locomotives rurales, les aboiements des chiens de villages, lancés librement en bandes joyeuses sur les places non goudronnées des églises ou des mairies, les déchirantes sirènes des petites usines de province, celles qui appellent à heures fixes au travail. Les bruits changent, les hommes aussi.

La mobilisation est d'abord une affaire de cloches et de tambours. Elle fait beaucoup de bruit dans les villages, où vivent encore la moitié des Français, elle est reconnaissable aux sons, qui annoncent un cataclysme. Il est inhabituel que sonne le glas, simultanément, dans toutes les églises de Bretagne dont les clochers ressemblent à des dunettes de navires. Il ne cesse pas, il s'installe, pour que nul n'ignore qu'il a sonné la fin du monde.

Les cloches carillonnent aussi aux clochers des innombrables églises de Paris, à Saint-Germain-l'Auxerrois, qui avait annoncé en 1572 la Saint-Barthélemy, comme à la Madeleine ou à Notre-Dame-des-Victoires. A Pieusse, le pays très occitan du poète surréaliste Joseph Delteil, les paysans apprennent la mobilisation par les cloches dans leurs vignes. Ils luttent ordinairement contre la grêle et le mildiou, et les nouvelles venues de Sarajevo leur paraissaient bien lointaines. Mais le tocsin est formel : cette fois, c'est pour eux !

Le 1er août, les cigales se taisent brusquement, les mulets et les chèvres dévalent les pentes, comme s'ils fuyaient les laves de l'Etna, la cloche tinte « à tour de bras, dans une hallucination d'airain ». On rentre les canards en silence, personne n'ose plus battre un âne. Le pays retient son souffle. On essaie d'avoir des informations. En vain. Les cloches sont seules à communiquer.

Elles sonnent à la volée dans les églises de Lyon, à la « bonne mère » de Marseille, aux Saintes-Maries-de-la-Mer au milieu des gitans et des gardians, à la cathédrale massive de Laon, au beffroi d'Arras, aux innombrables clochers de Nancy. Charles Le Goffic a raconté le jaillissement soudain du tocsin sur les plages bretonnes autour de Ploumanac'h. Depuis plusieurs jours les Parisiens en vacances étaient partis en trains ou en automobiles, craignant la fermeture des passages à niveau. La cloche de Perros avait commencé, puis celles de Saint-Quay, de La Clarté, de Pleumeur-Bodou, de Trégastel, de Trébeurden... « Les grosses à la voix de basse-taille, les petites à voix d'enfants de chœur, et les nasillardes, les fêlées, les dolentes, les rageuses et les bocagères, celles du littoral au timbre grelottant comme des voix de noyés. » Les cloches glaçaient l'âme.

Le clergé a joué son rôle dans le grand départ. A Paris, le tocsin a surpris. On ne l'avait pas entendu depuis très longtemps. En province c'est pire encore : « Voici le glas de nos gars qui sonne », disait dans l'église de Plumaudan, en Bretagne, une vieille femme qui avait connu la guerre de 1870. Le curé de Lons-le-Saulnier, l'abbé Poulin, était triste : on démontait les manèges de chevaux de bois. Il n'y aurait pas, cette année-là, de fête patronale de la Saint-Désiré.

Dans la plupart des départements ruraux, les moissons n'étaient pas achevées. Les paysans apprenaient par les cloches qu'il fallait se rendre au village et s'informer. Abandonneraient-ils les gerbes pour obéir aux injonctions des gendarmes ? Ils parcouraient les campagnes à cheval, à bicyclette, en automobiles, cherchant leurs ouailles avec acharnement. Emilie Carles raconte que, dans son hameau du Briançonnais, elle était « dans l'herbe au milieu des trousses » quand elle avait entendu les cloches. Les feuilles de route étaient déjà distribuées au village. « Tout le monde était dehors, raconte-t-elle, on se parlait, on s'interrogeait... Il y en avait qui prenaient ça à la rigolade, mais il y avait les autres, les inquiets qui voyaient tout en noir. En l'espace d'une semaine, le village avait changé du tout au tout. Il n'y avait plus d'hommes entre vingt et quarante ans. » La moitié des effectifs des régiments d'infanterie se présenterait dans les corps d'armée en venant directement des champs. On avait tout juste admis que les paysans occupés aux batteuses pouvaient achever de battre le grain avant de prendre le départ. Une concession indispensable : les moissons devaient être engrangées.

Ils étaient partis dans une envolée de cloches. Dans le culte catholique, elles marquaient la fin, sonnaient le glas. Il s'agissait aussi d'une fin, celle du bien vivre et de la trop longue paix. Dans les églises bretonnes, les hommes demandent au recteur surpris par cette affluence inhabituelle de se confesser et de communier, comme s'ils ne devaient plus revenir. On part comme jadis à la croisade, sans avoir toujours l'espoir d'un retour. Au fond de soi, on sent bien que les temps des vaches grasses sont finis. L'heure est venue de payer tribut à la mort. Une résignation triste accompagne le son des cloches, qui contraste avec la gaieté affichée dans les gares. Quand tout un pays part en guerre, il éprouve dès le premier instant la nostalgie de la paix perdue.

Les cloches rappellent un devoir, se dresser pour parer au danger. Elles annonçaient au loin l'arrivée des Vikings, celles des uhlans en 1870, des Cosaques en 1814. Voici revenu le temps des invasions. Tous se portent à la frontière. « Maintenant au moins, on est fixé », dit à Charles Le Goffic un ouvrier breton, sur le quai de Lannion. « Il fallait en finir », c'est le mot qui revient sans cesse dans les conversations. Les cloches annoncent la fin.

*

Après les cloches, les tambours. Non pas ceux de la clique. Les régiments sont en caserne, préparent leur départ dans la fièvre. Pas de défilés au premier jour, un rassemblement. Le tambour qui parcourt les rues et s'arrête à chaque carrefour ne bat pas la charge. C'est celui du sergent de ville. Il réveille la population.

Toute la nuit il bat en Lorraine, d'heure en heure, afin que nul ne se rendorme. Les hommes doivent rejoindre au plus tôt les unités des frontières pour compléter les effectifs. Le tambour passe et repasse, il bat le rappel du devoir.

Ce n'est pas un tambour militaire. Mais, depuis longtemps, la nation marche au pas, à l'usine comme au régiment. Sous Napoléon, on réveillait les lycéens au son du tambour. Son usage civil est universel dans les mairies, où réside l'autorité. Faire battre tambour est le privilège du maire élu, représentant du pouvoir souverain. Il indique que le discours qui va suivre est celui de l'Etat, de la Loi. Le tambour ne bat pas la charge pour lever des volontaires comme en 1792, il annonce une communication officielle du gouvernement, à qui le baron de Schoën vient de déclarer la guerre au nom de son maître, l'Empereur-Roi. Fermez le ban !

Tous les hommes sortis du service militaire connaissent le ban. C'est le pouvoir de commandement du général, qui a roulé les feuilles de chêne gauloises autour de son képi doré, rouge au sommet, comme le manteau de Jules César. Le roulement du tambour annonce aux civils qu'il est temps de laisser les champs et les troupeaux, les femmes et les mères, pour se rendre au camp et prendre les armes. Il n'y a pas de quoi surprendre un jeune Français. Il est mentalement préparé à cette guerre depuis son entrée à l'école primaire. La lecture du manuel d'Ernest Lavisse lui a appris qu'il devait être plus tard un bon soldat, que la France était une mère malheureuse et bafouée, dont l'honneur était à défendre. Il a entendu à la veillée les récits de la précédente invasion, transmis dans les campagnes du Nord et de l'Est par la tradition orale. Il n'a pas été sourd à l'épopée des aînés, de retour du service militaire, sur les grandes manœuvres et la découverte des villes. Il a entendu parler périodiquement des crises avec l'Allemagne, depuis le début du siècle. Le tambour est un rappel au devoir, pas un appel à l'héroïsme.

La guerre n'est certes pas alors conçue comme une hécatombe programmée, plutôt comme une promenade militaire en pays facilement conquis. Le tambour notifie qu'il est temps de prendre le train, que les Allemands n'attendront pas. La guerre est certes une aventure, qui répugne surtout aux bourgeois installés, elle n'est pas vécue comme une promesse de massacre, ni de ruine totale. On part pour corriger des voisins voleurs de prunes, leur reprendre le bien perdu, les empêcher de conduire leurs troupeaux dans nos campagnes conquises. Tous doivent obéir au devoir militaire. On leur a répété cette maxime fondamentale au régiment comme à l'école de la République. Ils partent sans protester, qu'ils soient ou non syndiqués. Les premières nouvelles donnent raison au gouvernement : les Allemands n'ont-ils pas envahi la Belgique ? « Il faut en finir » et peut-être décourager à jamais l'esprit de guerre. « Je pars soldat de la République pour le désarmement général et la dernière des guerres », dit alors Charles Péguy. Il répond le premier au son du tambour, donnant l'exemple à la caste des intellectuels normaliens.

Le tambour instrument du pouvoir : les gendarmes ne sont jamais très loin, dans les campagnes, pour avertir les récalcitrants, piquer de leur sabre les traînards, veiller à l'ordre de la mobilisation. Les brigades de la « Blanche » sont sur le qui-vive. Elles ont été renforcées pour affronter l'immense tâche de faire accomplir le devoir militaire à 3 580 000 Français. Pour la première fois dans l'histoire de France, la totalité de la population masculine en âge de prendre les armes est conduite au dépôt, pour se rendre ensuite à la frontière. C'est un mouvement social d'une ampleur sans précédent.

Les tambours de ville parcouraient les rues des villages et les maires, le ruban tricolore en écharpe, lisaient l'ordre de mobilisation. A Réméréville, en Lorraine, les ordres de route avaient été distribués par les gendarmes dans la nuit du 1er août, à 23 heures. A 1 heure du matin, tous les hommes sont partis. Le jeune Dorgelès se promenait dans la rue, à Paris, le 1er août. On lui dit que l'affiche de la mobilisation était apposée dans toutes les mairies. « Je n'ai fait qu'un bond jusqu'à la rue Drouot, écrit-il [...] Je me suis approché de la fascinante feuille blanche collée à la porte. Trois lignes, écrites d'une main qui tremblait. C'était le faire-part d'un million et demi de Français. »

Pour la première fois le pays quadruplait ses effectifs militaires, portant aux armes toute la population valide. Au village, ceux qui n'étaient pas recrutés insistaient parfois, non par patriotisme, mais pour ne pas subir l'opprobre des familles sans hommes, pour ne pas être plus tard montrés du doigt comme des anormaux ou des asociaux, pour pouvoir trouver du travail après la fin de la guerre.

Rares étaient les insoumis dont s'occupaient activement dans les villes les préfets et leurs policiers, tenant prêt le carnet B où des listes d'arrestation de leaders syndicalistes avaient été dressées. On trouve quelques traces d'insoumission dans les pays industriels ou miniers, la Loire plus que le Nord, où les hommes se regroupent en maquis, bientôt cernés et réduits par les brigades de gendarmerie, vigilantes sur tout le territoire. Les gendarmes doivent s'assurer que personne n'échappe, que chacun est bien décidé à payer l'impôt du sang. Ils sont le fer de lance de la mobilisation. Ils n'ont guère besoin de sévir, ni d'enfermer. Se porter à la frontière est perçu comme un devoir, au pire comme une obligation, très exceptionnellement comme une contrainte injuste et contestable.

*

Le bruit de la foule est dominé, autour des gares, par le halètement impatient des locomotives. Les trains se succèdent sans arrêt. Au 1er août, écrit plaisamment Delteil, « la France devint une gare. Chaque colline abritait un chemin de fer, chaque village une station ».

Le programme de construction des voies d'intérêt secondaire de Charles de Freycinet avait porté ses fruits. De chaque sous-préfecture pouvaient partir des convois pour Paris et Lyon, et de là pour les frontières. Les Finistérois conduits à la gare en chars à bancs sauteraient dans le petit train de Brest à Châteaulin. Les mineurs de Commentry ou de Saint-Eloi utilisaient la ligne d'Eygurande ou celle de Clermont-Ferrand. La capillarité des voies ferrées était telle dans le pays que l'on pouvait effectivement derrière chaque colline recueillir les appelés et les conduire sur les longues rames de wagons à bestiaux et de plates-formes roulantes chargées de charrettes et de canons vers les grands centres de rassemblement des dépôts. Telle est la première étape.

Chaque Français est pourvu d'un livret militaire individuel porteur d'une feuille de route rose qui indique le lieu et le délai consenti pour répondre à l'appel. Il doit se rendre le plus tôt possible au lieu de mobilisation, généralement une ville du département ou de l'arrondissement pour les fantassins. Ainsi les gens de la région de Montluçon se rendent-ils à l'appel de la caserne du 121e régiment, les artilleurs, comme les chasseurs à cheval doivent prendre le train pour se rendre au 53e régiment de Clermont-Ferrand, les dragons à Limoges, les cuirassiers à Lyon ou à Tours. Il n'est pas question de retarder son départ.

Des files de civils, accompagnées de leurs parents proches, se rendent dans les gares. Les Parisiens sont attendus dans les casernes et les forts de la couronne. Un héros évoqué par Paul Vialar s'embarque à la gare de l'Est, lesté de cadeaux et de provisions, pour se rendre à Toul, au 167e d'infanterie, au plus vite. Maurice Genevoix, sous-lieutenant d'infanterie, doit rejoindre le 106e à Châlons-sur-Marne. Marc Bloch prend la direction d'Amiens, où les sergents recruteurs du 273e régiment l'attendent pour l'habiller.

La première étape est généralement riche en libations. Les réservistes n'ont pas toujours le cœur gai, mais les musettes sont pleines de vin. Rien d'étonnant : le divin breuvage fait alors, jusqu'à plus soif, partie de la vie des Français. Les syndicats dénoncent les premiers les dangers de la boisson, quand les jeunes ouvriers venus de la campagne, hébergés par des tâcherons-bistrotiers peu scrupuleux, perdent pied sur les échafaudages.

Chaque samedi soir, dans le quartier des Halles, la « main courante » des officiers de police est couverte de récits de bagarres déclenchées par des jeunes trop chargés de vin. Boire est un des attributs de la virilité. L'ivrognerie n'est nullement condamnée dans les casernes, encouragée plutôt, pour peu qu'elle ne gêne pas le service. Pour plaire aux anciens, aux sous-officiers, les conscrits doivent « payer le coup ». Le rituel de sociabilité passe par le comptoir.

Les hommes qui se retrouvent dans les gares ne sont pas des conscrits (ceux-ci sont déjà formés dans les régiments d'active) mais des réservistes des trois dernières classes, venus des mêmes régions, heureux de se revoir après leur retour à la vie civile. Ils boivent ainsi le vin des retrouvailles. Nul ne s'en étonne. Le verre de vin fait partie de la vie quotidienne des Français en temps de paix. Les noces paysannes sont de longues beuveries étalées sur plusieurs jours. Les événements exceptionnels entraînent toujours une hausse de la consommation du vin, fourni dans les cabarets et estaminets du Nord, à des prix très réduits : vin du Languedoc, coupé à Bercy de crus d'Algérie. A l'époque, les premiers coureurs du Tour de France ne songent pas à se doper autrement qu'en garnissant leurs gourdes de vin rouge. On considère le vin comme une source d'énergie et de gaieté. Ce que les hommes retrouvent en ces circonstances, c'est la liberté de boire sans le souci du chantier ou du retour au foyer. Dans les wagons, on s'interpelle, on lance des cris guerriers, on chante. On sort les brioches dorées des sacs en attendant l'heure du départ. Une mère fait promettre à son gosse sur le quai du départ « qu'il ne se fera pas tuer ».

Les trajets des mobilisés à travers le territoire s'entrecroisent bizarrement. Le lieutenant Jacques Rivière prend le train à Paris, à la gare « du Midi », pour rejoindre son régiment, le 20e d'infanterie à Marmande. Dans son wagon, un terrassier de Saumur doit se rendre à Avignon. Il a déjà « deux jours de chemin de fer dans les jambes ». L'épuisement des hommes à la gare de sortie fait peine à voir. Certains titubent de fatigue, d'autres de vin. « Hurlements, chansons, mangeaille », écrit Rivière, un chrétien sincère qui attend de cette guerre une « purification ». « Sentiment d'être pris dans un fleuve énorme mais un peu plus boueux que je ne l'avais imaginé[1]. »

En faction sur un quai de la gare de l'Est, Drieu la Rochelle, soldat depuis plus de neuf mois mais affecté à la garnison de Paris voit passer « ces énormes masses de réservistes [...] Ils étaient saouls et chantaient *La Marseillaise* ». Le recalé du concours des sciences politiques a résilié son sursis pour « faire son temps ». Il ne peut se retenir de mépriser ces paysans « alcooliques, dégénérés, maladifs ». Pourtant « une certaine partie de moi-même, ajoute-t-il, s'enivrait de ce spectacle tonitruant. Les hommes, ajoute-t-il doctement, aiment se saouler et chanter. Peu leur importe ce qu'ils chantent, pourvu que ce soit beau ». Drieu n'aime pas le vin rouge. Il parie « trois bouteilles de champagne » que son régiment ne quittera pas la caserne. Pari perdu. Ainsi devra-t-il partir lui-même, avec son régiment complété, et s'intégrer, en dépit de ses réticences de bourgeois d'une exquise délicatesse, dans le grand chambardement populaire.

Les Parisiens doivent souvent se rendre, suivant leur feuille de route, dans les régions stratégiques du Nord et de l'Est, les plus fournies en troupes, en fonction de leur classe. Les deux premières, celles des hommes les plus jeunes, rejoignent aussitôt les régiments d'active des garnisons de frontière, en quarante-huit heures. Passé ce délai, les convois se suivent encore pendant deux semaines. Mais l'ivresse des deux premiers jours est retombée, le flux des partants canalisé, les voies gardées. La fête est finie.

*

1. Jacques Rivière, *Carnets. 1914-1917*, Paris, Littérature Fayard, 1974.

Les chemins de fer ont mobilisé tout leur matériel roulant, suivant un plan minutieusement préparé par Joffre, spécialiste de la concentration et des transports. Toutes les gares parisiennes sont en effervescence pour répondre au double mouvement de départ vers les villes-garnisons des frontières, mais aussi à l'afflux des mobilisés vers les casernes du recrutement parisien. Dix mille trains seront utilisés pour la mobilisation et cinq mille pour la concentration. Ils circulent en convois interminables de wagons hétéroclites. Les plus chanceux trouvent des compartiments de troisième classe. Les autres couchent sur la paille, à même le sol des wagons de marchandises. Tout est réglé dans les grandes masses, mais le désordre intervient à l'incorporation.

Les centres de mobilisation de la région parisienne ont été hâtivement constitués pour accueillir les unités les plus variées : ainsi, au fort banlieusard de Noisy-le-Sec affluent des hommes venus de partout, dès 8 heures du matin, au deuxième jour de la mobilisation.

Les témoins gardent une impression de pagaille et d'improvisation. Edouard Deverin est affecté par un sergent-major à une unité de chasseurs cyclistes. Il n'est jamais monté à bicyclette. Qu'importe, on lui donne le choix entre les chasseurs vélocipédistes et le régiment de zouaves qui se constitue sur le même lieu. Il se garde bien de choisir ce corps d'élite, n'ayant pas l'âme d'un héros. Un Parisien, Henry Pouvereau, remplit le 1er août le rôle du fascicule contenu dans son livret militaire. Il doit attendre le troisième jour de la mobilisation pour se rendre à la gare de triage de Bel-Air (Raccordement). On le dirige aussitôt « dans un train tout fleuri et garni de branches vertes » sur Coulommiers, où il fait la rencontre du lieutenant Charles Péguy et rejoint le dépôt du 76e régiment d'infanterie.

Le désordre dans la région parisienne est étonnant. Les hommes qui affluent de toutes parts ont envahi les casernes, les centres de concentration. Ils couchent sur la paille en attendant une affectation. Seuls les cavaliers sont mieux traités, parce que leurs régiments sont six fois moins pourvus en hommes que les unités d'infanterie, qui comptent plus de 3 000 fantassins. Les dragons de Versailles complètent leurs effectifs, comme les cuirassiers du 2e régiment, accueillis au quartier de l'Ecole militaire.

Le même bouillonnement anarchique se répète dans les villes de province. A Nantes, les casernes regorgent de recrues. On doit loger à la fois les trois mille hommes du 65e de ligne, ceux de la 81e de territoriale, du 3e dragons, du 11e trains et du 51e d'artillerie à cheval. A Brest, à Quimper, on accueille les arrivants dans les écoles, les lycées, les salles de spectacles et même sous les marchés couverts. Ils viennent de tous les *plous*, en charrettes, en chars à bancs, à bicyclette. Ils marchent en petits groupes joyeux, abreuvés dans les fermes de passage, le long des routes, les cocardes du conseil de révision défraîchies sur les musettes. Ils campent autour des gares, couchant à même le sol dans des couvertures. Pour se donner du courage, et tout à la joie de retrouver « la classe », ils boivent et chantent en attendant les convois, et pas seulement des chansons patriotiques.

Mêmes scènes de précipitation bruyante à Grenoble où Honoré Coudray, apprenti ébéniste, entend la sonnerie des cloches le 1er août au matin. « L'animation est grande, écrit-il, la fièvre parcourt les rues. » Quand les affiches sont collées, la foule envahit les rues, assiège les magasins. On comprend, dit le jeune homme, « que l'enthousiasme est de façade ». Car « la guerre, c'est l'inconnu ». Il fait transporter ses bagages dans une « jacobine » pour libérer sa chambre de louage et répondre à l'ordre de mobilisation. Il doit rejoindre son régiment le lendemain matin. A la gare, « tous affirment que dans un mois nous serons de retour ». Honoré est sceptique. Il regrette que le tirage au sort ait disparu, car « on aurait pu assister à de folles enchères » menées par les riches conscrits ayant tiré des mauvais numéros pour payer les gages de leurs remplaçants. C'était une pratique encore courante sous l'Empire. « La République du jour, conclut notre hussard grincheux, a voulu l'égalité. Nous allons essayer d'en tâter. »

Le voilà parti. Il entre dans la gare de Grenoble « comme dans un moulin ». Il montre son livret militaire à l'employé à casquette. Celui-ci, « avec une moue ressemblant à un sourire, indique l'heure du train et le numéro du quai ». Honoré doit rejoindre le 9e de hussards à Chambéry. Il arrive au quartier Saint-Ruth, dans la cohue. Le voyage n'était pas long. Mais l'accueil, des plus sommaires. Il prend le parti de se réfugier du côté des chevaux, en attendant son tour d'incorporation[1]. Les délais sont longs pour obtenir un uniforme au magasin des équipements. Autant patienter.

1. Honoré Coudray, *Mémoires d'un troupier*, Bordeaux, Aimé Coudray éditeur, 1986.

*

Les chevaux n'attendent pas. Ils sont le nerf de la guerre. Sans eux, pas d'artillerie, ni de ravitaillement en munitions. Il faut saisir tout de suite le troupeau national, et l'équiper de selles et de harnais à la va-vite, selon les besoins exprimés par l'état-major.

Dans les campagnes, les réquisitions vont bon train. L'armée est seulement équipée pour fournir en remonte la cavalerie du temps de paix. Le gonflement subit des effectifs arrache aux écuries des fermes 600 000 chevaux en quelques jours, sans compter les mulets et les ânes. Il faut prévoir des trains supplémentaires pour fournir d'abord les chevaux aux attelages d'artillerie hippomobiles et l'armée ne compte pas moins de soixante-deux régiments d'artillerie de campagne, recrutés dans toute la France, en dehors des dix régiments basés en Afrique du Nord dont une partie est déjà embarquée pour la métropole.

A Lannion, les chevaux sont parqués sur le quai d'Aiguillon, dans l'enceinte d'un bal champêtre. Un gendarme les appelle l'un après l'autre, par leur numéro d'inscription. Ils ont l'habitude du cheval et sont rodés aux remontes. Leur présence signifie que les besoins de l'armée doivent être couverts sans aucune considération autre que la défense. Il n'est pas question pour les paysans de ruser.

Les animaux sont d'abord confiés aux équipes de vétérinaires qui les examinent aussitôt très sommairement. Les invalides, les pouliches sont écartés. On peint au balai un matricule sur l'épaule des bons pour le service. On estampille au fer rouge la corne d'un des sabots du cheval engagé. Les montures sont ensuite acheminées, en un très long cortège, vers Guingamp et Fougères, où elles seront embarquées.

Elles sont de tout poil, de tout âge, de cinq à quinze ans. Des cavaliers les montent quelquefois à cru, le plus souvent des valets d'écurie les tirent à la longe. Le seul arrondissement de Lannion en fournit sept cents. Après la guerre, sur la quantité, un seul devait revenir au pays, une jument devenue aveugle.

Quel propriétaire de chevaux songerait à protester ? Ils proposent parfois leurs meilleures montures aux officiers, dans un élan patriotique. Les intérêts particuliers des gens de l'arrière ne sont pas alors pris en compte par les autorités. Seule l'immense marée des hommes et des chevaux retient leur attention. Que l'arrière se débrouille comme il peut. Charles Le Goffic explique qu'à Lannion le chômage était général. On prenait des mesures d'urgence pour distribuer du pain à la population. Les gens enlevaient d'assaut les provisions dans les épiceries. Les territoriaux gardaient déjà les voies de chemin de fer. Impossible à un civil de prendre au guichet un billet de train. Une automobile avait reçu des coups de semonce pour n'avoir pas stoppé à cinquante mètres du rail.

La France est brutalement privée de plus de trois millions et demi d'actifs, sans que personne ne puisse savoir avant longtemps ce qu'il adviendra de ces hommes. L'information est presque totalement tenue à l'écart de la masse des armées qui deviennent autonomes, fermées, impénétrables, pour des raisons de secret militaire, mais d'abord par la désorganisation de la presse qui n'a plus de messageries, ni de journalistes. Le combattant est, avant même l'heure du combat, coupé de ses origines par un épais brouillard de silence.

Le télégraphe, dans les régions rurales, est le seul lien qui reste avec l'actualité. Après la mobilisation, le courrier n'arrive plus. Les villes qui ne sont pas des étapes de lignes de chemin de fer direct ne reçoivent pas de journaux. Les habitants de Lannion, en Bretagne, sont absolument sans nouvelles de leurs enfants partis au front. Ils ignorent tout des débuts de la guerre. Ils font cercle autour du télégraphe de la sous-préfecture, pour avoir des nouvelles de Paris.

Le ministre de l'Intérieur expédie tous les soirs un télégramme officiel que les préfets répercuteront sur les sous-préfectures. On attend l'émissaire dans les petites villes à partir de 8 heures du matin. C'est l'attroupement. Le sous-préfet lit les nouvelles devant un petit cercle de privilégiés, les notables, les élus, les curés, les directeurs d'écoles. Les informations sont naturellement rassurantes et édifiantes. Tout va toujours très bien pour les Français et les Allemands se conduisent comme des sauvages dans les régions qu'ils traversent en Belgique.

Les dépêches sont affichées dans les communes. Dans chaque chef lieu d'arrondissement on publie bientôt *Les Nouvelles officielles*, qui paraîtront pendant un mois. Des « autographistes » recopient les tirés sur la « presse à copier » et les tambours de ville crieront sur les places que *Les Nouvelles* sont vendues au profit de la Croix-Rouge. On pense déjà à soutenir le moral de l'arrière. On ne peut pas savoir, à Marmande ou à Lannion, qu'à l'Elysée le président de la République Poincaré et son ministre de la Guerre Messimy sont aussi ignorants de la marche des armées allemandes que le dernier des sous-préfets.

Les hommes des dépôts, presque aussitôt enfournés dans les trains de la frontière, sont les moins informés de tous. Ils ne reçoivent que des bribes de nouvelles, ou des bobards qu'ils répètent pour passer le temps. Il est déjà bien entendu que les troupes de l'avant ne doivent rien connaître de l'arrière, et l'arrière rester ignorant de la situation des hommes expédiés au combat. La cassure est faite.

Passent les hommes jeunes, groupés en grappes, joyeux, à la porte des wagons, déjà oublieux de la vie civile, de l'avant-guerre. Pour Joseph Delteil, pêcheur de truites dans l'Aude, bientôt recruté dans un régiment de tirailleurs sénégalais, le départ est une fête[1]. Tout le monde prend le train, « les petits trains du Midi ruisselants de ténors et de vins ». La jeunesse du Sud se déverse vers Paris, « ces grands gosses rouges de santé, tout éblouis d'air large et de longs voyages, riant à pleines gueules dans leurs gros costumes des dimanches, ces beaux garçons couverts de baisers de filles et de peaux d'anges ». Sont-ils tristes de partir ? « Chauds, plutôt, de compagnonnage et de vins, quelle épatante vision de vie. » Ils n'avaient « plus de soucis, de pluies et de foins, plus de patrons et plus de travail ». Insouciance de ces garçons de vingt ans, resplendissants de santé. La mort, écrit Delteil, « se réservait la plus belle portion de vie ».

*

Les mobilisés se pressaient à la caserne, une fois dégorgés par les gares, à la fin de l'étape. Les civils les regardaient passer dans les rues, pliant sous le poids de leurs sacs, avec une tristesse résignée. A Morlaix une Bretonne à coiffe blanche pleurait. Six de ses fils étaient partis. A Quillien, près d'Argol, dans le Finistère, deux des fils Goalès avaient pris le petit train. Quand leur troisième frère partirait à l'automne, ils seraient déjà morts au combat. A Metz, le sergent-major Guillebeau avait dû abandonner sa fiancée sur le

1. Joseph Delteil, *Les Poilus*, Paris, Grasset, 1926.

quai de la gare. Des adieux déchirants, quand le reverrait-elle ? Il avait accompli ses trois ans de service et devait se marier le 4 août. Il ne savait pas qu'il repartait pour cinq ans, jusqu'en 1919. Il prenait le train du Nord pour équiper au mieux possible les réservistes débarqués de Paris et de toute la région.

L'étape de l'arrivée au corps n'était pas du tout joyeuse. Le désordre, dans tous les centres, était à son comble. Comment la nation aurait-elle pu trouver, en si peu de temps, quatre fois plus de pantalons de couleur rouge garance et de chaussures à clous ? Les magasins étaient débordés : impossible d'habiller dans la tenue réglementaire les appelés des régiments de réservistes, encore moins les anciens de la territoriale. Les effectifs normaux de l'armée étaient de 880 000 hommes. Ils quadruplaient en moins de deux semaines. Où prendre les képis et les ceinturons qui manquaient ?

Les hommes sont habillés à la diable. Il ne faut pas perdre de temps. L'intendance suivra plus tard, dans les lignes. A Marmande, les soldats sont habillés dans la salle du théâtre. Les cuirs, ceinturons et bandoulières, sont distribués en plein air, sur une petite place. Il n'y en a pas assez pour tout le monde. Les régiments d'active, déjà partis, sont dédoublés sur place. Le 20e de Marmande est dans le train et les casernes reçoivent déjà les hommes qui doivent constituer le 220e. On équipe bien les 800 000 hommes de l'active, plus lentement les première et deuxième réserves composées de trois classes et totalisant 621 000 hommes.

Il faut aussi équiper les douze premières divisions de 184 000 territoriaux, des anciens qui doivent fournir de la main-d'œuvre, réguler les convois, garder les gares et les ponts. On ne peut les doter que de fusils gras démodés, les Lebel étant réservés au combat. Rivière note les « costumes extravagants » des territoriaux de Marmande qui sont venus au corps escortés par leurs femmes et leurs enfants. Pourtant, après les trous sombres des premières batailles, ces quadragénaires seront entraînés au combat, revêtus des vêtements des morts.

Les réservistes ont une pratique assez récente du fusil Lebel et de la mitrailleuse de Saint-Etienne qui remonte à leur service militaire. Il est vrai qu'ils ont reçu une instruction sérieuse et souvent participé à des manœuvres. Mais le contingent a rarement été engagé dans les seules vraies guerres du demi-siècle, les expéditions coloniales, lancées par la République outre-mer. Les réservistes n'ont de souvenirs de ces engagements très particuliers que dans la mesure où ils ont été incorporés dans les unités de marsouins ou de tirailleurs algériens. Les autres, tous les autres, ignorent le feu.

Ils ne montrent pas d'impatience particulière à se servir de leurs armes. Il n'est du reste pas question de parfaire leur instruction avant de les expédier en ligne. Ils doivent partir, le plus tôt possible, dès qu'ils ont reçu leur équipement. La nation en guerre n'attend pas. Du moins ne sont-ils pas destinés, contrairement aux réservistes allemands, aux premiers combats. Ils ne sont encore considérés que comme appoint.

Les dates de départ sont variables, et dépendent de la capacité des services de l'équipement. Charles de Gaulle, lieutenant au 33e d'infanterie d'Arras commandé par le colonel Pétain, a de la chance : il n'attend que cinq jours avant d'embarquer pour la frontière du Nord. A Romans, même performance : le 75e part très vite. Le 275e qui le double avec des réservistes est rapidement constitué sous les ordres d'un lieutenant-colonel, avec 36 officiers, 104 sous-officiers et seulement 2 122 soldats et caporaux. En deux jours le régiment est complété et équipé. Le troisième jour, il reçoit ses vivres et ses munitions. Au quatrième jour, il est passé en revue pour le départ qui a lieu le 7 août, à la nuit tombée. Pas d'incidents de gare sinon les remarques du major : plusieurs hommes se sont mutilés, qui l'index gauche d'un coup de serpe, qui le séton du mollet. Ils prétendent s'être blessés en nettoyant leurs armes. Mais les « blessures » de ce genre sont plutôt le fait des territoriaux peu désireux de rempiler, ou d'asociaux n'ayant trouvé que ce geste de désespoir pour exprimer leur révolte et leur refus. Les masses des jeunes partent, sans barguigner, mais sans manifestation bruyante, dans les rues d'une ville qui passe pour acquise au syndicalisme le plus dur de l'industrie textile.

D'autres régiments devront patienter, certains pendant deux semaines. A Lille, les hommes se présentent dans une école communale pour recevoir leur équipement, et rentrent chez eux le soir pour se coucher. Le sergent Guillebeau, qui vient équiper le 365e d'infanterie, n'a pour lui-même qu'un revolver sans cartouches et un sabre sans fourreau. L'administration lâche sans remords les soldats avec un équipement incomplet, dès lors qu'ils ont des souliers pour marcher, que la longue capote bleue cache leur misère, et qu'ils sont dotés d'un fusil et de cartouchières garnies. On assure que le reste de l'équipement suivra, par exemple le bandeau bleu à placer autour du képi rouge, pour le rendre moins visible aux observateurs de l'ennemi. Pour l'intendance, le vrai soldat est celui qui est officiellement incorporé, quand il est pourvu d'une plaque d'identification avec un numéro de matricule.

Le lieutenant-colonel Serret, attaché militaire français à Berlin, présent aux manœuvres allemandes de 1914, avait été interrogé par le Kaiser sur l'étrangeté des pantalons et des casquettes rouges dont était dotée l'infanterie française. L'officier ne pouvait répondre que le drap de l'armée teint en bleu et en garance alimentait les puissantes industries textiles du Midi, et que les responsables des commandes de l'état-major n'avaient jamais imaginé le renouvellement de ce désastreux équipage. Quand les pantalons des partants n'étaient pas rouges, c'est simplement qu'on en manquait. Les cuirassiers du 2e régiment prenaient le train avec leurs montures à la gare des Batignolles. Un wagon spécial était réservé à leurs cuirasses étincelantes, qui les suivraient au front sur des voiturettes, pour l'heure de la charge. L'armée ne s'était pas encore débarrassée de ses archaïsmes. A peine les dragons de Versailles, armés de lances en bambou mâle du Tonkin, avaient-ils recouvert leurs casques brillants de housses kaki.

*

Dûment complétés, les régiments prêts au départ étaient passés en revue par leurs officiers. Ils étaient quelquefois partis avant la mobilisation générale, comme le 26e de Nancy dont la musique jouait à la Popinière le 30 juillet, à la tombée du jour. A 23 h 30 les officiers avaient reçu à leur domicile les ordres de départ dans la nuit. Ils montaient vers la frontière, pour garder les issues. Les Nancéiens ne s'étaient pas couchés cette nuit-là. Ils acclamaient, nombreux, à 1 h 30 du matin, les fantassins précédés par un peloton du 5e hussards passant sous la porte Sainte-Catherine, en direction de l'Allemagne.

Même s'ils provenaient des villages lointains, les pantalons rouges étaient partout considérés, dans les centres de recrutement des régiments, comme les enfants du pays. Le 6e hussards avait toujours défilé dans Marseille et les Chamborand de l'illustre 2e régiment à Reims. On n'imaginait pas Lyon sans ses cuirassiers, ni Pontivy sans ses chasseurs. L'armée avait une telle implantation en province que le départ du régiment pour la guerre était un événement.

Dans l'esprit des chefs, le défilé du départ devait élever le moral des populations. La parade de la troupe en marche, dotée de tous ses armements, des voitures de mitrailleuses, d'approvisionnements, des roulantes, des fourragères, des ambulances, des pièces d'artillerie, colonel en tête, clique au complet, tambours battant la marche lorraine, était un spectacle patriotique généralement suivi de retraites aux flambeaux dans les années qui précédaient la guerre. Cette fois les soldats marchaient gravement, pesamment sous les vivats discrets du public.

A Montluçon, le colonel Trabuco fait défiler de la caserne à la gare du PO Midi ses trois mille hommes et 183 chevaux, traversant ainsi une ville industrielle dotée, l'une des premières, d'une municipalité socialiste. Trois trains les attendent pour les conduire au point de concentration. L'idole des Montluçonnais n'est pas Poincaré, mais Jaurès, l'ami de Marx Dormoy, l'élu de la cité. Il n'empêche, le 121e est acclamé. Combien de ces hommes reviendront vivants ? La même scène se reproduit dans toutes les villes de garnison. A Montauban, le colonel du 10e de dragons présente leur étendard aux cavaliers, avant de défiler dans la ville. A Coulommiers, le régiment de réserve du lieutenant Péguy a un cortège d'accueil jusqu'à la gare.

Ces cérémonies sont organisées, bien préparées. Elles font déjà partie de la propagande de guerre. A l'évidence, la population civile a tenu à apporter son soutien, à la demande du commandement, à l'initiative des municipalités. Comment ne seraient-elles pas impliquées dans le départ en guerre, alors qu'elles ont toujours défendu leurs garnisons, comme un élément essentiel de la vie locale ?

Le recrutement, en août 1914, est toujours régional : le régiment est affecté en permanence à une préfecture ou sous-préfecture. En Bretagne, le 19e d'infanterie est à Brest et le 41e à Rennes et à Châteaulin, mais Saint-Malo, Guingamp, Lorient, Saint-Brieuc, Nantes ont aussi leur unité, comme Vannes et Quimper. La Vendée compte des lieux de mobilisation très nombreux, comme les départements du Midi. Les maires ont tout fait pour obtenir des garnisons à Mende, Carcassonne, Lodève, Rodez, Bergerac, Montélimar et Montauban où se rassemblent les réservistes du 11e régiment. Il n'est pas étonnant que les populations urbaines soient présentes pour le grand départ. Elles reconnaissent leurs soldats qui partent au front derrière la clique et le drapeau. Ils sont les enfants du pays.

Les femmes donnent à boire aux soldats sur le parcours. Et toujours la même question, que chacun se pose sans oser la formuler : reviendront-ils ? Le capitaine Rimbault, officier d'infanterie à Bourges, ne dissimule pas ses sentiments. Samedi, jour de marché, les paysans sont venus de tous les villages « embrasser leurs enfants pour la dernière fois. C'est drôle, tout ce monde-là est recueilli et triste ». Le long du chemin vers la gare, il rencontre des femmes en larmes. La foule est de plusieurs milliers de personnes, elle applaudit au discours patriotique du colonel.

Le « Royal Berry », habillé de neuf, fier de ses cuirs étincelants au soleil et de sa clique pimpante, défile au pas cadencé. Les Berrichons peuvent compter à l'aise les soixante attelages d'accompagnement. Les femmes ont accroché des bouquets aux portières des wagons. Le convoi suit d'autres trains militaires, qui viennent du Limousin et du Midi.

Edouard Deverin, de la compagnie cycliste du fort de Noisy-le-Sec, n'a pas droit à un départ aussi grandiose. Il a le temps de griller des « consolantes » avant d'embarquer, de nuit, presque clandestinement, à la gare du Bourget. Les vélos sont hissés sur un truck, les hommes entassés sur la paille d'un wagon à bestiaux. Pour eux, pas de départ en fanfare. La garnison de Paris gagne le front sans flonflons.

Les réservistes des régiments de cavalerie ne sont pas mieux traités que les cyclistes. Le hussard Honoré Coudray est déjà gagné par la vermine quand il choisit son cheval pour partir à la guerre. Ni les hommes ni les animaux n'ont d'eau courante. Les hussards « ne sont ni tristes ni joyeux, on les a appelés, ils sont venus ». Beaucoup étalent les regrets, la situation perdue, le commerce fermé. Ils pleurent dans les mouchoirs à carreaux que leur a fournis l'intendance. Honoré n'a pas le loisir de choisir son cheval. Il doit prendre sans protester celui qu'on lui offre, un bai clair nommé Dormeur, « habitué à traîner les charrettes de maraîchers ».

il reçoit l'ordre d'embarquer le 6 août à minuit. Les sangles des chevaux sont trop courtes, il faut les traîner en gare par la bride. Les hussards attendent cinq heures sur le quai de la gare de Chambéry avant d'être embarqués à l'aube. Ils passent la journée du 7 août dans le wagon, mangeant des sardines et buvant du vin rouge. Quand ils débarquent enfin à Epinal, ils s'abattent, épuisés, sur une toile de tente, la selle pour oreiller, avant de gagner le quartier de Corcieux où déjà le canon gronde. Encore un départ sans fanfare.

Seules les troupes d'active bien équipées ou les régiments de garnison des grandes villes ont participé à des parades organisées. Partout ailleurs, les hommes sont partis souvent à la clarté de la lune, sans pétards ni flambeaux, pour une destination inconnue.

*

Le défilé des régiments de choc a-t-il rassuré la population ? Les fusils Lebel, les canons de 75 et les mitrailleuses de Saint-Etienne montrent, à l'évidence, que l'armée est équipée. Est-elle commandée ?

Les polytechniciens tiennent l'état-major. Ce que l'on appelle dans les milieux politiques la « coterie » de Joffre, officier du génie, spécialiste des chemins de fer, est constituée d'anciens élèves de l'Ecole qui privilégient les armes savantes, artillerie et génie. Les colonels des régiments d'artillerie sont le plus souvent d'anciens polytechniciens, comme Robert Nivelle, commandant le 5e régiment d'artillerie de campagne. Foch, professeur à l'Ecole de guerre, mise en place dans les années 1876-1880, engage l'infanterie dans une nouvelle direction, célébrée à grand fracas en 1911 par le colonel de Grandmaison qui donne des conférences suivies d'articles nombreux dans la presse.

Nourri d'officiers zélés, tous brevetés de l'Ecole, surveillés par le major général Belin et par un général pesant un quintal, Berthelot, Joffre, si lourd lui-même qu'on ne trouve pas de cheval assez fort pour le porter, s'est rallié à la doctrine de l'offensive, à la mode dans les cercles. Chef du bureau des opérations à l'état-major, Grandmaison estime qu'il ne faut pas « subir la volonté de l'adversaire ».

Le règlement nouveau préconisant l'offensive ne sort dans les corps qu'en 1914. Il n'a pas eu le temps d'être répété dans les manœuvres. Dès 1913, pourtant, il est précisé que l'infanterie doit « agir par le mouvement et par le feu. Seul le mouvement en avant poussé jusqu'au corps à corps est décisif et irrésistible [...] La baïonnette est l'arme suprême du fantassin ». La section d'infanterie, composée de 60 hommes et commandée par un lieutenant, « marche à l'assaut au pas de course, au commandement de "en avant, à la baïonnette !" du chef de section, répété par tous ». L'officier doit participer à l'assaut devant ses troupes, comme à Austerlitz. « Chaque tirailleur doit tenir à honneur de triompher du plus grand nombre d'adversaires possible et la lutte se poursuit à l'arme blanche avec la plus farouche énergie jusqu'à ce que le dernier combattant ennemi soit hors de combat, ait mis bas les armes, ou ait fui. » Telle est la version la plus récente du règlement de la guerre de masses, pratiquée déjà en 1793 lors de l'attaque des colonnes de demi-brigades, quand la France était, de loin, le pays le plus peuplé d'Europe.

Cette mystique de l'offensive est aussi celle des Allemands. Ils l'accompagnent d'une montée en ligne, aussi près que possible du front, de l'artillerie lourde et de la présence au premier rang des mitrailleuses meurtrières. Les officiers français disposeraient d'un aussi grand nombre de ces précieux engins, mais craignant qu'ils ne soient détruits aux premières canonnades, ils les tiendraient en seconde position. On en compte 5 000 dans chaque camp, et les guerres récentes des Balkans ont montré ce que leur feu pouvait avoir d'exterminateur. Une section de mitrailleuses accompagne toujours les quatre sections des quatre compagnies qui composent le bataillon. Trois bataillons par régiment, deux régiments par brigade, deux brigades par division, deux divisions par corps d'armée.

La tactique de l'infanterie domine tout. Seules les grandes unités sont dotées de renforts de cavalerie et d'artillerie ; les quatorze mille hommes de la division peuvent compter sur les secours d'un escadron de cavalerie et des 36 pièces de 75 réparties en quatre batteries. Le corps d'armée dispose d'un régiment de cavalerie à quatre escadrons, de quatre bataillons d'infanterie en réserve, de douze batteries de 75 et de trois compagnies du génie. Mais des divisions entières de cavalerie sont à la disposition de l'état-major, ainsi qu'une réserve d'infanterie et d'artillerie.

Les cavaliers reçoivent des ordres très voisins des fantassins, tout aussi anachroniques, puisque le règlement de 1913 prévoit « l'attaque à cheval et à l'arme blanche, mode d'action principale ». Les divisions de dragons ou de cuirassiers ne disposent que d'un nombre très restreint de voiturettes à mitrailleuses. Elles vont être pourtant engagées dans la bataille, après la victoire de la Marne, avec des objectifs stratégiques de première importance, sans avoir les moyens techniques de les assumer.

Le règlement impose aux hommes comme aux officiers « une obéissance entière et une soumission de tous les instants ». Pas question de laisser un capitaine apprécier seul la situation. Il doit, d'abord, obéir aux ordres, et se faire tuer le cas échéant. Le règlement français ne fait pas confiance aux cadres de l'armée. Il ne suit pas l'évolution qui s'est affirmée dès 1906 dans le camp allemand : « Dans de nombreux cas, disait outre-Rhin le règlement d'infanterie, où le subordonné doit admettre que celui qui a donné des ordres ne pouvait suffisamment connaître les circonstances présentes et où l'ordre s'avère dépassé par l'événement, le devoir du subordonné consiste soit à ne pas exécuter les ordres reçus, soit à les modifier en en rendant compte. » Pas question de faire sentir aux gradés français ce que les officiers prussiens appellent extatiquement « la joie de la responsabilité ». Ils sont seulement tenus d'obéir.

L'armée française manque en effet de cadres compétents pour commander les unités de réserve. Les « périodes » accomplies par les lieutenants ou capitaines sortis du rang après leur temps de service ne permettent pas de les initier efficacement aux conditions du combat. Beaucoup les ont négligées. « Les officiers [français] sont pour la plupart zélés dans le service, dit un rapport de Moltke II, le généralissime allemand, le 12 octobre 1912, modestes et désireux de se perfectionner [...] Le corps des officiers n'est pas homogène dans son recrutement, mais il faut admettre qu'en cas de guerre les oppositions sociales, politiques et religieuses disparaîtront. » Ils n'ont pas en effet l'homogénéité du corps des junkers prussiens, qui fournit à un grand nombre de postes supérieurs de l'armée allemande. Mais ils ont d'autres solidarités sociales et une tradition politique républicaine d'amalgame de toutes les tendances, pourvu que soit respectée la règle absolue de la compétence. Ils se feront bravement tuer au front, ou casser pour incapacité. Au 275e d'infanterie, le lieutenant-colonel commandant le régiment perdra son commandement dès décembre 1914. Ses deux commandants seront l'un blessé, l'autre gravement malade. Les capitaines comme les lieutenants seront presque tous tués ou blessés. L'amalgame et la redistribution des responsabilité se feront plus tard, au feu.

*

Gambetta nommait à la tête de l'état-major un général de Miribel, catholique et probablement monarchiste. Plus tard un Le Mouton de Boisdeffre occuperait le même poste. Joffre, qui passait pour penser à gauche, placerait à la tête des armées des généraux aussi opposés que Castelnau, sorti de la « jésuitière », et Lanrezac, le républicain. L'affaire Dreyfus n'est pas oubliée dans l'armée, mais elle est éteinte, de même que l'affaire des fiches du général André. Nul ne veut rouvrir les plaies politiques à propos des nominations des officiers supérieurs au front. L'étude des plans d'intervention en cas de guerre doit se poursuivre. Le ralliement autour du drapeau est de rigueur.

Les exigences du moment imposent une homogénéité au commandement, dans la mesure où il n'est pas dans les habitudes d'une armée ayant vécu un demi-siècle de paix de nommer des colonels abruptement généraux, en bousculant la liste du tableau d'avancement. Il est plus expédient de rappeler des retraités au service. Les généraux d'armée, de corps d'armée et même de division sont de la même tranche d'âge. Pas un de moins de soixante ans parmi eux. Joffre a dû résoudre le problème du recrutement des chefs d'unité. Il en manquait : on ne comptait dans l'annuaire que 122 généraux de division alors qu'il en fallait 165 pour encadrer les trois millions et demi de Français qui revêtaient l'uniforme.

On a dû faire flèche de tout bois et engager des anciens à peine capables de monter encore à cheval : le vieux général Brugère avait 73 ans, Bailloud 68, Maunoury 67. On maintiendrait de nombreux colonels au service, comme Fayolle, 62 ans. Le colonel Pétain, à 58 ans, quitterait très vite son régiment pour recevoir le commandement d'une brigade. Sans la guerre, il n'aurait jamais reçu ses deux étoiles. Trop mal vu à l'état-major pour ses positions prises contre la doctrine de l'offensive, chère à Foch, un des théoriciens respectés de l'Ecole de guerre. On rappelle tous les officiers valides, et d'abord ceux qui ont demandé un congé sans solde, comme Ligonnès, du régiment de Romans : un capitaine de 49 ans.

« Le haut commandement, poursuit le rapport allemand de von Moltke, ainsi qu'on le concède même en France, n'est pas instruit suffisamment pour la grande guerre. » La plupart des chefs sont des anciens de la guerre de 1870. Ils sont incapables de concevoir une guerre moderne. Joffre a mis à la tête des armées des généraux dont il devra se débarrasser rapidement pour incompétence. Pour reprendre l'Alsace, il a rappelé de la retraite le général Pau, 66 ans, qui avait perdu un avant-bras en 1870. C'est le seul général connu du public. Il sera très vite rendu à l'arrière. A la tête de la IIe armée, un saint-cyrien, Edouard de Curières de Castelnau, gentilhomme aveyronnais, ancien combattant de 1870 et longtemps colonel du 37e d'infanterie à Troyes semble d'une meilleure trempe. Trois de ses six garçons sont aux armées et c'est un patriote tenace. Mais il a 63 ans. Ruffey, le Lorientais de Langle de Cary, à la tête des IIIe et IVe armées, sont aussi des sexagénaires. Quant au général Lanrezac, le seul professeur de l'Ecole de guerre retenu par Joffre qui se défie des intellectuels, à la tête d'une armée (la Ve), il passe pour être d'esprit moderne, mais il ne s'entend pas avec le généralissime et l'accable de réclamations. Ce contestataire de marque va gaillardement sur ses 63 ans. Il est loin, le temps des jeunes brigadiers de la Révolution. Entre un jeune engagé et ces généraux blanchis sous le harnais, la distance est immense.

A voir de près, au détour d'une revue, les gens qui les commandent, les hommes s'inquiètent parfois. Ils s'étonnent, aux premières marches, de découvrir des chefs qui semblent sortir du musée des uniformes. Le caporal Delabeye, du 140e d'infanterie de Grenoble, engagé volontaire malgré sa myopie, admire, certes, Dubail, qui commande la Ire armée. Mais il découvre dans son lorgnon le général Baquet, qui commande la brigade. « Avec sa tunique noire et ses culottes rouges, dit-il, c'est un survivant de Solferino et de Saint-Privat. » Quant au « vieux colonel [...] il a les épaules affaissées, le visage pâle ».

Les officiers supérieurs ne se montrent qu'au départ en campagne, montés sur leurs chevaux, attribut visible de leur pouvoir. Au recrutement, on leur demande de sauter en selle, pour voir s'ils tiennent encore droit. Il importe qu'un général donne l'exemple du maintien et du sang-froid, pour rassurer la troupe aux nerfs toujours fragiles.

On n'a guère vu les hauts gradés pendant la mobilisation. Prenaient-ils le même train que leurs hommes ? Ils voyageaient, hiérarchie oblige, dans les rames à wagons de voyageurs avec leurs états-majors, dans les compartiments de première classe : les sous-officiers seuls partageaient la paille des wagons à bestiaux avec la troupe. Rien qui pût choquer les réservistes : ils étaient habitués par le service militaire au respect visible de la hiérarchie, au salut des officiers. Ils savaient qu'ils prenaient leurs repas dans des lieux spéciaux, les mess, et qu'ils avaient en ville droit aux prostituées les plus avenantes et les plus propres. Ils étaient tous décorés de la Légion d'honneur, rarement attribuée même à un sous-officier de carrière. Pour distinguer la bravoure des hommes, on avait créé la médaille militaire. Ils n'en avaient pas l'exclusivité. Les chefs pouvaient aussi, avec parcimonie il est vrai, la recevoir pour fait d'armes : le petit ruban jaune et vert leur permettait de se distinguer entre eux. S'ils excluaient les hommes de leur légion rouge, ils se réservaient de partager avec la troupe, dans certaines circonstances reconnues valables, le prestige de la médaille du troupier.

Comme en Allemagne, une caste militaire se succédait dans les commandements, issue de la noblesse, ou des familles traditionnelles, souvent provinciales. Un capitaine Paul Détrie est inscrit en 1914, à 43 ans, au tableau pour devenir chef de bataillon. Il est le fils d'un général commandant la division d'Oran, qui s'est jadis couvert de gloire au Mexique à la tête du 2e zouaves. Paul, reçu à Saint-Cyr en 1893 dans la promotion Jeanne-d'Arc, a servi quatre ans dans la Légion avant d'être affecté au 117e régiment d'infanterie du Mans. Il épouse la fille du colonel Boucher, dont l'épouse était la filleule de son père. Son frère Henri est à 47 ans le plus jeune colonel de l'armée. Il commande le 20e de Montauban. A la déclaration de guerre, le colonel Boucher, beau-père de Paul Détrie, reprend du service à l'âge de 67 ans. Il est nommé général à la tête d'une division de la Territoriale. Maurice Boucher, le beau-frère de Paul et merle blanc de la famille, normalien, agrégé d'allemand, professeur au lycée du Mans et lieutenant de réserve, reprendra du service dans le 317e pour ne pas déroger.

On trouve dans les villes de province de nombreux exemples de ces dynasties militaires. La noblesse gasconne est toujours à la tête des escadrons de cavalerie. Quand défile à Montauban le 10ᵉ dragons, on reconnaît le martial cavalier Marcelier de Gaujac ou Taillefer de Laportalière. A Paris, le 2ᵉ cuirassiers est commandé par le colonel d'illustre famille militaire Halna du Fretay et le comte Tony de Vibraye fait partie des effectifs, entre autres blasonnés. Le comte Louis de Clermont-Tonnerre, démissionnaire de l'armée et maire de Bertangles en Picardie, abandonne son domaine pour rejoindre, à 43 ans, la brigade territoriale de Beauvais, avant de s'engager dans les zouaves, où il mènera le combat jusqu'à sa mort, sur le champ de bataille.

Cette caste n'est pas socialement dominante, mais protégée, elle considère toujours la servitude militaire comme un devoir. Cela justifie ses privilèges tacitement reconduits. Elle se préserve très souvent par les mariages et les réussites aux concours de Saint-Cyr et de Polytechnique, ouverts aux pauvres et aux méritants dans une faible mesure, que l'on ne peut guère réussir qu'en sortant d'une préparation d'un établissement libre, comme le célèbre collège de jésuites de la rue des Postes.

Un officier ne peut alors prendre femme qu'avec l'accord de son supérieur, à condition que la future épouse apporte une dot permettant de s'établir, de tenir une maison, et n'ait pas l'intention de travailler. Les héritiers des grandes familles peuvent être ruinés, mais ils doivent être à tout le moins vicomtes, comtes et marquis.

C'est le cas du lieutenant Bernard de Ligonnès, sorti dans un mauvais rang de Saint-Maixent, alors que son frère aîné était saint-cyrien. Il est nommé au régiment d'infanterie d'Avignon. Son mariage avec une jeune fille de la bourgeoisie est inespéré, il lui apporte l'aisance, la richesse foncière et la désinvolture du gentilhomme qui peut se passer d'être bien vu des officiers de garnison, sachant qu'il lui importe seulement d'être brave à la guerre.

La République a tout fait pour réserver les hauts postes de l'armée à l'élite la plus savante de la nation, dans un souci d'efficacité et dans la tradition de l'Ecole polytechnique. Mais cette élite n'est pas seulement savante, elle recopie fidèlement la hiérarchie sociale. Certes la mobilisation générale a porté aux grades intermédiaires un grand nombre de petits-bourgeois, de professeurs, d'ingénieurs, de rentiers et de chefs de bureau, mais si l'armée de masse n'est pas commandée par une caste comme en Allemagne, elle n'a guère, pour ses officiers, de recrutement populaire.

Un tiers à peine des gradés sort des écoles de sous-officiers-élèves officiers. Ceux-là ont dû subir la formation la plus rude, la plus exigeante car « Saint-Maixent est au sac ce que Saumur est à l'éperon ». Rien de trop difficile pour les quatre cents élèves qui doivent satisfaire aux épreuves physiques les plus décourageantes. Accéder au grade d'officier est, pour un « sous-off », un honneur qui doit se mériter durement. En dépit des progrès accomplis, la barrière tombe au grade de lieutenant, généralement inaccessible aux sortis du rang. Et c'est une barrière culturelle.

L'élite doit rester saint-cyrienne. Sans doute l'école est-elle ouverte à tous, mais pratiquement investie par les familles de militaires, ou de nobles retournant à l'armée. D'où son prestige dans la bourgeoisie. Comme le note Raoul Girardet, « avoir un fils à Saint-Cyr, marier sa fille à un officier constituent pour une famille [...] l'objet déclaré des ambitions les plus hautes ». Si ardentes que soient les recommandations de Lyautey aux officiers, qui doivent se rapprocher de la troupe et jouer un « rôle social », Girardet constate que le fossé s'est encore accru, dans les années qui précèdent la guerre : malheureusement « l'officier reste séparé [des hommes de troupe] par son comportement, son vocabulaire, ses modes habituels de penser et de sentir. Il appartient à un monde envers lequel ils n'ont pas obligatoirement d'hostilité, mais qui leur est et leur demeure étranger ». Lyautey était plus dur dans ses critiques : « J'ai rencontré un régiment, écrivait-il en 1893. Des colonels rudoyaient des capitaines, qui rudoyaient des lieutenants [...] Elle n'existe donc nulle part, la belle armée de mes rêves, confiante, cordiale et gaie, battant spontanément d'un seul cœur. » Lyautey ne trouve sous la casquette des officiers que « les traditions, la morgue, la méfiance, le fonctionnarisme[1] ». Ecœuré par cette armée sans idéal, le capitaine de Ligonnès, capitaine au 75e d'infanterie de Romans, a demandé en 1912 son congé sans solde.

*

Les soldats qui montent en ligne sont rasés de frais et les cheveux sont coupés « au bol ». On admet seulement la moustache, signe de virilité. Les discours officiels insistent sur cette qualité

1. Maréchal Lyautey, *Lettres d'Italie*, Paris, 1929, p. 52.

essentielle du troupier. Seuls les hommes peuvent en France voter et payer l'impôt du sang. Ils peuplent jusqu'aux services de santé : peu d'infirmières militaires à la mobilisation.

Les plus nombreux, et de très loin, sont ceux de l'infanterie. Ils sont lourdement équipés pour une campagne que l'on souhaite mobile. Ils ploient sous la charge : 30 kilos de fourniment, dans la tradition de l'infanterie, de Canrobert et du père Bugeaud. La musette et le bidon sont à part, attachés en sautoir par des courroies de cuir. Il ne faut pas manquer de vin et de vivres dans les marches, encore moins dans les attaques où les services de l'arrière sont désorganisés. Autour de la taille, la cartouchière portant les balles du fusil Lebel. Le sac est un prodige de construction savante. Une couverture roulée et une toile de tente pliée le surmontent, ainsi qu'une gamelle trop brillante au soleil qu'il faudra rapidement noircir. Il est flanqué d'une petite pelle de service pour le creusement des trous individuels.

On n'envisage pas alors de se terrer dans un système de tranchées. Pas de casque, une casquette rouge que l'on recouvre d'un manchon bleu. Il faut attendre les premières blessures par éclats à la tête pour qu'on distribue aux fantassins d'incommodes et lourdes calottes d'acier qu'ils doivent loger au fond de leur coiffure. Ils portent, bien visible, le numéro de leur régiment au collet.

En hiver le pantalon rouge garance est recouvert par la longue capote bleue mais il est très visible l'été, quand la capote elle-même est roulée et s'ajoute au poids du sac. La baïonnette est attachée par une courroie au ceinturon. Les mitrailleurs doivent déplacer des engins de 24 kilos dans des voiturettes tirées par les ânes ou sur le bât des mulets, nombreux dans les régiments d'infanterie.

Tels quels, ces fantassins qui ne sont pas encore des poilus de l'été 14 apparaissent comme les figurants d'une armée du passé déployant dans les champs à peine moissonnés ses rubans bleus et verts. Les fantassins doivent savoir marcher. Tous les chants et les airs de la clique, dont certains remontent à la période napoléonienne, *Auprès de ma blonde*, *Ah ! les fraises et les framboises*, sont destinés à les soutenir dans l'effort. Ils marchent mal, et détestent marcher. Les ruraux supportent bien le poids du sac et du fusil, mais faiblissent dans les longues étapes, qui exigent des qualités sportives. Seuls les hommes spécialement entraînés peuvent résister à des marches de cinquante kilomètres sous le soleil. On constate de nombreuses défections quand les régiments s'étirent sur les routes à la sortie des gares. Il faut attendre les traînards, prendre les plus affaiblis en voiture. La légende d'une France rurale marchant d'un pas égal ne résiste pas à l'examen des souvenirs de guerre.

Un officier de la noblesse du Vivarais, Bernard de Ligonnès, lieutenant au 58e d'infanterie d'Avignon, nullement bien noté pour ses vertus militaires de temps de paix, s'était fait remarquer de ses chefs en 1902 par ses qualités de marcheur. Avec trois caporaux et six soldats, il s'était lancé dans une « marche de résistance » de 202 km, avec tout de même 18 kilos sur le dos. Le raid avait duré seulement 58 heures. Les soldats avaient marché pendant 84 km le premier jour, 75 le deuxième et 44 dans la matinée du suivant. Un véritable record, obtenu grâce à l'entraînement des marcheurs par un chef qui avait longuement pratiqué lui-même cet exercice.

Le général de division avait été informé de cette performance. Il s'était réjoui de « ce succès digne des meilleurs exemples de l'infanterie ». La marche était alors le tout premier exercice auquel étaient soumis les conscrits du service militaire. Ils devaient apprendre à soutenir l'effort, à maîtriser leur souffle, à surveiller constamment l'état sanitaire de leurs pieds. L'idéal était de réaliser des étapes quotidiennes de 50 km, courantes sous le premier Empire. Le succès du raid du commandant de Ligonnès n'était pas applicable à l'ensemble de la troupe, à loin près. Plus tard, dans les premières marches de son régiment en guerre, il aurait à déplorer de nombreux traînards. « Les hommes n'ont plus l'habitude de marcher, lui dit alors le major : à l'étape (de 65 km) n'est arrivée que la moitié du régiment. » L'infanterie, contrairement à la légende, marche toujours, mais non d'un même pied[1].

Elle envie les cavaliers, qui ne marchent pas. Les réservistes se sont efforcés de s'adapter aux méchantes montures qu'on leur a souvent attribuées. Ils ont été bien souvent contraints de les conduire dans les gares par la bride. Pas de prouesses dans la traversée des villages : la cavalerie avance prudemment, parfois lour-

1. Voir la remarquable présentation des souvenirs de guerre de Bernard de Ligonnès parus sous le titre *Un commandant bleu horizon*, Yves Pourcher, éditions de Paris Max Chaleil, 1998.

dement. Les dragons ont fait des efforts pour camoufler leurs casques, et gommer les brillances de l'uniforme. S'ils gardent la lance au poing, les uhlans d'en face montent aussi en ligne avec des flammes très voyantes au sommet des leurs. Les hussards n'ont pas de fusils, mais des carabines plus imprécises, outre leurs armes blanches et des shakos à pompons. On est encore partagé, dans les états-majors, entre le désir de dissimuler la troupe au feu, et la nécessité de repérer clairement à la jumelle ses propres troupes, pour bien régler les tirs d'artillerie, alors que l'information au combat laisse encore beaucoup à désirer, et repose sur les courriers et les pigeons voyageurs.

Soixante-dix-neuf régiments de cavalerie rejoindront ainsi l'armée. Les divisions de 5 000 cavaliers se pressent les premières vers la frontière, en éclaireurs, pour reconnaître l'ennemi. On ne dispose alors que de ces moyens traditionnels d'information. Les états-majors n'ont pas confiance dans les reconnaissances d'aviation et ne savent pas lire les photographies, il est vrai rudimentaires, qu'on leur apporte. L'armée dispose pourtant déjà de plus de deux cents appareils, et d'aviateurs attachés à leur arme jusqu'au fanatisme. Mais les généraux ne croient vraiment qu'aux reconnaissances traditionnelles des patrouilles de cavalerie.

Les artilleurs aussi sont le plus souvent à cheval et chaque pièce de canon est tirée par un attelage de six chevaux. Ils sont très nombreux à l'armée : soixante-deux régiments métropolitains d'artillerie de campagne et seulement onze à pied et cinq d'artillerie lourde. L'élite de l'armée, son espoir, sont les batteries de 75. Les « artiflots » passent pour des privilégiés, parce qu'ils n'ont pas à marcher. Leurs emplacements sont à l'arrière immédiat des premières lignes. Ils sont l'objet de tous les soins de l'état-major. Commandés par des officiers sortis des grandes et petites écoles scientifiques (Polytechnique, mais aussi, pour la formation, Fontainebleau), ils doivent apprendre les rudiments de la technique de tir et se spécialiser dans leur service de batterie.

Ils sont pointeurs, chargeurs, déboucheurs ou pourvoyeurs. Ils doivent lire les appareils de visée, charger les obus en bois dans les culasses à l'entraînement, s'habituer à faire très vite, pour que le 75 puisse tirer, grâce à son frein, ses douze coups à la minute à une portée utile de sept kilomètres. Ils sont en outre tenus de connaître le cheval, de s'entraîner au manège, de s'habituer aux dures selles mexicaines, parce que les dragons ou les hussards ont pris toutes les bonnes selles à panneaux disponibles. Ils doivent atteler et dételer en un temps record, panser les chevaux, les diriger au galop, conduire à bon escient le cheval de tête de « l'attelage canon », celui qui mène le train.

Les artilleurs, dont on exige beaucoup, ne manquent pas de poser aux soldats d'élite, exaspérant les fantassins. Ils ont leurs chansons de régiments dont ils inventent les paroles. « Gare à vos carcasses, v'la le Cinquième qui passe », chantent ceux du colonel Nivelle. « C'est nous les costauds à Curières, à Curières de Castelnau. » Un esprit de corps et d'arme, presque de bouton, si développé qu'il entraînera très vite un climat de méfiance et d'hostilité avec les unités d'infanterie.

Les artilleurs s'appliquent à donner une impression de puissance et d'efficacité, alors que les lourdes divisions de la ligne semblent archaïques, mal préparées au combat, elles sont l'image de la levée en masse, brouillonne et lourde. Ceux qui ont fait le service se souviennent de ces quartiers si peu militaires, de l'exercice inepte dans la cour et de la théorie inutile. « Nous ignorions, dit Drieu, le service en campagne. » Dans son régiment parisien pourtant truffé de fils d'archevêques, il ne voyait que « des paysans abrutis, des ouvriers tous sournoisement embourgeoisés. Les officiers ? Sortis du rang, c'étaient des ronds-de-cuir qui attendaient leur retraite ». On leur avait appris la marche et la parade, le tir et l'attaque en tirailleurs. Mais bien peu avaient vraiment la pratique de l'escrime à la baïonnette, dont on attendait merveille à l'Ecole de guerre.

*

Encore les anciens sont-ils sommairement instruits. Ce n'est pas le cas de la classe 14, déjà reçue dans les casernes à partir du 15 août. Ni des engagés volontaires à dix-huit ans, ni des étrangers. Pour ceux-là, des instructeurs restent dans les dépôts, à des fins de formation accélérée. Les officiers et sous-officiers impropres au service pour raison d'âge ou de blessures de guerre sont désignés pour diriger les centres, accueillir les recrues, dans chacune des vingt et une régions militaires.

Pas de défaillances dans la levée immédiate, au moment de la mobilisation. Pour le départ dans les dépôts, les polices urbaines signalent des incidents occasionnés par les beuveries autour des gares. Les soldats surpris dans le quartier des Halles sont ramenés aux corps, dans les cas les plus graves affectés par la Place de Paris aux compagnies disciplinaires.

Les engagés obéissent à des mobiles très variables. Certains ne veulent pas manquer le grand départ où leurs anciens sont convoqués. Ils obéissent à un entraînement patriotique, qui touche la nation dans ses profondeurs. D'autres redoutent d'être affectés aux régiments d'infanterie qui n'ont pas toujours bonne presse dans le récit des soldats de retour au village après le service. Ils ne veulent pas faire la guerre dans des unités sans prestige et sans moyens. Très souvent les très jeunes gens demandent les troupes de choc, celles qui ont les moyens de s'illustrer au combat, les chasseurs à pied, les unités coloniales ou l'infanterie de marine. Ceux-là sont des coqs de village bagarreurs ou des étudiants patriotes.

Les Péguy, les Psichari n'ont pas voulu se distinguer de la masse, ils auraient tous été volontaires pour l'infanterie s'ils avaient été en mesure de choisir. Ils ont accompli régulièrement leurs périodes pour devenir officiers de réserve. Quand ils ont eu le choix, ils ont demandé le plus dur, le plus méprisé des élites, le plus près du peuple aussi, le régiment de biffins. Les jeunes moins mystiquement convaincus, mais désireux de servir avec efficacité, ont souvent « devancé l'appel » pour se battre, vaille que vaille, dans les unités les plus cotées. Un Raymond Poincaré, le président de la République, avait choisi les chasseurs à pied, idolâtrés par les populations de l'Est dont il était originaire. Il existe encore à Nancy une messe annuelle des chasseurs à pied.

Beaucoup s'engagent pour choisir leur arme, comme le règlement les y autorise. Mais ils demandent, pour la plupart, l'artillerie, arme propre, savante et relativement protégée du feu. Il arrive que les parents fassent intervenir leurs députés ou leurs relations pour obtenir l'affectation. A Lyon, une recrue s'entend dire par le major du Conseil de révision : « Vous feriez un bel artilleur. Mais je ne vous cache pas qu'il y a beaucoup d'appelés et peu d'élus. » Par un camarade, dont les parents « connaissent le commandant du recrutement », le jeune Lyonnais promis au 140e d'infanterie se retrouve au 5e d'artillerie de campagne. Il suivra son instruction au quartier Ruty, sous les ordres d'un vieux maréchal des logis décoré de la médaille militaire à qui il ne manquera pas de « payer le litre ». Les bureaux de recrutement ont rarement de ces complaisances, en août 1914. Ils accueillent de préférence dans l'artillerie d'abord ceux qui savent monter à cheval, mais aussi les jeunes gens d'un certain bagage scolaire, capables de progresser dans l'arme en suivant les pelotons de sous-officiers, puis l'école de Fontainebleau pour ceux qui ont le niveau du baccalauréat, même s'ils ne l'ont pas réussi.

Les volontaires les plus nombreux sont les étrangers. Dix mille Alsaciens-Lorrains réfugiés des provinces annexées se précipitent dans les bureaux de la Légion étrangère, au centre de recrutement. Sitôt engagés, ils prendront la nationalité française et seront affectés dans d'autres corps. Les régiments de la Légion ne seraient pas en mesure de les accueillir tous. Si l'on en croit Dorgelès, les recrues défilent sur les boulevards en arborant des pancartes : « volontaires juifs », « volontaires alsaciens », « volontaires polonais ». Les mineurs venus de Pologne sont en effet nombreux déjà dans le Nord. Comme les Serbes et les Roumains travaillant en France, comme les ouvriers agricoles belges des plaines céréalières, ils choisissent de s'engager d'abord dans l'armée française, dans l'espoir de faire exploser l'Europe des Empires qui menace les petites nationalités. Une division polonaise, un régiment tchèque seront constitués en France pendant la Grande Guerre.

Des Américains parmi eux : les Norman Prince, les Kiffin Rockwell, les William Thaw sont partants pour l'aventure et méprisent les avis de leurs familles fortunées pour s'engager dans l'artillerie, ou l'aviation. Ils estiment leur président critiquable de ne pas avoir soutenu la Grande-Bretagne dans son entrée en guerre. N'explique-t-on pas dans tous les journaux d'Occident que l'armée allemande, en violant la neutralité belge, en opprimant les populations civiles, s'est rendue coupable de crime de guerre ?

Un « appel aux étrangers » est lancé par le poète globe-trotter Blaise Cendrars, suisse d'origine, et par l'Italien Canudo dont la patrie est encore neutre. Il assure que les descendants des garibaldiens vont de nouveau franchir les Alpes, comme en 1870, pour venir au secours de la République française. Pour eux, l'Empire allemand et l'Autriche-Hongrie sont des Etats oppresseurs des nationalités dont il faut débarrasser l'Europe. Ces engagements sont idéologiques. Montés en épingle par la presse, ils accréditent le thème de la guerre juste, celle qui résiste à l'agression. Cet appel aux nations d'Europe n'est pas encore au premier plan de la propagande, mais il est déjà présent.

*

Les Français de l'étranger sont invités par les consulats à rejoindre le pays au plus tôt, pour satisfaire à leurs obligations. Il en vient de Russie, du Canada, d'Amérique latine et du Proche-Orient, partout où les Français ont des affaires ou des engagements professionnels. Quant aux coloniaux, ils trouvent naturellement leur place dans l'armée d'Afrique et dans les unités levées en Algérie.

La marine doit assurer, aux premiers jours de la mobilisation, le transport de 35 000 soldats d'Algérie, des 35 000 soldats des 37e et 38e divisions, ainsi que de la division marocaine du général Humbert. Les réservistes des ports, non embarqués en raison de leur âge, sont enrégimentés dans la brigade de l'amiral Ronarc'h, un solide Quimpérois qui ne veut pas se contenter de maintenir l'ordre dans Paris. A partir de son PC de la Maison de la Légion d'honneur à Saint-Denis, il entraîne ces inscrits maritimes venus de Lorient, de Brest, de Rochefort et de Cherbourg pour la guerre. Certains sont des volontaires de l'école des apprentis-mécaniciens de Lorient. On en compte une cinquantaine qui ont à peine dix-huit ans. D'autres ont réussi à se faire engager à seize ans. Plus de la moitié de ces fusiliers marins seront tués ou blessés dans les Flandres.

Les navires de commerce protégés par les torpilleurs chargent dans les ports d'Afrique du Nord les « pieds-noirs » mobilisés dans les quatre régiments de zouaves mais aussi dans deux unités mixtes de zouaves et de tirailleurs. Neuf régiments de « turcos » (les tirailleurs) sont levés en Algérie, Tunisie et Maroc. D'autres troupes d'élite, les régiments de « marsouins », des soldats de l'infanterie coloniale ont recruté des unités noires sur le principe du volontariat appliqué dans l'armée d'Afrique, mais qui se traduira bientôt par des levées d'hommes portant en France, pour la durée de la guerre, plus de 181 000 combattants d'Afrique noire. Ainsi débarque à Bordeaux le bataillon du commandant Frèrejean, un officier de la Coloniale, qui sera presque entièrement massacré à Dixmude. L'infanterie légère d'Afrique compte cinq unités à Oujda, Casablanca au Maroc, Le Kef et Gabès en Tunisie. La cavalerie est française, dans les cinq régiments de chasseurs d'Afrique, et indigène dans les cinq de spahis. Joffre veut récupérer le maximum de ces troupes en France, il les arrache au compte-gouttes à Lyautey, qui a besoin de fusils et de sabres pour prévenir les révoltes et assurer l'ordre au Maroc toujours menacé dans ses montagnes.

Ainsi les « troupes auxiliaires marocaines », issues des tabors de l'armée royale, encadrées par des officiers français, ont dû réduire une révolte des tribus guich que l'administration française prétendait astreindre à l'impôt, alors qu'une coutume ancienne en dispensait les familles, parce que les hommes étaient tenus de répondre à tout appel du souverain pour prendre les armes. Le général Moinier avait rétabli l'ordre dans la région de Fez, troublée par les tribus guich et par les montagnards descendus de l'Atlas pour participer au combat. Les officiers français n'étaient pas sûrs des tabors qui avaient massacré quelques-uns de leurs cadres.

Ainsi l'armée recrutait au Maroc, pour les envoyer en France, des soldats marocains et des Berbères aux longs cheveux qui ne dépendaient que du sultan. Lyautey protestait, les diplomates s'inquiétaient. A aucun titre, ces soldats ne pouvaient figurer dans l'ordre de bataille de l'armée française. Les officiers français eux-mêmes étaient en situation irrégulière, en position hors cadre. Ils pouvaient être fusillés en cas de capture. Force était de contraindre le sultan Moulay Youssef, tout dévoué aux Français, de signer une *beya* de déclaration de guerre à l'Allemagne.

Cette brigade marocaine, où servait Alphonse Juin, fut l'une des premières à débarquer, venant directement du Maroc où elle guerroyait dans la trouée de Taza et dans l'Atlas. Les deux régiments appelés « chasseurs indigènes à pied » étaient constitués de « troupes auxiliaires marocaines », les tabors du sultan. Au camp Gouraud, Juin avait appris que son bataillon était désigné pour rejoindre la métropole. Bonne occasion d'éloigner les tabors toujours prêts à l'insoumission. En France, ils devraient obéir.

Les hommes vêtus de chemises kaki avaient marché en plein soleil jusqu'à Tourirt, avant d'être dirigés sur Oujda par chemin de fer à voie étroite. A l'étape de Taza, les Français combattaient encore des dissidents. Au poste de M'soun, une reconnaissance de chasseurs d'Afrique était tombée dans une embuscade. Les bataillons laissaient le Maroc non pacifié aux mains de Gouraud et de Lyautey.

Un bateau les embarquait pour Sète. Ils prenaient ensuite le train pour Bordeaux où se concentrait le premier régiment, en même temps que la division Humbert du Maroc, constituée d'unités françaises. Les hommes revêtaient des vestes de chasseurs alpins et portaient la ceinture bleue, abandonnant la rouge. Les pèlerines remplaçaient les djellabas. Les chéchias rouges étaient conservées, mais recouvertes d'un chèche jaune canari qui ferait fureur au camp de Châlons, où la brigade était enfin constituée, aux ordres du général Ditte.

Joffre comptait sur ces Marocains, les seuls, avec les deux régiments de la Légion étrangère, qui eussent connu le feu, pour attaquer en première ligne. Ils se feraient tuer sur l'Ourcq, où ils partiraient au pas de course sans soutien d'artillerie.

*

Voici l'armée en bataille, au mois d'août 1914. Ses combattants sont rarement des professionnels, en dehors des officiers et des engagés volontaires ou mercenaires coloniaux. C'est l'armée de la nation. Elle reflète les diversités des provinces, des métiers, des conditions sociales. Les hommes qui portent sur l'épaule le fusil Lebel ont en commun d'avoir accompli leur service militaire.

Depuis leur enfance, ils ont été bercés par la chanson patriotique, celle de l'école laïque ou religieuse, tout aussi transie de valeurs nationales. Les officiers catholiques de droite ne sont pas moins fanatiques de l'armée que ceux de gauche, accusés d'être promus, comme Joffre, pour leur appartenance à des loges. Ils reprochent au contraire à la gauche d'avoir affaibli et divisé l'armée lors de l'affaire Dreyfus et de la guerre anticléricale de 1906. Mais tous les cadres sont d'accord pour inculquer aux recrues le catéchisme du parfait soldat de la République. Les jeunes gens de vingt ans ont été abreuvés au régiment de discours sur la défense de la patrie, persuadés que l'armée française était la plus moderne et la plus résolue en Europe à défendre le pays contre l'agression.

Ceux qui partent pendant l'été sont des jeunes gens ou des hommes jeunes. La classe a vingt-trois ans à sa sortie du service. Les réservistes constituant les unités dédoublées avant le 15 août ont moins de trente ans. Les autres seront appelés plus tard. Même les territoriaux sont des adultes dans la force de l'âge, puisque les « pépères » accablés de sarcasmes ont de quarante à cinquante ans. Ils sont dotés d'un équipement rudimentaire et d'un armement archaïque. Ils assurent le service de place dans les villes de garnison. Mais ils seront vite enrégimentés dans les divisions, et même conviés martialement à boucher les trous des unités combattantes. La nation tout entière est appelée à se battre, tous âges confondus.

Les officiers sont les plus âgés de l'armée, en raison du manque de cadres. Il viendra plus tard à l'esprit des chefs d'assurer la relève en faisant rapidement gravir les échelons aux hommes courageux et responsables sortis du rang. Ils seront nommés officiers sur le tambour. Pour l'heure il n'en est pas question : le haut commandement ne fait confiance qu'aux officiers d'active, il bat le rappel du tableau, pour enrégimenter ceux qui avaient abandonné le service. Il inscrit d'office tous ceux qui veulent exercer un commandement, même des parlementaires comme Maginot, plus tard le ministre de la Guerre Messimy, engagé comme chasseur à pied, et l'ancien député, gendre de Boulanger, le colonel Driant, qui devait s'illustrer à Verdun à la tête de ses chasseurs. Les officiers supérieurs sont tous des hommes rassis, maintenus ou rappelés au service après l'âge de la retraite. L'état-major veut des hommes sûrs et expérimentés, et non des têtes brûlées. Seuls les frais émoulus de Saint-Cyr combattront en gants blancs, comme de Gaulle ou Juin, lieutenants au premier rang des unités combattantes.

On ignore tout, au moment du départ au front, de la valeur des hommes et du commandement. L'état-major est peuplé de théoriciens qui n'ont pas connu la guerre, de logisticiens, de stratèges d'école, pas de tacticiens.

Ces hommes n'ont aucune expérience du feu. Leur pays est en paix depuis près d'un demi-siècle. Seuls les vieux officiers, ceux que l'on recrute en leur demandant seulement de se tenir à cheval, ont une expérience de la précédente guerre prussienne qui n'a rien de commun avec le conflit qui se prépare. Même Joffre, le général en chef des armées du Nord-Est, ignore tout du feu moderne, celui qui a douloureusement fait ses preuves dans les récentes guerres balkaniques où les belligérants utilisaient les canons Krupp et Schneider. Joffre n'a brûlé ses cartouches qu'avec Archinard dans la guerre du Soudan. Sa méconnaissance de la guerre est totale.

Sont-ils décidés à en découdre, ceux qui se pressent dans les wagons à bestiaux vers les frontières ? Les exemples d'héroïsme sont déjà cités dans les journaux, avant même la déclaration de guerre. Le caporal Peugeot devient un martyr dans le pays de Belfort. Le 2 août, deux patrouilles de chasseurs allemands avaient attaqué par surprise, dans le village de Joncherey, un détachement français. Le caporal Peugeot y avait trouvé la mort, premier pantalon rouge enterré avec les honneurs de la guerre.

Le 4 août au petit matin, les « pieds-noirs » qui embarquaient à Alger avec les « turcos » sur le vapeur *Saint-Thomas* craignaient fort d'être torpillés. Ils venaient d'être bombardés par un navire allemand. Un autre, battant pavillon russe, avait tiré vingt obus sur Philippeville. L'amiral allemand Souchon avait réussi à tromper la vigilance des navires français et anglais, à longer les côtes algériennes avant de trouver refuge à Constantinople. On avait loué à cette occasion le sang-froid des « turcos » et le calme des populations civiles agressées en dépit des lois de la guerre. Dès le 7 août, les troupes françaises avaient abattu les poteaux frontières d'Alsace et marchaient sur Mulhouse, dans un « magnifique élan », dit le communiqué. Pouvait-on imaginer, écrivait-on dans les journaux parisiens, une armée plus magnifiquement audacieuse ?

Quoi de commun entre les enragés de l'aviation, un millier d'hommes tout au plus qui rejoignent les aérostiers et ne sont guère considérés, les techniciens de l'artillerie, fiers de servir les meilleurs canons d'Europe, les spécialistes du génie, déjà habiles à enfouir dans le sol les lignes téléphoniques, les cavaliers cascadants des unités de reconnaissance et l'immense masse de l'infanterie ?

Cette armée n'est pas professionnelle, et les hommes qui partent en guerre sont des amateurs grossièrement formés. Ils seront de plus en plus poussés vers le feu, classe après classe, sans égard pour l'âge, la profession, à peine pour les charges de famille. Seuls seront exemptés ceux que l'on considère comme indispensables aux fabrications de l'industrie de guerre. Pour l'heure, on ne fait pas de distinction. Que les femmes et les vieillards rentrent les récoltes, avec les plus jeunes. Tous les hommes doivent partir.

L'universalisme du devoir de guerre est pour la première fois appliqué en Europe, et d'abord par la plus ancienne nation militaire du continent, celle qui a déjà pratiqué la levée en masse pendant la Révolution. Le départ de tous, dans l'indistinction des colonnes en marche, reprend une tradition d'histoire qui correspond bien à l'image que la République veut donner d'elle-même. Qu'importent la compétence et même l'efficacité ! Seule la masse compte. Pour la galvaniser, Joffre lui organise, en avant-première, une petite libération partielle de l'Alsace. Pour être républicaine, la guerre se doit d'être symbolique.

Pourtant les soldats représentent, non pas seulement les enfants chéris du régime, ces électeurs républicains de gauche qui assurent, depuis 1902, la majorité au Parlement, mais bien toutes les familles spirituelles et politiques de la France. Dans le peuple en marche, comment le Dieu des armées reconnaîtrait-il les siens ? Avant que d'être appelés les poilus, les « pantalons rouges » sont des marcheurs sans âme, uniquement préoccupés de l'étape, partis en guerre en suivant les ordres, avec, au cœur, la volonté d'en finir avec les agressions et les menaces dont leur patrie est, leur semble-t-il, éternellement victime.

Etaient-ils illuminés d'héroïsme, les soldats aux pantalons rouges qui allaient affronter le feu allemand ? Seule l'épreuve pourrait en décider. Tous les caractères se devinaient au départ, aucun n'était semblable. Les soldats des troupes d'élite marchaient au combat sans faiblir, ayant l'habitude des coups durs de l'outre-mer. Les fantassins de la division de fer de Nancy, commandée par Foch, avaient un moral d'autant plus affermi qu'ils étaient tous issus de la région, comme ceux d'Epinal ou de Belfort, et redoutaient en premier l'invasion.

Celle-ci revenait à la mémoire des combattants, tous marqués par la tradition orale de la précédente guerre, aussi fortement dans l'Est et le Nord que le souvenir de la Grande Guerre peut encore marquer aujourd'hui les habitants de ces régions. L'entrée de l'armée allemande en Belgique rappelait à l'évidence ce que les traditions militaires prussiennes avaient d'intangible : l'occupation signifiait réquisition, administration militaire, prises d'otages, sanctions, travail forcé, déportations, brûlement de villages et violences contre les femmes. La guerre prenait ainsi son sens le plus concret : courir à la frontière pour se défendre. Les valeurs républicaines n'étaient pas seules en jeu. Le ralliement autour du drapeau marquait la volonté d'un peuple de ne pas subir.

Mais cette conscience de l'agression est-elle encore très forte dans l'imagination des marcheurs de l'infanterie de ligne ? Ils suivent leur besogne jour après jour, au pas, dans l'ignorance la plus totale de la situation. Ils suivent, comme les députés votent, toutes familles politiques réunies, pour « l'union sacrée » qui comprend aussi les socialistes. Pas de distanciation politique ou religieuse : les soldats se retrouvent dans le même moule, soumis aux mêmes ordres. Triomphe du conditionnement militaire d'une nation : les différences individuelles importent peu et nul ne peut préjuger la valeur de cette troupe : l'épreuve du premier feu en décidera.

2.

LA MARCHE A LA MORT

Insouciants au départ des points de concentration, les soldats marchent, pensant que ceux qui les précèdent ont peut-être déjà franchi le Rhin. Toutes les unités de la première mobilisation vont se trouver mêlées aux vastes mouvements stratégiques des débuts de la guerre, quand les états-majors espèrent encore réaliser leurs plans. Les Allemands se hâtent lentement, prévoyant une attaque générale à partir du 17 août par la Belgique. Ils ont déjà opéré un coup de main réussi sur les forts de Liège, dont Ludendorff s'est emparé en les bombardant avec des obusiers lourds. Les Français ont fixé le départ du plan XVII à peu près à la même date, mais Joffre a pris de l'avance en Alsace.

En avant sur Mulhouse, dès le 7 août ! Le général en chef ignore le plan allemand, mais il ne veut pas être débordé. Plus on lui signale des concentrations ennemies près de la Belgique, plus il s'en réjouit : il aura d'autant moins d'unités contre lui en Alsace et en Sarre. Il veut partir le premier, et, si possible, prendre les bords du Rhin en quinze jours. Il affecte quatre armées à cet objectif. La deuxième, aux ordres du général de Curières de Castelnau, concentrée entre Pont-à-Mousson-Nancy au nord, Neufchâteau-Mirecourt au sud tient à la fois la Meurthe et la Moselle et les flancs nord des Vosges. 314 000 pantalons rouges, conduits par 9 000 officiers, dotés de 110 000 chevaux pousseront vers la plaine d'Alsace, au risque de se heurter à des défenses allemandes meurtrières.

Ceux de la première armée, d'abord commandée par Dubail, sont 150 000 hommes, sans compter les régiments de cavalerie et d'artillerie. Parmi les réservistes de cette armée formée dans un triangle entre Saint-Dié, Epinal et Belfort se trouvent un grand nombre de *biffins* recrutés dans toutes les régions de France.

Le plan oblige : pour faire vite, à peine concentrés, les corps d'armée se précipitent sur le Haut-Rhin à marches forcées. Le lieutenant Albert Malaurie du 171e d'infanterie, parti du sud de Masevaux, petit bourg situé sur le rebord oriental des Vosges, a gagné à travers bois, avec trente hommes, la frontière d'Alsace. Il a fait mettre ses pantalons rouges au garde-à-vous devant le village de Bréchaumont, et présenter les armes dans les rues désertes, aux fenêtres garnies de géraniums, d'œillets et de verveines. Les Alsaciens ont offert des présents, du pain, du vin, des fruits. Ils parlent français comme ils peuvent. Mais les hommes lèvent le chapeau et les femmes battent des mains. Même accueil enthousiaste à Traubach-le-Haut, à Burnshaupt-le-Haut. Les biffins prennent d'assaut sans casse une tranchée défendue par quelques dragons. Pour le lieutenant Malaurie, agrégé d'histoire et patriote, c'est une intense émotion que ce retour en Alsace. Il a, l'un des premiers, détruit la ligne frontière de l'humiliation[1].

La ville de Mulhouse est prise le 7 août, perdue le 10, reprise le 14, et reperdue au cours d'une deuxième offensive qui se termine le 17 août, et qui porte à la fois sur la Haute-Alsace et sur Sarrebourg. Action relativement peu coûteuse, où les réserves ne sont engagées qu'au compte-gouttes.

L'échec ne décourage pas Joffre, qui n'a pas renoncé pour autant à son plan. Il renforce seulement les unités d'attaque, et les fait seconder par une artillerie de campagne plus nombreuse. Alors que deux armées allemandes commencent le 20 à envahir la Belgique, une troisième offensive française, très meurtrière celle-là, échoue devant Sarrebourg et Morhange dans les jours qui suivent le 19 août.

L'avance d'une troisième armée allemande dans les Ardennes et les renseignements venus de Belgique obligent alors seulement le général Joffre à revoir entièrement son dispositif, par un changement à 180 degrés. Il est clair que les Allemands attaquent en masse par le Nord. Les unités françaises du front de l'Est reçoivent

1. Voir le récit de René Bazin, *Les Nouveaux Oberlé*, Paris, Calmann-Lévy, 1919. Le lieutenant Albert Malaurie, père de Jean Malaurie.

l'ordre de monter dans les wagons qui les conduiront vers l'Ouest, en train, puis à cheval, à pied surtout.

Les pieds des fantassins semblent inusables. On livre bataille en Belgique, autour de Charleroi, où 130 000 soldats français tombent en trois jours, morts ou blessés, en même temps que l'on se cramponne sur les crêtes du Grand-Couronné de Nancy, où Castelnau réussit à se maintenir au prix de lourdes pertes contre des forces très supérieures.

La retraite sur la Marne commence, épuisante pour l'armée française, car les Allemands avancent, infatigables, à raison de cinquante kilomètres par jour. Quand le front se retourne enfin, l'infanterie — ou ce qui en reste — doit allonger le pas, pour livrer bataille sur l'Ourcq et la Marne du 5 au 10 septembre, manœuvrant constamment pour contraindre l'ennemi à se retirer. Il faut ensuite le poursuivre jusqu'à la ligne de l'Aisne où il s'enterre.

Est-ce la fin du mouvement ? D'autres marches et contremarches attendent la cavalerie, puis l'infanterie venue à la rescousse, dans les plaines du Nord, où les adversaires se livrent à la « course à la mer ». Epuisante épopée des cavaliers groupés en divisions tentant de prendre l'adversaire de vitesse. Ils sont incapables de « tenir un front » et doivent être renforcés de divisions d'infanterie, qui, de nouveau, arrivent à marche forcée. Il n'est pas alors d'usage, faute de moyens, de transporter les pantalons rouges en camions, sauf dans des cas très rares. Les « taxis de la Marne » sont une brillante exception. Les canons à longue portée allemands ont pris pour cibles les lignes de chemin de fer. A pied, les unités s'engagent vers le nord. Du 14 septembre au 17 novembre, des batailles acharnées sont livrées sur la Somme, en Artois, dans les Flandres, jusqu'à Dixmude, cimetière boueux des armées française, allemande, belge et anglaise.

La ligne du front se fige enfin. Renonçant à ses offensives chimériques, Joffre ferme son quartier général de Vitry-le-François pour s'installer à Chantilly, près de Paris. L'armée se prépare à hiverner dans la boue. Fin de la première époque, et de la geste des pantalons rouges.

*

Les survivants sont accablés de fatigue, déçus de n'avoir pas vu le Rhin, et pour certains de ne jamais avoir vu l'ennemi. Même quand ils n'ont pas participé directement aux offensives, comme ce « soldat René » du 309e régiment d'infanterie de Chaumont, ils sont épuisés par les marches et les contremarches[1]. D'abord cantonnés à Epinal, les soldats du recrutement de la Marne poussent vers l'Est pendant l'offensive du 15 août et grimpent les pentes des Vosges sans être jamais engagés. Le 30 août, ils sont de retour à Epinal, après une accablante série de mouvements.

René prend le plus grand soin de ses pieds et de ses chaussures. Il en est tellement préoccupé qu'il en parle à sa mère dans une lettre : « Nous avons fait bien des kilomètres depuis un mois. J'ai déjà usé une paire de brodequins, et pourtant la semelle est épaisse. » La météorologie est fantasque, en ce mois d'août sur les Vosges : aux fortes chaleurs succèdent des orages qui rendent les chemins boueux. « On dirait marcher sur la confiture », écrit René. Un jour sur deux, il couche en plein air, les autres dans la paille des granges, mais ne se plaint pas de la nourriture, pourvu que sa mère lui envoie « de la galette » pour les suppléments de quiches et de vin de Toul, à acheter dans les villages. René est, pour l'heure, un pantalon rouge épuisé, mais tranquille.

Même accablement au 276e, le régiment de réserve de Coulommiers. La zone de concentration est celle de la IIe armée vers Pont-à-Mousson. Attaquera-t-on la place forte de Metz, située à une trentaine de kilomètres, soit la distance d'une demi-marche forcée ? Il n'en est pas question, les défenses allemandes sont trop importantes dans le camp retranché que l'adversaire a eu tout le temps d'aménager, en installant dans les forts des pièces de gros calibre, en assortissant les abords de nids bétonnés de mitrailleuses.

On peut surveiller Metz, non l'assaillir. C'est, semble-t-il, le rôle de la 55e division où le 276e est engagé. Elle est groupée avec la 56e dans une formation récemment constituée, commandée par le général de Lamaze, que les pantalons rouges de Coulommiers n'ont jamais vu.

On peut penser qu'il s'avancera le plus possible au nord, pour s'y accrocher solidement et protéger le flanc de l'armée Castelnau

1. Le « vécu du soldat René », lettres publiées par Paul Létoquart, in Editions du GEP, Paris, 1990.

contre toute surprise. Jusqu'au 27 août, il se contente « d'errer de Saint-Mihiel à Pont-à-Mousson, cantonnant de-ci de-là[1] ». Le seul Allemand qu'il rencontre est un uhlan dont le cheval s'est pris les pattes dans une herse barrant l'entrée d'un village.

Malgré sa mission défensive, le régiment marche sans cesse. Quand il quitte Pont-à-Mousson, il doit grimper dur. Au bout de quelques kilomètres « beaucoup lâchent pied ». Une armée composée en majorité de paysans est-elle adaptée aux longues marches forcées ? L'expérience prouve le contraire : les étapes accomplies sac au dos sous la canicule sont une véritable épreuve de force que seuls des sportifs entraînés peuvent réussir. Ce n'est pas le cas des soldats abreuvés de petit gris de Toul, suant sous l'équipement, harassés par le poids des *impedimenta.* A quarante ans, le lieutenant Péguy, l'intellectuel du régiment, marche mieux et plus vite que ses hommes, « de son pas saccadé et presque automatique ». Il va de la tête à la queue de colonne, pour encourager ceux qui flanchent et les rallier.

Ils doivent souvent se mettre en file indienne le long de la route pour laisser passer les convois militaires et les files d'autobus parisiens chargés de quartiers de viande. Les soldats épuisés par la marche sont plus à l'aise, après un temps de repos, pour creuser des tranchées autour des villages comme l'exigent les instructions. Les ruraux ont l'habitude de manier la pelle. On organise déjà des positions fortifiées, mais seulement dans les secteurs calmes, défensifs.

La division s'avance le plus vite possible en direction de la frontière en face de Metz, multipliant les points d'appui. Les orages transforment les tranchées en ruisseaux de boue où personne ne songe à dormir. Les soldats préfèrent coucher à la belle étoile, ou dans des cabanes sommaires de branchages, sur des gerbes d'avoine saisies dans les champs voisins. La marche d'un village à l'autre est « lourde, pénible[2] ». On attend avec impatience les grand-haltes où la gourde encore pleine de vin permet de reconstituer les forces.

1. Henri Bouvereau, *Devant la mort*, Coulommiers, Librairie Brouillet, 1919, p. 19.

2. Victor Boudon, *Avec Charles Péguy*, Paris, Hachette, 1916, p. 35 *sq.*

Le régiment descend vers le sud-est, se rapprochant des divisions d'attaque dans la journée du 19 août. Joffre lance en effet sa troisième offensive en direction de Morhange et de Sarrebourg. De nouveau les pantalons rouges accablés par la marche s'arrêtent dans les villages pour creuser des tranchées. Ils s'y montrent habiles et résolus. Le 20, ils aperçoivent au loin les flammes du village martyr de Nomény.

Ils ne peuvent savoir que tout Nancy est frappé de stupeur à la nouvelle du drame : les soldats du 9e corps bavarois, furieux d'avoir été tenus en respect par les Vendéens du 277e de Cholet et les Angevins du 335e, ont exercé des représailles sauvages contre la population accusée d'abriter des francs-tireurs : ils ont incendié les maisons en jetant des bidons de pétrole dans les caves où les familles avaient trouvé refuge. Quarante-six hommes, quatorze femmes et cinq enfants auraient été abattus parce qu'ils cherchaient à fuir les lieux du sinistre. Le maire, François Chardin, avait été fusillé. Les seuls rescapés avaient trouvé refuge dans l'église du curé Lhuillier. Dans les colonnes en marche du 276e, on soupçonnait le drame, on n'en connaissait pas encore le détail.

*

Que savaient-ils de la guerre, les réservistes non engagés ? A peu près rien. Les Briards allongent le pas quand ils entendent au loin le canon, sans rien connaître de la bataille. « Nous vivons séparés du monde, note Boudon le dimanche 23 août, dans l'ignorance complète des événements qui se déroulent ». Point de journaux, le courrier de la famille est nul. Le « soldat René » raconte que, le 15 août, deux semaines après la mobilisation, on distribue trois ou quatre lettres pour une compagnie de 250 hommes. Rien pour lui avant le 3 septembre. « Les lettres mettent quinze jours pour venir. C'est à peu près le temps qu'il faut pour faire le trajet à pied. »

Les chefs sont-ils mieux informés ? Les états-majors des unités non engagées sont reliés par téléphone aux armées, et celles-ci au QG de Vitry-le-François. Mais Joffre n'aime pas téléphoner. Il envoie ses ordres par écrit, et ne dédaigne pas les pigeons voyageurs. Au 276e, c'est toujours un courrier à cheval qui apporte au capitaine les ordres du jour. Ils sont laconiques et ne donnent pas une idée détaillée de la bataille, se contentant de définir avec exactitude les objectifs de la journée, sans parler de la situation générale. Toute littérature annexe ne servirait qu'à miner le moral, pensent les chefs.

Les journaux sont eux-mêmes dépendants des bribes d'informations qu'ils reçoivent de Vitry-le-François ou du ministère de la Guerre. Ils désinforment candidement. *L'Echo de Paris* assure que « les projectiles de l'artillerie lourde allemande sont très peu efficaces ». Il est bien vrai que Pont-à-Mousson a été bombardée, que l'on déplore quatre tués et douze blessés, mais « l'effet moral est nul ». Passant de nouveau par Pont-à-Mousson en direction de la bataille qui se déroule à l'Est, les soldats du 276e peuvent constater qu'effectivement les projectiles ont causé peu de dommages, mais que la ville est « en grande partie vide d'habitants ». Affolés par le bombardement, ils ont fui après la destruction de l'hôpital.

Nouveau départ à pied, sac au dos des soldats du 276e le 23 août, quand la IIIe armée allemande attaque dans les Ardennes. Il s'agit de marcher en direction d'Etain et de Verdun. « Il fait une chaleur torride qui rend le sac terriblement lourd. » L'étape est de cinquante kilomètres. « Aucun homme n'est resté en arrière, à cause de l'énergie dépensée par les capitaines et lieutenants qui rameutent les traînards. » Tantôt en tête de colonne et tantôt en serre-file, Charles Péguy « ne semble pas sentir la fatigue. Trempé de pluie et couvert de boue, il assure le dur service de surveillance ».

Dans tous les journaux de marche des unités, on relève des notations de fatigue et de maladie. Des soldats doivent être évacués pour épuisement. Les hommes dorment peu, mangent mal, et sont alourdis sous la canicule par les rasades de vin dont ils abusent pour se reconstituer. Le 275e d'infanterie, au cours d'une série de marches forcées dans la région de Toul, devra parcourir soixante-cinq kilomètres en trente heures. Le repos ? Six heures de sommeil seulement. Sans compter dix heures d'attente exténuantes et l'énergie dépensée pour creuser, aux étapes dans les villages, des tranchées. Les soldats ont marché pendant trente-sept kilomètres toute une nuit. Arrivés dans un village à 7 heures du matin, ils sont repartis sac au dos à 11 heures pour atteindre un objectif distant de vingt-cinq kilomètres. Réveillés dès 4 heures du matin, ils se remettent en marche à 23 heures, reprenant le barda[1], pour relever un autre régiment.

Après quinze jours de campagne, les pantalons rouges, maculés de boue, sont méconnaissables. Les hommes ne trouvent que rarement la force de se raser. Les officiers donnent le mauvais exemple en se laissant pousser la barbe. Très à cheval sur les principes, le capitaine Détrie, le 14 août, écrit à sa femme[2] : « J'ai trouvé moyen, jusqu'ici, de pouvoir me raser. » Pendant un mois, les hommes ne se lavent pas, et ne se rasent plus. Ils sont hirsutes, sales, dans leurs vêtements couverts de poussière et détrempés par les orages. Les traces de boue sont partout visibles. La poussière de la route, sous la canicule, leur fait grincer les dents. Dès le 18 août, les hussards d'Epinal ont du mal à se reconnaître entre eux, tant leur barbe a poussé. Où pourraient-ils se raser ? Seuls les villages ont des puits. On n'aura jamais le temps, et rarement la chance, de bivouaquer au bord d'un ruisseau.

Par manque de sommeil, et trop de fatigue et de dépense physique, les hommes commencent à présenter des troubles physiologiques. Les chauds et froids en surprennent plus d'un : accablés pendant la marche de jour par la forte chaleur, leurs gilets et chemises trempés, ils se reposent à l'ombre des sapins des Vosges où la fraîcheur les saisit dans la nuit. Les ruraux résistent mieux à ce régime d'effort soutenu, mais les ouvriers du textile du régiment de Romans n'ont pas la robustesse des solides vignerons bourguignons, leurs compagnons de recrutement du 275e. Ils toussent et se mouchent déjà, bien avant l'hiver, dans les vastes mouchoirs à carreaux que leur a fournis l'intendance. Certains doivent être évacués.

Du moins ces réservistes ne connaissent-ils la guerre que par ouï-dire, par ce que les colonnes de blessés leur apprennent. Ils n'ont pas poussé leur marche jusqu'à son terme déjà obligé : la mort sur le champ de bataille.

1. Yves Pourcher, *Un commandant bleu horizon, souvenirs de guerre de Bernard de Ligonnès*, Paris, éditions de Paris Max Chaleil, 1998, p. 36 et 37.

2. Général Paul Détrie, *Lettres du front à sa femme*, Point Com' éditions, 1995, p. 16.

*

Les témoignages donnent une vision très différente de la réalité de la guerre dans les axes des offensives d'été. A la fatigue s'ajoute alors l'épouvante. Le caporal Delabeye, du 140e de Grenoble, est le 11 août à Fraize, dans les Vosges, au pied du col du Bonhomme. Son régiment grimpe les pentes ardues de la montagne, il participe à l'offensive vers l'Alsace de la première armée du général Dubail.

La marche est longue et dure, ponctuée d'arrêts dans les villages dont les habitants, redoutant l'arrivée des Allemands, ne montrent aucun enthousiasme. « On devinait que tout était prêt pour fuir au premier signal », dit le caporal. A Wissembach le bataillon prend la route du col de Sainte-Marie-aux-Mines. A l'aube du 14 août, tout est prêt pour le « bond en avant » vers le Rhin, dont Joffre souhaite qu'il soit décisif.

La cavalerie précède les colonnes. Le hussard Honoré Coudray gagne aussi le col du Bonhomme. Il a reçu le baptême du feu dès le 8 août. Au sommet du col, les compagnies lyonnaises du 158e de ligne tiraient sur les uhlans, qui avaient coupé tous les poteaux télégraphiques pour retarder l'avance des Français. Des canons de montagne tonnaient. Coudray apercevait pour la première fois des blessés, accueillis dans une ambulance de fortune, près d'un poteau-frontière brisé. Les chevaux des hussards étaient « affolés par la pétarade », ils avaient les flancs « vermillonnés » par les coups d'éperon des cavaliers rendus nerveux par le canon. Ces cavaliers étaient utilisés comme agents de liaison entre les compagnies d'infanterie, qui n'avaient aucun téléphone de campagne.

Duel d'artillerie sur le col du Bonhomme, le 10 août. Honoré ne voit que des avions allemands de repérage, pas un français. Il est bientôt attaqué par-derrière et accablé d'éclats d'obus tirés par des pièces de 77, de très loin. Faute d'informations, les mitrailleurs français tirent trop court. Ils criblent les hussards de rafales. Un groupe de chasseurs à pied attaque, baïonnette au canon. Il est aussitôt décimé par les mitrailleuses ennemies placées aux premières lignes. Ils sont là, près de deux cents cadavres couchés dans l'herbe, les officiers en tête. On évacue les blessés, « allongés sur la paille fraîche ». Le commandant pleure [1].

1. Honoré Coudray, *op. cit.*, p. 7.

Le 11e régiment de Montauban tient le village de Bonhomme. Si les Allemands traquent et brutalisent les villageois par crainte des partisans, les Français voient partout des espions. Les lignards du Tarn-et-Garonne anéantissent les fermes, « nids d'espions », et allument le feu. Même réflexe du dragon Adrien Bertrand[1] également engagé dans les opérations de la Ire armée. Il soupçonne les paysans d'espionnage, poursuit un berger dont le troupeau de moutons servirait prétendument de point de repère aux artilleurs allemands.

Témoin d'une scène de pillage, il ne songe nullement à réprimer. Ses hommes, raconte-t-il, portaient dans une ferme un artilleur blessé d'un éclat d'obus au pied. Le fermier refusait de donner à boire et à manger. Les dragons avaient mis la cave à sac, « joyeusement ». Ils faisaient expier un mauvais patriote avec bonne conscience. Les hussards traitaient « d'embôchés » les paysans alsaciens qui leur refusaient du vin et des vivres, ou qui demandaient un prix exagéré pour une piquette de blanc. Ils remplissaient leurs musettes de pommes de terre arrachées dans les champs. Ainsi les soldats du 220e de Marmande, rendus féroces par la faim, tuent deux maigres cochons à la baïonnette et volent la poule d'un garde-barrière. Trouver une tablette de chocolat dans une épicerie bombardée de village est un événement. Pour les colonnes de pantalons rouges engagées dans la guerre, l'intendance ne suit pas.

Honoré poursuit sa marche en accompagnant l'infanterie sur le Bonhomme, « vivant dans l'ignorance des faits qui se déroulent ailleurs ». Le 17 août, par une belle journée d'été, on entend au départ les chants grivois des fantassins, puis le silence de la forêt. L'extrême fatigue pèse sur leurs épaules et l'angoisse leur serre la gorge : « La troupe n'ose pas chanter sa joie, car elle marche vers l'inconnu. » Ils grimpent vers le col de la Charbonnière, s'attardant au passage pour cueillir des framboises sauvages.

Le 19 août, Honoré frôle la mort de près. Il est agent de liaison auprès d'un bataillon assailli par l'ennemi. Son cheval, affolé par la mitraille, le démonte et s'enfuit, avant de tomber, criblé de balles. Le caporal myope du régiment de Grenoble découvre aussi la mort au bout de la route de montagne. En haut d'une côte, il

1. Adrien Bertrand, *La Victoire de Lorraine. Carnets d'un officier de dragons*, Paris, Berger-Levrault, 1917.

reçoit « une violente commotion en plein visage ». Il est bombardé par une nuée d'obus qui éclatent en mitraille mortelle dans les rangs de sa compagnie. Il ne voit pas l'ennemi, il n'est pas encore au contact, et pourtant les canons allemands, tirant à dix ou douze kilomètres de là, exterminent les biffins bien avant leur entrée en ligne.

La rafale du 77 est si inattendue que les hommes s'enfuient à toutes jambes, se jettent dans les fossés, tremblent de peur. Bien peu songent déjà à se protéger la tête avec leurs sacs. Ils n'ont jamais vécu cet enfer. C'est leur tout premier contact avec le feu : « L'air craquait, une fumée âcre, jaune, puante, envahissait le bois et séchait notre gorge [...] J'allais d'un arbre à l'autre, tantôt courbé en deux, tantôt à plat ventre, comme une bête traquée. »

Plus subtil, le lieutenant Rivière apprend à distinguer le bruit des obus. Il comprend soudain, au premier bombardement, le sens de l'expression « battre une côte » : les Allemands tirent mécaniquement, sans voir leur cible. Ils égrènent leurs obus géométriquement, en losange, dans un rythme défini. Entendre le « déchirement soyeux » de l'air n'est pas grave. C'est seulement le bruit du sillage de l'obus, quand il a déjà éclaté. Il y a malchance, ou prédestination, à se trouver sans le savoir sur un des points d'impact. On ne peut être sauvé que par une inexactitude de pointage, ou par la déviation des trajectoires sous l'effet du vent. Rivière confie à Dieu sa survie. Que peut-il faire d'autre ?

*

Le contact physique avec l'ennemi n'est pas toujours réalisé : après l'épreuve du canon, d'autres attendent les pantalons rouges. L'approche du vrai terrain de combat n'est jamais immédiate. Ils ont largement le temps de se faire tuer avant d'y arriver, surtout quand ils débouchent devant les lignes ennemies, par les rafales de mitrailleuses cachées dans les bosquets ou enterrées sous des tertres. « Les tranchées ennemies sont invisibles », dit Delabeye, leur « caquet horrible » envoie des rafales qui font voltiger la poussière. Les premiers récits coïncident. Avant de *voir* les silhouettes en *feldgrau*, il faut affronter le tac-tac des armes automatiques.

Les hommes, dit le hussard Honoré, « perdent leur caboche ». Ils s'affolent et se font tuer sans avoir vu le feu. Les blessés crient, couchés dans les avoines. Les pantalons rouges qui ne se relèvent pas sont des morts, hachés par files entières. « Avancez-donc, dit Rivière à un soldat qui traîne devant lui. — Je suis tué », répond-il doucement avant de tomber raide. A Saales, Honoré voit défiler les survivants du 140e de Grenoble. Les rangs sont vides, les effectifs réduits. Les officiers sont restés « au champ d'honneur ». On voit des sergents commander des compagnies. Les survivants sont épuisés. Ils traînent leurs sacs et allongent le pas. L'offensive d'Alsace a tristement échoué.

Mais le même scénario se reproduit en Lorraine à partir du 19 août, vers Morhange et Sarrebourg. Les dragons ont traversé la ville de Charmes, tirant les chevaux à la bride, et pris la route de Lunéville. Les soldats de l'active marchent derrière eux, deux corps d'armée entiers qui se pressent vers la Meurthe. Cette fois la VIe armée du Kronprinz Rupprecht de Bavière est prête à les recevoir et à lancer une contre-offensive, en liaison avec la VIIe de von Heeringen, qui fait mouvement de l'Alsace vers la Lorraine. A partir du 20 août, une puissante action est engagée.

Pour la première fois, les pantalons rouges vont affronter les gros moyens de la guerre moderne, apprendre à connaître le feu d'artillerie dans sa pleine efficacité. Ils subissent le bombardement des pièces de 130 et de 150 qui tirent à plus de dix kilomètres et que l'état-major allemand a rassemblées en grand nombre. Impossible de les contrebattre, elles sont trop loin. Vincent, général d'artillerie, répond à Espinasse, chef du 15e corps, qu'il n'a pas assez de pièces lourdes. Il ne veut pas « casser ses 75 » en les approchant trop près. Les fantassins n'ont que leurs sacs pour se protéger.

La IIe armée de Castelnau, en décrochant, a entraîné le recul de l'armée Dubail, qui avait pris les Vosges. La débandade avait commencé dans l'armée Dubail, assaillie par les tirs d'artillerie de l'armée de von Heeringen, au 140e de Grenoble, dont les soldats avaient perdu pied. Il fallait déjà constituer des cordons de troupe pour arrêter les fuyards.

La IIe armée de Nancy comprend le 20e corps commandé par Foch, le 15e de Marseille, le 16e de Montpellier. Le 18e de Bordeaux et le 8e de Dijon suivent. Mais cette masse d'attaquants a été arrêtée par des obstacles défensifs assez puissants pour décourager les assaillants. Les gens de Nîmes et d'Avignon se sont fait tuer en pure perte en attaquant à la baïonnette l'ennemi retranché dans le village de La Garde. Ils ont eu 300 morts et 700 blessés. Plus de mille hommes ont disparu, prisonniers, sans doute. Le bruit court déjà que les Méridionaux se rendent au premier choc. Ils ont reçu pour la première fois les salves des terrifiants obus des 150 et se sont débandés. Mais les fantassins de Grenoble n'ont pas réagi autrement.

Furieux de cette affaire, Castelnau avait interdit « les engagements inutiles ». Peine perdue. On devait encore envoyer les Niçois, baïonnette au canon, se faire tuer devant les défenses imprenables du village de Moncourt. Ceux d'Antibes et de Toulon pliaient sous les obus explosifs : en une heure, mille hommes hors de combat. Pas de civières ni d'ambulances pour évacuer les blessés. Ils hurlaient dans les champs, démoralisant les autres. On avait remis au 19 août l'attaque du 15e corps, qui traînait les pieds. Le corps de Montpellier était amputé de pertes sévères par les canons lourds. Quand les Bavarois avaient lancé leur attaque, la ligne française était déjà ébranlée. La bataille perdue de Morhange obligeait tous les corps à la retraite.

Epreuve accablante pour les Français que cette brutale marche en arrière, de nuit, dans le désordre, qui rappelait les récits de la guerre de 70. Allait-on de nouveau ouvrir les portes du pays ? Le 15e corps avait flanché. Le 3e régiment d'Hyères n'avait plus que cent soldats par compagnies de deux cent cinquante. « L'infanterie désespère, disait le général Espinasse, son chef, du concours de l'artillerie. » Les relations du commandement sont toujours les mêmes : les unités sont réduites de 80 % par le feu d'artillerie, sans jamais avoir pu rencontrer l'ennemi.

Quand sonne l'heure de la retraite, la longue marche de nuit ressemble à une débandade. Les soldats grimpent sur des charrettes de paysans. L'infanterie de Toul est réduite à quelques compagnies. Les gendarmes sont postés à l'arrière pour arrêter les fuyards. Les dragons ont pris position devant la trouée de Charmes. La retraite est mal protégée par le 20e corps de Foch, qui a perdu ses beaux effectifs, et regrette la décimation de sa « division de fer », la 11e de Nancy. Le régiment de Toul n'existe pratiquement plus. La 39e division a dû laisser l'ennemi capturer son artillerie. L'honnête Fayolle déplore, à la 70e division, les milliers d'hommes tués pour des ordres absurdes, des attaques sans éclaireurs, sans parler de l'absence de soutien d'artillerie. « C'est fou ! » écrit-il.

A partir du 24 août, l'armée de Lorraine mène une gigantesque bataille défensive devant Nancy, aux ordres de Castelnau. En face, deux armées formidablement soutenues par leur artillerie lourde. Le combat n'est pas égal. Les troupes exténuées vont être renvoyées à l'assaut, sans plus de moyens. La première hécatombe de la guerre se prépare, à portée de canon de Nancy.

Les marches forcées ont été de soixante-dix kilomètres pendant la nuit de la retraite, sans repos. Pourtant, même au 15e corps, les hommes se reprennent, se traînent vers l'arrière, pressés par les Bavarois. Le 43e colonial ne compte plus qu'un millier d'hommes qui s'enterrent devant Charmes, pendant que Castelnau prépare la contre-attaque dans le flanc de l'ennemi, à partir des défenses du Grand-Couronné.

Pour ceux qui n'ont pas encore été engagés dans la fournaise, comme les soldats du 275e d'infanterie de Romans cantonnés devant La Mortagne, dans la trouée de Charmes, le 26 août est un jour d'angoisse. Le commandant de Ligonnès, qui sent se rapprocher la bataille, se demande comment ses hommes vont se comporter devant le feu.

La première épreuve, décourageante, pour ceux qui montent au front, est la rencontre d'un convoi de blessés. Le cœur se serre à entendre leurs plaintes. Comment ne pas faire le constat des tristes résultats de cette boucherie industrielle ? Les blessés sont souvent transportés, faute d'ambulances, sur des civières, ou laissés sur place, en plein champ. Un grand capitaine abandonné au bord de la route attire l'attention de Jacques Rivière : sa mâchoire inférieure enlevée, son bandage passe à la place du menton et l'on ne voit que la lèvre du haut par-dessus. Première découverte de ceux qu'on appellera plus tard les « gueules cassées ».

Le dragon Bertrand ne supporte pas l'abandon des blessés. Il veut faire fusiller un ambulancier qui s'est caché pendant un bombardement, abandonnant son véhicule bourré de blessés, au lieu de les mettre en lieu sûr. Il conduit lui-même l'ambulance au poste de secours en frappant la monture de coups de plat de sabre pour la décider à avancer. On finit par faire monter en ligne des automobiles réquisitionnées à l'enseigne des magasins de Lyon ou de Nancy, des cars d'hôtels de Grenoble et de Nice pour suppléer au manque d'ambulances.

Les soldats qui gagnent le front rencontrent aussi, marchant en sens inverse, les civils fuyant les villages incendiés. C'est la deuxième épreuve, moralement insupportable : « Ils égorgent les femmes et les enfants, disent les réfugiés aux soldats. Ils mettent le feu partout. » La terreur leur inspire ces rumeurs. Mais Jacques Rivière avoue « qu'il les prend pour argent comptant ». Les fugitifs sont entassés pêle-mêle dans des charrettes, ils traînent des bébés endormis dans leurs voitures. Ils inspirent aux soldats des sentiments de haine et de vengeance à l'égard de l'ennemi, mais aussi de la crainte : le recul français est-il déjà si important ?

La troisième épreuve, pour les colonnes en marche, est celle du feu de l'artillerie lourde. Les régiments sont hachés, sans pouvoir riposter. On finit par avancer le plus près possible de la ligne de feu les batteries de 75, pour tâcher de contrebattre le tir des 120 que les Allemands font avancer jusqu'à leurs premières positions, sans souci des pertes. Il est urgent de les repérer, mais on manque de moyens aériens pour localiser les batteries bien camouflées. Les photographies aériennes ne peuvent percer les branchages qui dissimulent les pièces. Elles sont trop éloignées pour qu'on puisse les repérer à la flamme ou à la fumée. Les dragons sont envoyés en repérage. Ils rampent dans les champs pour découvrir les emplacements, et doivent rapporter les informations aux batteries françaises. Le délai est long, la course aléatoire. Elle réussit rarement.

A la grand-halte, les hommes du colonel de Ligonnès ont peur. Sur leur visage tiré par la fatigue de la marche, les regards sont anxieux. Le 275e de Romans ignore tout des combats engagés autour de Nancy, il était occupé à creuser des tranchées pour arrêter dans la trouée de Charmes la retraite de l'armée. Il ne peut mesurer la gravité de la situation. Des bruits contradictoires circulent, et des bobards. On assure, par exemple, le 26 août, que les Allemands battent en retraite.

Ce jour-là, le régiment est engagé. Il se déploie, compagnie par compagnie, et les hommes, qui n'ont pas subi de bombardement d'artillerie, affrontent directement le feu des mausers et des maxims. Les Allemands contre-attaquent. Ils sont pressés. Les Français ne sont-ils pas en débandade ? Ils se faufilent dans les fourrés. On ne les aperçoit qu'au dernier moment, quand leurs mitrailleuses ont déjà fauché les lignes françaises. Les hommes tapis dans les champs d'avoine entendent leurs cris rauques, leurs chants de guerre et, dit Rivière, la « musique bizarre, poussive, basse et monotone de leurs clairons ». Les mobilisés de Romans découvrent le feu de l'infanterie. Le bruit sec des fusils, les balles musicales qui passent haut, le déchirement des balles plus basses, celles que les blessés entendent s'arrêter autour d'eux. La mort vient par surprise, sans préavis.

*

La bataille fait rage autour de Nancy, car les Français se sont ressaisis. Les Allemands subissent à leur tour les effets des bombardements. On ramasse 2 500 de leurs cadavres sur un front de trois kilomètres au sud-est de Nancy, et 4 500 dans la région de Vitrimont. Castelnau a mis en batterie de vieilles pièces lourdes du système Rimailhos, aux côtés des 75, et ramassé, dans les colonnes des soldats perdus de la retraite, tous les artilleurs sans pièces disponibles pour les affecter à de nouvelles batteries. Dans la plaine au pied du Grand-Couronné, les Allemands souffrent. Le dragon Bertrand découvre en passant un cavalier toujours en selle, tué comme son cheval dans un entonnoir. Dans un autre, un fourgon est en miettes.

Ils attaquent, malgré leurs pertes, poussés par leurs officiers qui hurlent leurs ordres. Les Français n'ont plus à se faire tuer devant des positions préparées, les rôles sont inversés. C'est à l'adversaire de souffrir. On va découvrir enfin son visage. Les pantalons rouges sont confrontés à la suprême épreuve, la plus brutale et intraitable, celle du corps à corps.

Les premiers affrontements à Rozelieures, Einvaux, Clayeures sont « une tuerie sans nom ». Les soldats des régiments de l'Ouest appelés à la rescousse sont les premiers exposés. Le 277e de Cholet a perdu 444 hommes en une journée, celui de Poitiers 526. Les bois sont remplis de cadavres. Personne ne les enterre, dans le feu de l'action. « La puanteur commence à être écœurante », dit un cavalier qui aperçoit un dragon français pendu à un arbre par les pieds, le ventre ouvert. Les Allemands ne peuvent pas relever leurs blessés, mais les Français s'en chargent. Il en est de même dans les lignes allemandes. Tous les combattants en *feldgrau* demandant du secours sont chargés sur des civières. Seuls les hommes tombés dans la zone des combats qui se poursuivent doivent attendre plusieurs jours dans les champs de blé sans pouvoir bouger, sans être secourus. La bataille est encore sur eux. Les éclats d'obus et les balles perdues peuvent les achever.

Allemands et Français s'affrontent à la baïonnette, en une boucherie sans merci. On retrouve les cadavres embrochés dans les fossés et les ravins. Les officiers supérieurs ne sont pas épargnés. Un régiment de coloniaux a perdu deux colonels successivement depuis le début de l'engagement, et naturellement 60 % de ses hommes. Un troisième chef est aussitôt désigné. Il est décapité par un éclat dix minutes plus tard.

Comment les hommes ont-ils pu trouver le courage de surmonter les agressions successives qui ont causé déjà tant de pertes ? On monte en épingle, dans les corps, le sacrifice des troupes d'élite. Les pantalons rouges de la « division de fer » ont été présents dès le début des opérations en Lorraine, défendant leur propre sol. Ils ont souffert plus que d'autres, mais pour eux, pas de panique malgré les cris des blessés, comme s'ils acceptaient d'avance de mourir avec la résolution d'écarter de leur sol l'invasion.

Ils se dépensent sans relâche pour fermer la trouée de Charmes et dégager Nancy. Le 26e régiment d'active, formé à Toul, est engagé dans la prise du village de Léomont, au nord de Lunéville, assaillant de flanc l'armée bavaroise. Une attaque insensée, sans préparation d'artillerie, contre un adversaire qui s'appuie à des collines pourvues d'observatoires.

La défaite de Morhange n'a pas fait réfléchir les colonels des unités d'assaut sur la tactique, et sur la nécessité d'épargner la vie des hommes. Plus ils sont personnellement braves, plus ils renouvellent les mêmes erreurs. Le 26e régiment part de nouveau, drapeau en tête, déployé sous les éclats d'obus. Le tir des mitrailleuses commence. Un capitaine de compagnie, Jacquesson, n'entend rien, ne voit rien dans la poussière des éclatements d'obus. Son colonel vient d'être remplacé au cours de l'action. Blessé, il a donné l'ordre de repli. Mais les autres compagnies, non prévenues, poursuivent l'attaque dans le désordre. Jacquesson ne sait rien. Personne ne lui a demandé de reprendre la marche en avant. A la nuit tombée, il a perdu tout contact avec son régiment.

Pour le soldat Aertz, parti le 25 août dès 5 heures du matin dans le même régiment, le bombardement d'artillerie qui a salué les débuts de l'attaque n'était plus une surprise. Il en avait éprouvé d'autres, devant Morhange. Avec ses camarades, il se formait « en carapace », la tête entre les jambes du voisin, les dos recouverts par les sacs. Puis il repartait à l'assaut.

Une tuerie « à courte distance », des corps à corps à l'arme blanche, ou aux pelles de tranchée. Les pertes sont énormes. Les officiers se font tuer les premiers. Plus de liaisons entre les compagnies. Chacun combat dans son secteur, isolé des autres. Les canons français se trompent de cible, tirent sur les pantalons rouges qu'ils n'aperçoivent pas dans les lointains. Des mitrailleuses même arrosent, dans la pénombre brumeuse, les sections de leur camp. Le soldat Aertz, revenant en arrière pour obéir aux ordres de retraite donnés par le capitaine, aperçoit un jeune saint-cyrien au pied cassé. Il le charge sur son dos et marche pendant quatre kilomètres sans abandonner son équipement. Au poste de secours, il tombe exténué [1].

Tous les régiments de la division de fer sont victimes de ces ordres d'attaque qui poussent les hommes vers l'ennemi sans préparation d'artillerie, contre des feux roulants meurtriers. Le 37e de Troyes en fait la triste expérience. Son premier bataillon a déjà perdu la moitié de ses effectifs et la plupart de ses gradés de la mobilisation. Il attaque de Dombasle, au sud-est de Nancy, pour prendre une crête qui domine la Meurthe. Pour une fois l'artillerie française soutient le mouvement. Le feu violent des pièces de 75 du commandant Bossu matraque les lignes allemandes.

Au petit jour du 26 août, l'attaque est menée sans difficulté. Un capitaine du 60e régiment surnommé « l'Electrique » s'est avancé jusqu'aux premières lignes d'infanterie avec un téléphone de campagne en état de marche. Il a pu guider le tir des artilleurs qui ont assommé d'obus avec précision les Allemands pris de court. Mais leur artillerie lourde réagit aussitôt, bombarde les positions occupées, isole les bataillons qui ne peuvent communiquer entre eux. L'un d'eux perd la moitié de ses effectifs devant une contre-attaque allemande. Un autre en a perdu les deux tiers.

Les *feldgrau* ont aussi subi des pertes sévères. Ils se sont repliés sans pouvoir enterrer leurs morts. Les fusiliers d'une section d'infanterie, entièrement détruite, sont restés sur place comme la mort les a surpris : un genou en terre dans leur position de tireur. Des

1. H. Colin, *Le Grand-Couronné de Nancy*, Paris, Payot, 1936, p. 89.

attelages d'artillerie à six chevaux tués, des conducteurs frappés d'éclats d'obus à leurs bancs.

Mais les pertes françaises étaient les plus angoissantes. Les régiments d'active, élite de l'armée, composés de très jeunes pantalons rouges et commandés par les meilleurs officiers étaient tombés les premiers, sans aucun souci de protection des hommes devant le feu dévorant. On apprit, en relevant les cadavres, que le 237e de Troyes avait chargé comme aux manœuvres, clairon sonnant. Il n'en restait que de rares rescapés.

*

Force était de faire intervenir des renforts, pour fermer la porte de Nancy à l'invasion, comme l'exigeait Joffre quand Castelnau, découragé par la mort d'un de ses fils, songeait à faire de nouveau retraite. Les hommes des régiments de l'Ouest, après les Méridionaux et ceux de la division de fer, étaient à leur tour entrés dans la danse.

La brigade commandée par le général Guignabaudet venait de Parthenay en Vendée et de Poitiers. Les hommes avaient déjà éprouvé le feu, souvent dans des conditions insoutenables. Le colonel Benoît avait par exemple lancé, sans hésiter, ses Vendéens de vingt ans à l'assaut d'un village, Erbéviller. Il avait fait sonner la charge, drapeau au vent, déjà criblé de balles. Les mitrailleuses allemandes placées en tête des lignes avaient allongé les pantalons rouges, en pure perte. Le tir de barrage de l'artillerie allemande avait empêché les survivants de se relever. Ceux qui avaient par miracle échappé à cette meurtrière réception avaient, sur ordre, poursuivi leur attaque des lignes ennemies, poussés par un chef qui voulait obtenir des résultats après tant de morts. Ils furent fauchés de nouveau par les mitrailleuses.

Ceux qui arrivaient au contact de l'ennemi après de telles pertes étaient acharnés à vaincre. Dans le bois de Crévic, à l'est de Dombasle, les rescapés du 146e d'infanterie de Melun sautaient dans les tranchées allemandes et se battaient au corps à corps dans des mêlées d'une violence inouïe. Après le combat, explique Colin, on trouvait des adversaires « aux faces grimaçantes » « enfilés tous deux sur leurs baïonnettes ». Les gens de Melun, reformés déjà à Toul en raison des pertes subies par leur régiment, avaient attaqué après avoir parcouru au pas accéléré six kilomètres, baïonnette au canon et sac au dos. Ils avaient éprouvé beaucoup de pertes avant de toucher au but. Nombre de leurs camarades avaient été foudroyés dans leur course par les éclats des schrapnells, d'autres fauchés par les rafales de mitrailleuses. La « haine accumulée » les faisait réagir violemment au contact de l'ennemi. Ils n'avaient pas fait de prisonniers.

Cette « haine » ne doit rien à l'esprit de guerre, aux dénonciations de la « barbarie adverse », au contentieux de griefs réciproques emmagasinés dans la presse et la littérature populaire d'un demi-siècle. Elle est un réflexe incontrôlable d'hommes abandonnés, lancés par leurs états-majors, sans protection aucune, dans la pire violence des canonnades et des tirs de mitrailleuse qui investissent, du poids de leurs souffrances accumulées, les soldats d'en face, ceux qu'ils affrontent enfin corps à corps, qu'ils peuvent enfin frapper de leurs mains, les yeux dans les yeux, leur faisant expier, du fond de leur haine, la mort de huit sur dix de leurs camarades, et leur propre peur. Un Bavarois à la poitrine transpercée par un coup de baïonnette se débat contre la mort au pied d'un arbre. Un officier français s'approche pour lui venir en aide. Le colosse des forêts de Bavière, plus fait pour porter sur l'épaule la cognée que le mauser, refuse tout secours. Lui a-t-on dit que les Français achevaient les blessés ? Il demande qu'on le laisse mourir. On l'a fait assez souffrir.

Les hommes deviennent insensibles à la mort des autres, et ne dominent pas leur peur. Un officier de dragons est seul en patrouille, ses hommes battent les bois plus loin. Il rencontre, au hasard d'une ruine, un capitaine allemand d'artillerie qui lit une carte, préparant un emplacement de batterie. Les deux hommes se regardent. En une seconde, ils dégainent. L'Allemand tombe. Réaction du dragon ? « J'ai eu de la peine, dit-il, de le voir étendu. Il avait de grands yeux bleus, ouverts dans la mort. » L'ordonnance de l'officier allemand surgit. Les dragons accourent, le percent de deux coups de sabre.

Le lieutenant du 106e régiment d'infanterie Maurice Genevoix [1], dans une première rédaction de ses souvenirs, avait volontairement repoussé le récit d'une scène comparable, où il avait donné la mort

1. Maurice Genevoix, *Ceux de 14*, Paris, Omnibus, 1998, p. 583.

de près. Il l'a rajouté dans une édition de 1949. « J'ai rattrapé, écrit-il, trois fantassins allemands. Et à chacun, courant derrière lui du même pas, j'ai tiré une balle de revolver dans la tête ou dans le dos. » Et de commenter : « Ç'a été la première occasion où j'ai senti en tant que telles la présence et la vie des hommes sur qui je tirais. Heureusement ces occasions étaient rares. »

Il rappelle une deuxième affaire, survenue aux Eparges : « Un Allemand, écrit-il, a surgi sur la ligne d'horizon, à quelques pas. Tout seul, les poings crispés sur son mauser, il avançait en enjambant les éboulis, les yeux fixes, le visage contracté par une espèce d'orgasme. Butrel a tiré ; j'ai tiré ; Sicot a dû tirer aussi : nous avons vu l'Allemand pousser un cri sauvage, lâcher son fusil en portant les deux mains à son ventre, et basculer dans un trou. »

« L'orgasme » dont parle Genevoix, c'est la peur qui « contracte » le visage. Elle rend l'homme inconscient du danger, prêt à tuer, de ses « poings crispés ». Les fantassins ne réfléchissent pas, ils tuent. Ils sont eux-mêmes pris de panique, attendant la mort d'une seconde à l'autre. Le « cri sauvage » de l'Allemand tué rappelle le cri originel de l'homme à sa naissance. « Finis ça. Maman ! elle t'emmerde ! », lance, sarcastique, le cavalier de Céline à un capitaine de cuirassiers qui se meurt en pleurnichant.

Un brigadier du 31e dragons de Vitry-le-François parcourt le champ de bataille au pied du Grand-Couronné, le 28 août 1914. Ce qu'il voit lui soulève le cœur. Dans le village rasé par les obus de 77, « de nombreux cadavres d'hommes de la ligne et de chasseurs ». Des corvées commencent seulement à enterrer les morts. Parmi eux, troué d'une balle dans la tête, un vieux paysan qui n'a pas voulu partir. Des chevaux gonflés empuantissent l'air.

Plus loin brûle la ferme de la Faisanderie, avec les cadavres du régiment de Toul pris sous les décombres. Dans un bois entre Maixe et Drouville, un carnage d'hommes : le fossé est garni de tireurs français, tous frappés à la tête, faute de casque de protection, par les éclats d'obus, couchés morts, côte à côte. Un peu plus loin, dans une clairière, des cadavres entremêlés de Français et d'Allemands. Un clairon rigidifié sonnant la charge. Un fantassin passe sur le dos d'un mulet, la cuisse cassée. Il geint, le visage blême. Il est resté deux jours sans soins dans un champ d'avoine.

Un chef de patrouille à cheval s'écroule inanimé. Il a la gorge tranchée. Les brancardiers identifient les morts avant de les enterrer. Ils leur retirent leur bracelet d'immatriculation, recueillent leurs papiers militaires. La mort est sale, banalisée, anonyme. Personne n'accorde plus la moindre attention aux cadavres, comme s'ils empêchaient les survivants de vivre.

*

Jacques Rivière a la chance d'être prisonnier. Un camarade lui raconte que, dans le fossé où il a été capturé, tous ses voisins étaient morts. Il a voulu tromper la patrouille allemande qui passait en s'allongeant immobile au milieu des cadavres. Mais les soldats allemands frappaient les corps à coups de crosse, pour démasquer les tricheurs. Il s'est fait prendre ainsi, au risque d'être fusillé.

Le lieutenant prisonnier découvre que les Allemands sont logés à la même enseigne que les Français. Mieux entraînés pour le combat, peut-être, et surtout plus résistants aux fatigues de la marche. Pourtant leurs unités de première ligne étaient composées de réservistes, et les françaises de soldats d'active. Cette armée est « faite pour la guerre », ce n'est pas, comme la française, « une armée qui fait la guerre ».

Les troupes défilent régulièrement devant ses yeux sur la route, d'un pas calme, sans vide dans les rangs. Ces soldats sont entraînés à marcher. Ils enterrent proprement leurs morts, et dressent des croix noires sur leurs tombes. Cela ne les empêche pas de pousser on ne sait où des civils pris en otages. « Vous, ça va bien, dit à Rivière un des casques à pointe. Tous les soldats sont des camarades. Mais les francs-tireurs... » Il désigne sa baïonnette.

Les Allemands sont plus endurants, moins exigeants. Respect luthérien de l'autorité ? Ils ne se plaignent jamais. Ils traitent bien les prisonniers, leur donnent du vin et du lard. Ils sont capables, après avoir combattu une journée entière sans manger, de se coucher le ventre vide, trempant du pain sec dans leur café. Le lendemain, ils marchent encore sur trente kilomètres sans se plaindre, tous convaincus de faire une guerre juste, voulue par la France. Jean Jaurès a été assassiné pour faciliter la mobilisation. Raymond Poincaré n'attendait qu'un prétexte pour assaillir les Allemands. Voilà ce que dit un « beau gars farouche » au lieutenant Rivière[1].

1. Jacques Rivière, *op. cit.*, p. 39.

Ces gens-là, remarque-t-il, « font tout ce qu'il faut, et jusqu'au bout, ce qui est impossible à un Français — et *ça suffit* ». Qu'on ne dise pas qu'ils sont incendiaires, et pillards. On a vu des chasseurs brûler une ferme où ils ne trouvaient pas à manger. Les pantalons rouges sont aussi quelquefois des renards de poulaillers, voire des déménageurs d'armoires. Genevoix en témoigne amplement. Qu'on n'innocente pas pour autant les Allemands, comme un lieutenant prisonnier est naturellement tenté de le faire quand il est bien traité. Il leur arrive aussi, explique une vieille femme à un officier de dragons, de se livrer à des mascarades bacchiques dans les châteaux, d'abandonner dans leur retraite des salons Louis XV à l'état d'écuries puantes, et même de danser nus, ivres de vin de Champagne. L'ivrognerie est aussi le vice de l'armée d'en face, et les récits scatologiques abondent.

Impossible, s'écrie Rivière, de se battre par plaisir. Quand on est sorti du feu, on n'a plus le désir d'y revenir, sauf si l'on est poussé par le sentiment du devoir. « C'est la preuve, écrit-il, qu'il n'y a absolument plus rien là-dedans de bon ou de beau en soi, que l'horreur y est pure. » La guerre sent le chloroforme, le cadavre et la merde.

Pas un combattant, français ou allemand, qui n'ait eu peur. La terreur n'est pas une névrose, mais une stupeur. « On est maintenu, dominé par une main de plomb. » On a critiqué dans les journées de l'arrière le moment d'abandon des divisions du Sud à la retraite de Morhange. Il est vrai qu'à un certain degré de stupeur, les soldats accablés se découragent : « Monstrueuse indifférence, dit Rivière, des gens du Midi au succès de la guerre [...] et leurs vœux pour qu'on s'en aille le plus tôt possible, sans s'inquiéter de savoir dans quelles conditions. » Querelle tendancieuse. Les gens de Marseille et de Nice ont eu autant de pertes que les fantassins de Toul et de Nancy. Sont-ils les seuls à avoir éprouvé la panique ?

Les héros des régiments décorés et décimés ont, il est vrai, surmonté leur peur. Les recrues de l'Est avaient leurs champs et leurs fermes à défendre. Ils se sont fait tuer jusqu'aux derniers dans certaines compagnies, comme jadis à Bazeille, lors de la défaite de Sedan. Les hommes de la division de fer, dit Colin, « blessés, harassés, les yeux brillants, gardaient l'arme au poing et la rage au cœur ». Mais les Vendéens de Cholet, les quatre compagnies du 277ᵉ ont défendu Le Couronné de la Seille en faisant aussi le sacrifice de leur vie. Combien d'hommes de l'Ouest sont morts pour sauver Nancy et Lunéville ? Parmi les cadavres, combien de ces gens du Sud « qui avaient, dit Colin, un drôle d'accent » ? Racisme antiméridional des états-majors. C'est pourtant aussi sur les survivants exténués du 15ᵉ corps de Marseille qu'il a fallu compter pour rétablir la situation autour du Grand-Couronné.

La folie qui prend sous le feu fait peur. Le hussard Honoré Coudray en est témoin. Un petit caporal fourrier, les yeux hagards, répète sans arrêt : « Les Boches ! Les Boches ! » Des aides majors s'approchent de lui, le ceinturent. « Malheureux jeune homme ! Il faut souhaiter que cette folie ne sera que passagère, mais aussi ne pas s'étonner outre mesure si l'on perd la *caboche* à notre tour ! »

*

L'état-major a-t-il tiré les leçons de ces batailles des frontières qui lui ont coûté, en deux semaines, 250 000 combattants, ceux des meilleures classes ? Comment le pourrait-il, alors que les conditions de la guerre ne changent pas ? Joffre ne dispose pas, sur la Marne, de plus d'artillerie lourde que sur la Meurthe. Il n'a encore à opposer aux canons allemands qui tirent impunément de dix kilomètres dans les lignes adverses que la poitrine de ses soldats. Il compte sur la mobilité des batteries de 75 et sur le feu des mitrailleuses pour les soulager.

Il manquait un nouveau désastre pour que les pantalons rouges perdent confiance dans leur état-major. Charleroi survint. Après cet échec, les bataillons de von Kluck et de von Below vont pouvoir envahir le Nord, rejoints par une troisième armée allemande sur la Meuse. Les Français avaient surmonté la retraite de Morhange, voilà qu'ils ont à subir celle de Charleroi.

Une bataille meurtrière, faisant suite à des engagements hasardeux, mal préparés, très coûteux en hommes. Joffre avait dû limoger de nombreux officiers, pour tenter de reprendre la situation en main. Mais, depuis la prise de Bruxelles le 20 août, les trois armées allemandes étaient décidées à vaincre rapidement. Elles alignaient, avec le renfort d'une armée de Wurtemberg, près d'un million d'hommes dans la bataille. Les combattants bottés, coiffés de casques à pointe et habillés de *feldgrau* marchaient sans relâche, en restant groupés. Force était d'emprunter les routes, car les

Belges avaient saboté toutes leurs voies ferrées. Les étapes quotidiennes étaient au début de vingt et trente kilomètres, elles s'allongeaient ensuite jusqu'à cinquante. En une semaine, les armées allemandes avaient avancé de deux cents kilomètres.

Les unités envoyées par Joffre au-devant de l'ennemi avaient subi une série d'échecs cuisants, aussi scandaleux que ceux dont avaient souffert certaines unités en Lorraine. Les chefs de corps de la IIIe armée de Ruffey envoyaient leurs hommes au massacre, en attaquant sans soutien d'artillerie. « On ne peut admettre, écrivait le général surpris par l'incompétence de ses subordonnés, les charges à la baïonnette dans les conditions où elles se sont produites jusqu'ici la plupart du temps. » Il était difficile ensuite de contrôler les réactions de la troupe démoralisée.

Le général Martin, par exemple, n'avait pas pu empêcher les pantalons rouges d'Orléans, de Montargis, de Blois et d'Auxerre de se débander. Ils venaient d'être massacrés de plein fouet par l'artillerie adverse sur un plateau dénudé, sans aucune protection. Le général de Lartigue avait fait perdre le tiers des effectifs des régiments de Laval et du Mans dans des charges insensées. Le général Poline, commandant le corps de Toulouse, avait laissé écraser par l'artillerie les fantassins de Montauban et de Marmande. La brigade Huc, d'Agen et de Cahors, avait été exterminée dans les mêmes conditions. Le régiment de Montauban avait perdu 1 300 hommes sur 3 000. Le général Eydoux avait, sur ordre, envoyé à la mort les régiments de Brest et de Nantes.

Les chefs incapables étaient pour la plupart aussitôt limogés. Leurs successeurs avaient à peine le temps de déchiffer leurs cartes, ils livraient bataille à Charleroi avec 19 divisions françaises, renforcées de quelques unités anglaises et belges, contre 30 allemandes. La supériorité de l'artillerie lourde ennemie était telle que les corps étaient, comme plus tard en Lorraine, décimés avant de pouvoir attaquer. Ceux qui partaient à l'assaut étaient plus que jamais promis au massacre, comme les deux régiments de zouaves et le 1er de tirailleurs algériens. Un général de l'armée coloniale surnommé « sème-la-mort » avait fait tuer mille *turcos* de cette unité, dans une charge à la baïonnette. Le 24 à l'aube, la retraite était ordonnée. 130 000 soldats français étaient tués, blessés, ou prisonniers.

Les survivants retraitaient dans le plus grand désordre, débordant les gendarmes à cheval aux bottes cirées, qui tentaient de canaliser le flux, carabine au poing. « C'est une marche forcée, de Charleroi à Montmirail, explique Dorgelès, au 39e de Rouen, sans halte, sans soupe, sans but, les régiments mêlés, zouaves et biffins, chasseurs et génie, les blessés effarés et trébuchants, les traînards hâves que les gendarmes abattaient. Les sacs, les équipements jetés dans les fossés... Le sommeil de pierre pris sur le talus ou sur la route, malgré les caissons qui passaient, broyant les pieds, les épiceries pillées, les basses-cours dévastées, le pain moisi qu'on se disputait, mitrailleurs sans mulets, dragons sans chevaux, Sénégalais sans chefs, les chemins encombrés de tapissières et de chars à bœufs où s'entassaient des gosses et des femmes en larmes, les arbis traînant leurs chèvres, les villages en flammes[1]... »

Le Sénégalais Delteil est dans la horde débandée. Il combat à Charleroi où les Africains sont hachés par la mitraille. Alors, dit-il, « le poilu fait son entrée dans le monde, le poilu rouge, en pantalon garance et képi idem, la tête rougie de soleil et de sang, du poil plein la gueule, depuis les oreilles jusqu'au fond du menton, il va, le poilu... Son fusil lui pend sur le cul, et son échine ballotte dans sa capotte de boue. Le sac de travers, les musettes à la débandade, il clopine comme un crapaud. Il est sale de poudre, de défaite et de pluie ». Les hommes avancent « avec des jambes automatiques », tous logés à la même enseigne. Ils ne désertent pas, ils suivent la colonne jusqu'à leurs dernières forces.

A Guise, l'armée Lanrezac donne un répit aux unités en retraite. Les Allemands sont obligés de faire face à la contre-attaque victorieuse du général de la Ve armée. Mais il doit bientôt faire retraite, pour s'intégrer à la concentration générale des armées prêtes à livrer la bataille de la Marne.

Les soldats ne comprennent rien aux ordres de marche et de contremarche. Les unités débarquées en chemin de fer de l'Est, au lieu de marcher à l'ennemi, sont presque aussitôt engagées dans la retraite. Le 276e régiment de Coulommiers est chargé en chemin de fer en Lorraine, avec des réservistes du 15e corps de Marseille, pour être à quai, le 29 août, dans la gare de Tricot, sur l'Oise, après plusieurs arrêts à Bar-le-Duc, Vitry-le-François, Châlons, Reims,

1. Voir A. Lanoux, *Adieu la vie, adieu l'amour !* Correspondance de Dorgelès, Paris, Albin Michel, 1960.

Soissons, Villers-Cotterêts et Crépy-en-Valois, de l'un des cent soixante-trois trains qui devaient assurer la victoire de la Marne.

*

La retraite de Péguy et de ses soldats, racontée par Boudon, est riche d'enseignements. D'abord sur l'ignorance de la troupe sur la situation militaire. Les débarqués de Lorraine croient que les Allemands sont encore à Lille, et qu'ils marcheront vers le nord pour livrer bataille. De fait, ils prennent la route de Roye. L'état-major de Joffre est-il au courant du rythme exact de l'avance de l'ennemi ? Il ne le semble pas, puisqu'il fait arriver les trains trop haut, obligeant les hommes à retraiter à pied. On dépêche des reconnaissances de cavalerie sur les lieux, pour en savoir plus. Les communications sont coupées. On croit des villes prises alors que les maires attendent encore les Allemands. A l'inverse, on veut faire entrer des unités de renfort dans Lille sans soupçonner l'occupation de la cité.

Des réfugiés apprennent aux soldats de Péguy que les Allemands ne sont qu'à quarante kilomètres. Le régiment n'a jamais été engagé dans les opérations dures de Lorraine. Il a beaucoup marché, et peu combattu. Voilà qu'il flaire la vraie bataille d'arrêt, il marche en sens inverse des civils qui fuient les villages incendiés, « hommes, femmes et enfants, la plupart en habit du dimanche ». Des Belges et des Français, sur des chars tirés par des bœufs, des vieillards juchés sur des fauteuils qui « pleurent silencieusement ».

On rencontre enfin quelques civils, dans les villages de l'Oise, qui offrent du cidre et du vin. Même sur la ligne du front, les populations n'ont pas fui entièrement. Certes les troupeaux de vaches souffrant de n'être plus traites affligent le cœur des soldats campagnards. Sans doute se sentent-ils peu de scrupules à tordre le cou d'une oie ou d'une poule abandonnée par les fermiers qui sont partis en laissant leur porte ouverte. Mais des paysans restent sur place, justement parce qu'ils savent que ni les Français ni les Allemands ne pillent les fermes occupées, à moins d'être morts de faim, ou ivres de colère. Ils savent aussi que plus le danger est grand, plus fort le gain sur les ventes de vin, d'œufs et de beurre. Ils ne peuvent pas défendre leurs champs de patates, mais ils gardent la clé des celliers. Dans les règlements des armées, le pillage est puni de sanctions très graves. Les officiers d'abord s'y opposent. Le « vol chez l'hôte » est interdit. L'armée de la République ne tolère pas le brigandage sur son propre territoire.

Très vite, les soldats de Péguy ont soif et faim. Dès qu'une troupe est en campagne, et plus encore en retraite, elle manque d'approvisionnements. Déjà en Lorraine, le lieutenant Rimbault ne parvenait pas à exécuter ses tâches, avec ses voitures de ravitaillement destinées aux unités en marche. Dans les journées calmes, il faisait dépecer la viande en plein air, pour la répartir aussitôt entre les hommes fascinés par les quartiers de bœufs.

Mais dès qu'une offensive se préparait, les routes étaient occupées par les colonnes : impossible de passer ! Pendant la retraite de Lorraine, l'officier d'approvisionnement avait perdu son régiment. Quand il l'avait retrouvé enfin, vers 1 heure du matin, au repos dans une forêt, les hommes qui n'avaient pas mangé depuis vingt-quatre heures, qui venaient de se battre pendant deux jours « ne songeaient qu'au sommeil ».

Quand ils se réveillent, les voitures sont assiégées. Le colonel distribue lui-même les boules de pain, pour éviter les contestations et la prise d'assaut du fourgon. Rimbault en donne aussi à des prisonniers allemands restés sans vivres depuis trente-six heures. Cette distribution est exceptionnelle. Rarement les fourgons parviennent à l'heure au rendez-vous des roulantes.

Aucun service de ravitaillement ne peut assurer les transports de vivres sur des routes submergées de blessés, de civils et de colonnes en marche. Les soldats de Péguy auront faim et soif tout au long de leur retraite. Les bestiaux et les volailles sont là pour tenter les pantalons rouges, dans les cours des fermes désertes. « Défense formelle de toucher à quoi que ce soit, disent les gendarmes. Pour ceux qui désobéissent et que l'on prend sur le fait, exécution immédiate. »

Soixante kilomètres sous la canicule sans boire. Les musettes sont vides, les gourdes aussi. Les hommes mangent des pommes vertes, ramassées en chemin. On ne trouve de nourriture que dans un asile d'aliénés à Clermont : des seaux de bière avec quelques boîtes de conserve.

Les soixante hommes restés valides à la compagnie se sont encore égrenés. Ils ne sont plus qu'une trentaine vers Breuil-le-Sec et Sennecourt, villages accueillants où ils boivent du vin offert par l'habitant et mangent à leur faim. Au cantonnement de Catenoy, les cuisiniers font cuire dans une immense lessiveuse des quantités délectables de pommes de terre et de riz. Mais toujours pas de pain.

A Liancourt, Péguy fait saisir les boules dans toutes les boulangeries de la ville et les fait distribuer aussitôt. Les hommes commençaient à « perdre le goût du pain ». A Senlis, on apprend que le train régimentaire a été capturé par les uhlans. Pour la première fois, presque au terme de la retraite, on en entend parler. Tous le croyaient perdu. La faim est telle que Péguy ne peut se retenir de donner l'autorisation de saisir les poules et les lapins dans les fermes abandonnées. On les embroche à la baïonnette pour les flamber et les manger à demi cuits.

En trois jours et trois nuits, la colonne vient d'abattre cent cinquante kilomètres, sans jamais être ravitaillée par le train régimentaire. Pendant toute la campagne, l'approvisionnement des unités en marche n'est nullement réglé par la logistique. L'état-major ne s'est pas donné les moyens de fournir régulièrement en vivres, au jour le jour, les combattants. Tous les prétextes sont bons pour expliquer les défaillances. Il reste que les armées meurent de faim, ou se nourrissent, comme au temps des mercenaires, sur l'habitant.

Une dizaine de pantalons rouges tout au plus parviennent au terme de la retraite, sur la Marne. Péguy s'est donc en vain époumoné pour tâcher de rallier ses ouailles. Les vieux officiers ne résistent pas aux marches forcées, qui viennent rapidement à bout de leurs chevaux. Pour les ménager, ils marchent à pied. Le capitaine, pourtant « courageux et énergique », perd pied au point de se faire tirer par son cheval qu'il tient par la queue. Les traînards ont les pieds en sang. Péguy réquisitionne des charrettes pour porter les sacs, qui disparaîtront dans la retraite et manqueront cruellement aux premiers bombardements. Plus tard, quand les hommes épuisés se traînent, il fait aussi porter leurs fusils.

A 3 heures du matin, le 3 septembre, les rescapés de la compagnie se retrouvent dans la petite ville de Luzarches. Là, des régiments entiers dorment sur les trottoirs. D'autres se chauffent autour de grands feux allumés dans les champs, qui servent à rallier les traînards. Dans un climat de déroute, chacun reconnaît les siens, à tâtons, au petit matin. Les regroupements dans la cohue tiennent sans doute du miracle et de l'énergie de sous-officiers plus résistants que les autres, qui se chargent de restaurer la discipline. Ils tiennent aussi au renforcement de brigades de gendarmerie et aux unités fraîches venues de Paris qui gardent sans faiblesse, baïonnette au canon, la ligne de retraite prévue.

*

Joffre lance son ordre du jour du 2 septembre 1914 : « Passer par les armes les fuyards ! » Il répétera cet ordre le 7, alors que la bataille de la Marne est déjà commencée. « Des hommes sont retrouvés aux bivouacs et à l'arrière, sans sacs et sans fusils. Il est indubitable que la plupart de ces hommes ont abandonné leur poste. »

Si le général en chef avait pu suivre les colonnes éclatées de la retraite, il aurait pu voir dans quelles conditions les gradés eux-mêmes, comme Péguy, avaient fait charger les sacs, et jusqu'aux armes, sur des charrettes. « Il y a donc lieu, poursuivait Joffre, dans chaque cas particulier, d'examiner s'il convient de les faire passer en conseil de guerre pour abandon de poste. Nous devons être impitoyables pour les fuyards. » Il en appelle à la stricte discipline. Les rapports sur l'arrivée des soldats en retraite le comblent d'indignation et le décident à sévir. « Les hommes ont un laisser-aller et un débraillé intolérables, écrit-il rageusement. Certains quittent leurs colonnes sans autorisation et sans qu'un ordre vienne les rappeler à leur place [...] On s'arrête dans les villages. Les mouvements des voitures sont mal réglés. »

Et pour les officiers ? Les « limogés » (envoyés à Limoges, l'expression est de l'époque) ont été rayés des cadres, dans les cas les plus graves, le plus souvent éloignés des champs de bataille, sans jamais être traduits en conseil de guerre. Il est vrai que le général en chef « abaisse de dix ans en vingt-quatre heures la moyenne d'âge des généraux », comme le dit Delteil, plein d'admiration pour son presque compatriote. Ruffey, Lanrezac éliminés, neuf généraux de corps d'armée, trente-trois divisionnaires sur soixante-douze, la moitié des généraux de cavalerie : une purge à chaud sans précédent. Mais pas un seul officier traduit devant un conseil.

Joffre est conscient de l'injustice. « Le général en chef, écrit-il, n'hésitera pas à frapper de sanctions sévères et à traduire au besoin en conseil de guerre tout chef de corps ou tout chef de détachement qui n'obtiendra pas de sa troupe une discipline exacte et complète. » Il avait été averti, dès le 15 août, aux premières reculades, que le ministère supprimait la consultation du conseil supérieur de la guerre pour mettre d'office à la retraite un officier général.

Mais il fallait aller plus loin, selon Joffre : « Pour les généraux et officiers qui auraient fait montre non seulement d'insuffisance ou de faiblesse, mais encore d'incapacité ou de lâcheté manifeste devant l'ennemi, je continue à penser que le conseil de guerre s'impose. » Il avait aussitôt rappelé que le gouvernement avait autorisé le commandement à faire exécuter sur-le-champ les sentences de mort, à la seule condition de rendre compte. Joffre prenait encore la peine de signaler que l'article 229 du Code de la justice militaire autorisait les officiers, en cas d'abandon de poste ou de pillage, à frapper leurs subordonnés et à les obliger *physiquement* à obéir.

Ces dispositions engendraient les pires abus, dont Genevoix et Marc Bloch ont été les témoins : ce dernier a vu un capitaine injurier ses soldats, « traiter de charognes des hommes qui, l'avant-veille, avaient supporté sans broncher le feu épouvantable des canons et des mitrailleuses ». Le général de Lartigue, dont les soldats traînent les pieds, doit-il réprimer avec les méthodes brutales imposées par l'état-major le découragement de ses soldats du 4e corps ?

L'extrême fatigue des anciens décourage les réservistes qui sont venus en renfort. Les troupes du Mans ou de Laval, décimées au combat en Lorraine, dont les officiers sont morts, sont « peu maniables ». On leur a trop demandé. Il est sage, estime le général, de les laisser au moins quarante-huit heures au repos.

Les consignes de répression de Joffre sont inapplicables. Même réaction chez Lanrezac et Franchet d'Esperey, dont les soldats combattent sans arrêt depuis Charleroi. Ils demandent vingt-quatre heures de repos, tout en lançant des ordres sévères pour ramener les fuyards : « Un service d'ordre très rigoureux, écrit Franchet à Joffre, sera confié à la prévôté, organisé sur les routes et les ponts. Les faiblesses seront punies immédiatement par les rigueurs de la loi martiale. »

Conscient des abus possibles, Joffre décide de légaliser la répression. Il demande au gouvernement de rétablir les cours martiales appelées « conseils de guerre spéciaux » dans le décret du 6 septembre. « Ils seront aptes à juger les flagrants délits, aux quartiers généraux des armées et des corps d'armées ; mais aussi dans les divisions, brigades, régiments et unités formant corps de la force d'un bataillon au moins. » Trois juges seront désignés, un officier chargé de l'accusation, un greffier. Pas question d'avocat, ni de pourvoi, ni de recours, une procédure sommaire, mais qui laisse des traces juridiques. Une arme pour éviter la déroute et pour prévenir les actes d'espionnage qui, selon les officiers, se multiplient sur les arrières.

Le journaliste italien Luigi Barzini raconte[1] qu'il est arrêté sur l'arrière du front, où il recherche des informations pour son journal, par une brigade de la prévôté. Les gendarmes traquent les espions et les déserteurs.

« Nous devons être très sévères, lui dit un gradé en bicorne en lui rendant ses papiers, car nous sommes entourés d'espions. Nous en avons fusillé encore hier matin, ici, trois, dont une femme. Je suis le bourreau, je préside le conseil de guerre et les choses ne traînent pas. »

En une demi-heure, la sentence est exécutée, sans recours possible, sans autre trace qu'un procès-verbal. On fusille aussi les prisonniers allemands coupables de pillage, quand on a trouvé sur eux les objets volés. Naturellement les déserteurs français sont passés par les armes. Toutes les nuits le prévôt les poursuit dans la forêt.

Barzini est témoin de l'exécution de l'un d'entre eux : « Il est mortellement pâle, mais calme. Ses petites moustaches blondes sont frisées avec soin. Il y a dans ce détail je ne sais quelle forfanterie. Il ne regarde personne. Le peloton l'entoure et s'éloigne. » Autour de la prévôté, « des gens arrivent et partent, entre des gendarmes ou entre des soldats. Ils ne disent rien, on ne sait ni leur provenance, ni leur destin. Certains ne vont pas loin ». Ainsi passe la justice militaire, pendant la retraite.

*

Il n'est pas question d'attendre le rassemblement d'une puissante force d'artillerie pour surprendre l'aile droite allemande dans son

1. Luigi Barzini, reporter du *Corriere della Sera*, *Scènes de la Grande Guerre*, Paris, Payot, 1916.

mouvement tournant. Il importe d'attaquer au plus tôt, avec les forces disponibles, sans souci des pertes.

Cette consigne toujours implicite du commandement est sans cesse appliquée : les coloniaux en reçoivent l'ordre, dès le 5 septembre sur l'Ourcq, un jour avant l'attaque générale sur une ligne de deux cent cinquante kilomètres. Il s'agit d'ébranler et de désorganiser par un coup de boutoir imprévu l'armée de von Kluck, la plus exposée.

Ainsi est engagé Péguy, dans le corps d'armée du général de Lamaze affecté à l'armée Maunoury. Pour lui, la retraite conduit directement à la mort. Deux divisions avancent vers les collines boisées qui dominent l'Ourcq. La barbe broussailleuse, l'œil en éveil derrière son lorgnon, celui que ses hommes appellent « le maître d'école » mange avec eux la dernière soupe, celle de Villeroy.

Les obus allemands tirés des hauteurs de Monthyon et de Penchard éclatent avec rage. Pas le temps de finir le repas. Il faut se mettre à l'abri pour attaquer, le 5 septembre, sous le couvert d'une batterie de 75, qui aligne ses petits canons mobiles avec précipitation. Les biffins avancent au milieu des champs d'avoine fraîchement coupés. Ils se couchent bientôt « en carapace », sous la volée d'éclats des batteries allemandes non réduites au silence. L'ordre d'attaque arrive, après le départ des Marocains du général Ditte. Il faut enlever coûte que coûte la butte de Monthyon.

A droite de la ligne, le capitaine Guérin et le lieutenant Péguy. Une grêle de balles de mitrailleuses. Impossible de tirer, sous peine de blesser ou de tuer les Marocains qui sont en tête. Les hommes tombent déjà par dizaines. Les Allemands sont invisibles, bien protégés par les fourrés. Pourtant, sous le feu des 75, ils se retirent. Péguy reçoit l'ordre de les poursuivre. Un champ de betteraves où glissent les godillots. Un premier bond de deux cents mètres. « Aller plus loin, dit Boudon, sur un terrain en pente déclinante où la grande visibilité de nos uniformes fait de nous de superbes cibles, avec à peine cent cinquante cartouches par homme, et dans l'impossibilité d'être ravitaillés, c'est une folie, un massacre certain et général. Nous n'arriverons pas dix. »

Péguy ordonne aux hommes de se coucher. Le lieutenant de la Cornillière est tué. Un sous-officier accourt à son secours. Il est frappé à son tour. Péguy se dresse, pour ordonner le tir. Les hommes se plaignent de ne plus avoir leur sac pour se protéger.

« Et moi non plus, je n'en ai pas ! » dit le lieutenant qui tombe mort, une balle en plein front, dans les « blés moissonnés » qu'il a si souvent chantés.

Plus haut, les Marocains se font massacrer. Ils ont attaqué sans la moindre préparation d'artillerie, droit devant eux, dans leurs nouvelles tenues kaki. Ils étaient relativement dispos, ayant eu la chance d'être embarqués dans la gare de Montdidier pour Creil, puis en camions pour Senlis. De là, la brigade du général Ditte avait gagné le nord de Claye-Souilly. Dans la nuit du 4 au 5 septembre, elle s'était installée en position de combat dans la zone de Mitry-Mory. Elle avait ordre d'attaquer le lendemain en direction de Château-Thierry. Les avant-gardes étaient arrivées à Villeroy avant le régiment de Péguy. Dans les champs de blé moissonnés, les Marocains se préparaient à prendre d'assaut les collines de Monthyon et Penchard qui dominaient le champ de bataille et pouvaient abriter de précieux observatoires d'artillerie.

Justement le général allemand von Gronau, commandant le IVe corps de réserve, avait eu la même idée. Un affrontement était inévitable et les Français l'ignoraient. Les fautes accumulées dans cette malheureuse journée du 5 septembre par l'état-major étaient lourdes : renseignements insuffisants fournis par le IIe bureau de l'armée sur la marche de ce corps allemand de réserve, laissé là par von Kluck pour protéger son mouvement. Inefficacité des reconnaissances de cavalerie. Insuffisance de la dotation d'artillerie, due au fait que l'on ignorait tout des forces et des intentions de l'ennemi. Dans l'esprit de Maunoury, la marche en avant des Marocains n'était qu'une étape pour l'attaque générale du lendemain.

En dépit des mutations, le commandement montrait, une fois de plus, ses insuffisances. Personne n'empêchait les Marocains d'attaquer dans des conditions désastreuses. Heureusement von Gronau n'était guère mieux renseigné que les Français, et ses soldats, qui accomplissaient à pied, depuis le début de l'invasion, de dures étapes, étaient aussi épuisés que les pantalons rouges de Péguy.

Mais Gronau avait du canon. Les salves de 77 clouaient les Marocains sur place. Un mouvement de débordement entrepris par les coloniaux échouait, du fait de l'intervention des nombreuses compagnies de mitrailleuses allemandes. Les Marocains progressaient par bonds, se méfiant du feu. Ils bousculaient les défenses des batteries d'artillerie. Mais des régiments de réserve allemands accouraient aussitôt pour entrer dans la bataille.

Les officiers français étaient tués les premiers dans l'assaut. Mort le capitaine Hugo Derville, le lieutenant Guillemette et ses camarades, Laulanic Sainte-Croix et Poyelle. La densité du feu des mitrailleuses était terrifiante. Aucune troupe n'aurait pu y résister. C'est pour empêcher le désastre que la 5e compagnie du régiment de Péguy avait été engagée, sans qu'on lui dise en quoi consistait sa mission de sacrifice sur un terrain absolument nu.

Les rares survivants qui s'étaient repliés sur Villeroy passaient la nuit dans les champs, et comptaient leurs pertes. La brigade marocaine avait eu 1 150 tués et 19 officiers. A lui seul le 2e régiment avait perdu 347 des siens. Tous les officiers ayant couvert la retraite avaient été blessés, dont Alphonse Juin, lieutenant à la 2e compagnie du bataillon Pellerin. « Nous aurions, conclut pudiquement le futur maréchal en narrant cet épisode, à nous réadapter[1]. »

Le lendemain, la brigade devait poursuivre ses attaques, en dépit des pertes. Il est vrai que les Allemands de Gronau, aussi épuisés et meurtris que les Français, n'avaient pu poursuivre, et s'étaient retirés de dix kilomètres. Mais les renforts étaient en place, de part et d'autre. La division algérienne de Drude, avec ses zouaves et ses tirailleurs, devait soutenir de son artillerie le mouvement des deux divisions du général de Lamaze, qui comptait encore sur les Marocains exténués, décimés, pour enlever des positions difficiles, renforcées d'ennemis, comme s'ils n'avaient pas assez donné.

Il fallait emporter Chambry, dont le cimetière regorgeait de tireurs allemands embusqués. On avait cette fois prévu un soutien d'artillerie. Mais les deux groupes de batterie se composaient « d'artilleurs inexpérimentés » qui se montrèrent incapables de soutenir l'assaut des Marocains. Les malheureux ne pouvaient guère compter que sur les canons légers d'une division de cavalerie.

Von Kluck avait ordonné au 2e corps allemand de repasser la

1. Maréchal Juin, *La Brigade marocaine à la bataille de la Marne*, Paris, Librairie polytechnique Béranger, 1964.

Marne. Il mettait en batterie ses pièces lourdes de 150 qui pulvérisaient les 75, sans qu'ils puissent répondre, l'adversaire étant hors de portée. Dans ces conditions, les Marocains, nourris de betteraves et de lapins pris dans les fermes, étaient envoyés à une mort certaine, le 7 septembre. Les pieds-noirs de la 45e division d'Alger, engagés non loin de là, étaient à leur tour massacrés. La charge du colonel du 2e zouaves, Dubujadoux, à Etrépilly avait été héroïque et meurtrière, « au son du clairon ». Dubujadoux était mort en brave. Il n'était pas le seul.

*

Pendant que les pantalons rouges du général de Curières de Castelnau défendent Nancy et ceux de Sarrail Verdun, que ceux de Maunoury évacuent leurs blessés dans la région de l'Ourcq, tous les hommes valides passent à l'attaque générale du 6 septembre, sur un front de 250 kilomètres, y compris les fantassins de l'armée Lanrezac, qui, depuis le 15 août, ont parcouru à pied 650 kilomètres de Mézières à Reims par Charleroi, Guise, Laon et Montmirail.

Les Allemands ne sont pas plus frais. Seules les armées de l'Est ont la force d'attaquer, avec les renforts envoyés à l'extrême Ouest pour déborder l'armée Maunoury. Ce double mouvement échoue les 6 et 7 septembre. Dès lors, le 8, l'état-major allemand décide de frapper au centre, tenu par la IXe armée nouvellement constituée et commandée par Foch, soutenu sur sa gauche par Franchet d'Esperey et les braves gens de l'armée Lanrezac, épuisés.

Le point crucial de la défense de Foch, qui tient les marais de Saint-Gond, est le château de Mondement. On a éteint le phare installé dans sa plus haute tour, qui guidait les voyageurs égarés dans la nuit et pataugeant dans les marais. Les troupes marocaines de recrutement français du général Humbert attendent l'assaut, couvertes par les canons de 75 détachés de la 42e division de Grossetti qui tarde à entrer en ligne, mais a délégué au premier rang son artillerie. Des captures de prisonniers annoncent à Foch qu'il a devant lui les régiments de la garde et le 77e d'infanterie prussienne, ainsi que les Hanovriens. Des soldats d'élite, bien pourvus d'artillerie. Déjà la garde s'infiltre dans les tourbières, pour préparer l'assaut du château.

Les Marocains ont percé des meurtrières dans les murailles. Ils sont accablés par le tir de l'artillerie lourde. Au matin du 9 septembre, les guetteurs exténués par le matraquage voient avancer vers eux les profondes lignes sombres de la Garde prussienne, sac au dos. Le château est bientôt pris d'assaut. Les Allemands s'y retranchent, évacuant les nombreux morts français. Ils braquent des mitrailleuses à tous les étages, installent du canon dans le parc où s'amoncellent les corps des tirailleurs et des zouaves.

Foch réunit six batteries commandées par un expert du 75, le colonel Boichut, de la 52e division de réserve. Ce briscard ordonne aux artilleurs de « déboucher à zéro », de tirer de plein fouet, « au lapin ». Les avant-trains restent attelés. Les déboucheurs s'activent. La batterie tire ses salves et part aussitôt au galop sur une nouvelle position, pour ne pas être accablée, une fois repérée, par les tirs des canons lourds allemands. Deux heures de tir chauffent les tubes au rouge. Les Allemands ne peuvent plus progresser. Leurs fantassins sont hachés par les redoutables éclats, pris de plein fouet par les salves tirées en direct, à vue. Ils s'enterrent.

Le 77e d'infanterie ne peut manger la soupe ce jour-là. Les soldats de Cholet, déjà très éprouvés en Lorraine, mettent sac au dos sur la place de Saint-Loup. Ils courent à travers champs pour aller plus vite, prennent les Allemands de flanc, dégagent le plateau devant le château de Mondement. Le colonel Lestoquoi reçoit l'ordre de s'en emparer. Un tir nourri de 75 précède la charge. En tête, le commandant de Beaufort met ses gants blancs, avec calme. Ses Vendéens des Mauges, quand il a levé sa canne, partent en courant : « Une charge en masse profonde », commente le soldat Elie Chamard, qui court au son du clairon. Un obus de 75 a fait une brèche dans le mur du parc. « C'est à moi d'y aller », dit l'adjudant Parpaillon, devançant ses soldats. Il tombe aussitôt. Les mitrailleuses allemandes tirent à bout portant. Le capitaine de Secondat-Montesquieu meurt l'épée à la main, comme sous Louis XV à Fontenoy. Le commandant de Beaufort a disparu. Ses hommes le cherchent. Il est mort. Un zouave a réussi à franchir les grilles. Il s'embusque, d'autres les rejoignent, ils tirent sur toutes les têtes aux fenêtres. Mais les mitrailleuses massacrent les assaillants.

Deux pièces de 75 sont alors poussées à bras jusqu'à 350 mètres des grilles. Trois compagnies s'élancent, alors que la nuit tombe. Lestoquoi reçoit l'ordre d'arrêter l'assaut, en raison des pertes.

Trop tard, les hommes sont partis ! Lestoquoi court en tête, suivi par les officiers survivants. Il faut emporter l'église, la ferme, le château enfin. Les Vendéens défoncent la porte à coups de crosse. Les Allemands ont partiellement évacué la forteresse. L'ordre de retraite vient de leur parvenir. Sur le plateau, les artilleurs en batterie avaient déclaveté les pièces, se croyant cernés par l'ennemi. Ils sont surpris de n'être pas assaillis. « Les Allemands sont en retraite », leur lancent les servants d'une autre batterie qui passe au galop. Le phare de Mondement se rallume. Il éclaire les milliers de cadavres qui gisent autour du château. Le centre de Foch a tenu. Par le sacrifice des Vendéens de Lestoquoi.

Il faudrait poursuivre. Mais les cavaliers n'ont plus de fers à leurs chevaux. Peut-on encore compter sur la cavalerie, dans une bataille aussi meurtrière ? L'état-major a épuisé le corps de Sordet par une série de marches et de contremarches inefficaces au début de la campagne. Il a perdu la moitié de ses montures. Les débris du corps ont formé une seule division, dite « provisoire », confiée au général Bridoux qui sera tué quelques jours plus tard. Les cavaliers ont été engagés dans la bataille, intégrés au dispositif comme des fantassins. Voilà qu'on leur demande de remonter à cheval et d'opérer la percée de la victoire.

Ils souffrent pour leurs montures, dont le dos est écorché par la selle. Un escadron de dragons (le 16e, de Reims) commandé par le lieutenant de Gironde s'est aventuré à l'arrière des lignes ennemies. Prélevé sur la division Bridoux, il accusait une très grande lassitude. Il réussit pourtant le premier exploit cavalier de la guerre, un raid contre un camp d'aviation de campagne où il détruit huit *aviatiks* [1]. La mission des dragons était seulement de « faire entendre le canon sur la rive gauche de l'Ourcq », le 8 septembre.

Les chevaux qui s'appelaient Condor, Gouverneur, Pâquerette ou Freluquet sont tous ou presque morts d'épuisement, après une aventure qui devait réduire l'effectif de cent hommes à une poignée. Progressant dans les lignes allemandes, franchissant les rivières à gué, revêtant au besoin des vêtements civils pour échapper à la capture, les dragons exténués marchaient devant leurs montures qui dormaient debout, l'encolure basse, le museau à terre.

Ils avaient chargé à la lance le personnel de l'escadrille, détruit

1. René Chambe, *L'Escadron Gironde*, Paris, Baudinière, 1935.

les appareils à coups de hache et de scie. Pris par le feu d'une mitrailleuse, l'escadron avait été décimé, Gironde blessé à mort. Kerillis, son adjoint, ne devait se sauver qu'en se cachant dans la cave d'une ferme, grièvement blessé. L'escadron aurait sa page de gloire dans les annales de la cavalerie. A l'état-major, on ignorait tout de son exploit, et même de sa disparition. Sa mission de sacrifice était perdue dans l'océan de la bataille.

*

Autres sacrifiés, les fusiliers marins et les Sénégalais de Dixmude. Après la victoire de la Marne, le front se fixe sur l'Aisne, c'en est fini des marches harassantes des pantalons rouges. Du moins pour ceux qui commencent à creuser des tranchées, comme Marc Bloch. Car les autres sont précipitamment envoyés à l'ouest du dispositif français, pour tourner le front allemand désormais installé, prendre l'ennemi à revers. Cette « course à la mer » se solde par des batailles sanglantes devant Arras et Amiens, et par un affrontement décisif dans les Flandres. Anvers vient d'être pris le 9 octobre. Il s'agit de tenir à Dixmude.

Churchill avait dépêché 2 000 marins pour défendre Anvers. Joffre décide l'amiral Ronarc'h, qui tient garnison à Paris, à expédier sa brigade de pompons rouges à Dunkerque, pour se joindre aux Anglais et aux Belges qui veulent à tout prix reprendre Anvers. Il ne s'agit pas d'attaquer, juge aussitôt arrivé le Breton héroïque, personnage de légende, mais de se défendre : le 19 octobre, les Allemands sont sur le canal de l'Yser.

Ils devaient y laisser leurs meilleurs régiments. Pour le 16e régiment d'infanterie de réserve retiré du front entre le 1er et le 4 novembre, deux bataillons étaient réduits à 500 hommes, quatre officiers restaient valides sur vingt-cinq. Le colonel du régiment, Engheland, revenu au front avec les débris de son unité, avait été sauvé de la mort par ses deux ordonnances, Bechman et Hitler[1]. Ce régiment de 3 500 hommes n'aurait que 600 survivants après les batailles de l'Yser.

Contre l'avance allemande, le commandement français est pris

1. *Vier Jahre Westfront. Histoire du premier régiment List RIR 16*, Munich, 1932, établi par l'archiviste d'Etat F. Solleder.

de court car il manque d'unités disponibles. La première troupe venue qui lui tombe sous la main peut être expédiée par l'état-major aux abois au plus dur des combats. Les inscrits maritimes de Brest et de Lorient faisaient la police dans Paris. Ils n'avaient pas encore pris l'habitude des exercices d'infanterie. Le vieil amiral les avait formés à la hâte. Mais il faut parer au plus pressé. Les marins sont embarqués comme des biffins, dans les wagons à bestiaux. Ils coucheront sur la paille, sans hamac.

L'amiral le premier. Le patriotisme doit être partagé au feu. Pas de privilège, les lieutenants de vaisseau, les enseignes chargent sabre au clair comme s'ils sortaient de Saint-Maixent. Ronarc'h dort avec ses hommes sur un lit de paille humide. Il s'embusque dans des tranchées d'un mètre à peine, creusées dans le sable. Les matelots ont de l'eau jusqu'au mollet. Ils pataugent dans les fonds boueux. Le fusilier Lagardère se fait tuer pour tirer vers l'arrière Chauliac, son capitaine, frappé d'une balle dans le poumon. Les officiers et les matelots continuent d'avancer, sous le feu des tireurs d'élite et dans le crépitement des mitrailleuses. Qui se soucie de leur protection ?

Malgré le soutien insuffisant d'une batterie de 120 à tracteurs automobiles, ils sont accablés par un tir d'obus de gros calibre. Impossible de s'en protéger, tant les impacts sont denses. Les marmites tuent quatre ou cinq hommes par coup. Les marins doivent avancer parce qu'il faut s'emparer à tout prix d'une grande ligne de réservoirs à pétrole. Des forteresses de béton armé, invisibles de loin, enfouies dans un creux en contrebas de la digue de l'Yser. Une position clé.

Les Bavarois y arrivent les premiers, s'y retranchent fortement, installent des nids de mitrailleuses. Il faut les en déloger. Cent volontaires français se précipitent à l'appel de l'amiral. Ils se glissent le long du talus de la digue, baïonnette au canon. Ces Bretons de vingt ans ont du cœur au ventre. Leurs officiers ont donné l'exemple, comme leurs camarades de Lorraine ou de la Marne. Sans commandement, sans trompettes, seuls devant les réservoirs, les marins se jettent à l'eau, pour prendre la forteresse à revers, par le fleuve. Ils émergent, gluants de vase, leurs armes trempées. Un corps à corps féroce s'engage avec les Bavarois. Les pertes sont immenses dans leurs rangs, mais les Français ne passent pas.

Soudain un obus de fort calibre touche un des réservoirs. Le pétrole flambe, l'incendie gagne toute la forteresse. Les fusiliers marins blessés hurlent dans la boue, se jettent dans l'eau visqueuse, recouverte de nappes de pétrole en feu, poursuivis par des tirs de mitrailleuses. Vont-ils périr grillés jusqu'au dernier ? Des renforts arrivent, les tirailleurs sénégalais de Grossetti, avec des chasseurs à pied. Les survivants au pompon rouge sont hissés à l'arrière, sur le dos des camarades.

Les Allemands aussi ont perdu beaucoup de monde dans le bourbier de Dixmude, où s'enlisent les hommes et les chevaux. Des jeunes, frais sortis des universités, formés à la hâte en huit semaines et promis au massacre. Le 24 octobre, la sécurité du front allié est de nouveau compromise par l'afflux de nouveaux renforts allemands. Ce qui reste des fusiliers marins et les Sénégalais de Grossetti devra tenir la ligne Dixmude-Nieuport, sans flancher, avec l'appui des Belges.

Grossetti, comme Ronarc'h, paie de sa personne, s'installe sur son pliant qui ne le quitte jamais au carrefour de Pervyse pour fanatiser ses tirailleurs. Ce maniaque de l'offensive est un courageux colérique, bien connu pour son obstination. Il a la baraka, disent les Marocains et les Noirs. Les balles pleuvent, il est épargné. Magie du chef. Les Sénégalais sont-ils aussi protégés des balles, grâce à la canne du sorcier ? Le commandant Pelletier, qui les commande, donne ses ordres à Brachot, des tirailleurs de la division d'Algérie et à Frèrejean, de la division du Maroc. Les Noirs souffrent du froid, du gris du ciel, de la boue des tranchées. Un obus explose sur le poste de commandement. Il fait disparaître Pelletier. Frèrejean refuse de se faire évacuer. Il est atteint de blessures au visage et au ventre. Il prend aussitôt la tête des deux bataillons.

Les Sénégalais se tiennent bien au feu. Grossetti les lance en première ligne, où ils supportent les obus de 105. Ils préfèrent le feu au froid. Ils sont 1 300 à s'enterrer et leur tête est grise comme le sable à l'assaut du château imprenable de Woumen, où ils se font tuer après les chasseurs à pied. Les attaques se succèdent, sans autre résultat que de décimer les assaillants. Il faut remplacer les braves de la division du Maroc par ceux d'Algérie. Quand les Allemands commencent leur dernière attaque sur Dixmude, que les Français défendent pied à pied depuis octobre, les Sénégalais sont encore en première ligne, avec les marins, les chasseurs et les

Belges. Ils sont épuisés, transis de froid, démoralisés par la pluie glacée. Les compagnies de 250 hommes sont déjà réduites à 130[1].

Leurs officiers sont tués, les uns après les autres. Les Allemands ne font pas de quartier aux hommes qui résistent pied à pied dans les tranchées boueuses au sud de Dixmude. Les corps à corps sont atroces, les tirailleurs sont livrés, sans leur commandement disparu dans la bataille, à l'agression la plus brutale. Les prisonniers seront rares. Quand Dixmude est abandonné, et qu'il faut à tout prix tenir la rive de l'Yser, les survivants sénégalais sont regroupés et renvoyés au combat.

Aux côtés des fusiliers marins et des fantassins belges, sur la route d'Esen et de Woumen, au sud de Dixmude, ils tiennent jusqu'au bout de leurs forces. Les seuls à sauver leur vie sont ceux qui ont réussi à se glisser le long de la voie de chemin de fer pour rejoindre l'Yser. Ils sont exténués. Ils ont perdu tous leurs officiers, sauf le capitaine Lucquet : il pleure quand il reconnaît à grand-peine le sergent Moussa-Keita, de sa compagnie. L'homme a tout le bas du visage emporté.

En face, les Allemands ramassent leurs morts. Le niveau du fleuve monte. Ses rives sont devenues intenables. Falkenhayn regrette soudain d'avoir gaspillé la jeunesse d'Allemagne dans une offensive vouée à l'échec. Le général Grossetti refuse la dernière attaque qu'on lui commande, de nuit, contre Woumen. Il compte aussi les victimes de cette effroyable tuerie. Ouvrir les écluses de Nieuport pour inonder la vallée aurait sans doute pu, si la décision avait été prise plus tôt, éviter ce carnage.

*

Ainsi s'achève, vers le 17 novembre 1914, la période des pantalons rouges. La guerre de mouvement a montré ses limites. On ne peut plus bouger. L'armée s'enterre pour attendre Noël, que les Français ne fêteront pas à Berlin. Auront-ils la paix, comme beaucoup l'espèrent ? Les centaines de milliers de victimes suffisent-elles à inspirer la prudence aux états-majors et aux gouvernements ? Quelle peut être l'issue de cette guerre ? En novembre

1. Jean Mabire, *La Bataille de l'Yser*, Paris, Fayard, 1979.

1914, on se doute déjà qu'elle ne peut se terminer par une victoire, mais par un épuisement des deux adversaires.

Les pantalons rouges de l'été 14 n'ont pas été ménagés. Des routes ensanglantées des Vosges au sable noir de Dixmude, des forêts de Lorraine aux marais de Saint-Gond, ils n'ont pas cessé de recevoir des ordres de marche, de mouvement, d'attaque, de contre-attaque. Ils ont résisté aux longues retraites, se sont encore regroupés pour mourir en attaquant, ils ont gagné sur la Marne, mais se sont arrêtés sur l'Aisne. Ils ont suivi la guerre en Picardie, en Artois, jusque dans les Flandres, précédés de cavaliers aussi fourbus que leurs chevaux, qui finalement devaient s'enterrer avec leurs frères, les fantassins.

Ils étaient très loin de nourrir tous des rêves d'héroïsme, de gloire et de mort éclatante. Ils avaient déjà le dégoût du sang, des blessures atroces, de l'odeur des morts et de celle de l'éther. Ils avaient échappé manchots ou culs-de-jatte aux mains des chirurgiens pressés, quand ils n'étaient pas morts de gangrène, ou abandonnés dans les lignes. Ils savaient que la guerre pue, gronde, assomme, étripe, anéantit tous les ressorts humains et jusqu'au respect de soi. Pourtant ils tenaient, repartaient en ligne, hurlaient en courant pour se donner du cœur, même harassés de fatigue, quand l'ordre de se regrouper devant l'envahisseur atteignait le poste des brigades. Le miracle moral de la Marne tient à ce patriotisme viscéral, à la passion de défendre la terre et les villages.

Pendant la retraite, les soldats démoralisés se disaient entre eux : « C'est comme en 70 ! » Le souvenir de l'invasion était proche, il faisait partie de leur mémoire. Comment en aurait-il été autrement ? Sedan était moins éloigné dans les mémoires que le deuxième Sedan, celui de 1940, ne l'est dans la nôtre. Tant qu'il y aurait une chance d'éviter cette catastrophe, ils se rallieraient autour du drapeau, au son du clairon, en colonnes d'assaut. Ce qui les inspirait n'était pas seulement la peur du gendarme, mais une autre peur, la grande peur de l'été 14 : voir la France envahie et asservie pour toujours. Cette angoisse les tenait au ventre.

Pourtant quelle amertume, sous le képi des soldats ! Combien de camarades morts pour rien, dans des attaques sans but et mal préparées, par des états-majors trop loin des lignes, sous les ordres de chefs trop souvent incapables d'exécuter un mouvement commandé en l'interprétant correctement, de ménager les hommes accablés par le feu. Les mutations imposées par l'état-major réjouissaient le soldat, mais l'inquiétaient en même temps. Pourquoi lui avait-on donné comme chefs tant de badernes ou de vieillards ? Ou des théoriciens d'école de guerre, tenant le principe de l'offensive pour la seule règle d'or du métier ?

On pouvait comprendre leur colère. Les avait-on assez laissé mourir de faim et de soif, même dans les marches d'approche ? Pourquoi l'intendance était-elle si défaillante ? Dans le désordre des premières campagnes, beaucoup accusaient le commandement d'imprévoyance, voire d'insouciance. Le soldat n'avait qu'à vivre sur l'habitant ! Comment pouvait-on alors condamner avec férocité le chapardage ? On raconte qu'à Dixmude, Grossetti, que l'amiral Ronarc'h appelait avec ironie « le professeur », avait vu sortir d'une maison en ruine des soldats traînant des chaises, des portes d'armoire, ou encore des couvertures destinées aux tranchées. Il dégainait aussitôt son revolver pour les interpeller en personne.

« Ignorez-vous qu'ils ont inventé le terme "dixmuder" ? lui dit le Breton. Mes marins sont lâchés par le commandement, sans renforts, seuls dans une ville déserte. Ils considèrent que le vol d'un poulet ou la traite de vaches abandonnées dans les champs n'est pas un crime. »

Déjà le soldat râle et proteste. Il n'admet pas qu'on le traite en esclave. Il est braqué contre les décisions et les insuffisances de l'état-major, contre les ordres inconsidérés des chefs. Il n'accepte pas les défaillances du service médical, et moins encore celles du ravitaillement. Il entend bien, quitte à poursuivre la guerre qui promet d'être longue, qu'à tout le moins on le respecte. Il est devenu un poilu.

3.

LES TRANCHÉES

Pour les pantalons rouges accablés par les campagnes de 1914, la tranchée n'est pas un enfer, c'est un refuge. C'est aussi l'avis des *feldgrau* qui n'ont pas moins marché ni supporté le feu du canon que les Français. De part et d'autre, on n'est pas fâché de s'enterrer, de connaître la vie immobile du secteur, sous la protection des barbelés et des parapets renforcés, dans les boyaux étroits creusés dans l'argile verte ou rouge, le calcaire de Champagne, le grès des Vosges, le sable des dunes flamandes ou les marnes molles. Les poilus allemands font aussi l'apprentissage des poux, des puces et de la géologie.

Le caporal Ludwig Renn a été engagé depuis le début de la campagne. Il a combattu sur la Meuse, ayant beaucoup marché en Belgique. Son père a été rappelé dans la territoriale. Il a cru prendre le « train direct pour Paris », selon l'inscription tracée à la craie sur le wagon de son train. Il a chanté avec ses camarades le *Wacht am Rhein* en traversant le fleuve. Son colonel était un junker, mais son adjudant un instituteur. Les hommes étaient « transportés d'enthousiasme guerrier » en franchissant la Meuse dans la IIIe armée du général von Hausen.

Ils avaient rapidement déchanté. Ils conservaient le souvenir d'avoir marché et marché sans cesse, au-delà de leurs forces. Les premières marches étaient raisonnables, quelques lieues seulement. On les entraînait progressivement. Mais ensuite les étapes étaient de cinquante kilomètres avec leurs chaussures à clous qui leur blessaient les pieds. Quand ils avaient passé la frontière belge, ils ne se rasaient déjà plus. « Une barbe touffue d'un blond presque transparent » couvrait le visage du caporal jusqu'à la fin de la guerre,

Aux premières offensives d'août et de septembre 1914,
les « pantalons rouges », habillés de bric et de broc,
sont épuisés par les longues marches.
Rien n'est prévu pour les blessés qui se soignent comme ils peuvent.
On soigne aussi les Allemands.

43827

43160

Pendant la retraite, l'espionnite fait rage.
On fusille à la hâte les suspects.

(© Tallandier/M. Rol)

Les soldats allemands avancent si vite, en août 14,
qu'ils n'ont pas le temps d'écrire chez eux.
Ils le font en groupe,
debout sous l'œil du Feldwebel.

(© Tallandier/M. Rol)

Les chevaux meurent comme les hommes. Ils pourrissent au bord des routes.

Les zeppelins bombardent les lignes, mais les 75 parfois les incendient.
Cet aéronaute allemand est mort dans le crash d'un engin,
du côté de Révigny-en-Brabant.

(© SIRPA/ECPA France)

Dans les premières tranchées creusées dans la boue des Epargnes :
les « pantalons rouges » se terrent comme ils peuvent.

On n'enterre les morts qu'avec difficulté et
les cadavres pourrissent
dans les cagnas abandonnées.
(© J. Pia/Tallandier)

Dans l'Argonne, en juin 1915,
les attaques sont meurtrières et les blessés si
nombreux que les brancardiers sont
débordés ; on les attend parfois des heures
dans les lignes.
(© L'Illustration/SYGMA)

La plaie des tranchées : les mouches, les puces, les poux et les rats.
On donne des primes pour leur capture, mais ils sont
sans cesse plus nombreux.

La première attaque au gaz en avril 1915 surprend les soldats qui sont encore sans masques. Ils meurent asphyxiés.

(© Tallandier)

On apprend aux écoliers de Reims l'usage du masque à gaz. Le canon allemand tonne tous les jours sur la ville.

(© L'Illustration/SYGMA)

Les aveugles de guerre sont nombreux. Les Canadiens et les Anglais ont été parmi les premières victimes des gaz allemands.

(© AKG Paris)

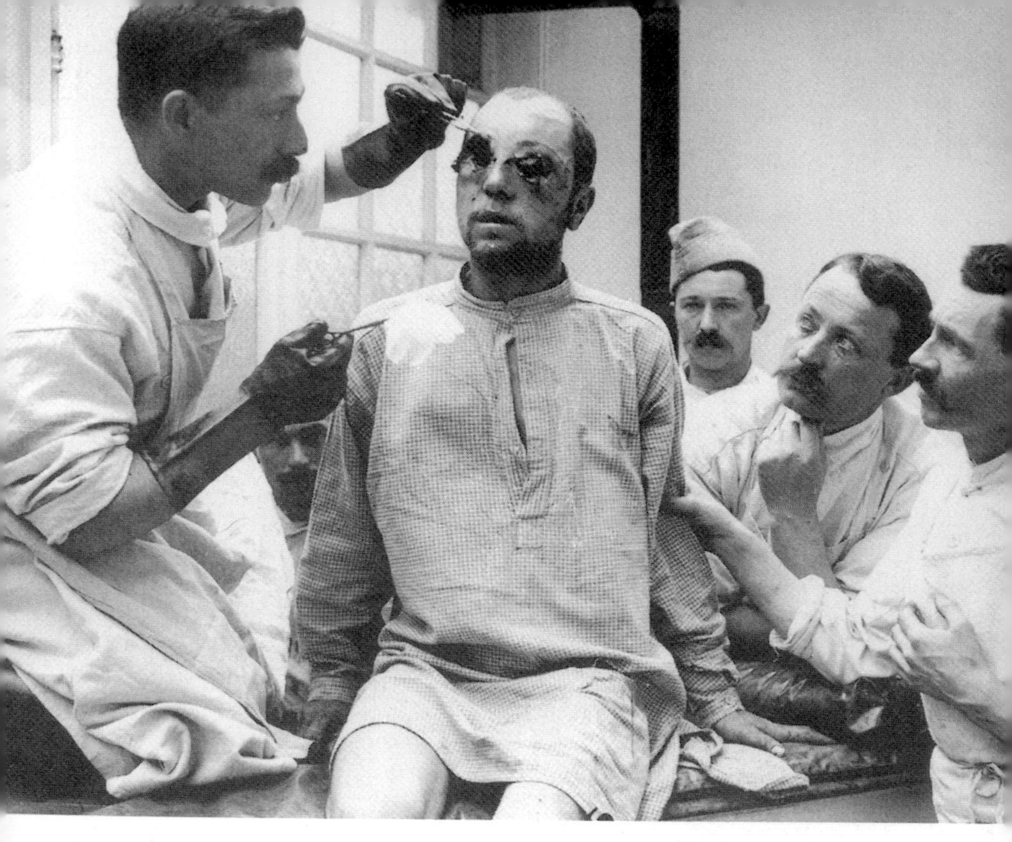

Les Allemands sont très vite à leur tour victimes des gaz.
Une équipe de santé française soigne un gazé allemand
à l'hôpital de Chanzy à Sainte-Ménehould.

Les chevaux aussi finissent par porter le masque à gaz.
Et même les mulets et les ânes.
(© L'Illustration/SYGMA)

Les fantassins allemands
masqués franchissent
un barrage français d'obus au gaz.
(© AKG Paris)

par le même réflexe que les Français d'en face. Les officiers n'y trouvaient rien à redire, manquant aussi d'eau potable. Les *feldgrau* avaient rencontré les Français sur la Meuse, traversant des villages de Belges hostiles qui transportaient par force les blessés allemands « en laissant leurs jambes racler le sol ». Le général Hahne, qui commandait la brigade, n'avait pas empêché ses hommes de fusiller, « selon les lois de la guerre », les Belges suspects d'avoir aidé les Français et d'avoir tiré sur les officiers allemands[1].

Malgré les roulantes toujours proches des compagnies, les Allemands avaient souffert du feu français, des éclats des obus de 75 et comptaient leurs morts et leurs blessés dès les premiers affrontements. Ils n'avaient jamais assez de brancardiers pour les enlever. Les blessures à la tête n'étaient pas moins fréquentes que chez ceux d'en face, parce que le casque à pointe n'était pas en acier, mais en cuir bouilli, et qu'il protégeait à peine mieux que la casquette renforcée. Ludwig avait été écœuré maintes fois par ces hommes qui perdaient leurs cervelles.

Ils avaient suivi la retraite des Français, étape par étape, et n'étaient pas moins épuisés qu'eux en arrivant sur la Marne. Le caporal maudissait « cette guerre atroce », quinze jours après son entrée en campagne. Le fusil pesait à son épaule, ses mains étaient gonflées, sa gorge sèche. Pas de vivres à chaparder. Les Français avaient déjà vidé les fermes abandonnées. Dans les bidons ni vin ni bière, « de l'eau épaisse et tiède ». Ils buvaient surtout du café de mauvaise qualité, servi par les fidèles cuistots des roulantes, qui ne lâchaient pas d'une semelle la troupe en marche, mais qui ne pouvaient lui offrir ni pain, ni riz, ni sel : les convois d'approvisionnement avaient le plus grand mal à se faufiler sur les routes encombrées par les colonnes dans les deux sens.

Ludwig le Prussien allongeait le pas, pour tomber sur l'ennemi et régler l'affaire au plus vite. A un combat contre l'arrière-garde de l'armée Lanrezac, il avait gagné la croix de fer qu'il avait arborée une journée entière sur son uniforme. Y croyait-il encore ? Elle lui avait été donnée « au nom de S.M. l'Empereur », par le général commandant en chef, Moltke II lui-même. Dès les premiers combats, les récompenses pleuvaient, pour encourager le troupier. Elles seraient plus lentes à tomber du ciel français.

1. Ludwig Renn, *Guerre (Krieg)*, Paris, Flammarion, 1929.

Jamais de pain à manger. Les boulangers ne suivaient pas. Les Français se faisaient tuer dans des combats d'arrière-garde qui épuisaient aussi les troupes allemandes de contact. Ils n'avaient pas la musette et la gourde mieux garnies que celles des *feldgrau* qui devaient partager leurs maigres ressources avec les prisonniers. Dans les villages de rencontre, Lugny, puis Amicourt, la compagnie allemande égrenait ses blessés.

Renn avait livré la bataille de la Marne la gorge sèche et la dysenterie au ventre. Les marches interminables épuisaient de nouveau la troupe. Les hommes commençaient à ne plus pouvoir marcher de nuit. On devait relever les traînards vacillants, attendre les retardataires. Pour le repos, la paille des granges, pendant quelques heures. Même entraînées à la marche, les compagnies étaient à bout de souffle. Les officiers se querellaient pour les cantonnements, pestaient contre les retards du ravitaillement, tout comme ceux qui retraitaient devant eux, les pantalons rouges.

*

Les souffrances des deux armées étaient équivalentes. Elles n'en concevaient que plus vivement le désir de se mettre à l'abri, de faire la pause dans la guerre. Dernière armée de réserve de la bataille de la Marne, celle de Ludwig Renn avait la mission périlleuse de conduire les combats d'arrière-garde pour protéger la retraite, après avoir perdu beaucoup des siens dans la dernière phase de la bataille.

Le capitaine de la compagnie, le commandant du bataillon étaient morts, la plupart des officiers blessés. Pour retarder les Français, le caporal devait creuser les premières tranchées, de simples points d'appui grattés à la bêche dans l'argile sèche, dure et brune, infracassable. On se tapissait dans le sable jaune, le temps de livrer un combat d'arrière-garde. Plus que quarante hommes par compagnie, et la retraite commençait, impitoyable. Avec le devoir d'arrêter les colonnes françaises d'attaque, sous le canon. Chacun devait viser son homme et les mitrailleuses étaient hissées au premier rang des talus. Dans l'herbe brune des prairies, le sang coulait à flots.

Les hommes se reposaient accroupis sur les côtés de la route, exténués, sans rien dans l'estomac. Les obus français les accablaient. Sur la route « gisaient des outils de pionniers, des sacs, des baïonnettes ». Pas de traînards, pour éviter à tout prix la capture, déshonorante dans l'armée allemande. A Sainte-Marie-la-Benoîte, nouvel engagement pour tenter d'arrêter ou de retarder la poursuite. On attaquait un bois au pas de charge, sous le feu des mitrailleuses françaises et les éclats des 75. Nouvelles victimes, des morts par centaines, des blessés à évacuer. On portait les gradés sur des fusils, faute de brancardiers. Après le combat, sept hommes par compagnie pouvaient encore tenir debout. Ils grattaient le sol calcaire pour s'y abriter, et protéger les blessés. Un officier qui avait eu l'imprudence d'allumer une cigarette avait la bouche traversée par une balle, de part en part. Le lieutenant crachait son sang. Sous la pluie, la vue des blessés serrés les uns contre les autres était poignante. « Un homme couché sur le côté me regarde avec des yeux impressionnants, dit le caporal. Autour de son nez et de sa bouche, tout est gonflé et plein de sang. Il a sa tête posée de telle manière sur le bord de son sac que le sang dégoutte par terre. » Les Allemands aussi ont leurs gueules cassées.

La panique est telle que des dispositions sont prises, de part et d'autre, pour enlever les blessés, si possible, aussitôt après un combat. Le cycliste Deverin en est témoin. « A la compagnie, dit-il, ils avaient entre les lignes des macchabées de tirailleurs et de Boches qui commençaient à sentir pas mal. » On s'entend avec les Allemands pour les enterrer. Les brancardiers sortent, puis les majors. « Je crois même bien qu'ils se sont serré la cuillère. » Ils ramassent les corps. Le général français, averti de l'incident, est furieux : pas de fraternisations ! Il ordonne au canon de tirer. « Voilà comment on encourage l'hygiène », commente, sarcastique, le Parisien Deverin.

Pas de fraternisations chez les Prussiens. Ils retraitaient en ordre dispersé jusqu'à l'Aisne, où ils constituaient des positions continues, après deux semaines de repos à l'arrière des tranchées déjà préparées par les unités de réserves, et des régiments de territoriaux envoyés par trains entiers d'Allemagne. Sur les quatre compagnies du bataillon de Ludwig, il ne restait que soixante hommes. Les débris du régiment découvraient, près de Sainte-Marie-la-Benoîte, une « rigole profonde », creusée sous un talus de chemin de fer. Ainsi, ils étaient attendus : les terrassiers avaient achevé l'ouvrage. Les hommes passaient sous les rails sans se courber et prenaient les limites d'une section qu'ils devraient désormais tenir. Ils étaient en tranchée.

Les abris étaient bien protégés, camouflés de branchages. Ceux qui tenaient la position donnaient aussitôt les consignes : ne pas parler fort, ne pas fumer. Pour les besoins, « se retenir jusqu'à la nuit ». Pas d'immondices dans les boyaux ! Pour satisfaire les organismes épuisés, on creuse des latrines également accessibles par des boyaux spéciaux, désinfectées au chlorure de chaux. Genevoix raconte que des tireurs d'élite ont ainsi repéré les lieux dans une tranchée ennemie. Ils ont choisi un axe de tir pour surprendre les hommes accroupis. Scatologie du front. Une surveillance assidue de l'ennemi, nuit et jour. Impossible de secourir les hommes des patrouilles blessés entre les lignes. Le commandement ne le permet pas, à moins d'envoyer de nuit des volontaires qui rampent jusqu'à eux.

L'étroitesse du boyau rassure : il est à l'abri du canon, qui a tué tant de soldats du régiment. Quand les Français attaquent, les mitrailleuses sous abri protégé les dissuadent aisément : devant la position, une ligne de cadavres d'un bataillon de tirailleurs sénégalais en témoigne. Il est facile de rejeter l'ennemi. Aussi se calme-t-il. On ne compte, quotidiennement, « que quatre obus, qui explosent toujours à 11 heures et toujours à la même place ».

Des renforts arrivent à la tranchée : de jeunes recrues venues d'Allemagne sans enthousiasme qui n'auront jamais connu d'autre guerre que celle des tranchées de l'Aisne ou de Champagne. Ceux de Charleroi et de la Marne ont déjà oublié l'ivresse des premières heures de la campagne. Ludwig s'emporte contre le capitaine qui délègue les hommes dans une église pour entendre le prêche du pasteur. Il ne manque pas de lui demander : « Pourquoi Dieu a-t-il permis la guerre ? » Les sermons lui semblent inconvenants, le luthéranisme officiel déprimant.

Les Français ne sont pas plus satisfaits des secours de la religion. Le commandement invite les chasseurs du 11e bataillon, pour la Toussaint, à une messe solennelle, du moins ceux « que la religion catholique n'effraie pas, et ils sont nombreux ». Les « huiles » sont alignées dans la nef, écoutant le prêtre exalter la grandeur du sacrifice et la « reconnaissance de la nation ». Tant de belles paroles débitées la veille du jour des morts ! Le hussard Honoré Coudray, intégré au bataillon, imagine « que les prêtres allemands doivent pareillement enflammer les cœurs, et avec les mêmes motifs. J'en conclurai pour aujourd'hui qu'ils ont tous raison ».

Comment admettre ou expliquer le consentement de Dieu à l'immense boucherie ? « La providence glisse sciemment les passions aveugles dans le cœur des hommes, pour les laisser s'entre-tuer à titre d'expiation. » Mais le prêtre peut-il tenir ces propos pessimistes devant des soldats exténués qui vont retourner au combat ?

Le caporal allemand en vient à douter de l'utilité de la guerre des tranchées. Les officiers qui commandent des actions offensives contre les redoutes adverses, causant ainsi des morts inutiles, lui sont devenus odieux. Sur la banquette de tir, les avant-bras sur le « gradin appuie-coude », les grognards de Poméranie surveillent la ligne adverse sans broncher. Ils voient avec plaisir les territoriaux creuser de grands tunnels souterrains pour mettre la troupe à l'abri des bombardements, et d'autres forer des puits à grande profondeur pour avoir de l'eau potable. On a vacciné les hommes contre la typhoïde. « Mes aspirations ont changé, dit le caporal, depuis la Meuse, mon excitation est tombée. » Les tranchées où l'on couche sur des paillasses en boulettes de papier pour remplacer la paille désormais introuvable ne sont pas le paradis. On entend le bruit des poux sautant la nuit sur la couchette sonore. Mais, comme ceux d'en face, le caporal Ludwig Renn n'a plus qu'un souci : survivre.

*

Même expérience chez les Français. Un immense soulagement chez le lieutenant Genevoix. « Nous sommes presque tombés dans les tranchées, écrit-il le 3 octobre[1]. Brusquement, elles se sont ouvertes devant nous. »

Quelle joie de découvrir, après la relève, « ces bonnes tranchées, creusées droit dans le calcaire, avec des parapets très bas étayés de clayonnages », recouvertes d'un toit de branchage, abri dérisoire, mais qui dissimule les hommes au regard de l'ennemi. Genevoix, pour la première fois, regarde autour de lui, découvre la forêt à perte de vue, respire « l'odeur grasse des bois ». Le voici rendu à son élément, la terre, il peut dormir, vivre, respirer, admirer. Il est redevenu un homme.

1. Maurice Genevoix, *Ceux de 14*, *op. cit.*, *Sous Verdun*, p. 140.

Même satisfaction chez Marc Bloch, qui pourtant n'a pas la chance de trouver, à son arrivée à Sainte-Menehould, des tranchées bien faites. Ceux du 128e d'Amiens, qui précédaient son régiment, les ont creusées à la diable, comme s'ils devaient encore les abandonner. Comment vivre, sous la pluie battante, dans ces « étroits sillons à fleur du sol, tout droits, sans pare-éclats », où il fallait rester accroupi pour se trouver à l'abri ? Les fantassins du 272e de Morlaix se mettent courageusement à l'ouvrage, creusent des boyaux, roulent les réseaux de fils de fer barbelés, creusent l'argile à hauteur d'homme, établissent à la hâte une seconde ligne de repli à l'arrière. Et bientôt Marc Bloch, à l'aise au milieu des robustes terrassiers bretons, peut entendre la pluie sur le feuillage des abris protecteurs, qui lui rappelle le temps des trappeurs américains et ses lectures de jeunesse des œuvres de Fenimore Cooper. Le voilà revenu, sans trop s'en plaindre, à l'état de nature.

Oubliés les combats meurtriers, les marches harassantes, les convois interminables de blessés. Le 172e avait subi beaucoup de pertes sur la Marne, il était commandé par un simple capitaine. Les officiers, comme les hommes, étaient morts. S'enfouir dans les fossés humides des bois de Sainte-Menehould était un paradis inconfortable pour ces hommes accablés, enfin à l'écart de la tuerie. Le 106e de Genevoix avait aussi perdu beaucoup des siens. Il avait marché sans relâche à partir du 25 août, « les lourds souliers sonnant sur la route ». Il avait rencontré tous les fuyards de la bataille de Lorraine, participé à la retraite de septembre, « bivouaquant dans les seigles », en voyant, sur le bord de la route, les chevaux et les vaches agoniser dans les champs, tués par les schrapnells.

Engagé dans la bataille de Lorraine, le 11e bataillon de chasseurs à pied recruté dans la région de Langres a quitté les Vosges après la libération de Saint-Dié pour participer à la bataille de la Somme, une des étapes de la « course à la mer ». A partir du début de novembre, le bataillon est enterré, comme les biffins ses voisins, dans les lignes de l'Artois hâtivement creusées. Un répit pour tous ces hommes qui n'ont pas cessé de marcher. Ils s'étonnent que l'on ait « flanqué aux orties la guerre en rase campagne pour la troquer contre un produit nouveau ». Ils sont devant Cappy, et l'on n'accède à leur position que par des boyaux tracés en zigzag. Les nouveaux officiers remplacent ceux qui viennent d'être tués, sans que l'on informe toujours régulièrement l'arrière des pertes.

Le chasseur à pied est indigné. « Un homme, il faut le reconnaître, a la valeur d'un matériel et équivaut à peu près, dans leur langage ou dans leurs ordres, à plusieurs rondins, ou à un cheval de frise », dit le hussard Coudray qui éclaire le bataillon encore juché sur son haridelle. On raye les morts « avec désinvolture » de la liste des vivants, sans trop se soucier de précision. Ainsi le commandement ignore le nom, la date et le lieu de la mort d'un camarade de Coudray. Il doit lui-même écrire à la mère pour l'informer, apprenant son adresse par une lettre décachetée expédiée à son fils. « Un tantinet de sentiment ne serait pas un luxe dans le cœur de ces jeunes et vieille badernes », commente aigrement Coudray.

Les chasseurs découvrent la vie de tranchée, ils devinent la ligne ennemie, car, à cent mètres, on ne voit rien. Dans la brume, on distingue seulement des poteaux et des fils de fer barbelés. On sent les lignes grisâtres de l'ennemi tout proche, on les distingue à peine. Les chasseurs sont soulagés dc ce repos inattendu comme les fantassins du 275e. Plus de marches, plus d'attaques mal préparées ! Le colonel de Ligonnès explique pourquoi il trouve plus supportable la vie dans les tranchées, en dépit de leur inconfort. Il a perdu du monde, le 26 août, à la bataille de la Mortagne, une soixantaine d'hommes dont un officier. Depuis lors, il a dû sans cesse faire mouvement en Lorraine, participer à la bataille du Grand-Couronné, sans pouvoir s'abriter dans aucun retranchement. Il a perdu de nouveau des hommes à l'attaque d'un village lorrain, le 28 septembre, et encore le 30. Quand le régiment relève le 35e colonial dans une tranchée bien construite, le 7 octobre, « après avoir pataugé pendant près de deux heures dans un terrain marécageux, par nuit noire », ses soldats respirent.

Malgré les coups de fusil persistants qui ne tuent personne, « chacun s'ingénie à se créer un abri et une chambre de repos dans un trou creusé sous le parapet ». La nourriture est froide, mais elle est livrée régulièrement toutes les nuits. Les repos fréquents sont un ravissement pour les poilus. Dans le village de Rambucourt, ils dorment sur la paille sèche, mangent de la soupe chaude, et se lavent dans l'eau claire. C'est la vie de château. « De toute façon, conclut le soldat René du 309e régiment de réservistes de Chaumont, nous sommes mieux que tous ceux qui sont dans le Nord et dans l'Aisne. »

*

Ils ne tardent pas à trouver le temps long, quand la guerre s'éternise, ponctuée d'attaques et de coups de main qui leur paraissent désormais inutiles, puisque les lignes sont fixées.

Ils trouvent leur résidence en secteur triste et monotone sous la pluie, bientôt sous la neige et le gel. A quoi bon patauger des semaines dans ces trous humides et boueux de l'Artois ? La vraie guerre est terminée. Pourquoi prolonger ce que les chefs de l'arrière, aux moustaches bien cirées, ceux qui n'ont pas participé aux premières campagnes et qui viennent remplacer les morts, appellent déjà dans leur langage la « guerre d'usure » ?

Car la guerre continue dans les tranchées, avec ses coups de main et ses bombardements. Au jour de Noël, on peut espérer un répit. Le pape Benoît XV, successeur de Pie X, vient enfin de s'exprimer, pour demander qu'à défaut d'engager des pourparlers de paix, l'on respecte au moins la trêve de Noël. Les 25 000 prêtres français envoyés au front hésitent. Doivent-ils suivre le souverain pontife ? Ce message de paix est fort critiqué dans les journaux où la France catholique fait aussi la guerre du droit, comme l'expliquent les curés en chaire. Rares sont les évêques ou prêtres français qui osent défendre la proposition du pape.

Les Allemands ont installé une batterie de canons lourds à proximité de l'église de Thann. Les officiers ennemis semblent avoir conclu tacitement une trêve, puisqu'il est question pour les officiers français d'aller entendre la messe de minuit. L'état-major réagit violemment contre cette initiative : il n'est pas question de laisser les gradés abandonner leur poste pour se rendre à un office qui peut être interprété dans la presse allemande comme une manifestation pacifiste, un encouragement au pape. Des ordres partent pour censurer le message du pape dans les journaux français.

Les fraternisations sont signalées, depuis novembre, sur toute la longueur du front. Les hommes croyaient pouvoir fêter Noël chez eux, ils sont déçus par les ordres d'attaque. Dorgelès entend les Allemands chanter des cantiques dans leurs tranchées. Il plante sur la hampe d'un petit drapeau blanc des journaux, des lettres destinées à l'ennemi. Un Allemand sans armes rampe pour prendre le courrier. Personne ne lui tire dessus. Le lendemain, il répond, il correspond. Ces échanges sont-ils tolérables ?

Sur le front de l'Aisne, pendant la nuit de Noël, les hommes s'interpellent, d'une ligne à l'autre. Dans son régiment formé de gens du Nord, les soldats « font ducasse », ils mangent des huîtres, de la dinde et du camembert, chantent *Minuit chrétien* pendant que les Allemands entonnent *O Tannenbaum*.

« Ben quoi, répond un de ces chanteurs français à qui Dorgelès impose silence, ils font la guerre comme nous !

— Il est vrai, répond l'officier. Mais je pense qu'ils font la guerre chez nous et qu'on n'est pas chez eux. Je ne reprendrai la conversation que lorsqu'ils seront retournés dans leur Vaterland ! »

Cette nuit-là, les soldats des deux camps ont échangé des cigarettes « et bientôt trinqué avec les Boches... Cinq cents hommes, Français et Boches, entre les deux tranchées, se tapant sur le ventre. Il en entra d'ivres morts à 5 heures du matin ».

Le colonel minimise l'incident, n'en fait pas état, se borne à quelques sanctions. Sur la ligne du front, les points d'attaque sont nombreux ce jour-là. Genevoix doit partir à l'aube. Son capitaine balaie de son mépris les récits de fraternisation. Un cycliste endormi sur une crête se serait réveillé au petit jour, entouré d'Allemands. Ils l'auraient laissé rejoindre ses lignes. Des bobards ! Comme la « source entre les lignes, vers Vaux-les-Palameix ». Comme les Ecossais qui jouent au football avec les Allemands. Deux corvées d'eau se retrouvent nez à nez. Elles échangent des sourires et s'en vont, les bouthéons [1] pleins. Et le café dégusté en commun, les Boches fournissant le jus, les Français le sucre et les gâteaux, légendes que tout cela, dit le capitaine.

Il reste que les hommes en rêvent, même s'ils n'y croient guère, pour oublier la guerre et ses contraintes, comme pour donner à l'horreur le répit d'une ritournelle d'amitié. Noël n'a pas été la pause souhaitée. En Picardie, la guerre continue, de plus belle. Depuis le 23 décembre, les chasseurs à pied du 11e bataillon attendent l'heure de l'assaut du mont Saint-Eloy, dans leurs boyaux trempés de boue. Ils doivent nettoyer à la grenade les tranchées

1. Ainsi appelait-on les marmites de l'armée française dues à l'ingénieur Bouthéon.

adverses. Il n'est pas question de réveillonner. En Lorraine, il neige fort. Les soldats de Ligonnès ont entendu la messe dite par un prêtre sergent dans une chapelle ruinée, sur un autel de fortune. Il gèle à pierre fendre. Les cadeaux de Noël ? Des obus que Français et Allemands s'expédient à travers les lignes. Le sergent-aumônier n'a pas entendu le message du pape. Le pieux commandant non plus.

Quant au soldat René, dans son secteur calme des Vosges, il envoie des lettres à toute sa famille, souhaitant la fin de la guerre pour 1915. Personne ne s'attend à une paix proche. Le 26 au matin, le régiment doit prendre la tranchée dans un bois et le colonel a interdit tout réveillon, « à cause de nos camarades du Nord », dit-il.

Il faut se résigner à la vie de tranchée, envisager d'y passer l'hiver. Le caporal Renn est trop heureux d'être éloigné du front pour trouver le repos en changeant de besogne. Le voilà menuisier dans le village de Fromentin, où les hommes passent tous les soirs devant une ferme grillagée où se terrent deux jeunes femmes venues de Nancy. Il est occupé, dans un atelier, à fabriquer des caisses à munitions, des attelles et des écriteaux pour les tombes. A Jonchery-sur-Vesle, dans le camp d'en face, le cycliste Deverin voit des soldats ajuster des cercueils pour officiers, en bois verni. On profite du répit pour enterrer dignement les victimes de la campagne, les corps retrouvés et accumulés pêle-mêle dans des fosses à l'heure du combat. Les hommes de l'arrière ne trouvent guère le repos. Ils sont, trop souvent, transformés en fossoyeurs. La guerre finira-t-elle jamais ?

*

Les états-majors donnent des ordres pour que le moral des soldats reste en éveil, grâce à des opérations ponctuelles destinées à rendre plus efficace la ligne des tranchées. Les munitions manquent, à l'arrière.

Les Allemands eux-mêmes, si riches en minerais, cherchent partout des métaux rares pour leurs fabriques d'armement. Les stocks étaient insuffisants, parce que la cadence du feu exigeait des projectiles en plus grand nombre : quarante millions de balles d'infanterie étaient tirées tous les jours pendant la période de grandes opérations. L'industrie devait produire quotidiennement un demi-million d'obus, et trois cent cinquante nouveaux canons tous les mois. L'annexion des mines de fer de Briey ne pouvait donner de résultats immédiats, faute de main-d'œuvre et de transports. L'alimentation en armements devait marquer une pause.

Toute la France travaillait pour la guerre : même dans les petites villes du Midi, on tournait des obus. L'occupation allemande des dix départements français du Nord et du Nord-Est privait l'industrie de 64 % de la fonte, de 62 % de l'acier. Un grand nombre de hauts fourneaux étaient entre les mains de l'ennemi. Il fallait acheter les matières premières et les armements à l'étranger, et réduire provisoirement la consommation au front, donc rendre les défenses des tranchées plus efficaces.

Le lieutenant de Gaulle, de retour de l'hôpital où il a soigné des blessures reçues au pont de Dinant, s'étonne de trouver les tranchées de Pontavert si mal construites, à l'armée de Langle de Cary. Les hommes s'y accoutument à la guerre de forteresse, ils ont perdu l'habitude de marcher. Ils se croient en sécurité, mais, dans la tranchée, les armes et les munitions ne sont pas à l'abri des tirs de l'ennemi. Il est essentiel d'engager des travaux difficiles et de construire « de vrais fortins ».

Les Allemands donnent l'exemple. Leurs tranchées sont soigneusement entourées de réseaux de barbelés, les nids de mitrailleuses sont protégés dans des ouvrages coulés en béton. Ils transportent des rails pour étayer le toit des fortifications, construisent des abris pour l'infanterie en profondeur, avec des étages, où chacun peut trouver son emplacement de repos à l'abri du canon.

En Artois, les positions allemandes semblent inexpugnables. Elles ont été creusées nuit après nuit par les territoriaux et les fantassins de la VIe armée du prince Rupprecht de Bavière. La première position s'étale comme une toile d'araignée invisible sur une profondeur de deux cents mètres, décourageant tout assaut d'infanterie de ses multiples réseaux de barbelés. Des souterrains profonds donnent accès aux lignes. Une deuxième position, construite en bretelle, abrite les troupes de renforts dans des caches creusées sous terre. Une troisième position est indiscernable aux observateurs : les arbres récupérés, bétonnés, garnis d'échelles de corde ont été transformés en observatoires pour les batteries camouflées de l'artillerie. Des blockhaus de béton accueillent de nouveaux renforts. Les arrières sont capillarisés de voies étroites pour chemins de fer de tranchées, assurant le ravitaillement en munitions.

Quand de Gaulle estime indispensable d'améliorer les lignes françaises, « d'élargir la tranchée de tir de façon à lui donner un mètre de large au fond, faire du talus nord un talus à terre coulante », il formule en réalité des demandes modestes, par rapport à l'effort constant de perfectionnement consenti par l'ennemi. Le lieutenant découvre la précarité des défenses françaises. Des liaisons pratiques, dit-il, doivent être creusées dans le sol entre les différents organes de la ligne de défense, la place d'armes, les nids de mitrailleuses, la tranchée de tir. C'est un programme minimum, qui doit être réalisé d'urgence. A quoi l'état-major a-t-il donc la tête ? Les tranchées ne sont pas faites, comprend le lieutenant, pour attendre la reprise de la guerre de mouvement, elles deviennent insensiblement la guerre elle-même. Il faut donner du corps à cette idée.

Déjà le général de Castelnau avait admis, lors de l'offensive de Lorraine, que la puissance du tir changeait la nature de la guerre. L'artillerie bavaroise qui accablait les Français de ses obus lourds était enterrée, camouflée, hors de portée. Ils creusaient sans cesse des tranchées bien dissimulées pour protéger leurs nids de mitrailleuses. Il fallait employer, disait-il, « des procédés spéciaux se rapprochant de ceux utilisés pour la guerre de siège ».

Lui-même avait organisé la position du Grand-Couronné pour la rendre aussi inexpugnable que la place de Metz, dont l'offensive française n'avait pu s'approcher. Il avait prédit, le temps d'un éclair, l'avènement de cette guerre des tranchées. Les commandants d'armée avaient imité progressivement son exemple, avec une inégale efficacité, dans l'Est d'abord, puis dans le Nord, après la stabilisation du front en Artois et dans les Flandres, ainsi que sur la ligne de l'Aisne. De mois en mois, la ligne du front se rapprochait d'une fortification continue, plus puissante du côté allemand, toujours vulnérable chez les Français, faute de matériaux assez solides. Mais sans doute surtout en raison du désir manifesté par l'état-major de Joffre de reprendre l'offensive dès que la concentration des moyens le rendrait possible.

*

Les Allemands n'avaient pas cette tentation. Ils avaient une autre guerre à livrer contre les Russes dans l'Est. Ils s'étaient employés en conséquence à rendre le front de l'Ouest rigoureusement inexpugnable, au prix de très importants travaux de terrassement. Comme le remarque Jünger, ils avaient alors été saisis par la « passion du béton ».

Leurs ambitions étaient désormais à l'Est. Falkenhayn élargissait le champ d'action de la guerre, la rendait européenne, et non plus franco-allemande. Dès le début de 1915, il avait inversé le plan Schlieffen pour abattre au plus tôt l'armée du tsar, déjà étrillée par Hindenburg à Tannenberg, et le contraindre à la paix séparée.

En février les armées allemandes s'étaient emparées de la Lituanie et de la Pologne russes, pendant que leurs alliés autrichiens avançaient en Galicie. En septembre, elles s'étaient avancées jusqu'à la Berezina. L'entrée en scène de l'Italie aux côtés des alliés ne les avait pas inquiétées : de février à novembre, les Italiens n'avaient pas réussi à forcer les cols des Alpes, bien tenus par l'artillerie autrichienne.

Le débarquement allié aux Dardanelles, voulu par Churchill qui prétendait échapper au simple et brutal affrontement du front français, d'où la décision ne pouvait plus surgir, n'avait pas davantage inquiété les alliés turcs du Kaiser. Français et Anglais avaient dû rembarquer en novembre pour se replier sur Salonique où ils tenteraient de sauver ce qui restait de l'armée serbe détruite par les Bulgares, les Allemands et les Autrichiens. Pendant toute l'année, l'Allemagne avait fait la guerre à l'Est.

Joffre ne songeait qu'à soutenir le tsar en difficulté en lançant une offensive sur son front. Il préparait fébrilement pour 1915 une double offensive en Champagne et en Artois. Il ne considérait donc nullement comme prioritaire la constitution d'un front continu aux fortifications inexpugnables, comparables à celles de Falkenhayn. Les tranchées françaises seraient toujours le résultat d'une improvisation provisoire. Le front allemand une fois percé, elles n'auraient plus de raison d'être. A Poincaré qui lui recommandait de coiffer le soldat français d'un casque, Joffre répondait que cela n'était pas nécessaire : il « tordrait » l'ennemi avant que les casques ne sortent des usines.

Les tranchées allemandes étaient exemplaires : le commandement avait tout fait pour dégager les effectifs nécessaires à l'offensive vers la Russie, pour laisser en France le minimum de troupes, sans pour autant courir le risque d'une percée. Très tôt, il s'était employé sans faiblesse à la construction raisonnée d'une ligne de défense fortifiée, qui n'était plus un simple alignement de fossés. Les Français ne pourraient en mesurer l'efficacité qu'à l'usage, au cours des offensives partielles qui se succéderaient pendant tout le mois de décembre 1914. Le général Blondat, commandant du corps colonial, avait, l'un des premiers, éprouvé la capacité de résistance du front ennemi.

Son attitude, contrairement à celle des Français, est « purement défensive ». Les engagements sont rares, et strictement destinés à s'assurer d'une position tactique. Le général Gérard est surpris le 18 décembre par un assaut sur son front de la Meuse. Six compagnies de chasseurs ont été volatilisées par le violent feu d'artillerie qui précédait l'attaque, de fortes explosions de mines et de *minenwerfer*. Les Français ont dû se replier, leur moral miné par l'insuffisance de leur ligne de défense.

Ces attaques par surprise sont rares. Les Allemands ont plutôt perfectionné leur tactique de défense. Ils laissent les assaillants s'approcher jusqu'à leurs réseaux de fils de fer barbelés sans réagir. Quand les sapeurs du génie et les premiers éléments d'infanterie s'empêtrent dans les ronçailles, les mitrailleuses entrent en jeu, tirant à partir « de petits bastions percés de créneaux, parfaitement dissimulés ». Les tranchées ne sont occupées qu'à la dernière minute par des hommes reposés, sortant d'abris profonds, à l'épreuve des canons. Les réseaux de barbelés sont renforcés de « grillages à faisans », treillages très élevés, obstacle infranchissable. Les champ de fils de fer variaient entre dix et trente mètres de profondeur. Des abattis, des fausses tranchées renfermant des fougasses renforçaient encore les défenses. L'artillerie, bien abritée dans les ravins et soigneusement camouflée, tirait à la moindre alerte, sur un front parfaitement repéré. On ne peut espérer, dit Blondat, prendre des ouvrages aussi redoutables que par les procédés lents de la guerre de siège, en progressant jusqu'à l'ennemi par sapes et galeries. Les tranchées allemandes sont presque des fortifications et supérieures dans leur conception à celle des Français.

Pourtant les commandants d'armée de Joffre avaient tout fait pour mettre leurs troupes à l'abri, avec les moyens limités dont ils disposaient. Ceux des Flandres étaient les plus dépourvus, par manque de bois et de pierres dans le sol spongieux, souvent sablonneux. Les fantassins croupissaient encore, en janvier 1915, raconte Marcel Carpentier[1]. Impossible de creuser des boyaux entre les tranchées fréquemment éboulées, au fond garni de boue. Pour les Allemands, plus de paille, des sacs de papiers froissés.

Les hommes se reposaient assis dans des niches, une toile de tente sur la tête. Le poilu des Flandres, « une chape de mouton coupée aux épaules, la pipe aux lèvres, ressemblait plus à un homme des bois qu'à un soldat ». A cinquante mètres, il entendait parler les Allemands, le cul au sec dans leurs abris aux fonds bétonnés, des grands tunnels souterrains creusés à la lueur des lampes de mineurs, en pleine nuit. Le commandement français avait finalement jugé plus expédient, au lieu de couler le ciment dans les tranchées, d'abriter les hommes derrière des murailles de sacs de terre.

Quelle différence avec les belles tranchées vosgiennes, tracées au cordeau à coups de pic et d'explosifs dans le grès dur où les hommes étaient à l'abri des surprises, ou même avec celles des Eparges, pourtant boueuses et sales, mais bien protégées par des ouvrages efficaces. Cruelle injustice des secteurs où les hommes pouvaient croupir dans les trous inondés, ou profiter d'un confort relatif, comme dans la crayeuse Champagne, où l'on creusait à l'aise le sol friable, en jetant sur le fond des tranchées des caillebotis construits avec les bois d'arbres des forêts proches.

Force était d'aménager rapidement en face des Allemands des lignes également étalées en profondeur, une première série de tranchées parallèles reliées par des boyaux, et munies de banquettes de tir. Chaque homme muni d'une pelle devait creuser un mètre cinquante de longueur sur un mètre de profondeur. Chaque équipe avait en charge quatre mètres cinquante. En attendant l'arrivée des territoriaux, tous les poilus devaient se mettre à la tâche.

Les lignes étaient en zigzag, pour éviter les tirs d'enfilade des mitrailleuses, car les Allemands à l'attaque transportaient ces engins à dos d'homme et les mettaient en batterie facilement. Des obstacles en terre, les « pare-éclats », ponctuaient les fossés. Des sacs de terre renforçaient les parois du côté de l'ennemi, pour offrir aux tireurs pourvus de viseurs télémétriques une relative sécurité. Les sapes, tranchées en impasse, abritaient les observa-

1. Marcel Carpentier, *Un cyrard au feu*, Paris, Berger-Levrault, 1929.

teurs de l'avant, protégés par des boucliers d'acier contre les balles et les éclats. Des boyaux profonds et étroits reliaient les lignes, et conduisaient à la tranchée principale, au-delà vers l'arrière. Les mitrailleuses étaient en retrait, protégées par des blockhaus en rondins. Les barbelés noyaient les avancées des ouvrages, renforcés par des chevaux de frise, des hérissons de fil de fer. On attachait des boîtes de singe avec des cailloux dans les réseaux pour donner l'alerte en cas d'approche de patrouilles rampantes. Telles quelles, les tranchées françaises protégeaient de leur mieux le poilu, qui avait parfaitement compris la nécessité de s'enterrer

*

Il revenait à l'âge des cavernes, faisant face aux mêmes ennemis improvisés. Les insectes d'abord, les mouches, attirées par les cadavres de l'été. Elles se collent en grappes aux toits des abris, s'embusquent dans les murs d'argile sèche des Eparges, où sert Genevoix. Impossible de s'en débarrasser, elles se grillent, la nuit, aux flammes des bougies. Leur bourdonnement est « une modulation flexible, jamais rompue ». Les soldats les écrasent en vain, elles reviennent en essaims serrés, « gorgées de graisse, de viande pourrie ». Pour se protéger les cheveux, où les noirs insectes viennent se nicher, les poilus déplient leurs mouchoirs. Mais l'agresseur est tenace, omniprésent, toujours d'attaque de jour et de nuit. Il est là pour rappeler la proximité ignoble de la charogne. Il puise ses forces dans le ventre gonflé des chevaux morts. Son bourdonnement est moralement intolérable : une présence continuelle, musicale, de l'horreur.

Le caporal Croizat, du 272e régiment, ne supporte pas les mouches. Elles s'agglutinent au-dessus des tinettes de campagne, rarement désinfectées. Seuls les secteurs calmes, non remués par le canon, ont des feuillées de bonne tenue. Partout ailleurs, les obus font éclater des geysers d'immondices, qui s'abattent en grappes sur les caillebotis gorgés d'eau. Comment évacuer les déchets humains ? On ne peut que les enterrer en de vastes fosses où ils polluent les eaux de ruissellement, après des simulacres de désinfection chimique, forcément insuffisants, qui accroissent encore la pollution.

Le caporal s'aperçoit, en retirant la toile de tente étalée sur le sol de la tranchée, qu'elle a été creusée dans un charnier. « Au bout de quelques jours, et le soleil aidant, les mouches nous envahissent, l'appétit a disparu. Les hommes jettent par-dessus le parapet les fayots et le riz au gras. Ils se contentent d'un coup de "gnôle", et d'un quart de pinard. Ils ont le teint cireux, les yeux cernés. »

Pour les poilus d'Orient, débarqués aux Dardanelles en mars 1915, les mouches sont aussi dans l'environnement du poilu. Aux premières pertes, les cadavres doivent être brûlés pour raison d'hygiène. « Les morts gonflent, à l'étroit dans leur kaki, explique le capitaine des zouaves Canudo, et les mouches surgissent. » Il faut se débarrasser des morts.

Les tranchées d'Orient sont bientôt aussi denses, aussi malsaines que celles de l'Argonne. « Les maladies serpentent, allongent leurs tentacules invisibles et tenaces dans l'air, dans la nourriture, dans l'eau pourrie, dans le sifflement des moustiques, dans le bourdonnement angoissant des mouches énormes, dans la morsure intolérable des puces et des poux. » Comment déployer les fines moustiquaires dans les trous d'ombre, les ravins escarpés sur les flancs de l'Achi Baba ?

Pour le territorial du 2e bataillon de zouaves Jérome Carcopino, toutes les forces de la nature se conjuguent pour accabler le « darda » (ainsi appelle-t-on le poilu des Dardanelles, le plus souvent recruté en Algérie). Les poussières venues du Nord, poussées par le vent, qui « se mêlaient à nos cheveux, barbouillant nos moustaches », les eaux pleines de germes. Les hommes jaunissent soudain et perdent un kilogramme de poids par jour, frappés de dysenterie. La dengue les accable comme une grippe pernicieuse, les rend hébétés, fiévreux. Le paludisme est le plus redoutable. Il s'installe, s'incruste, revient, ne renonce jamais. Les moustiques responsables de la transmission des virus attaquent en piqué, touchant plus sûrement leur cible que les avions de l'armée turque. Les zouaves et les tirailleurs les redoutent. Ils sont sans protection. 120 000 soldats tomberont malades pendant la campagne d'Orient, dont 40 000 trouveront la mort.

Dans les tranchées de France, puces et poux pullulent. Les soldats en ligne ne se déshabillent pas, quittent à peine leurs godillots. Les insectes prospèrent sur les lits de paille humide, attirés par les détritus. Le soir, à la veillée, on tue les « totos », un par un, sur le crâne du camarade. Les espèces marquées d'une « croix de fer » sont les plus redoutables.

Les Allemands souffrent aussi des poux. Ils organisent au cantonnement des courses de poux, mesurent les parcours des insectes, s'emportent quand ils n'avancent pas en droite ligne et les remettent inlassablement dans la bonne direction. Faut-il se faire tondre ? Certains s'y résignent, donnent la pièce aux coiffeurs reconnus, professionnels dans le civil, qui ne rasent pas gratis. La plupart gardent leur barbe, même les Allemands, pourtant soucieux d'hygiène. On épouille aussi à la chandelle les barbes nourries. Dans les Vosges, où les sources et les torrents sont abondants, les hommes détruisent la vermine en se lavant entièrement à l'arrière, au cantonnement, grâce à un système de douches utilisant les pompes à feu de village. Et les colis contiennent désormais de la « Marie-Rose », la potion magique vantée par la publicité de l'époque.

Les puces sont inévitables. On ne peut s'en débarrasser qu'à l'arrière, en lavant les chemises dans l'eau courante. Certains s'aspergent le torse et les jambes de pétrole, d'autres de vinaigre, pour dissuader les insectes. Mais la puanteur est trop forte. Elle s'ajoute à l'odeur du pain moisi, des graisses rances, de l'urine et du vin renversé. Le front sent mauvais.

Les rats des tranchées sont gorgés de déchets, gras, les yeux luisants, infatigables la nuit. Il faudrait créer des compagnies de chats pour s'en débarrasser. Ils sont friands, le soir venu, des papiers journaux que les dormeurs, pour se tenir au chaud, déploient sur leurs poitrines. Ils grimpent sur les corps allongés, sans retenue. L'intendance finit par payer une prime d'un sou par rat tué, dont on exhibe la queue. Vaine mesure : les rats fourmillent dans les boyaux, ces égouts des premières lignes, insatiables, attirés par la moindre parcelle de nourriture. Des régiments de souris, de mulots les accompagnent, une infinie variété de rongeurs. Quand les sapeurs les débusquent dans leurs trous, ils s'enfuient en sarabandes.

Les Allemands leur dressent des pièges. Ils les traînent derrière eux à grand bruit. Il faut les assommer à coups de trique pour en finir. D'autres reviennent en plus grand nombre. Pour le chasseur à pied français Vandebeuque, du 56e bataillon, la présence continuelle des rats est une épreuve. « Je passe des nuits terribles, écrit-il. Recouvert totalement par mes couvre-pieds et ma capote, je sens pourtant ces bêtes immondes qui me labourent le corps. Ils sont parfois quinze à vingt sur chacun de nous, et après avoir tout mangé, pain, beurre, chocolat, ils s'en prennent à nos vêtements. »

Du moins ne sont-ils pas, comme les corbeaux et les corneilles, amateurs de chair humaine, et ne s'attaquent-ils pas aux corps vivants, préférant de loin les reliefs de l'intendance. Pourtant on les découvre dans les charniers, « des rats énormes, dit un soldat, gras de viande humaine ». Il découvre un mort, « le crâne à nu, les yeux mangés. Un dentier avait glissé sur la chemise pourrie et de la bouche béante une bête immonde avait sauté ». Plus volontiers que les fosses communes, les rats investissent les réserves de grain de l'arrière, et font le désespoir des boulangers.

Sont-ils plus nombreux dans les lignes des Français mieux nourris ? Les Allemands s'en plaignent aussi, et n'ont pas plus de protection. Ils suspendent leur nourriture à des piquets dans la tranchée, mais les rats défient leurs ruses et s'attaquent aux réserves de lard et de pain gris. Les Français suspendent leurs boules de pain à un fil de fer placé au milieu de l'abri, solution acceptable. Ils dissuadent l'ennemi en allumant les lampes électriques la nuit. Mais le répit n'est que de courte durée. On ne peut espérer de victoire contre les rats.

*

Excès d'eau de pluie, absence d'eau potable, c'est un autre aspect de la difficile survie du poilu. On comprend la pénurie de l'eau en Orient. Dès le débarquement d'une division française à Moudros, en mars 1915, l'approvisionnement n'est pas assuré : 18 000 hommes et 5 000 chevaux risquent de mourir de soif. On a prévu pourtant six jours de fourrage et des navires frigorifiques pour la viande. Les Sénégalais ont bien quinze jours d'avance pour leurs rations de riz, mais pas d'eau pour les faire cuire. Les cargos anglais livrent au compte-gouttes des barils d'eau venus d'Alexandrie en Egypte. Il faut bientôt boire l'eau industrielle « logée dans des citernes ayant contenu du pétrole » et même l'eau des ballasts des navires charbonniers. Heureusement les dardas ne manquent pas de vin. S'ils veulent le couper d'eau, le général Bailloud, un ancien de la coloniale, leur explique froidement que le seul moyen est d'aller la puiser dans les puits des Turcs, à Gallipoli.

La pénurie d'eau est moins normale dans l'Argonne, la Woëvre, les ravins de Verdun, quand les tirs d'artillerie allemands sont assez denses pour rendre tout ravitaillement impossible. Les sources sont une bénédiction, du moins quand elles sont proches des lignes, et à l'abri des mitrailleuses. Les escouades se relaient pour y puiser l'eau pure. Les hommes se déshabillent pour se laver à l'eau glacée, chaque fois qu'ils échappent aux visées des tireurs d'élite ennemis.

Les Allemands souffrent aussi de la pénurie d'eau. En Champagne, ils creusent la craie jusqu'à vingt mètres sans rien trouver. Les hommes se rasent avec du café. Dans certains secteurs, les sources sont absentes.

Quand elles existent, elles sont rapidement asséchées ou polluées, inutilisables. L'hiver, on réchauffe la neige pour boire et se laver. L'artillerie adverse a vite fait de repérer les points d'eau et de les bombarder pour les rendre inaccessibles. Morts de soif, les hommes prennent parfois des risques pour ramper jusqu'aux puits. Des coureurs en mission, ordinairement chargés de porter les ordres, sont priés de recueillir les bouthéons pleins d'eau quand les colonnes de ravitaillement ont été décimées par les tirs d'artillerie. L'eau est devenue, dans les secteurs chauds, plus précieuse que le pain.

Le ravitaillement en eau des unités de l'avant devient un devoir pour l'intendance. Des tonnes tirées par des mulets arrivent ainsi à proximité des lignes, pour faire le café. A Verdun il est impossible de creuser des puits. L'eau devient rare. Pourtant elle tombe en abondance dans les creux du terrain. Il est imprudent de s'y ravitailler. Les cadavres s'y amoncellent. Il faut que les hommes soient morts de soif pour se résigner à boire de l'eau des trous d'obus particulièrement recherchés, ceux où l'on ne repère qu'un seul cadavre.

A partir d'octobre 1914, le front est entièrement inondé, des Flandres aux Vosges, par une pluie glacée, insistante, qui dispense aux poilus l'eau recueillie dans des marmites. Elle transforme les tranchées en bourbiers, où les hommes pataugent jusqu'aux genoux. Le fantassin Castex, du 288ᵉ de Marmande, s'en plaint tous les jours dans ses lettres : « On pense au feu qui flambe chez soi, à la bonne soupe qui fume sur la table », quand on chausse les bottes pour prendre position dans la tranchée. Au bois des Chevaliers, devant la position allemande qui couvre Metz, les caillebotis ne sont d'aucun secours. Les boyaux sont devenus des ruisseaux et la pluie continue de tomber, alternant avec la neige en janvier 1915. Beaucoup de Gascons sont évacués pour rhumatismes et bronchites. Ces rudes paysans habitués à labourer la boulbène profonde ne résistent pas à l'humidité des bois de Meuse. La vallée, en contrebas, est inondée, « on ne voit pas une touffe d'herbe ». On distingue encore les lignes des routes surélevées, dans les chemins, les soldats de relève « pataugent dans la boue à ne pas pouvoir marcher ».

La boue enduit les chaussures, les guêtres, mais aussi les pantalons rouges, devenus méconnaissables, et les capotes bleues jusqu'aux ceinturons. L'eau ruisselle sur les képis, les joues sont maculées, les mains elles-mêmes sont recouvertes d'une couche humide, puis sèche, avec « des cassures aux plis des phalanges ». Quand les hommes mangent « ils ont les mains glaiseuses et le pain qu'ils ont touché crie sous leurs dents [1] ».

Et la pluie continue, « enrhumant les poux », disent les poilus. Impossible de s'en protéger. Les abris de branchage sont pénétrés, les toiles de tente détrempées. Deux armées sont réduites à l'impuissance par le ruissellement de l'eau sur la glaise, par le magma de sable noir des Flandres, les cuvettes glacées des tranchées des Vosges.

Les vêtements ne peuvent sécher, car il est impossible d'allumer du feu. Il faut attendre la relève pour échapper à la boue. Pour gagner par les boyaux les lignes de l'arrière, la marche est un martyre. Il faut sonder avec la crosse du fusil le sol à chaque pas, pour ne pas tomber dans les trous d'eau ou de boue liquide. Les cuistots qui fournissent l'avant sont habitués à ces bains forcés. Ils avancent dans la boue qui aspire les godillots, les jambes jusqu'aux mollets, pour être insultés à l'arrivée, parce que la soupe est froide.

Le froid est la cause de très nombreux cas de maladie qui nécessitent l'évacuation. Le général Humbert, passant en revue les effectifs de son 32ᵉ corps à la IIIᵉ armée, s'aperçoit que pour 4 458 soldats (sur 22 700) tués au combat, il a du faire évacuer 3 800 malades. Le froid en est la cause. Les cas de pneumonie sont fréquents, mais surtout de pieds gelés. Un rapport d'état-major

1. Paul Tuffrau, *Carnet d'un combattant*, p. 11-20.

établit que les lésions des hommes évacués dans les hôpitaux ne sont pas des gelures, « mais qu'elles proviennent d'un arrêt de la circulation causé par la compression ». La plupart des inaptes ont subi un séjour trop prolongé dans des tranchées inondées ou très humides. Les plaies sont graves quand les hommes ont dû rester les pieds dans l'eau pendant plus de quatre jours. Le chef d'état-major demande que l'on veille à ce que les soldats « puissent se déchausser chaque jour pendant quelques instants », qu'ils ne serrent pas trop leurs jambières et portent des chaussures larges. Ces recommandations théoriques sont faites par des gens qui n'ont aucune idée des conditions de vie réelle dans les tranchées d'Argonne ou de Woëvre. Les poilus réagissent comme ils peuvent, et ne passent certainement pas beaucoup de temps « à entretenir leurs chaussures avec soin en les graissant », comme le recommande le général Belin.

Les intempéries transforment l'aspect du poilu, à le rendre méconnaissable. Le torse protégé par des peaux de mouton, le calot enfoncé jusqu'aux oreilles, la tête le plus souvent recouverte d'un passe-montagne ou d'un bonnet de laine, le cache-nez autour du cou, plus d'uniformes ni de grades : du soldat, on ne voit que les yeux quand il n'est pas entièrement abrité sous une couverture, pendant les heures de guet. Impossible de distinguer le caporal du capitaine. La hiérarchie disparaît physiquement dans la boue. On ne reconnaît les distances qu'à la voix. Les Gascons de Castex parlent entre eux en langue d'oc. Ils n'emploient le français que pour répondre aux officiers.

*

Heureusement, il y a la bouffe. Les Allemands ne s'en plaignent pas, bien qu'ils soient moins gâtés que leurs adversaires, mangeant des conserves et du pain noir. Les roulantes sont en grand nombre dans les régiments et arrivent à proximité des lignes. Jünger salue « l'arrivée vespérale de la roulante, à la corne du bois d'Hiller (en Champagne, au début de 1915) où se répandait dès l'ouverture des marmites un savoureux fumet de pois au lard ». C'était la fête à la tranchée, mais trop souvent les hommes devaient se contenter de légumes desséchés aussitôt appelés « barbelés en conserve » ou « raclures de silo ». La roulante pouvait offrir les mets les plus recherchés ou les plus détestables, en fonction des arrivages. Souvent les soldats devaient se contenter « d'une ratatouille de betteraves à porcs gelée » arrosée d'une « gnôle d'un rouge pâle qui avait un franc goût d'alcool à brûler ». Mais les colis arrivaient de l'arrière et les paysans français, restés sur place, ne dédaignaient pas d'offrir à l'ennemi, pour un bon prix, les produits du terroir.

Les soldats n'étaient pas isolés dans les lignes, le front restait largement habité. A deux, trois kilomètres des boyaux, on pouvait se procurer des vivres. Dans les secteurs calmes de Champagne, les Allemands cantonnaient, les jours de repos, dans des granges, et se fournissaient en beurre et œufs chez les villageois. Dans les grosses fermes flamandes, ils trouvaient des pommes de terre qui remplaçaient les rutabagas de l'intendance. Dans l'Artois, où l'occupant mobilisait les jeunes du village pour assurer les cultures, la population vendait aux soldats des vivres à prix d'or. Les paysans-tisserands de la Somme livraient leurs patates. Les enfants jouaient avec les *feldgrau*. Les officiers étaient parfois invités chez l'habitant.

Les Français au contraire se plaignent volontiers de la population civile qui n'aide pas. Le Gascon Castex, au début de 1915, est à Ambly, dans la Meuse. Les Méridionaux, depuis la retraite du 15e corps, ont-ils mauvaise presse ? On leur fait grise mine. « Il faut prendre les choses par force, dit le fantassin... aussi on ne les ménage pas. »

Au repos, les soldats sont aux prises avec une foule de « mercantis ». Les marchands ambulants de Bar assiègent les cantonnements au sud des Eparges, vendant des vins fins de Toul, du chocolat et des confitures épépinées. Souvent les Lorrains invitent les officiers pour leur offrir une omelette au lard, un café arrosé de mirabelle. Les soldats achètent dans des boutiques campagnardes, véritables cavernes d'Ali Baba bien fournies en chocolat, gâteaux secs, chicorée, bouteilles de liqueurs et de sirops. Ils négocient le tabac et les oignons. On leur sert du macaroni fumant et des steaks grillés.

Pas de vol chez l'habitant. A peine cueille-t-on sur les arbres des fermes abandonnées les quetsches et les noisettes. Les paysans restés sur place tentent de vendre à la troupe des porcs, des volailles, des moutons. Les officiers négocient chaque achat comme des maquignons. Des petites femmes cupides leur vendent très cher de la soupe au lait et des omelettes flambées. La vie reprend. Le front se regarnit de civils, qui s'installent dans la guerre.

L'intendance regorge de vivres, haricots, boîtes de singe, pommes de terre, quartiers de viande, riz servi sous toutes ses formes, au gras, en gâteau, café à profusion, tonneaux de vin pour remplir les bouthéons. Rien n'est ménagé pour nourrir un million d'hommes en campagne. Les autobus parisiens livrent les vivres dans les boucheries et les boulangeries de l'arrière immédiat. La ration quotidienne du combattant est de 750 grammes de pain, 500 de viande fraîche, 100 de légumes secs ou de riz, et 30 de lard. Le sucre et l'eau-de-vie sont à profusion. La viande fraîche suit les unités dans des voitures à chevaux. Pour alimenter tous les jours la troupe en biftecks, trente-cinq bouchers doivent abattre cinquante bêtes environ par division.

Les cuisines roulantes préparent la « popote » dans les cantonnements. Mais elles ont aussi mission de livrer aux avant-postes le café chaud du matin. Des marmites norvégiennes assurent la conservation de la chaleur jusqu'à la distribution des aliments dans les lignes. Mais les popotes sont trop éloignées — deux ou parfois trois kilomètres des premières lignes — pour que les repas soient servis chauds. Sans les réchauds de fortune installés dans les tranchées, les soldats mangeraient toujours leur rata froid.

On comprend pourquoi une troupe aussi bien fournie, mais aussi mal servie, se presse chez l'habitant ou dans les échoppes des mercantis pour améliorer l'ordinaire. Il est vrai que les colis arrivent de l'arrière à profusion : les Auvergnats reçoivent des châtaignes et les Bretons du far, les familles ne ménagent pas leurs soins pour envoyer au front les douceurs dont les soldats ont besoin : armagnac, cognac, chocolat, gâteaux secs, saucissons et jambons. Et ils ne manquent jamais de vin, de café et de gnôle. Le commandement y veille.

*

Outre le froid, les insectes et les rats, l'ennemi du poilu est l'ennui et l'absence de sommeil. Comment dormir en première ligne, sous la menace continuelle des coups de main et des bombardements uniquement destinées à entretenir le moral du combattant, à exiger de lui une vigilance permanente. Les Allemands racontent que les obus français tombent tous les jours à la même heure sur certaines parties du front : une routine qu'il faut intégrer à la vie quotidienne, comme celle des balles ajustées des tireurs d'élite, qui guettent les têtes des imprudents en haut des parapets.

Impossible de trouver le sommeil dans les secteurs de sapes et de contre-sapes, en prêtant l'oreille au martèlement sourd des sapeurs travaillant à la lanterne, pour déposer les charges de dynamite qui feront sauter la position. Roland Dorgelès, mitrailleur héroïque, a raconté[1] l'angoisse de l'unité qui ne peut dormir, parce qu'elle attend l'explosion ; aussi son soulagement indicible d'être relevée par des camarades avant la catastrophe. Ces mines souterraines n'ont jamais permis de rectifier durablement une position. Mais leur effet psychologique sur les poilus était accablant.

Pour « maintenir l'esprit offensif », le commandement s'employait à rectifier à son avantage la ligne du front, grâce aux explosions de mines, particulièrement fréquentes sur la ligne de l'Aisne et en Artois, où les sapeurs n'avaient pas trop de difficulté à creuser les « fourneaux » dans un sol ni trop dur, ni trop mou. Les ouvrages défensifs sautaient ainsi sur une longueur de vingt mètres, qui pouvait aller jusqu'à cent mètres. Outre les soldats du génie, les artilleurs installaient dans les tranchées des pièces à courte portée baptisées par les Français *Crapouillot*, un canon de 58 qui pouvait tirer, comme les *minenwerfer* allemands, des torpilles à ailettes. Les « seaux à charbon », charges de 50 kilos de cheddite, étaient redoutés par les poilus pour leurs effets dévastateurs dans les lignes. Mais ils avaient le temps de les éviter car ils étaient bruyants et lents.

Plus redoutables étaient les grenades tirées par les *granatenwerfer*, ou balancées à bout de bras par des manches à bois. Les Français utilisaient au début les modèles sphériques oubliés depuis les guerres de l'Empire. Une instruction signée Joffre le jour de Noël recommandait l'emploi de grenades « lancées avec des moyens de fortune », la fronde par exemple, ou l'arbalète. Les sociétés d'arbalétriers sont nombreuses dans les villes du Nord. Pourquoi ne pourraient-elles pas projeter « des charges montées sur bâtons » jusqu'à quatre-vingts mètres ? Après beaucoup de tâtonnements, les Fran-

1. Roland Dorgelès, *Les Croix de bois*, Paris, Albin Michel, 1919. Voir le chapitre du « Mont Calvaire ».

çais avaient développé la fabrication des fusils à grenade VB, enfin efficaces sur courte distance. La généralisation, de part et d'autre, de ces armes de proximité devait rendre de plus en plus dangereux le séjour à la tranchée. Une offensive locale meurtrière pouvait déboucher à chaque instant.

Les états-majors y travaillaient sans cesse. En décembre 1914, alors que le front s'était stabilisé et que le personnel politique manifestait dans les deux camps un certain flottement sur l'avenir de la guerre, Joffre et Falkenhayn s'ingéniaient à dynamiser leur troupe, en vue de l'engagement de vastes offensives, le dernier à l'Est, vers la Russie, l'autre à l'Ouest, sur la Somme. Les notes de Joffre indiquent à partir du début du mois qu'il se soucie de l'enlèvement du front, à destination du front de l'Est, de nombreuses unités allemandes. Les trains sont comptés par les espions dans les gares de Liège et de Bruxelles, de Lille et de Lens. Plus de cent cinquante trains rien qu'à Liège. La décision de prendre l'offensive en Champagne vers le 15 février a été déjà prise, avec une action secondaire sur la Somme, sans grand flonflon d'artillerie lourde. Hindenburg avait fait quintupler les moyens de l'artillerie de tranchée.

Il convient donc d'aguerrir les soldats dans les lignes, de lutter contre la déprime des tranchées « après deux mois de stagnation relative ». Il faut d'abord pousser l'infanterie à raccourcir les distances qui la séparent des lignes adverses. On estime à cent cinquante mètres la profondeur du no man's land nécessaire au départ des troupes d'assaut.

La nuit les terrassiers sont à l'œuvre, dans les secteurs de l'offensive. Ils ne connaissent pas de repos. On leur demande d'exécuter un bond en avant qui peut être de mille deux cents mètres, pour s'enterrer de nouveau et rallier la nouvelle tranchée aux anciennes par des boyaux. Sur un front de huit kilomètres, un travail considérable doit être entrepris, pour le creusement de douze kilomètres de tranchées nouvelles, en vingt jours au maximum et uniquement de nuit.

Impossible de planter des piquets pour les barbelés, on devra uniquement recourir aux réseaux Brun. Les tirailleurs, le régiment de marche colonial, le 45e régiment d'active de Laon et le 63e colonial, des unités d'élites recomplétées par des renforts venus des dépôts, seront, entre autres, affectées aux mouvements en avant singulièrement dangereux contre la ligne ennemie, pour asseoir solidement cette « position intermédiaire ». On songe à employer des cavaliers démontés, depuis que les spahis ont brillamment participé à une action de la Xe armée de Maistre. Entraînés au combat à la baïonnette, ils se sont si bien comportés qu'on les a engagés comme entraîneurs.

Les attaques ne cessent pas, pour obtenir des corrections de position avant l'offensive. On imagine l'emploi d'un nouveau matériel, pour protéger les hommes de l'avant et leur permettre de détruire les réseaux de fils de fer sans éprouver trop de pertes. Certains généraux sont sceptiques. Roques écrit à Foch le 8 décembre pour lui dire qu'il n'a pas l'intention d'utiliser le canon lance-grappins ni les brouettes blindées, ni la mélinite portée au bout de perches. Il n'a pas confiance dans ces moyens de fortune. Les obus explosifs de 75 doivent suffire. Le général Lefèvre, du corps colonial, se plaint de n'avoir aucune donnée sur ces engins, pas plus que sur les « tringles à pétards », les « boucliers défensifs » dont on promet merveille.

*

Et pourtant les soldats sont lancés tous les jours, quelque part sur le front, en direction des tranchées ennemies, pour avancer les positions ou pour les renforcer en s'emparant des observatoires d'artillerie. Il n'y a pas de répit pour les poilus serrés les uns contre les autres dans les abris glacés de l'hiver, pas même dans les Vosges, où ils enlèvent, le 2 décembre, la Tête de Faux au prix de grandes pertes. La neige qui recouvre les montagnes rend cruelle l'absence des bataillons d'Alpins, engagés sur d'autres fronts.

Les opérations d'enlèvement des hauteurs dominant Senones se poursuivent. Les hommes se font tuer pour s'emparer du Signal de la Mère Henry, du mamelon 521 et du Carrefour des Quatre Sapins. Impossible de se rendre maître de la côte de Grimaude. On pense généralement dans l'armée que les Vosges sont un secteur calme. Il n'en est rien. Le général Putz pourvoit avec vigilance à l'engagement continuel de ses unités, tout en déplorant la faiblesse de ses moyens d'artillerie. Ses soldats n'ont certes pas le temps de s'endormir dans leurs tranchées.

Une attaque partielle lance deux bataillons de la 73e division, le

8 décembre, à l'attaque dans le Bois-le-Prêtre. Il s'agit seulement de rectifier le front. Les pertes sont nombreuses. Une brigade donne l'assaut le même jour à la butte de Vauquois, une autre se fait tuer sur les Eparges. Il s'agit de s'emparer d'un ouvrage sur une crête.

Le 7, les fantassins du 106e, vêtus de pantalons de velours, coiffés de passe-montagne, apprennent que la présence en ligne, fixée à trois fois quatre jours, est remplacée par une cadence de trois fois trois jours. On construit sur la pente des abris de bombardement pour protéger mille hommes. Les sapeurs cheminent sous terre vers les lignes ennemies. On attend des troupes fraîches pour l'assaut.

La nouvelle doctrine de l'état-major est en effet d'utiliser des soldats que le séjour à la tranchée n'a pas ankylosés. Mieux encore : Maunoury recommande d'éviter tout contact entre les troupes d'assaut et les poilus des lignes. On doit leur construire des tranchées spéciales avant l'attaque « pour des raisons morales que vous connaissez aussi bien que moi », écrit-il à un général de corps d'armée le 16 décembre.

Maunoury proteste, le 9 décembre, contre ces attaques mal préparées qui causent de grands dommages dans la troupe. Le 12 novembre, devant les tranchées du plateau de Nouvron, dans l'Aisne, son infanterie s'est fait tuer devant des réseaux de barbelés non détruits. Le génie n'a pas réussi à faire sauter les réseaux avec ses charges de pétards. Le général demande à Joffre des nouvelles de ces « bombes à chariots » qu'il lui a promises. Il n'a rien vu venir.

Les soldats ont réussi à franchir l'obstacle, mais ils ont été décimés par les défenseurs des tranchées. Celles-ci « comportaient un toit qui ne recouvrait qu'une moitié de l'excavation ». Les fantassins n'ont pas pu sauter dans la tranchée, ils se sont fait tuer sur place. A l'évidence, le renseignement sur les défenses allemandes faisait défaut et la préparation d'artillerie était insuffisante. On ignorait l'existence d'ouvrages de flanquement pour les mitrailleuses [1].

Maunoury n'est pas satisfait de l'état-major et il l'écrit. On aventure les soldats dans des attaques impossibles. Il ne croit pas aux

1. Rapport de Maunoury au 5e groupe de D.R. du 9 décembre 1914. AFGG T2 Annexes 1, p. 406

chariots-bombes dont les hommes ignorent le maniement. C'est un moyen trop aléatoire pour baser une attaque. Il vaut mieux renoncer à perdre des hommes tant que l'artillerie n'est pas en mesure d'effectuer des destructions sérieuses. Les mitrailleuses de flanquement doivent être impérativement détruites avant l'assaut sous peine de lourdes pertes. Elles sont responsables de l'échec sanglant de l'attaque sur le plateau du Nouvron. Les photographies aériennes ne donnent que des indications vagues. Il faut repérer davantage le terrain, utiliser les longues perches chargées d'explosifs contre les barbelés, à condition que les sapeurs opèrent la mise en place dans le plus grand silence.

Les Allemands ont l'avantage de disposer d'abris nombreux qui les protègent jusqu'au moment de l'attaque. Ils ne laissent aux tranchées que des guetteurs. L'assaut doit les surprendre, sous peine d'échouer à coup sûr. Pas d'action lente, par compagnies successives, une attaque massive et parfaitement préparée. Franchet d'Esperey donne le même son de cloche : « Les offensives locales, écrit-il à Joffre, ne sont susceptibles d'être menées à bonne fin que si vous voulez bien me faire envoyer les moyens nécessaires pour rompre les réseaux de fils de fer barbelés que l'ennemi n'a cessé de perfectionner. » Comment satisfaire à ces demandes, alors que les engins manquent, et plus encore les sapeurs du génie, décimés les premiers dans les assauts. Ils sont, dit Foch, en nombre trop restreint à nos armées. « On est obligé de leur imposer des fatigues et des pertes qui risquent de les user rapidement. » Foch lui-même vient d'échouer devant la défense rapprochée de Carency, près de Vimy, dans le Pas-de-Calais : trop de barbelés intacts, de mitrailleuses révélées au dernier moment.

Même échec signalé à la IIe armée : dans la nuit du 17 au 18 décembre, les Bretons du 118e régiment d'infanterie de Quimper ont progressé dans la Somme jusqu'au cimetière de la Boisselle, mais n'ont même pas pu approcher du réseau allemand de barbelés. Les Brestois du 19e ont dû reculer sous le feu violent des mitrailleuses portatives qui surgissaient de partout, en avant d'Orvilliers. Les Allemands ont incendié la paille d'une tranchée prise par les Bretons, les contraignant à une retraite précipitée. Les Normands de Caen, de Lisieux ont été entraînés dans le repli, bien qu'ils aient enlevé quelques tranchées. Les troupes, conclut le chef d'état-major Hellot, qui dresse un rapport sur cette affaire tragique, « ont attaqué avec la plus grande bravoure et ont supporté sans faiblir de lourdes pertes ». Il convient que « les progrès réalisés ne sont malheureusement pas en rapport avec les pertes. Nous avons constaté une fois de plus que lorsque nous réussissons à percer sur un point, nous nous heurtons en arrière à des tranchées de soutien et de flanc très fortement armées de mitrailleuses ». A quoi bon compromettre l'infanterie dans des actions aussi désastreuses, quand on prépare une grande offensive ? Est-ce pour soutenir son moral ?

*

Joffre insiste sur le moral, jusqu'à produire, le 17 décembre, comme s'il était besoin de réveiller les poilus, un ordre du jour claironnant : « L'heure des attaques a sonné... Soldats ! La France compte plus que jamais sur votre cœur, sur votre énergie, votre volonté de vaincre à tout prix. » Le général Gérard, promis à un bel avenir et déjà commandant de corps d'armée, croit nécessaire de signer une instruction « personnelle et secrète » à l'intention de ses officiers [1] pour leur demander de « redoubler de mordant ». Les offensives doivent permettre de reprendre « l'ascendant moral ».

Sans doute faut-il veiller à améliorer les tranchées : est-il tolérable qu'on les néglige ? « Il suffit d'exiger l'exécution des ordres. » La « période active » recommence. Commençons par supprimer les relèves normales. « Il ne saurait être question de repos dans les cantonnements : tout le monde doit être prêt à combattre. » Par tous les moyens, « quelles que soient les fatigues, il faut faire appel au cœur des soldats, les faire vibrer ». Qu'on ne vienne pas lui dire « que la vie est pénible en forêt, que les hommes sont fatigués, que la troupe n'en peut plus, que toute offensive est vouée à l'insuccès ». Le général est prêt à sévir à la moindre défaillance : « Si des exemples sont nécessaires, nous les ferons à regret mais nous les ferons sans faiblesse, comme nous l'avons déjà fait sur la Marne. » Il compte sur la « solidarité la plus entière » de ses généraux pour que ces consignes pénètrent « dans le cerveau et dans le cœur de tous ».

A Beaume, dans l'Aisne, le général Marjoulet se plaint de ses

1. Rapport de Maunoury au 5e groupe de D.R., *op. cit.*, p. 582.

soldats, Bordelais ou Libournais d'origine. Il veut leur faire enlever trois postes de la ligne ennemie qui lui paraissaient faiblement occupées, simplement pour « redresser le front » : les Allemands « sont prévenus par une sonnerie dans laquelle un de nos hommes butte ». Les postes sont enlevés et occupés au prix de pertes sensibles, mais le bombardement allemand commence, empêchant les Bordelais du 144e de se retrancher dans la position conquise. Les *feldgrau* débouchent, baïonnette au canon. Un corps à corps s'engage. Une compagnie est anéantie.

Marjoulet se plaint « du peu de mordant des troupes de la contre-attaque » et des fautes du commandement. Il se résigne au repli. Le combat a duré, sans discontinuer, de 9 h 30 à 16 h 45 en avant des lignes. Les pertes sont importantes, les soldats découragés. Le général Pierron, le colonel Ruguenot sont rendus responsables. Ils ont agi « mollement et tardivement ». Quant aux « exécutants », « ils ont payé cher, comme toujours, une progression trop lente. Il y a eu là des fautes, que je me réserve de relever ».

Joffre à son tour s'inquiète. Sans doute les hommes des tranchées sont-ils las de la guerre mais que dire du moral des nouveaux venus ? Ceux de la classe 1914 sont déjà en partie morts au front. Les jeunes avaient occupé les vides en décembre. Des bleus maigres, fluets, avec des visages d'enfants. Ceux de la classe 15 sont déjà à l'instruction. Joffre reçoit une note, le 20 décembre, qui le met en garde contre la formation défaillante de ces recrues de la classe 14. Ils sont trop lents au tir, ignorent l'escrime à la baïonnette, sont maladroits à la pioche et à la bêche. Ils ne savent pas plus poser les réseaux de fils de fer que les détruire. A peine saluent-ils les officiers. On leur a seulement appris à marcher sac au dos.

Joffre tempête. Il ne faut affecter aux dépôts, prescrit-il, où est dispensée l'instruction, que des blessés ou convalescents ayant connu le feu, éviter de nommer trop vite les appelés caporaux pour qu'ils n'aient pas à commander des poilus en tranchées depuis trois mois. Il est essentiel de dégager les cadres pléthoriques, ces planqués qui font jaser. Ceux qui forment les recrues doivent développer « une très forte éducation morale, les qualités de ténacité et de patience » qu'exige le combat moderne. On doit les avertir des épreuves qui les attendent, mais aussi leur expliquer « les causes de la guerre ». Il faut aussi les maintenir en bonne condition physique malgré l'hiver rigoureux, leur apprendre à tirer bas sur l'ennemi, et non pas trop haut comme leurs anciens, à se servir de leur pelle, instrument de sécurité, à se garer avec soin de la vue des avions.

On compte sur eux pour la relève, après les lourdes pertes de 1914. L'état-major cherche partout des hommes, vieux ou jeunes. Pourquoi ne pas engager les territoriaux dans le combat ? A quarante ans et plus, ils tiendraient aussi bien la tranchée que leurs cadets. Qu'on verse les plus jeunes d'entre eux dans l'infanterie, après les avoir instruits. Maunoury est de cet avis : il faut retirer des tranchées « les fractions les plus mordantes, qui seront chargées de mener les attaques ». Les territoriaux n'ont-ils pas « les mêmes sentiments de patriotisme et d'honneur » que les hommes de trente ans ? Qu'on les mette en première ligne, sans hésiter ! Leurs chefs recevront un « dressage » suffisant pour conduire les sections dans les tranchées. On peut les remplacer avantageusement, s'ils s'avèrent incapables, par des gradés choisis « parmi les bons sous-officiers et très bons caporaux ». La promotion doit se faire au feu, la formation en vingt jours au plus.

Pourquoi ne pas détacher des effectifs des tranchées les hommes les plus robustes, pour les entraîner de nouveau au combat offensif ? C'est l'avis de Berthelot. L'armée ne doit pas s'enliser. Que l'on mette les territoriaux en ligne, à condition d'en retirer immédiatement des bataillons disponibles pour l'instruction au combat et au service de campagne « toujours prêts à exécuter des attaques partielles ». Le commandement ne souhaite pas que l'armée hiverne et refasse ses plaies tranquillement dans les tranchées. Que les plus jeunes soient levés et engagés immédiatement dans la reprise des combats. Qu'ils apprennent à percer, comme les anciens de la Marne, des lignes devenues imprenables.

*

Car les généraux français ne rêvent que d'une reprise d'une offensive, craignant que la passivité des tranchées ne détruise à la longue le ressort de la guerre. Les échecs répétés éprouvés dans les lignes n'affaiblissent pas leur détermination. Les poilus pourraient croire au retour au calme, dans le Nord, après l'échec des Allemands et leur retrait progressif.

L'état-major pense au contraire qu'il faut attaquer sans relâche un front qui commence à se dégarnir. A Nieuport, le 15 décembre, les fusiliers marins se font tuer comme à Dixmude. Le général Hély d'Oissel, qui les commande, rapporte que les survivants des deux compagnies sont rares. Tous les officiers sont morts. « Je ne peux demander un nouvel effort à la brigade », dit-il. Dans la Flandre inondée, les tranchées s'effondrent au moindre bombardement. Les mitrailleuses s'enrayent, les armes sont ensablées. Impossible de s'abriter dans le village de Saint-Georges, près de Furnes : pas de caves et les tranchées sont remplies d'eau.

En face, les Allemands disposent de tranchées munies de boucliers et d'abris très sûrs, blindés ou étayés par des traverses et des rails. Les attaques menées le long de l'Yser ont été très dures. On a dû évacuer pour maladie, pieds gelés et fluxions de poitrine de nombreux jeunes soldats qui ne supportaient pas le froid d'hiver. Les cavaliers de la 4e division, peu habitués au port du sac et engagés dans les dunes de Nieuport, ont pataugé des heures dans les marécages avant de franchir les ponts, par petits paquets, arrosés par la mitraille ennemie. Impossible d'avancer sur ce terrain détrempé.

Même réaction des troupes du général de Cadoudal, chargées d'attaquer le 21 décembre dans la région de la chapelle de Notre-Dame-de-Lorette. Les sources des pentes inondent constamment les tranchées, qui, dans cette partie du front, regorgent d'eau. « Malgré les gradins de franchissement aménagés, il était extrêmement difficile aux fantassins d'en sortir. On était obligé de les soulever un à un pour les porter sur la plongée. »

Une plongée vers la mort subite : « Bon nombre d'entre eux, écrit Maistre, retombaient frappés dans les bras de leurs camarades, sans d'ailleurs que la perspective d'un sort semblable (Dieu soit loué, pense le général) fût capable de rebuter les suivants. » Pour progresser sous la grêle des balles, « les hommes enfonçaient jusqu'au genou dans un bourbier. Il leur était impossible de faire des bonds ou de se coucher. Plus de fusils : des culasses embourbées ». Il ne restait au combattant que la baïonnette pour affronter l'ennemi. « Les hommes que j'ai vus ce matin rentrer des tranchées après relève, ajoute Maistre, n'étaient que des paquets de boue. » Il signale que les fantassins, avant l'heure de l'attaque, étaient déjà épuisés et démoralisés pour « avoir passé deux jours et deux nuits dans des tranchées pleines d'eau ».

Les attaques françaises se terminent toujours dans les mêmes conditions : le 78e régiment recruté à Guéret dans la Creuse se fait massacrer dans l'Argonne par des mitrailleuses de flanquement, le 21 décembre. Le même jour dans l'Oise, près de Nampcel, l'attaque de l'infanterie coloniale échoue : 600 hommes sont hors de combat sur 4 000. La plupart des officiers sont morts. Une seule compagnie a perdu 60 hommes sous l'effet des grenades à main, de mieux en mieux utilisées par les Allemands.

Le 59e d'infanterie de Foix perdait beaucoup de monde sur le front de la Marne, devant Tahure. Le long de la ligne du front mouraient dans des combats de détail des soldats levés dans toutes les provinces. A Carency, dans le Pas-de-Calais, tomberaient à l'assaut, 400 chasseurs de Grenoble et de Brienne « par un feu très meurtrier des mitrailleuses ennemies », expliquait Pétain, chef du 33e corps d'armée. « Ces bataillons, rend compte le général de Maud'huy, ont été dépensés prématurément dans l'attaque. » Qui est responsable ? Où est l'enquête qui permettrait de démasquer les imprudents ? On n'en trouve pas trace aux archives.

On comprend pourquoi Joffre ne voulait tolérer le moindre symptôme de régression du moral au moment de Noël. Les coups de main effectués dans les secteurs de pointe étaient destinés à éprouver la résistance des lignes ennemies avant la grande offensive prévue pour février 1915, mais surtout à habituer le commandement et la troupe à la reprise de la guerre. Les tranchées avaient été pour les hommes un refuge qui les avait non seulement immobilisés mais démobilisés, au point qu'on songeait à les remplacer par des territoriaux, à les reprendre en main pour les lancer dans les assauts aux côtés des nouvelles classes instruites, car seuls les soldats jeunes et bien portants pouvaient franchir au pas de course les cent mètres meurtriers qui séparaient les parallèles de départ des lignes ennemies. Par la logique de la guerre, les nouvelles classes étaient ainsi promises en priorité à l'holocauste.

*

Mais les anciens, ceux qui avaient survécu à Charleroi, au Grand-Couronné, à Guise, à la Marne, à Dixmude, ceux qui croupissaient dans le sable mou des dunes, dans la glaise de l'Argonne, dans la craie détrempée de Champagne ? Ces poilus dont on regrettait l'immobilité trop longue et peut-être le découragement étaient-ils prêts à repartir à l'assaut, alors qu'ils n'avaient encore reçu le bénéfice d'aucune permission vers l'arrière ?

Etait-il question de congés de guerre, alors qu'on accélérait les tours de présence en première ligne pour dégager des hommes destinés à l'instruction ? Il était en effet nécessaire de recycler le poilu, de l'entraîner à la guerre de forteresse. Le génie devait recruter des sapeurs, apprendre le maniement des armes nouvelles destinées à briser les redoutables réseaux de barbelés, à se familiariser avec les perches porte-mines, à lancer les charges par les canons à crochets, à véhiculer les brouettes blindées jusqu'en première ligne.

Les grenadiers devaient recevoir les nouveaux modèles de grenades, les mitrailleurs apprendre les finesses du tir sur les piquets de fils de fer, les patrouilleurs à ramper sans bruit vers les lignes ennemies pour repérer les ouvrages de flanquement, les officiers de la territoriale répartir les tâches pour creuser les tranchées les plus solides et les plus rationnelles, et multiplier les « places d'armes » permettant aux troupes d'assaut d'attendre l'heure H à l'abri des obus.

Les hommes devaient encore régler avec soin la synchronisation dans l'attaque avec l'artillerie de barrage, les sapeurs multipliant les approches du glacis ennemi, les engins de tranchée balançant à courte distance d'énormes charges. Le tour nouveau pris par la guerre exigeait un apprentissage du combat, auquel les officiers devaient se soumettre les premiers. Il n'était plus temps de réserver aux élèves des écoles de guerre les grades disponibles dans les bataillons. Les sous-officiers étaient presque tous des réservistes sortis du rang, de milieu urbain pour la plupart, et l'on commençait à nommer les instituteurs lieutenants et capitaines. L'armée avait d'abord besoin de capacités. Que les plus aptes soient gradés sur le tambour !

L'hiver de 1914-1915 est, pour le poilu, celui du découragement, pas encore de la résignation comme l'explique Louis Mairet, tombé à Craonne en avril 1917[1]. Dans les tranchées, on se pose alors des

1. *Carnet d'un combattant*, *op. cit.*, p. 172.

questions sur le sens de la guerre, sur sa durée, sur sa nécessité. Dans les rangs allemands comme dans ceux d'en face.

Les hommes qui sculptent des pipes en bois ou des bijoux de cuivre dans les douilles d'obus, ceux qui attendent avec impatience le courrier de l'arrière qui parvient désormais plus régulièrement en ligne se posent encore des questions. Pour beaucoup, les Allemands souffrent encore davantage. Ils sont des soldats comme eux. Henry Pouverau, un survivant du régiment de Péguy, en tranchée près de Pernant sur la ligne de l'Aisne, est le témoin de fraternisations discrètes : « Ils lient conversation avec nous. Leurs sentinelles se profilent, inquiètes, sur la berge nue. » On craint un coup de feu égaré qui justifierait la fusillade, une salve des artilleurs. On se loue du silence des lignes au petit matin, quand on a redouté toute la nuit le froissement de l'herbe par quelque vache égarée, qui fait croire à la proximité d'une patrouille, ou l'attaque de la tranchée par surprise. On se réjouit du lever du soleil qui balaie les angoisses, chez l'ennemi comme chez nous[1]. On s'habitue à la présence de l'adversaire dans les secteurs où il est très proche. On ne se sert pas des fusils. On respecte les corvées d'eau ou de bois, les séjours aux tinettes. Pas de haine pour le Boche : elle s'émousse au front.

Le capitaine Raimbault, militaire de carrière au régiment de Bourges, en tranchée dans la forêt d'Apremont, s'ennuie fermement. Au 1er novembre 1914, jour de Toussaint triste, il regarde les moignons informes des arbres, et le soleil resplendissant dans la plaine. Nostalgie du temps de paix ? Il s'en défend. Faire la guerre est pour lui un devoir. Mais il n'a pas plus la haine de l'adversaire que ses soldats. Il constate que « les Boches qui sont en face n'ont qu'une idée, c'est qu'on les laisse tranquilles ».

Pendant la nuit de Noël 1915, les gens de l'autre tranchée — des Bavarois catholiques — n'ont pas tiré un seul coup de fusil. « Pour un instant, commente ce bon chrétien, le Dieu des bonnes volontés était redevenu le maître de ce coin de terre. » Humanité de l'adversaire, soulignée par l'officier. Un « petit fourrier » est tombé au cours d'un assaut. Un prisonnier allemand se précipite pour le sauver. Il l'ausculte. Trop tard, il est mort. « Alors il enlève son calot, fait le signe de la croix et reste un instant en prière. »

1. Henri Bouverau, *op. cit.*, p. 52.

Comment s'entre-tuer entre catholiques ? Le pape n'a-t-il pas raison ? L'officier berrichon ne va pas jusque-là. Il est aux ordres de la patrie, tout comme le prisonnier bavarois. Il ira jusqu'au bout de son devoir. Mais il lui arrive de douter, ou d'espérer, comme le très catholique commandant de Ligonnès qui se laisse aller à rêver, au premier jour de 1915 : c'est peut-être l'année de la fin de la guerre.

Le vague à l'âme de la période des fêtes est ponctué des ordres d'attaque incessants dans certains secteurs, qui déconcertent le soldat. Ainsi on se prépare pour de nouvelles tueries. Que ne reste-t-on tranquille dans les tranchées, à attendre que les Cosaques aient sabré les *feldgrau* dans les plaines glacées de Russie ?

Les généraux aussi sont quelquefois angoissés. Nommé brigadier, puis chargé de l'intérim de la 5e division de cavalerie, Louis Allenou, officier de carrière, ancien colonel au 18e dragons de Tarbes, plaint ses hommes de descendre aux tranchées de sable des Flandres. Ils ont perdu leur moral de cavaliers dans les attaques inutiles où les ont lancés l'état-major[1]. « Le temps, dit-il, commence à nous sembler long depuis notre repos » (après la bataille des Flandres, très éprouvante pour la cavalerie). « Maintenant le front est immobilisé sur 800 kilomètres, et pour des mois et des années. »

Quand il apprend le « grand succès » des Russes à Lodz le 28 novembre, il se demande pourquoi Joffre ne tente pas de pousser de nouveau les armées. Mais les attaques menées dans les Flandres n'aboutissent pas. « Cette guerre derrière les tranchées est odieuse. » Les cavaliers s'y ennuient, rêvent de permissions. Il n'en est pas question et Joffre a rappelé sévèrement à l'ordre les officiers qui faisaient venir leurs femmes à l'arrière du front. Le général Allenou énumère les parents et amis tués au combat. Il évoque le moral de l'arrière, pas brillant à Tarbes où les annonces de décès des soldats pleuvent sinistrement. Il déplore qu'on ne lui fournisse pas de bêches en assez grand nombre pour perfectionner les défenses : une pour quatre cavaliers. La guerre lui semble traîner en longueur, sans qu'on en voie l'issue.

Il faut croire que les chefs tiennent à relever le moral affaibli

1. Récit dactylographié confié à l'auteur par Mme Pierre-Paul Naveau, petite-fille du général.

des troupes, car ils rapportent des anecdotes stimulantes et significatives. Le général de Maud'huy cite à la popote des chefs une lettre censurée où un artilleur affirmait que « les zouaves en avaient assez ». Il le fit savoir aux intéressés qui, aussitôt, ont cherché à « faire un mauvais sort au coupable ». Depuis lors, affirmait le général, « les zouaves sont enragés et brûlent de se battre ». Louis Allenou n'est pas sûr que les troupes employées à l'attaque inutile et mal préparée de Nieuport aient gardé leur moral. Il approuve le général Buyer qui a dit en face à Mitry, initiateur de l'affaire : « Je suis responsable de la vie de mes hommes et je ne les ferai pas tuer sans utilité. » Il critique l'opération du village de Saint-Georges, qui ne pouvait mener à rien. Il campe Joffre, dont *Le Figaro* écrit pourtant que la mère de ce franc-maçon était du tertiaire de Saint-François et qu'il se serait lui-même converti, en un personnage lourd et pesant « qui n'a rien d'entraînant ». Il souhaite qu'il réussisse, mais il a peine à le croire.

*

Si les généraux ont des doutes, que peuvent penser les soldats ? Le fantassin René, du 309e de Chaumont, est en tranchée dans les bois des Vosges, sous la neige et dans la boue. Il ne se plaint pas de sa condition, enviable par rapport aux camarades appelés dans le Nord. Mais ses camarades trouvent la guerre longue. « Il paraît, dit-il le 27 novembre, que nous ne sommes qu'au commencement, cela devient désespérant. » Le temps gris lui donne de la mélancolie, il s'ennuie, lit les journaux pour se ternir informé de la guerre, mais constate qu'on lui « bourre le crâne ». Aussi rédige-t-il avec ses camarades un journal de tranchée, *L'Echo des marmites*.

Au début de décembre 1914, il croit encore être de retour à Paris pour la fin mars. Un camarade de Clichy l'assure qu'il y a des troubles à l'arrière et que « certains manifestent leur impatience ». Dans les lettres reçues — très irrégulièrement — au front, les familles affirment qu'elles en ont « plein le dos ». Il s'indigne quand un poilu lit une lettre où on lui annonce l'arrivée des Canadiens sur le front à l'automne prochain, comme si la guerre devait durer jusque-là.

Ces lettres sont l'oxygène du poilu, le seul lien qui subsiste avec les familles. Elles sont délivrées avec des retards qui peuvent être d'un mois, en général de dix jours. Le commandement se rend compte que l'irrégularité du courrier est déplorable pour le moral. Une réforme des postes aux armées est entreprise à la fin de 1914. On recrute en grand nombre du personnel pour le tri, des femmes, des étudiants comme le jeune Gaston Bachelard. Car le courrier est entièrement trié à Paris et réparti au front par le système des secteurs postaux numérotés. Les délais deviennent raisonnables : trois jours pour une lettre venant du Midi. Sur la longueur de la ligne du front, les vaguemestres sont attendus avec impatience. Ils repartent avec des sacs de lettres et de cartes postales rédigées par les poilus, aujourd'hui précieux témoignages de leur vie au front. On peut ainsi se faire une idée, par le courrier et surtout par les journaux quotidiens écrits par les soldats, non touchés par la censure, de leur état d'esprit.

Fin décembre, le bataillon du fantassin René est au comble de l'impatience. On espère encore, le 1er janvier, la fin de la guerre pour l'année, mais sans y croire. La paix pour Pâques ? « Notre caractère, écrit-il le 28 décembre, a bien changé. On s'habitue maintenant à tout et on attend. » Environné de hiboux, de corbeaux, de chouettes et de sangliers, le soldat René perd patience quand il entend le curé du village annoncer la paix pour juillet. Qu'en sait-il ?

Le hussard Coudray ne décolère pas. La prolongation de la guerre lui pèse, mais plus encore le mépris des états-majors pour les hommes. On sous-estime gravement leur esprit critique quand on répand au front le *Bulletin des Armées de la République*, quinze pages d'un « joujou à l'usage des soldats », plein d'erreurs et de vent, « souffleur de gloire ».

On se moque d'eux en les alignant à l'aube, quatre jours de suite, sur les parallèles de départ d'une attaque, indéfiniment remise. Les chasseurs alpins d'Annecy n'apprécient pas ces contrordres, ils n'aiment pas qu'on joue avec leurs nerfs. On les utilise comme du matériel humain, quand on les promène d'un bout à l'autre du front, sans jamais leur dire la raison de ces déplacements. « J'ai toujours aimé, dit Coudray, savoir dans l'armée mon nom, où j'allais, et ce à quoi j'étais destiné. » Après les Flandres et l'Artois, le 11e bataillon de chasseurs est de retour dans les Vosges, avant un nouveau départ. Il reproche au général Putz, « avec sa moustache à la gauloise », de se complaire à passer en revue les poilus en compagnie de Poincaré, « qui ne badine pas avec le devoir des autres ».

Les combattants venus des départements du Midi sont-ils plus découragés que leurs camarades de l'Est ou du Nord, plus impatients d'en finir ? La masse des témoignages atteste leur lassitude. A l'heure du premier bilan, celui de décembre 1914-janvier 1915[1], la griserie de la victoire de la Marne est déjà loin. Il est clair que les Allemands ont réussi à fixer le front, englobant dans leur large part dix départements français, et qu'on ne fait rien pour les déloger, faute de moyens. Les manifestations d'enthousiasme sont forcément plus rares dans les lettres écrites parfois au crayon, sur les caisses des tranchées. « Voilà six mois de campagne écoulés, écrit Georges Ripoull, qui nous ont permis de chasser en partie les Boches de notre territoire. Il manque encore une poussée. Il faut la donner et alors nous arriverons à notre but que nous poursuivons. »

Résigné mais patriote, le combattant du Sud-Ouest[2]. Un autre, après « trois mois que les habitations sous terre nous sont familières », estime « qu'il nous faudra encore un hiver pour venir à bout des Allemands », dans l'hypothèse la plus pessimiste. On croit encore que la victoire est proche, dans la poussée de la Marne, qui reprendra dès qu'on aura tourné les obus nécessaires, et que les Russes auront usé la force de résistance allemande à l'Est. « Soyez patients », écrit Firmin Bouille à ses parents. C'est lui qui les rassure, qui annonce le « beau jour » de la victoire. Y croit-il lui-même ?

Le fatalisme et la résignation semblent être le lot du plus grand nombre. Il faut faire la part des cas individuels de défaillance et de cafard. Un Louis Caillavès écrit des Vosges, où il s'ennuie : « Il faut le prendre comme c'est, puisque nous ne sommes pas les maîtres... Je crois bien qu'il faudra que Guillaume avec le Président s'empoignent par les cheveux, faute d'hommes. » Dans la plupart des lettres, on relit l'éternelle question : à quand la fin ? Un capi-

1. Voir le très intéressant ouvrage, intelligente exploitation d'un important volume de courrier de Gérard Baconnier, André Minet et Louis Soler : *La Plume au fusil : les poilus du Midi à travers leur correspondance*, Toulouse, Privat, 1985.

2. *Ibid.*, p. 133 et suiv.

taine s'indigne : « Chez tous nos soldats, zouaves, artilleurs, territoriaux, on trouve une résignation dont je n'aurais pas cru capable l'ouvrier français ; ils vous disent avec conviction que les plus heureux sont ceux qui ont été tués au début de la guerre, ce qui n'empêche qu'ils désirent conserver leur peau, maintenant qu'ils ont supporté les souffrances d'une année de campagne, mais ils se soumettent sans protester à l'inévitable. » L'armée des Vosges se démoralise. Le général Dubail est envoyé par Joffre en inspection. Ce vieil officier s'indigne, assistant à la rentrée d'un bataillon, tambour battant, dans Belfort, « que les compagnies de queue conservent à peine la cadence ». La baisse du moral est compréhensible : à la 115e brigade, au Sudelkopf, il n'y avait d'abris dans les lignes que pour une compagnie et non pour cinq. Les hommes restaient exposés aux intempéries sans aucune protection, sans qu'on songeât à construire des abris immédiats dans les bois. La dépression physique des soldats touchait même les cadres. Le général Dubail ne reconnaît pas « la fière allure de la 14e division d'autrefois ». Pour sûr, elle vient d'hiverner dans la montagne, ayant perdu les meilleurs des siens.

*

Si les hommes s'habituent aux tranchées, c'est qu'ils comprennent que la vigilance en secteur permet de survivre, d'arrêter l'ennemi aux moindres frais. Mais ils ne veulent pas qu'on les critique sur leurs tenues ou sur le relâchement de la discipline au repos. Le front n'est pas une ligne perdue dans le désert des bois. Si les soldats sont coupés de leur famille et de la France de l'intérieur, le front n'est pas une file ininterrompue et immobile de combattants sans cesse enfouis dans la glaise. Les bataillons occupent en alternance les tranchées, puis les positions de réserve, enfin les cantonnements de repos.

S'ils acceptent de mauvaise grâce les « reprises en main » souvent tracassières des sous-officiers, les marches et exercices qui doivent leur permettre de rentrer en campagne, certains d'entre eux saisissent au vol les moyens de quitter le front pour s'inscrire à l'instruction des armes spéciales, pour participer à un stage de sous-officiers, pour changer d'arme comme Roland Dorgelès, mitrailleur au front dans l'infanterie et bientôt volontaire pour l'aviation.

Le front lui-même reste habité de civils peu désireux d'abandonner les fermes et les villages. Les cantonnements sont souvent à proximité d'une ville où les poilus peuvent se distraire. Genevoix va se faire raser par un barbier de Verdun, où il prend, avec ses camarades, un plantureux repas dans le seul bon restaurant de la ville. Ceux de l'armée d'Alsace fréquentent les beuglants de Belfort, où les filles sont nombreuses.

La vision de l'arrière immédiat n'est pas toujours réjouissante. Honoré Coudray s'indigne de ce qu'il découvre à Gérardmer. Cette oasis de luxe est devenue l'un des grands centres de ravitaillement de l'armée, « le rendez-vous de tous les dandys embusqués, depuis le secrétaire du secrétaire jusqu'à l'infirmière-major, en passant par toutes les nuances et dignités d'état-major mâles et femelles. Et tout ce monde-là s'en donne à cœur joie, vit largement, à grandes guides ». Scandale pour le poilu que ces commerçants qui tirent profit de tout, qui « plument sur le seuil de la porte » le troupier naïf. Scandale, dans le Pas-de-Calais, que la ville d'Aire-sur-la-Lys qui « regorge d'embusqués ». Après quelques beuveries, et la rencontre furtive des femmes de l'arrière, les poilus regagnent le cantonnement la tristesse au cœur, sûrs d'être incompris ou exploités. La camaraderie du front se nourrit de ce sentiment de solitude partagée, d'isolement dans la guerre de l'homme primitif, qui doit de nouveau affronter les rats et les poux.

Lucidité du poilu. Il ne faut plus le bercer d'illusions, ni l'abreuver de bobards. Il rejette déjà avec force les nouvelles qui viennent de l'arrière, avec beaucoup de retard. Quand le soldat René lit dans les journaux du cantonnement que les Russes ont remporté de grandes victoires, il hausse les épaules : deux semaines plus tard, il faut convenir qu'il n'en est rien. Un camarade bourguignon l'assure le 4 février qu'au recrutement de Dijon « les régiments se sont livrés à certaines manifestations ». On annonce l'arrivée des renforts des dépôts. Ils marcheront comme les autres, se dit-il. Il ne croit pas que les Allemands manquent de tout, qu'ils sont au bord de l'épuisement. Pas davantage qu'ils aient offert la paix. Il ne fait pas le tri des bobards et des informations sûres. Il n'en a pas les moyens.

Peut-il dire ce qu'il pense ? Il l'exprime dans ces journaux quotidiennement rédigés dans les cagnas et les abris. Moins dans les lettres : « Nous rédigeons pour l'arrière, écrit Gabriel Chevalier[1], une correspondance pleine de mensonges convenus, de mensonges qui "font bien". Nous leur racontons leur guerre, celle qui leur donnera satisfaction, et nous gardons la nôtre secrète. » Ainsi Céline, pour séduire une infirmière américaine éprise d'héroïsme, arborera à l'hôpital sa médaille militaire, gardant secrètement au cœur cette rancœur de la guerre qu'il partageait avec ses camarades.

La solidarité du front englobe les officiers de terrain, aussi boueux que les hommes, tués les premiers aux assauts. Elle exclut les gens d'état-major, les planqués de l'arrière immédiat, même s'ils se rendent quelquefois aux tranchées où ils font aménager des observatoires bien protégés pour les parlementaires et ministres. Même réaction chez les Allemands. Ludwig Renn raconte la visite à son unité d'un général inspecteur. Sa voiture arrive au cantonnement « en ronflant ». Il la quitte pour monter, maladroitement, la sueur au front, sur un gros cheval gris. La compagnie présente un exercice de combat. Mais le cheval du lieutenant s'emballe, poursuit un âne qui tourne autour de son piquet. Dans l'hilarité générale, le maladroit est délivré par un officier de hussards. Singulier spectacle pour un inspecteur prussien. La troupe n'a nullement songé à garder son sérieux devant cet incident ridicule. A quoi bon ? Le lieutenant ignore l'équitation, mais il est des leurs, un homme d'argile et de boue. Le général ne peut pas comprendre cette familiarité du soldat pour ses chefs directs.

La prétention des cadres à vouloir maintenir la discipline extérieure, multiplier au repos les exercices inutiles, accabler les hommes de défilés devant les « huiles » donne au poilu une réputation de râleur, ou de grognard. Pour les généraux patriotes, il « grogne » mais il marche. S'il marche, c'est qu'il n'est pas moins patriote que les chefs, mais qu'il l'est autrement. Il n'a pas les yeux fixés sur la victoire radieuse sur l'Allemagne et la libération de l'Alsace et de la Lorraine. Il garde en souvenir les villages brûlés, les champs abandonnés, les troupeaux à l'encan. Il pense à cette terre française martyrisée, accueillant les corps de tant de cama-

1. Gabriel Chevalier, *La Peur*, p. 262. Cité dans Ducasse, Meyer et Perroux, *Vie et Mort des Français*, Paris, Hachette. 1959.

rades tués qui ne doivent pas être morts pour rien. Il est prêt à répondre présent quand on lui demandera, en février 1915, un « dernier coup de collier » pour chasser l'ennemi de la terre française, et faire cesser la guerre. Ce sentiment fait l'unité du front.

4.
LES HÉCATOMBES DE 1915

Pendant cent jours, en 1915, les poilus des tranchées ne connaissent pas de repos. Ils sont constamment conviés, au coup de sifflet des capitaines, à quitter les parallèles de départ pour se faire tuer devant les lignes ennemies infranchissables.

La première offensive commence en Champagne, avec des attaques secondaires en Artois le 15 février pour se terminer le 18 mars. Elle a seulement pour résultat une avance limitée de deux à trois kilomètres. La deuxième, du 9 mai au 18 juin, porte principalement sur les lignes de l'Artois et se traduit par une progression de quatre kilomètres. La troisième d'automne, de nouveau en Champagne, pousse les hommes sur un front élargi de trente-cinq kilomètres à une petite lieue de leurs parallèles de départ. Enfin la quatrième, synchronisée avec la précédente, du 25 septembre au 11 octobre, aligne les Franco-Britanniques en Artois pour les faire avancer, au prix de lourdes pertes, de deux kilomètres seulement. Vingt-cinq corps d'armée français ont été décimés, épuisés, dans ces opérations successives. Pourquoi cette obstination à lancer des attaques meurtrières qui ont causé 390 000 morts français, anglais, belges et allemands ? Par quel étrange aveuglement l'état-major a-t-il persisté dans l'erreur ?

Il croit pouvoir l'emporter, malgré les lourdes pertes de 1915, parce que Falkenhayn, qui a perdu cinq corps d'armée dans la bataille de l'Yser, est en mesure d'engager quatre nouveaux corps de formation récente, en partie retirés du front de l'Ouest contre l'armée russe. Joffre compte aussi sur le renforcement croissant de l'armée anglaise, qui devrait pouvoir tenir seule le front du Nord.

Le corps expéditionnaire combattant sur la Marne et plus tard dans la bataille des Flandres ne comptait que 230 000 hommes.

Mais lord Kitchener, convaincu que le sort de l'Angleterre se jouait à Calais et à Anvers, levait cinq « armées K » de six divisions chacune et demandait le concours des Dominions. Deux divisions des Indes étaient déjà à pied d'œuvre. Une division canadienne avait pris la mer dès octobre 1914. Les six divisions de l'armée territoriale anglaise étaient mises sur le pied de guerre. On attendait pour janvier 1915 la montée en ligne sur le front français de quinze divisions britanniques pourvues d'artillerie légère et lourde. Cet effectif serait doublé au mois de mai, presque triplé en août. Dès avril 1915, un million trois cent mille Britanniques étaient sous les armes.

Falkenhayn était conscient de l'accroissement progressif de la menace à l'Ouest : les Français n'avaient plus les moyens de créer de nouvelles divisions, les nouvelles classes et les renforts venus des dépôts permettaient à peine de recompléter les régiments décimés. Mais ils pouvaient compter sur les divisions K, et peut-être demain sur l'entrée en guerre de l'Italie, effective en mai.

Dès le début de février, l'armée allemande avait pris l'offensive à l'Est sur le front des lacs Mazures. Cette bataille d'hiver, dans la tempête de neige, avait permis l'anéantissement rapide d'un corps d'armée russe dans la forêt d'Augustovo. Joffre avait prévu cette offensive, et les clauses de l'alliance russe lui faisaient un devoir, à tout le moins, de fixer le plus possible d'effectifs allemands en prenant lui-même l'offensive à l'Ouest. La brutalité de l'opération allemande des lacs Mazures imposait une opération d'urgence. Les Français n'attaqueraient pas le 15 février pour aider à la victoire des Russes, mais en raison de la menace qui planait sur leur armée très mal dotée en artillerie. Le tsar appelait au secours. N'avait-il pas permis à Joffre de gagner en septembre 1914 la bataille de la Marne en attirant sur son front, par des attaques désespérées, des unités allemandes prélevées à l'Ouest ?

La reprise de l'offensive sur le front français est d'autant plus urgente, du point de vue de Joffre, que les gouvernements s'apprêtent à lancer en Orient une expédition contre les Turcs qu'il désapprouve, car elle est de nature à détourner des ports du Nord de gros effectifs anglais. Le premier lord de l'amirauté Winston Churchill a beau jurer que la marine suffit à emporter les Dardanelles,

Kitchener pense déjà à l'engagement inéluctable de l'armée de terre si l'opération est engagée.

Churchill en expose les grandes lignes dès janvier 1915. Il veut mettre au plus tôt Constantinople sous le contrôle des alliés, et permettre à la marine de ravitailler directement les Russes, de les approvisionner en armes. « Il est difficile, dit alors lord Balfour, d'imaginer une expédition qui donne plus d'espoir. » Le projet est adopté par le gouvernement britannique le 28 janvier. Ni Foch ni le général anglais French ne sont consultés. Quant à Kitchener, il se console en disant : « Si le progrès ne répond pas à l'attente, on pourra arrêter l'attaque. » Joffre a dû détacher bien à contrecœur une division de pieds-noirs de son armée Il ne veut pas aller au-delà. Toute unité prélevée sur le front de l'Ouest, au moment où il constitue des réserves pour son offensive, lui semble éloignée en pure perte et il le dit au président de la Républiquc Poincaré, qui le convoque à l'Elysée avec le ministre des Affaires étrangères Aristide Briand.

*

Le milieu politique s'était promis de ne pas peser sur les décisions de l'état-major. Mais le blocage du front en octobre et les lourdes pertes subies pendant les cinq derniers mois de 1914 remuent la France en profondeur, et par suite le Parlement. Le président du Conseil Viviani n'est pas insensible à l'émotion du pays engagé dans une guerre longue. « Je ne crois pas au succès des offensives en cours, dit-il à Poincaré au début de janvier. Notre commandement n'a aucun plan stratégique. »

Briand est le plus sceptique : entré au gouvernement après les premières défaites, le 26 août, il est vice-président du Conseil et garde des Sceaux. Il supplée volontiers Delcassé, ministre des Affaires étrangères prestigieux, mais âgé, et ne partage pas les vues du ministre de la Guerre Millerand, toujours du parti de Joffre. Contre l'avis du généralissime, Briand veut défendre Paris à tout prix et stimule Gallieni, intervenant ainsi pour la première fois dans la conduite de la guerre, alors que la politique de Poincaré et de Millerand est de s'en remettre entièrement à l'état-major, seul en mesure d'apprécier la situation dans son ensemble.

Quand le gouvernement rentre à Bordeaux en décembre, Briand

a suivi de près les premiers échecs des attaques lancées contre les lignes allemandes enterrées. Il a osé s'opposer à Joffre et sauver la tête du général de Langle de Cary, accusé à l'état-major de Romilly d'être responsable des échecs. Briand se montre partisan, dès janvier 1915, soutenu par son ami Viviani, de préparer avec les Britanniques un corps expéditionnaire se portant au secours de la Serbie pour créer un second front dans les Balkans. Il n'est pas alors question des Dardanelles.

Cette thèse du front d'Orient avait été défendue pour la première fois par le général Franchet d'Esperey, commandant de la Ve armée, dès octobre 1914. Ce général, pied-noir d'origine, ancien des guerres du Maroc, avait montré son efficacité à la bataille de la Marne. Par l'intermédiaire de son ex-officier d'ordonnance, le député-soldat Paul Bénazet, il avait pu remettre à Poincaré un long mémoire sur une intervention dans les Balkans. Il rejoignait sans le savoir le point de vue de Gallieni, qui conseillait à Briand une « diversion » sur Salonique. Ainsi un groupe de pression pour la guerre en Orient se rassemblait à Paris derrière Briand qu'une visite au champ de bataille couvert de morts de la Marne avait ému au point qu'il osait formuler des doutes sur la politique de guerre de Joffre. Il ne croyait pas à la percée immédiate du front allemand.

Le 7 janvier, à la réunion organisée par Poincaré où Joffre avait été convié, Briand devait se heurter à l'obstination du général en chef, alors au sommet de sa gloire, et qui refusait de détourner un seul bataillon des lignes d'assaut. Il attendait avec impatience, disait-il, le renfort des divisions britanniques pour attaquer en Champagne. Il écumait les dépôts pour rassembler une armée de réserve. Il ne voulait pas entendre parler de Salonique, encore moins des Dardanelles. Car si les Anglais, hypocritement, prétendaient en forçant les Détroits aider l'allié russe, en fait ils l'excluaient de Constantinople, ce qui risquait de nuire à la bonne entente des Français avec le tsar.

Churchill voulait les Dardanelles, et non Salonique : le 23 janvier, le ministre françâis de la Marine Augagneur avait annoncé au Conseil la proposition d'action commune, de la part de la marine anglaise, dont il avait été saisi le 19. Très sceptique, le ministre avait dû s'incliner devant la résolution du cabinet Viviani-Briand, bien décidé à ne pas lâcher l'Angleterre, même s'il aurait préféré un débarquement à Salonique. Lloyd George, chancelier de l'Echiquier, était venu lui-même à Paris, le 2 février, pour envisager, avec Poincaré, Briand et Ribot — contre Millerand qui soutenait obstinément Joffre — l'envoi de deux corps d'armée en Grèce pour « immobiliser la Bulgarie ». Le gouvernement britannique se serait rallié à cette hypothèse. Il fallait à tout prix soutenir le front russe. Mais, le 13 février, Delcassé avait démontré que l'on n'obtiendrait pas l'accord des Grecs.

Les Anglais découragés s'étaient reportés sur les Dardanelles, et Churchill n'avait pas eu beaucoup d'efforts à faire pour convaincre Kitchener que l'attaque des Turcs sur le canal de Suez, au début de janvier, avait ébranlé. Ainsi fut prise, contre Joffre, la décision d'expédier une division française à Moudros, en renfort d'une armée anglaise qui devait débarquer aux Dardanelles : 50 000 hommes de l'armée des Indes et l'excellente 29e division britannique, d'abord promise au front français. A défaut d'obtenir tout de suite un secours pour les Serbes, Briand avait la satisfaction d'avoir fait fléchir le généralissime Joffre dans l'affaire d'Orient. Les Français seraient présents sur le second front britannique.

Pour la première fois depuis le début de la guerre, les politiques avaient imposé une décision à l'état-major de Romilly : si Joffre ne réussissait pas ses offensives, son indépendance serait mise en question. Le milieu politique relevait déjà la tête. Il suffirait que Millerand abandonnât la rue Saint-Dominique pour que le vainqueur de la Marne fût placé en situation difficile, plus encore si un ministre galliéniste ou briandiste venait à remplacer le poincariste Millerand.

Mais le milieu politique, paradoxalement, poussait Joffre en même temps à l'offensive, parce qu'il était lui-même pressé par l'opinion d'en finir avec la guerre et que l'étoile de Joffre, à l'arrière, n'était nullement ternie par les premières tentatives infructueuses de percée du front ennemi. On ignorait les petites attaques meurtrières, les sanglants affrontements de secteurs où étaient engagés les troupes d'élite et, de préférence, les coloniaux. Cette ponction quotidienne des forces vives de l'armée engagées dans des opérations de détail était cachée par la censure. On attendait une reprise de l'offensive qui poussât à son terme l'effort consenti sur la Marne. Millerand incarnait encore, au gouvernement, cette volonté de forcer la victoire, affirmée dans la presse patriote.

*

Tout était mis en œuvre pour convaincre les gens de l'arrière que la guerre contre l'Allemagne était une entreprise collective des alliés, que les Français n'étaient pas seuls. Les publications illustrées montraient les escadrons de Cosaques en route pour les lacs Mazures, et l'impératrice de Russie en infirmière de la Croix-Rouge : plus que jamais l'alliance russe était en vedette.

Mais on privilégiait dans la représentation iconique de la guerre le roi Albert de Belgique, le roi Pierre de Serbie ou George V d'Angleterre. Le prince de Galles ne cessait de visiter les tranchées du corps expéditionnaire, la reinc Elisabeth de Belgique de se rendre dans les hôpitaux du front du Nord au chevet des blessés. La banalisation de la guerre passait par l'utilisation constante des têtes couronnées.

Les généraux étaient aussi les familiers de la grande presse, Joffre et Foch bras dessus, bras dessous — ainsi que les hommes politiques, Poincaré, Viviani, Millerand et moindrement Briand, rendant des visites au front.

Le représentation de la guerre dans la presse n'était pas destinée aux combattants du front, mais au « moral de l'arrière ». Les grandes plumes du « bourrage de crâne », tel Maurice Barrès dans *L'Echo de Paris*, ne manquaient pas de mettre l'accent sur la culpabilité de l'ennemi, en présentant des crimes de guerre – notamment en Belgique – dont les poilus n'avaient pas été témoins. Les débuts de la guerre sous-marine et la déclaration allemande du 4 février créant une « zone de guerre » sur la Manche où « les navires neutres peuvent être en danger » devait aboutir, le 7 mai, au torpillage du transatlantique *Lusitania* où des civils américains trouveraient la mort. Théodore Roosevelt, ancien président des Etats-Unis, saisirait l'occasion de déclarer que « l'Allemagne devait être mise au ban des nations ». Mais dès le 22 décembre 1914, jour de la réouverture des Chambres à Paris, le discours des officiels français donnait le ton : « Le monde veut vivre enfin, disait ce jour-là le président Deschanel, l'Europe veut respirer. Les peuples entendent disposer d'eux-mêmes... Ce qui est sûr – j'atteste nos morts – c'est que tous, jusqu'au bout, nous ferons tout notre devoir pour réaliser la pensée de notre race : le droit prime la force ! »

Ce réarmement moral exprimé par plus de cent journaux quotidiens, sans compter les publications périodiques, défendait en permanence l'idéologie du droit et dénonçait l'agression dont la France était victime, à destination des populations de l'arrière. « Contre le système de provocations et de mesures méthodiques que l'Allemagne appelait la paix, disait dans sa déclaration le chef du gouvernement René Viviani, contre le système de meurtre et de pillage collectifs que l'Allemagne appelle la guerre, contre l'hégémonie insolente d'une caste militaire qui a déchaîné le fléau [...] La France émancipatrice et vengeresse, d'un seul élan, s'est dressée. Voilà l'enjeu. Il dépasse notre vie. »

Les deux cent vingt parlementaires mobilisés étaient-ils prêts à offrir la leur ? Les Maginot, les Driant devaient partir au front. Trois députés, Goujon de l'Ain, Proust de la Savoie et Nortier de la Seine, étaient déjà morts en ligne. Clemenceau, dans *L'Homme enchaîné*, demandait que les Chambres ne siègent que périodiquement, pour que les parlementaires mobilisés pussent se rendre au front. On avait adopté le système de la permanence : les députés étaient libres de choisir soit leur présence aux armées, soit leur siège à la Chambre.

Ce statut mal défini devait les faire haïr au front, où ils étaient accusés injustement de toucher une solde en plus de leur indemnité parlementaire, et de pouvoir quitter les lignes comme bon leur semblait, à l'annonce d'un débat au Parlement. « Il y a ici des collègues, disait le radical-socialiste Lafferre, qui veulent siéger en permanence contre toute raison, parce qu'ils ne veulent pas aller au front. Ces inutiles séances de bavardage qu'ils se proposent de tenir pendant tout l'été ne sont qu'un prétexte, peu glorieux, pour se défiler. C'est en embusquage comme un autre. » Mais le colonel Driant mourrait au bois des Caures à la tête de ses chasseurs, et André Maginot, ancien sous-secrétaire d'Etat à la Guerre, serait grièvement blessé comme simple soldat du 44e régiment d'infanterie territoriale à Verdun, le 9 novembre 1914.

Maurice Barrès, député du 1er arrondissement de Paris, trop âgé pour être mobilisé (52 ans) « à la demande de plusieurs généraux, explique Georges Bonnefous [1], s'était employé à signaler (dans une série d'articles de *L'Echo de Paris*) les actes d'héroïsme individuel

1. Georges Bonnefous, *Histoire politique de la Troisième République*, t. 2 : La Grande Guerre, Paris, PUF, 1957.

de soldats qui avaient souvent payé de leur vie leur action courageuse sans qu'aucune action en perpétuât le souvenir ». Il était difficile d'obtenir la Légion d'honneur pour un héros du front, et la médaille militaire ne pouvait récompenser qu'un exploit exceptionnel. On imaginait une décoration « moins éclatante sans doute », pour les poilus. Mais Barrès ne voulait présenter le projet lui-même « parce qu'il n'était pas mobilisé ». Il revenait à Georges Bonnefous, député de Versailles, qui avait repris du service dans son ancien régiment d'infanterie, de présenter un projet de médaille dite de la valeur militaire, qui devint la croix de guerre.

On discuta beaucoup, à la Chambre et au Sénat, pour savoir si elle devait être décernée au niveau de l'armée, ou de la division et du régiment. Certains trouvaient indécent qu'un simple colonel pût juger de la valeur de ses hommes, et craignaient des injustices d'un régiment à l'autre. Millerand tenait pour l'échelon de l'armée. Le rapporteur du projet, le colonel Driant, revendiquait le « droit à la citation » pour tous les braves et que chaque colonel pût en décider. La croix de guerre devait « être accessible au plus grand nombre », devenir vraiment la médaille du poilu, aussi libéralement accordée que la croix de fer d'en face. Le Kaiser et le Kronprinz ne se gênaient pas pour faire pleuvoir les décorations sur leurs bataillons, pourquoi la France serait-elle à la traîne ? « C'est un levier d'une puissance incomparable que la récompense des actes de bravoure individuelle », insistait Driant. On la suspendrait au ruban vert des anciens de 70, « débarrassé de ses rayures noires ».

Mais Millerand résistait encore. « L'héroïsme coule à torrent, disait le radical Louis Martin, il ne faut pas que la récompense soit mesurée au compte-gouttes. » On transigea sur l'échelon de la division. On ajouta des « clous » au ruban : des étoiles d'or, d'argent et de bronze, suivant qu'il s'agissait de l'ordre du jour de l'armée, du corps d'armée, de la division, de la brigade ou du régiment. On distribua des fourragères aux régiments particulièrement décimés, aux couleurs de la croix de guerre pour deux citations, de la médaille militaire pour quatre, de la Légion d'honneur pour six et plus. Le régiment d'infanterie du Maroc, plusieurs fois recomplété et cité à huit reprises, reçut double fourragère. Ainsi l'arrière récompensait-il l'avant, à la veille des grandes offensives meurtrières de l'année 1915.

*

Celle de Champagne tardait à se mettre en place, parce que Joffre manquait cruellement de canons et de munitions. Les premières tentatives avaient démontré que les soldats n'avaient aucune chance de percer, ni surtout de se maintenir dans les positions conquises, sans un puissant et constant soutien d'artillerie. L'état-major français n'avait aucune chance, au début de 1915, de compenser son infériorité manifeste en tubes de gros calibre. Les Allemands disposaient de 2 000 pièces à l'entrée en guerre. Ils doubleraient leur parc l'année suivante. Ils gardaient donc la maîtrise absolue du champ de bataille, d'autant plus que sur le front stabilisé les canons lourds camouflés étaient pratiquement hors d'atteinte du feu français.

Sans doute pouvait-on porter les pièces légères de campagne au plus près des lignes. Mais le programme de production français trop restreint ne permettait d'offrir, en janvier, que 250 de ces pièces au lieu des 750 que Joffre réclamait. Il n'était pourvu en munitions qu'aux trois quarts de ses demandes. A l'évidence, la fabrication ne suivait pas. Cette insuffisance condamnait l'infanterie à l'échec, même si l'on pensait que l'on pouvait concentrer un feu efficace sur les seuls points de l'offensive. Ainsi la première opération préparée par l'état-major parvenait à rendre mobiles et utilisables cent pièces lourdes seulement. Elle n'aurait qu'une ampleur mesurée, faute de moyens : la percée projetée en Champagne le 15 février ne reposait que sur une préparation d'artillerie « de quelques heures » et sur une largeur de front restreinte à huit kilomètres. Joffre n'engageait que trois corps d'armée, dont un en réserve. Il restait prudent.

Ses directives aux artilleurs tenaient compte de la modicité de ses moyens. Les pièces lourdes, si rares dans les lignes françaises, ne devaient pas être utilisées, prescrivait-il, pour des tirs uniquement destinés à inquiéter l'adversaire. Les dotations devaient être réservées pour le travail utile de la période d'offensive, attaquer les abris puissants ou les objectifs que le 75 ne pouvait atteindre. A la veille de l'action, Joffre prévenait que les pièces lourdes ne pouvaient se substituer à l'artillerie légère « que très exceptionnellement ».

Quant aux canons de 75, une note du 20 février du grand quartier général établit que les besoins sont à cette date de 518 canons destinés à remplacer les tubes éclatés ou détruits. On ne dispose, jusqu'à la fin d'avril, que de 120 pièces au mieux. L'offensive de février est donc décidée dans une insuffisance caractérisée des moyens d'artillerie, même légère. On espère pallier cette carence manifeste par une concentration des batteries sur les huit kilomètres de la zone d'attaque, au détriment des autres secteurs.

De Perthes-les-Hurlus à la Main de Massiges, les combats ne se relâchaient pas depuis décembre. Mais ils prennent une ampleur nouvelle. De l'est de Reims à l'ouest du massif de l'Argonne, les régiments de la IVe armée du général de Langle de Cary s'alignent dans les parallèles d'assaut, douze unités de choc, bien équipées en mitrailleuses. Cette offensive de Champagne doit se combiner avec l'action entreprise entre Villers-au-Bois et Anzin-Saint-Aubin en Artois par le 33e corps du général Pétain. Il doit attaquer sur quatre kilomètres, avec cinq régiments, 8 000 fusils au pire. Il se plaint de ne pouvoir disposer que de quarante batteries d'artillerie de soutien, soit cent soixante pièces, alors qu'il en faudrait quatre cents.

Si l'attaque de Champagne réussit, Joffre compte l'étendre par échelons jusqu'à la IIIe armée qui tient l'Argonne, et la soutenir par l'action de la Ve armée, en position dans la Montagne de Reims. Elle a donc des ambitions plus vastes que sa modeste ligne d'attaque. Pétain prévoit déjà deux jours de vivres pour chaque fantassin, un bagage réduit à la toile de tente et deux couvertures, les réserves de munitions à deux cents cartouches par homme et les « bidons remplis ».

L'attaque de la IVe armée est fixée au 12 février. Une assez forte concentration d'artillerie est réalisée sur les huit kilomètres du front avec tous les moyens disponibles en groupes de deux ou trois batteries à quatre pièces de 105, 120, 155 court et long. Ces ressources sont insuffisantes. Le 16 février, alors que l'offensive de Champagne est déjà engagée, le général Pellé est chargé d'envisager la réorganisation de l'artillerie lourde et des ressources à utiliser pour acheminer les canons sur leurs emplacements, notamment des tracteurs. On se préoccupe à peine d'adapter la radio aux communications avec les trop rares avions d'observation. Les escadrilles d'armée dotées d'avions Voisin ou Maurice Ferman touchent des Morane qui volent à 120 km/h, mais sont encore moins rapides que leurs adversaires. Ils doivent en même temps photographier les lignes et combattre la chasse ennemie. Seuls les Caudron, plus lents, servent seulement aux réglages d'artillerie. Les autres sont des bonnes à tout faire. Peu d'avions sont encore munis de radios et l'instruction des pilotes reste hâtive.

On imagine des codes de radio, mais aussi des procédés purement visuels, plus sûrs, de liaison des artilleurs avec l'aviation d'observation. L'artillerie dispose en effet d'un trop petit nombre d'observatoires terrestres. Elle aperçoit mal, à la jumelle, les fanions plantés par les fantassins qui viennent de s'emparer d'une tranchée. Ainsi s'expliquent les tirs de 75 sur les colonnes d'assaut dont elles souffrent cruellement. Le général Réveilhac, commandant la 60e division qui attaque de nouveau le Bois Sabot, décide de faire suivre ses compagnies par des observateurs d'artillerie chargés d'établir le contact et d'obtenir des canons de l'arrière des tirs précis.

Les groupes de 75, beaucoup plus nombreux (le général de Maud'huy dispose, pour sa Xe armée, de quatre cents pièces environ), doivent soutenir l'avance immédiate des trois régiments d'assaut de la 2e division d'infanterie. On compte sur ces canons pour effectuer la brèche dans les barbelés, matraquer les tranchées de première ligne et établir ensuite des barrages pour empêcher l'arrivée des renforts.

L'assaut sur les trois lignes de tranchées allemandes du Bois Sabot est menée dans une bourrasque de neige par les Bretons de Saint-Brieuc et par les fantassins du 209e régiment d'Agen qui connaissent déjà le secteur. Les Allemands endormis dans leurs abris se rendent sans résistance. Mais les Français vainqueurs doivent se replier, sous menace d'encerclement, par une double contre-attaque, sous le feu de l'artillerie ennemie qui cause des pertes considérables. Les puissants retours offensifs de l'adversaire n'ont visiblement pas été prévus ni contrebattus par les canons français. L'affaire est remise à trois jours, dans l'espoir de conditions plus clémentes.

Les attaques reprennent le 16 février sur la ligne des tranchées allemandes et se poursuivent les jours suivants. Elles sont menées essentiellement par des régiments d'élite d'active provenant des centres de recrutement du Nord : Dunkerque (110e), Valenciennes (127e), Arras (33e), Abbeville (128e), Amiens (72e) et Béthune

(73e). Elles portent sur des positions connues sous le nom de tranchées grises, ou blanches ou jaunes. La position clé du bois du Sabot est imprenable sur l'aile gauche. Une progression lente et difficile permet de gagner un peu de terrain au centre, après quatre jours et quatre nuits de furieux combats. Les pertes sont lourdes, mais le moral ne baisse pas dans les régiments du Nord, constamment remplacés par des bataillons frais des mêmes unités. On épuise les effectifs dans ces attaques répétées.

*

Les combats sont incessants, et les hommes ne peuvent trouver le repos que dans de rares périodes d'accalmie. En Champagne, le général de Langle de Cary donne l'ordre, quand les boyaux sont encombrés de cadavres et d'éboulis, d'avancer de nuit en plein champ pour gagner les premières lignes, même si les fusées éclairantes guident les tirs nocturnes de l'artillerie ennemie. Sur huit kilomètres, le front devient un enfer où les régiments des *ch'timis* sont broyés. Dans les unités d'élite du premier corps, la nuit du 17 février est une suite presque ininterrompue de combats. Les tranchées du Fortin, prises la veille, sont à l'aube réoccupées, reprises à 9 h 30, et perdues à midi sous l'action de canons lourds qui tirent de Maisons de Champagne trop éloignés pour être contrebattus. Aux Tranchées blanches, les fantassins de Dunkerque réussissent à se maintenir toute la nuit et toute la journée en dépit de pertes considérables. Les soldats des deux premiers corps engagés sont déjà épuisés le 18, et doivent être remplacés.

On ne renonce pas à l'offensive. Elle doit se poursuivre les jours suivants sur le même secteur du front, avec acharnement, demande le général en chef. Le soutien des armées voisines, qui attaquaient pour faire diversion, est faible vers l'Est. La IIIe armée de Sarrail ne parvient pas à s'emparer de Vauquois. Dubail, envoyé par Joffre en mission d'enquête sur cet échec, reproche à l'artillerie d'avoir tiré trop long, de crainte d'atteindre les colonnes d'assaut. Les premiers attaquants ont perdu du temps, en traversant le village, à fouiller des caves. Ils ont laissé à l'ennemi de précieuses minutes pour se ressaisir.

La Ve armée ne progresse pas dans les monts de Champagne, devant les redoutes installées par l'ennemi. Les Allemands ont eu le temps de se renforcer devant Perthes-les-Hurlus. Ils empêchent toute progression grâce à leurs feux d'artillerie. On se bat en vain à l'arme blanche dans les tranchées creusées en sous-bois. Il faut dépenser des nouveaux effectifs pour soutenir les positions conquises, dans le Bois Jaune et la forêt de la Truie. Les Allemands sortent frais de leurs abris creusés par quatre mètres sous terre à proximité des tranchées. On découvre sur place l'invulnérabilité de leurs défenses.

La Ire armée a tenté une action sur la butte des Eparges. On s'est battu furieusement dans les entonnoirs et les abris. Le 132e de Reims y a perdu beaucoup de monde, comme le 106e, régiment où sert Genevoix. Les tranchées, après deux jours de corps à corps, sont remplies de cadavres mêlés de Bavarois et de Français. L'attaque a eu lieu le 17, après une longue attente dans les abris creusés autour d'une cuvette. Pendant cinq heures, les poilus du 106e ont attendu que les mines allumées par les sapeurs explosent sous les lignes ennemies. Puis ils ont subi le bombardement des canons de 75 dont les obus passaicnt juste au-dessus d'eux, dans leur tir courbe. Certains, tirant trop court, leur tuaient des hommes. De son PC recouvert de plusieurs couches de rondins, en arrière des lignes, le colonel donnait enfin le signal de l'assaut.

L'explosion des mines avait fait surgir d'épaisses nuées fuligineuses. Déception des poilus qui sautent dans les premières lignes allemandes : les tranchées sont vides, ils les ont évacuées. On découvre, par places, des cadavres de Bavarois agglutinés, tués par les éclats d'obus. Des prisonniers surgissent, poussés par les baïonnettes : ceux-là ont été tirés de leurs abris. Genevoix aperçoit un gosse de dix-sept ans, engagé volontaire. Il pleure en mangeant du chocolat.

Vers 17 heures, le bombardement allemand commence. Les obus des pièces lourdes tombent sur la ligne conquise. L'un d'eux, du 150, s'écrase sans éclater dans la boue d'un entonnoir : longue chose oblongue, bleue, à double ceinture de cuivre. L'artillerie française ne répond pas. Comment pourrait-elle contrebattre des pièces de 150 situées à plus de dix kilomètres ?

Les tirs cessent vers minuit, et reprennent à 6 heures du matin, le 18 février. Aucune réplique française n'est possible : les 75 gaspilleraient leurs munitions contre des pièces qui tirent « des obus plus lourds que la nuit[1] ». Les flaques d'eau prennent la couleur de l'acide picrique, des entonnoirs géants sont creusés par les 305. A croire que toute l'artillerie de la place de Metz a été rassemblée autour des Eparges.

L'attaque allemande n'est pas loin : les balles de mitrailleuses tapotent les sacs de sable que le génie a entassés sur les lèvres de l'entonnoir. Les hommes se lèvent, au mépris du danger. Soudain des grenades roulent entre leurs jambes, les fauchent par dizaines. On voit des *feldgrau* surgir, poussant des cris sauvages, leurs mains crispées sur les mausers. C'est la contre-attaque.

Les obus lourds ahanent toujours dans le ciel mais ils ne visent plus les lignes d'infanterie. Ils écrasent, derrière la colline de Montgirmont, les batteries françaises toujours impuissantes. Des gradés arrêtent, revolver au poing, des fuyards pris de panique qui cherchent à dévaler la pente. On commence à évacuer les blessés englués dans la boue visqueuse. Il est midi. La contre-attaque allemande vient d'échouer.

C'est le tour des survivants du 106e de repartir à l'assaut. Comment trouvent-ils le courage d'arracher leurs godillots à la glaise ? Le colonel s'est indigné de la retraite des compagnies. Elles devaient se faire tuer sur place, « réparer le jour même », avec « une résolution ferme ». Coupables, en quelque sorte. Déjà le bombardement des 75 recommençait, visant la crête. Les hommes, serrés les uns contre les autres, attendent l'heure de l'assaut en mangeant des conserves, sans mot dire. « Rien ne les émeut plus, écrit Maurice Genevoix, ni les ordres qui arrivent sans cesse, ni les ajournements, ni les incertitudes renouvelées. »

L'un d'eux se détache du groupe, prend tous les bidons des camarades pour aller chercher de l'eau. Il ne reviendra pas. Les autres se lèvent au signal de l'attaque, sans maugréer, sans protester (à quoi bon ?), se regroupant en une force collective impressionnante, pour prendre la file dans les parallèles. Ils peuvent l'emporter sur les Allemands ou suivre leurs copains dans la mort. Ils ne connaissent pas le sort qui leur est réservé. Ils espèrent qu'ils auront encore la bonne fortune d'en revenir. Le visage immobile, sans paroles inutiles, ils suivent le sergent faisant fonction de lieutenant qui se fera tuer le premier dans la compagnie. Ils partageront

1. Maurice Genevoix, *Ceux de 14*, *op. cit.*, *Les Eparges*, p. 578.

son sort : une équipe soudée par la mort qui ne discute pas la guerre et la fait en silence, quoi qu'elle en pense.

La crête est reprise, et la terre sent le cadavre. Le 19 février, le bombardement des pièces lourdes reprend. Attaques et contre-attaques. On apporte aux poilus des seaux de café et de gnôle. Le 132e de Reims pousse de son côté. Le 20 février, trois cents tués au 106e, mille blessés, plus de la moitié des hommes hors de combat. Faut-il continuer ? « Qu'ils tiennent, dit le colonel, qu'ils tiennent quand même, coûte que coûte. »

Et les obus pleuvent, des 77, des 120, des 210, de lourds 305. C'est un obus de 210 qui ensevelit Genevoix. Il a décrit cette seconde de la mort comme personne : « Je l'ai senti à la fois sur ma nuque, assené en massue formidable, et devant moi, fournaise rouge et grondante. » Un « flot sanglant et rouge qui s'est rué sur moi, me brûlant les entrailles ». Il est surpris d'entendre battre son cœur. Il est libre de ses gestes, il peut se lever. Miracle ! Autour de lui, les copains sont morts ou blessés. Il est bientôt le seul vivant dans la tranchée des morts. On aligne les cadavres le long du trou du 210. Le lendemain, 21 février, les obus tombent encore, avant la dernière contre-attaque.

Pour le 106e, c'est terminé. « Nous avons repris la moitié du bois de sapins, commente ce jour-là le chef d'état-major Micheler, et nous sommes maîtres de la tranchée NH située en arrière de l'angle d'épaule, depuis son point de rencontre avec MG jusqu'à 70 mètres environ au sud-ouest du point de croisement N. Les tranchées MG et MN de l'angle d'épaule n'existent d'ailleurs plus, elles sont été bouleversées. Nous nous organisons sur la tranchée conquise. » Voilà pourquoi sont morts, en cinq jours et cinq nuits de furieux combats, les fantassins de Reims et de Châlons.

*

L'échec de l'infanterie a toujours les mêmes causes, dont les poilus sont en permanence victimes : le général Humbert, ancien chef de la division marocaine à la bataille de la Marne, est un de ces chefs qui croient aux vertus de la surprise et de l'offensive, comme Grossetti et Foch lui-même, malgré les déconvenues de 1914. Commentant une attaque de la 42e division d'élite du 17 février, menée par les chasseurs à pied de Lille et les fantassins de Saint-Quentin (151e RI), il souligne que l'assaut aboutit très vite, avec une aisance suspecte, à la conquête de la première tranchée ennemie. Les chasseurs ne font qu'un petit nombre de prisonniers et exterminent l'adversaire à la bombe ou à la grenade. Les quatre officiers commandant l'attaque ont été tués ou blessés mais des chefs provisoires prennent en main la poursuite de l'opération.

Surgit alors des trous du terrain l'infanterie abritée, intacte, qui oblige les chasseurs aventurés sur la deuxième position à rétrograder sur la première. Les hommes du génie aménagent à la hâte cette position qui n'est pas prévue pour tirer vers l'arrière et qui n'est pas protégée de ce côté par un réseau de barbelés. Il est donc facile de bousculer les Français assommés par les tirs de *minenwerfer*.

L'état-major leur envoie des renforts qui progressent difficilement sur le no man's land encombré de chevaux de frise et d'abattis. Entre deux contre-attaques, les Allemands bombardent la ligne avec des 77 et des 105 percutants qui causent de grands dommages. Les poilus du 328e, des réservistes d'Abbeville, se font matraquer dès qu'ils abordent la première ligne de la tranchée française où ils ont été amenés en renfort, sans avoir vu l'ennemi. Ils comptent déjà une centaine d'hommes hors de combat.

On ne parle plus, dans les comptes rendus, de colonnes d'assaut arrêtées par les obstacles de fils de fer, comme en janvier. Les chasseurs ont avancé en terrain dégagé par l'artillerie et les sapeurs. Il n'est plus question, comme en août 1914, de charges arrêtées par des nids de mitrailleuses : les artilleurs du 75 ont appris à les contrebattre. Si les attaques échouent, c'est qu'on ne domine pas le feu allemand d'artillerie lourde, capable de tirer avec précision et d'interdire tout maintien sur la position enlevée de vive force. Le séjour en secteurs immobiles a permis aux observateurs de quadriller le terrain et d'ajuster le tir des pièces. Il est clair que la victoire ne peut être acquise sans la supériorité de l'artillerie lourde, et surtout des obusiers de tranchée qui accablent les chasseurs. Le commandant Segonne, qui les exhorte à la résistance, est tué d'une balle dans la tête.

Les Français perdent 40 % de leur effectif par l'effet des *minenwerfer*. Ils mettent deux heures pour parcourir deux cents mètres et regagner leurs lignes. La retraite est un enfer, pire que l'attaque. Impossible de ramener tous les blessés. Ils râlent entre les lignes.

« La lutte a été magnifique, écrit le général Humbert, lyrique. Chaque pouce de terrain n'a été perdu que par la mort de son défenseur. » Les derniers chasseurs n'avaient plus ni grenades ni munitions. Ils manquaient d'eau et de vivres. Pour tenir jusqu'au bout, ils ont pris les fusils et les munitions des Allemands, relancé leurs grenades non éclatées. Ils ont perdu dans la journée 500 hommes, la moitié du bataillon, et tous leurs officiers. Un exemple à citer à l'ordre de l'armée.

Un exploit d'une magnifique inutilité. Il a contribué à démontrer jusqu'à quel point les défenses allemandes pouvaient être invulnérables, soutenues par le feu d'une artillerie lourde précise et parfaitement synchronisée avec l'action de l'infanterie grâce au bon fonctionnement des liaisons. Il est impossible d'obtenir d'une troupe, même de la légion étrangère ou des tirailleurs algériens de la division coloniale, qu'elle tienne des positions conquises sans un puissant soutien d'artillerie.

Langle de Cary se plaint : sur une dotation de 400, 86 de ses 75 ont éclaté, après dix jours de combats, et ne sont pas remplacés, Joffre ne peut l'aider qu'avec parcimonie. Les approvisionnements en obus baissent constamment. Il demande en vain à Millerand la production de 60 000 coups par jour, il n'en reçoit que 36 000. Force est de réserver la capacité de production aux seuls obus de 75, à l'exclusion des pièces lourdes, jusqu'au 15 mars. Il redoute que son offensive ne vienne à échouer, faute de munitions.

Les troupes fraîches commencent à manquer. Il faut faire donner le corps colonial très éprouvé, qui n'a eu que quelques jours de repos. Les contre-attaques ennemies deviennent plus puissantes, soutenues par une artillerie plus nombreuse. La bataille se poursuit sans relâche et les effectifs risquent de fondre dans la neige, jusqu'au dernier homme, si l'on n'envoie pas de renforts.

Des colonels commandent les brigades et même des divisions, les régiments sont aux ordres des commandants. Beaucoup d'entre eux n'ont que trois capitaines de l'armée active pour commander quatorze compagnies. Ils ont dû nommer au feu des adjudants. Les sections sont livrées à des sous-lieutenants nommés « à titre temporaire », anciens sergents ou élèves sortis des écoles. Un régiment n'a jamais plus de quarante officiers en ligne, au lieu des soixante-deux réglementaires. Dans beaucoup d'unités, il n'y a plus du tout d'officiers de carrière.

Où prendre des renforts ? L'état-major planifie les ressources humaines, sans trouver de solution. On fait le compte des « blessés-guéris », cent mille pour quarante jours en moyenne. Il restait, au 6 février, 1 200 000 hommes dans les dépôts, mais 250 000 en formaient les cadres quand ils n'étaient pas déclarés inaptes à la campagne. 750 000 étaient non instruits, blessés ou malades convalescents, 200 000 étaient théoriquement disponibles, mais la moitié seulement pouvaient constituer des nouvelles unités. En quatre mois, depuis le début de la guerre, les pertes étaient si lourdes que 911 000 hommes de renfort avaient dû être envoyés d'extrême urgence à l'infanterie. Au rythme des combats de 1915, on établissait calmement dans les bureaux une prévision moyennc de pertes de 150 000 hommes par mois. Déjà Joffre envisageait de lever la classe 1916 dans le courant d'avril, pour l'utiliser à partir du mois d'août. Pour la jeunesse, la guerre était devenue un Moloch.

L'offensive de Champagne se poursuivait, sur le secteur restreint de Perthes-les-Hurlus, dans un rituel renouvelé d'attaques : les divisions fraîches se succédaient, à mesure que les blessés des unités d'assaut étaient évacués des lignes. Le 24 février, les régiments du Nord, qui avaient jusque-là donné l'assaut à la première division, étaient remplacés par les fantassins d'Abbeville et de Beauvais qui entraient à leur tour dans le cirque sans bénéficier d'aucun effet de surprise.

Au 17e corps, Bretons et Agenais étaient depuis plusieurs jours relevés par les régiments d'Alençon et de Chartres (103e et 102e). Joffre avait interdit qu'on distingue désormais entre les unités de choc et celles de la réserve. Toutes étaient bonnes pour la noria qui faisait décimer un nombre croissant de régiments devant le feu d'enfer des tranchées du bois du Sabot ou la redoute de la Mamelle sud. L'état-major s'obstinait à chercher la rupture sur ce secteur champenois où les Allemands avaient eu largement le temps d'accumuler les pièces lourdes et les renforts d'artillerie de tranchée.

Le 23 février, les coloniaux du 22e corps entraient dans la danse, au point le mieux défendu, le Fortin. Les 1er, 2e, 4e et 17e corps sont toujours engagés dans une lutte « pied à pied », dont on espère qu'elle finira par user l'ennemi dépourvu de réserves. Le 26, une attaque est menée en vain par les trois divisions confiées au général Gérard, soutenues par deux cents canons de 75 et quelques pièces lourdes, en nombre insuffisant. Les soldats des compagnies d'assaut ont été tués avant même d'arriver sur les lignes par un barrage très violent d'artillerie de gros calibre, des pièces de 15 et de 21 cm.

La noria se poursuit. Les poilus des 16e et 12e corps entrent en action sous la direction de Grossetti, le général insoucieux des pertes qui a déjà fait merveille par son courage à Dixmude, à qui l'on confie un groupement destiné à réaliser enfin la percée. L'état-major compte qu'il ira jusqu'au bout. Il doit s'emparer à toutes forces de l'imprenable bois du Sabot. Ordre est donné aux artilleurs, pour réaliser la surprise, de n'engager des « tirs d'efficacité » que quatre ou cinq minutes avant l'assaut. Plusieurs heures de tirs « de démolition » sur les barbelés et les redoutes de flanquement auront facilité la progression, mais ce matraquage cessera deux heures avant l'action, pour dérouter l'ennemi. Joffre donne enfin des instructions, le 27 février, pour que les observations soient faites, non pas par petits groupements, mais au bénéfice d'un organe central qui distribuera les ordres de tir, précisément, en fonction des besoins exprimés. Cela n'empêche pas les Allemands de renforcer constamment leurs contre-attaques de nouvelles batteries de gros calibre ouvrant un tir violent sur l'infanterie.

Leur propre infanterie est à l'abri des obus adverses grâce à une série de cavernes-abris reliées entre elles par un large souterrain creusé à quatre ou cinq mètres de profondeur. Les Français de Grossetti découvrent ce réseau au nord-ouest de Perthes le 6 mars seulement. Il explique la vigueur et la soudaineté des contre-attaques, qui déconcertent les Français. D'où sortent les Allemands en si grand nombre ?

Avant l'assaut donné le 7, de Langle crut bon d'avertir les chefs de corps. On lui a rapporté que plusieurs unités avaient dû reculer, au cours de précédentes attaques, contre des tirs de mitrailleuses ou d'artillerie. Il assure sans vergogne : « Notre artillerie est plus puissante que celle de l'adversaire. » Toutefois elle ne peut avoir la certitude de la « réduire toute au silence ». Il faut donc que l'infanterie se résigne « à ce que sa progression s'effectue sous le feu ». Les chefs doivent à tout prix l'entraîner vers ses objectifs « malgré tous les obstacles ». Une troupe ayant gagné du terrain mais soumise à un feu violent de contre-attaque « subira moins de pertes, assure de Langle, en prenant résolument le parti de la fuite en avant qui ne la conduit au but qu'en essayant de regagner péniblement ses positions de départ ».

Dès le 8 mars, Joffre comprend que les résultats très partiels obtenus par l'attaque de Grossetti demandent un dernier effort du 16e corps tout entier. S'il échoue, il sera temps d'organiser l'occupation des tranchées conquises avec le moins d'effectifs possible. Il a déjà en vue le lancement d'une seconde grande offensive en Artois, à partir du 9 mai.

*

Grossetti échoue comme les autres généraux, et pour les mêmes raisons : les poilus lancés à l'attaque s'emparent des tranchées du bois du Sabot. Mais ils sont soumis toute la journée à un bombardement « de batteries qui n'ont pas été repérées et dont le feu n'a pu être éteint ». Un envoyé de l'état-major, Raynouard, constate le manque d'entrain des assaillants. Ils ne veulent plus se faire tuer pour la conquête du bois du Sabot ou du bois Jaune brûlé. Sur les 175 hommes d'une compagnie du secteur Réveilhac sortie des tranchées le 13 mars, 60 seulement reviennent. Ils comprennent qu'ils ne sont pas suffisamment soutenus par l'artillerie et que ce soutien est même de plus en plus mesuré, faute de munitions. « Il aurait suffi, écrit-il, qu'une compagnie ait eu son seul officier tué pour qu'elle cède et qu'elle entraîne sa voisine. » Pour la première fois, après vingt-cinq jours d'efforts quotidiens, l'infanterie accuse une baisse du moral. Il est temps de la retirer du front et de la reprendre en main.

Les blessés sont innombrables, submergeant les services de santé. En les découvrant sur le champ de bataille, les jeunes appelés en renfort ont la nausée. Ils sont trop nombreux. Blessé, Genevoix, blessé Jünger, au même lieu, les Eparges. On ne sent d'abord pas la blessure, dans un bombardement de pièces légères à obus explosifs. « Soudain, dit Jünger, un éclair sauta des racines largement étalées et un coup sur la cuisse gauche me projeta contre le sol. Je me crus atteint par une motte de terre mais la chaleur du sang ruisselant ne tarda pas à m'apprendre que je suis blessé[1]. » Autour de lui, d'autres victimes des éclats de 75 touchés dans le dos, à la tête, à

1. Ernst Jünger, *Orages d'acier*, Paris, Christian Bourgois, 1961, p. 42.

la carotide, des blessés dans tous les taillis, bientôt hissés sur des brancards, portés à un abri-ambulance en rondins où un major épuisé fait des piqûres. Ceux qui n'ont pas trépassé sont embarqués à l'aube dans des voitures sanitaires qui font la navette entre le champ de bataille et l'ambulance de campagne établie non loin du front et camouflée. La prochaine étape est l'ambulance de triage où viennent se ranger les trains-hôpitaux, qui atteignent les centres hospitaliers allemands en deux jours. Ainsi Jünger se retrouve dans les collines de Heidelberg « recouvertes de cerisiers en fleur ». Il n'a jamais vu de Français que morts ou blessés pour son baptême du feu, aux Eparges.

Genevoix vit la même expérience, dans la nuit du 24 au 25 avril. Autour de lui des bras broyés, arrachés, des hommes égorgés. La compagnie marche pour « boucher un trou ». Les 77 l'accablent. « Je suis tombé un genou en terre, explique Genevoix. Dur et sec, un choc a heurté mon bras gauche. Il est derrière moi, il saigne à flots saccadés. Je voudrais me lever, je ne peux pas. Mon bras que je regarde tressaute au choc d'une deuxième balle, et saigne par un autre trou. Mon genou pèse sur le sol, comme si mon corps était de plomb. Ma tête s'incline, et sous mes yeux un troisième lambeau d'étoffe saute, au choc mat d'une troisième balle. Stupide je vois sur ma poitrine, à gauche près de l'aisselle, un profond sillon de chair rouge[1]. » Ses hommes lui placent d'énormes tampons de compresses sur ses plaies. On le porte jusqu'à un carrefour où un médecin auxiliaire le panse et le pique à la caféine. Chargé sur une poussette, débarqué dans un centre de secours à Rupt, piqué de nouveau contre le tétanos avec un grand nombre de blessés légers, il est aussitôt enlevé, étant lieutenant, dans une ambulance automobile qui roule toute la nuit. Les cahots font hurler les hommes. Dans une salle de gare où ils arrivent le lendemain matin, les blessés sont triés. Genevoix est évacué par train sanitaire vers un hôpital de l'arrière où il est opéré. Son bras était déjà « bronzé de gangrène ».

Tant de pertes accumulées finissent par condamner l'offensive. Grossetti lui-même en convient : une action d'ensemble est impossible. Les flanquements d'artillerie allemands sont intacts, l'infanterie non ébranlée. Il est vrai que les adversaires accumulent aussi

1. Maurice Genevoix, *op. cit.*, p. 684.

les victimes et soignent leurs blessés par centaines de milliers. L'usure n'est pas la victoire. La Garde prussienne a subi des pertes, mais tient le secteur avec efficacité. Les observateurs distinguent mal la ligne ennemie et ne peuvent informer les artilleurs. Les attaquants sont seuls. Même les Marocains n'ont pas réussi à percer le 13 mars. Il faut renoncer.

Joffre en tire les conséquences dans sa lettre à Millerand du 17 mars : il a fait de son mieux pour aider les Russes et seconder l'offensive anglaise malheureuse entreprise par French dans les Flandres. Il a dû s'arrêter devant le renforcement considérable de la ligne allemande, et surtout de son artillerie lourde, inépuisable.

Sur tous les fronts, la pénurie de l'artillerie française se fait sentir. Dans les Vosges, le général Putz a lancé aussi son offensive de diversion le 18 février. Un échec qui devait entraîner sa mutation début avril. Il serait remplacé par Maud'huy. Cinq jours de combats qui ont éprouvé les chasseurs. Les blessés s'accumulent dans les gorges. Les rares batteries françaises de 155 ont été neutralisées. Le hussard Corday aperçoit les artilleurs raides auprès de leurs pièces renversées. Les canons allemands sont si proches des colonnes d'assaut que l'on entend le bruit des départs. Un commandant de batterie de 65 de montagne « pleure de rage ». Ses canonniers n'ont pas d'obus, ils se défendent au mousqueton. Les blessés convoyés sur la route de la Schlucht sont massacrés par des obus de 150, renseignés par un observateur en ballon. Les bœufs attelés aux charrettes sanitaires sont abattus, les hommes achevés. Leur sang fait fondre la neige. Les blessés légers se traînent à pied, nantis de leurs fiches, faute de pouvoir être transportés. La plupart ont été touchés par des éclats d'obus. L'artillerie française ne peut contrebattre le feu d'enfer des Allemands : elle est sans munitions.

Joffre, interpellé, se défend de son mieux. Il a signalé en temps utile, jure-t-il, la déficience des fournitures de munitions au front et le ministre Millerand a dû lui promettre d'accélérer les cadences. Viviani s'indigne des protestations du général en chef : « Il veut faire croire, dit-il à Poincaré, que c'est par notre faute qu'échoue son offensive. Lorsqu'il l'a engagée, il savait très bien à quoi s'en tenir sur les fabrications. Il veut rejeter sur le gouvernement les fautes qu'il a commises. » Poincaré, partisan de Joffre, s'efforce de le calmer.

En attendant, il faut faire la pause, sur l'ensemble du front, tout le monde en est d'accord. Joffre évoque, pour sa défense, la fatigue des troupes engagées, tout en réaffirmant leur moral élevé. Il s'excuse presque de ne pas avoir abouti. Que les ministres ne se découragent pas pour autant : il se prépare à une action nouvelle dès que les renforts anglais, la création d'unités de réserve et les progrès de l'approvisionnement en munitions le permettront.

*

Joffre n'est pas le seul à envisager la reprise de l'offensive : c'est l'arrière qui l'exige. Le malaise du milieu parlementaire, à la suite de l'échec de mars, s'exprime en des sens opposés : à l'extrême gauche, on lui reproche d'avoir sacrifié les poilus en pure perte[1]. Sur les bancs de la droite et du centre, on se plaint de son immobilité. Dans un Paris survolé une nuit et bombardé par les zeppelins, le climat politique est détestable, l'angoisse monte au Palais Bourbon où l'on prédit des catastrophes.

Beaucoup s'en prennent à Millerand. Freycinet, l'ancien collaborateur de Gambetta, vieux polytechnicien spécialiste des questions militaires et président de la commission de l'armée au Sénat, demande des comptes. Les radicaux Léon Bourgeois, Paul Doumer accusent Joffre. Le général de Langle de Cary, rencontré au front par Poincaré, laisse à entendre qu'il l'aurait emporté si Joffre lui avait laissé la libre disposition des réserves. Clemenceau critique le gouvernement avec véhémence. Maginot, blessé au front, rejoint Briand pour accuser Joffre de se tenir « trop loin des réalités de la guerre ».

Dans la presse d'information, de nombreux experts militaires sont encore les défenseurs de l'offensive à tout prix. Ceux-là s'indignent de l'arrêt des opérations en Champagne, tout en condamnant les faiblesses de la production d'armement. Une carte postale tirée à des dizaines de milliers d'exemplaires illustre une prière à Joffre : « Redonnez-nous l'offensive comme vous l'avez donnée à ceux qui les ont enfoncés[2]. » Mais Poincaré, Viviani et Briand restent pessimistes. Les Doumer, les Clemenceau sont de plus en plus

1. Raymond Poincaré, *Au service de la France*, Paris, Plon, t. VI, p. 98.
2. Cité par Bernard Oudin, *Aristide Briand*, Paris, Robert Laffont, 1987, p. 283.

agressifs à l'égard des hommes de Chantilly, le nouveau siège du grand état-major. « Les journées se passent tristement, écrit avec mélancolie et résignation le président de la République le 9 mars, sans que nous apparaisse aucune chance de victoire prochaine. » Et de déplorer « notre impuissance militaire ».

Joffre se défend en attaquant. Il assure, dès le 21 mars, qu'il est en mesure de réunir des réserves de huit corps avec la classe 1915 et qu'il reprendra l'offensive « vers le 15 avril ». Il annonce la percée pour l'été, au pire pour l'automne. Il n'a pas besoin des Anglais, auxquels il refuse de céder Dunkerque dont ils ont pourtant besoin pour leurs approvisionnements. Il n'admet pas la perspective d'avoir à affecter des effectifs sur un nouveau front, si l'Italie entre en guerre. Poincaré, pour une fois surpris de l'autorité excessive que s'arroge le commandant en chef, doit le sommer de s'incliner, et défend contre lui « les droits du gouvernement ». Un conflit s'esquisse entre le commandement et le pouvoir. Mais Joffre l'emporte encore en menaçant d'aller se faire tuer devant ses troupes si on ne lui donne pas satisfaction, s'il ne dispose pas, pour le début de mai, de tous ses effectifs. « Nous lui ferons le nouveau crédit qu'il nous demande », affirme Poincaré.

Lord Kitchener vient de faire savoir à Millerand qu'il enverrait en France deux nouvelles divisions en avril, pour permettre à Joffre de dégager les lignes du Nord et d'avoir ses huit corps d'armée de manœuvre, prêtes à l'assaut. Le généralissime est bien obligé d'accepter ce concours essentiel. L'indispensable coopération des deux commandements est enfin posée en préalable de la victoire. La deuxième offensive de 1915 est sur les rails. Rien ne peut plus l'arrêter.

*

Elle est franco-britannique : French a choisi de s'y joindre. Millerand a autorisé Joffre à prélever quatre divisions de formation nouvelle s'ajoutant aux quatre récentes en réserve dans le camp retranché de Paris. Il a sextuplé le nombre de ses batteries lourdes, tout en restant encore très inférieur à l'ennemi sur ce point. Il n'a pas encore obtenu que l'on recense la classe 1917 pour obtenir au plus tôt les effectifs destinés à remplacer les vides prévisibles après la nouvelle hécatombe qui se prépare.

Les attaques se poursuivent, avec des pertes nombreuses, aux Eparges, au Bois brûlé, au Bois-le-Prêtre et dans les Vosges sur l'Hartmannswillerkopf. Le 8 avril, une attaque locale contre la hernie de Saint-Mihiel échoue. Ces mauvais résultats inquiètent Poincaré qui décide de visiter le front. Le 11 avril, il est à la Xe armée du général d'Urbal à son QG de Saint-Pol. Les troupes qu'on lui présente sont triées sur le volet. A Frévent, le général Curé se dit optimiste, assure que ses poilus, dont fait partie le 273e régiment de Coulommiers, celui de l'Ourcq, gardent un moral élevé, n'ayant pas été engagés dans l'affaire de Champagne. Maistre et Pétain commandent les 21e et 33e corps autour d'Arras. « Ils sont beaucoup moins rassurés que d'Urbal sur les résultats de l'offensive. » Foch seul reste confiant dans son quartier général de Cassel, sur la plaine de Flandres. Il se voit déjà à Fleurus et à Waterloo. Au 20e corps, Balfourier présente à Poincaré le 26e de Nancy et le 2e bataillon de chasseurs, où le président a servi. Il y est reçu fraternellement.

Les troupes destinées à l'offensive sont l'élite de l'armée ou de nouvelles divisions qui n'ont pas connu l'immobilité des tranchées. On augure bien du moral des attaquants malgré l'échec de l'opération sur la Woëvre d'avril, dont le sanglant résultat est la seule occupation de la butte des Eparges. Les attaques prévues, retardées par le mauvais temps, doivent ouvrir un front de quinze kilomètres entre Lens et Arras, notamment sur la colline de Notre-Dame-de-Lorette et sur la butte de Vimy. L'armée britannique y est associée.

Joffre a-t-il pu imaginer une nouvelle tactique pour les opérations en Artois alors que l'on vient de perdre quarante mille hommes en Champagne ? On a seulement prévu un front deux fois plus large, pour pouvoir faire monter en ligne un plus grand nombre d'assaillants, six corps d'armée au lieu de trois, avec le renfort de quatre cents canons lourds destinés à battre les batteries ennemies. On croit à l'efficacité d'une préparation d'artillerie de quatre heures sur ce front restreint.

Depuis un mois, les concentrations se précisent à l'arrière de la Xe armée. Le 276e d'infanterie de réserve, le régiment de Coulommiers, est de la distribution. Embarqué à Vierzy près de Soissons, il abandonne les tranchées de l'Aisne où il s'enlisait. Les soldats débarquent des wagons à bestiaux garnis de paille en gare de

Frévent, dans le Pas-de-Calais, petite ville située sur la rivière Canche, au sud des collines de l'Artois.

Il prend aussitôt le rythme de la marche d'étapes et gagne ainsi les villages d'Acq et de Villers-aux-Bois, au nord d'Arras, à quelques kilomètres au sud-ouest de Notre-Dame-de-Lorette. On leur distribue des paquets d'ouate, pour se boucher les narines et mettre « gros comme un œuf » de coton dans la bouche. Rien pour protéger les yeux. Quelques cristaux d'hyposulfite à plonger dans l'eau pour imbiber les compresses et pouvoir respirer. Pourquoi ces précautions ?

Le 22 avril 1915, au nord d'Ypres, sur le front de Steenstraat et de Langemarck, les Allemands ont utilisé pour la première fois les gaz asphyxiants. Ils ont disposé des tubes lâchant des gaz tous les quarante mètres. Leurs ingénieurs ont soigneusement étudié les conditions météorologiques pour s'assurer que les vents ne pousseraient pas vers leurs propres lignes les nappes de gaz lourd, jaunâtre ou verdâtre.

Les territoriaux de la 87e division française, les premiers touchés, abandonnent leur position. Un rapport relatant l'affaire est aussitôt envoyé au quartier général : « Nos hommes ressentirent immédiatement, explique-t-on, des picotements et une irritation intolérable dans la gorge, le nez et les yeux, ainsi que des suffocations violentes et de fortes douleurs dans la poitrine, accompagnées d'une toux incoercible. Beaucoup tombèrent pour ne plus se relever. D'autres, essayant vainement de courir, durent, sous les balles et les obus, se replier en titubant, en proie à des souffrances cruelles et pris par des vomissements dans lesquels apparaissaient des filets de sang. Un certain nombre d'entre eux, malgré les soins qu'on leur prodigua, ne tardèrent pas à succomber à l'asphyxie provoquée par les lésions pulmonaires. »

La panique des territoriaux entraîne le recul de l'excellente 45e division qui repasse l'Yser. Une brèche s'ouvre entre les lignes françaises et britanniques. Le général Quiquandon demande aux régiments de la 45e division de contre-attaquer. Ils ne peuvent y parvenir. Les zouaves sont envoyés en renfort. Ils suffoquent malgré les masques de gaze imbibés d'eau dont le général Weygand, surpris, recommande l'usage par télégramme : « de l'hyposulfite de soude avec de la potasse ». Il ne faut pas hésiter à entrer dans la nappe car, dit le général, chef de cabinet de Foch,

« le meilleur moyen d'éviter le nuage est de foncer en avant, contre le vent qui l'emporte ».

Le premier régiment de marche de tirailleurs algériens vient d'arriver en Belgique. Il relève dans la nuit du 21 au 22 avril le 3e *bis* de zouaves, de la 45e division d'Alger et les poilus occupent les tranchées sommaires, faites de sacs de terre, entre Langemarck et la route d'Ypres à Poëlcappelle. Le 2e bataillon est en première ligne, au contact avec les Canadiens de l'armée britannique. Le 1er est en liaison, dans la tranchée, avec le premier bataillon d'Afrique. Alerte ! le colonel Mordacq reçoit un appel au téléphone : « d'immenses colonnes de fumée jaunâtre » proviennent des tranchées allemandes. Les tirailleurs suffoquent. Ils veulent abandonner la tranchée.

« La situation n'est pas tenable, explique le commandant Fabry. Les tirailleurs sont pris entre les gaz et un tir de barrage. Les officiers doivent abandonner leurs PC. »

« Partout des fuyards, explique Mordacq, territoriaux, joyeux, tirailleurs, zouaves, artilleurs, sans arme, hagards, la capote enlevée ou largement ouverte, la cravate arrachée, courant comme des fous, allant au hasard, demandant de l'eau à grands cris, crachant le sang, quelques-uns même se roulant à terre en faisant des efforts désespérés pour respirer[1]. » Les survivants — trois cents hommes à peine — se dirigent vers les lignes canadiennes où un sergent algérien reçoit à la fois la Légion d'honneur et la Victoria Cross en prenant le commandement d'un groupe perdu de Canadiens. Ils chargent à la baïonnette des Allemands protégés par des masques. Le régiment a perdu ce jour-là 1 170 hommes.

Les émissions de gaz se poursuivent dans la nuit du 22 au 23, puis le 24 avril. Les Canadiens, puis les Belges sont touchés à leur tour. Les Marocains envoyés à l'assaut sont aveuglés par le chlore et se roulent par terre de douleur. Joffre fait expédier en toute hâte dans le Nord les appareils respiratoires des mineurs de fond et ceux des pompiers de Paris : remède dérisoire. Aucune poudre n'a pu être distribuée en secteur. Les hommes imbibent leur mouchoir d'eau pour se protéger la bouche et le nez. Les yeux sont attaqués. On doit les évacuer. La longue géhenne des aveugles de guerre

1. Mordacq, *Le Drame de l'Yser*, 1915, Paris, éditions des Portiques, 1933.

commence. Les Allemands viennent d'inventer la guerre chimique. Mauvais augure pour l'offensive de l'Artois.

*

L'emploi des gaz reste cependant difficile. Les bonbonnes d'acier contenant du chlore liquéfié sous pression de 8 kilos, placées à l'avant des tranchées ne permettent pas des émissions d'une durée continue. On relève seulement 469 cas de soldats blessés. Plus de peur que de mal. Mais de part et d'autre les chimistes préparent la deuxième étape des attaques au gaz, celle des obus. Il devient indispensable d'équiper tous les soldats, mais aussi les chevaux, les mulets, les ânes, de masques protecteurs.

Ils ne peuvent intervenir dans l'équipement du poilu lors de l'offensive du 9 mai. Il n'a même pas encore reçu le casque en acier, qui doit faire régresser les blessures au crâne. Par contre, la dotation d'artillerie a considérablement augmenté. Sur ce point au moins, on peut penser que l'état-major a tiré les leçons de l'échec de mars. Le soldat voit avec plaisir défiler les attelages de près de 800 pièces disposant au départ de cent obus par canon dans le secteur d'attaque ; de quoi faire un beau feu d'artifice. Mais la dotation en moyens lourds n'est pas encore suffisante : seize 155 courts seulement et trente-quatre longs, avec trente obus par jour au maximum et quatre canons de 220 capables de tirer au plus vingt-cinq fois par jour.

Dans ces conditions d'infériorité probable du tir d'artillerie, on compte une fois de plus sur la mobilité des pièces légères et sur la surprise. On recommande donc aux artilleurs de faire leur préparation par étapes deux jours avant sur l'ensemble des organisations, quatre heures seulement avant l'heure H, si toutefois la brume qui noie la butte de Vimy jusqu'à midi permet des reconnaissances précises. Une offensive anglaise sur la Bassée doit accompagner le mouvement en pince des corps d'armée français au nord et au sud d'Arras. Les 21e et 33e corps d'armée sont chargés de l'opération, avec le secours de quelques divisions. Joffre précise bien aux chefs de corps que l'attaque générale « nécessite des exécutants persuadés que la guerre de tranchée peut et doit finir ».

Les Allemands sont avertis des préparatifs de l'offensive. Ils attendent patiemment dans leurs abris de deuxième et troisième ligne, dans leur position de défense très élaborée, comportant de nombreux ouvrages de flanquement. Le bois de Givenchy apparaît comme « entièrement truqué », farci de défenses souterraines. La butte de Vimy semble imprenable. De la Targette au Cabaret rouge, entre Lens et Arras, l'aviation a repéré une série de petits ouvrages invisibles, sans doute bétonnés. L'ennemi vient de rapprocher ses batteries du front. Les canons lourds ne sont pas à plus de trois kilomètres. Les Français sont attendus.

Pour la première fois depuis le début de la campagne, note Henri Bouvereau, les soldats du 276e, à disposition du 33e corps de Pétain, échangent entre eux leurs adresses, avec promesse réciproque d'écrire en cas de malheur. Ainsi se noue, avant l'hécatombe « une chaîne d'affectueuse solidarité ». Quand ils arrivent en position, l'offensive a déjà commencé. Ils croisent les premiers convois de blessés, les files de mulets apportant l'eau et le ravitaillement en première ligne.

Ils arrivent en longeant un boyau dans une place d'armes au sol couvert de rondins, aux parois étayées de branchages. On débouche de là sur les tranchées de départ. La marche est irrégulière : les « gros noirs » font voler en éclats les parapets. On s'arrête brusquement, on piétine pour repartir dans la nuit, en suivant le camarade qui vous précède. Un officier de liaison guide la colonne dans ce labyrinthe.

Les soldats butent dans les câbles de téléphone qui suivent les boyaux, glissent sur la glaise des parois où ils tentent de s'accrocher. On les recueille dans une nouvelle place d'armes. Ils s'abritent dans des cagnas, prenant un peu de repos sur les « banquettes ». Pas pour longtemps. Ordre est donné de déposer les sacs et de mettre les toiles de tente en bandoulière. La marche reprend vers les premières tranchées allemandes conquises la veille sans efforts. L'artillerie de tranchée a bien travaillé : elle a ouvert, en synchronisation avec les canons de 75 avancés en ligne, de larges brèches dans les champs de barbelés. Les sapeurs ont organisé la position : ils ont mêlé des cadavres ennemis à la boue, aux sacs de terre et aux débris de toute sorte pour constituer un rempart provisoire. Les mitrailleuses de flanquement sont prêtes à tirer.

Les soldats de la première vague, épuisés par l'effort, dorment en se confondant avec la glaise. Les renforts les dépassent, les sections se reforment en une ligne continue de tirailleurs qui rampent dans une prairie, en direction du village de Carency, au sud-ouest de Notre-Dame-de-Lorette. Approche anxieuse, encore silencieuse dans la nuit. L'ennemi est en face, sur une colline. Il faut franchir à gué un ruisseau sans passerelle. Un à un, les hommes se glissent sur l'autre rive, en chevauchant un tronc d'arbre. Quand l'aube se lève, ils sont le long d'une route sur un sol raviné par l'artillerie française. Pas d'assaut à donner : la crête est déjà prise quand ils gravissent la pente : la deuxième position allemande est enlevée. Ceux du 20e de Marmande ou du 246e de Fontainebleau se couchent sur le sol, accablés moins par l'effort que par la tension nerveuse.

Des files de prisonniers défilent, la barbe hirsute, les vêtements maculés de boue. Dans les abris, on balance des grenades. Tous les *feldgrau* se rendent. On goûte à leur pain KK « au goût de sciure et de colle », on fume leurs cigares. Les infirmiers emportent les blessés allemands, y compris le capitaine atteint par des éclats de 75. Est-ce la victoire ?

Quand la troupe quitte Carency conquis pour s'engager sur la route d'Albin-Saint-Nazaire, un bombardement d'artillerie se déchaîne, d'une violence inouïe. Les pièces lourdes allemandes ne sont nullement réduites au silence. Elles s'acharnent sur les fantassins repérés par les observateurs des *Drachen*. Les hommes plongent dans les trous d'obus, se cachent bien inutilement sous des branchages. Les fusants sont mortels. Bouvereau est à terre, les oreilles bourdonnantes, plusieurs fois touché. Son voisin, les yeux hagards, a perdu la raison. Un camarade a le visage ensanglanté, un autre la poitrine défoncée par un éclat. Les blessés pataugent dans la boue. Ceux qui peuvent se traîner appellent à l'aide.

Un cuisinier entraîne Bouvereau vers un poste de premier secours, un abri construit par l'ennemi. Une fiche de carton pendue au cou, les blessés traversent Carency, s'agglutinent autour d'une voie de chemin de fer étroite où un major a l'idée d'utiliser les wagonnets pour évacuer son monde sous le feu des canons ennemis. On arrive enfin à l'hôpital de campagne où l'on évacue les transportables sur Aubigny par ambulance automobile. Pour Bouvereau, c'est la fin de l'offensive.

*

Ils sont déjà des dizaines de milliers dans son cas, évacués vers les hôpitaux de l'arrière ou abandonnés entre les lignes. Les 20e, 17e et 33e corps ont attaqué de conserve, le 9 mai, après une efficace préparation d'artillerie, soutenue par des observations d'aviation. Les officiers artilleurs avancés dans les tranchées d'assaut ont bien renseigné les chefs de pièce. Ils ont dégagé les obstacles. Mais les pertes éprouvées au premier jour par le 17e corps sont lourdes. Les régiments de Cahors (7e) de Mirande (88e) et de Montauban (11e) ont perdu tous leurs officiers dont le colonel Mahéas surnommé l'invulnérable. Ils n'ont guère pu progresser. Au premier jour, les tirailleurs de la division marocaine se sont emparés des Ouvrages blancs, investi Carency avec les chasseurs et les fantassins du corps Pétain. Près de trois batteries ennemies sont prises, des dizaines de mitrailleuses, 1 500 prisonniers. Le 20e corps de Nancy a conquis la Targette et Neuville-Saint-Vaast au prix de lourdes pertes pour cette unité d'élite. Les Français pourront-ils se maintenir sur les positions conquises ?

Dans le Nord, une chaude affaire a été engagée par Foch et Guignabaudet, du corps d'armée Curé, devant Loos, en collaboration avec les Anglais de la Bassée, en complément d'offensive. Le 90e de Châteauroux y a perdu sans résultat 700 hommes et 300 le 114e de Parthenay : des soldats qui, pour la plupart, n'avaient encore pas vu le feu.

Les chasseurs de Langres se sacrifient, avec une brigade de spahis, pour s'emparer, dans le pays minier des Ouvrages blancs, d'un bastion avancé fortement fortifié à l'ouest d'Angres, près de la fosse Calonne. Sur un front de deux cents mètres sans abri aucun, les chasseurs attaquent à découvert, mitraillés par les Allemands, bombardés par les canons installés dans les fosses de Liévin. Les grenadiers et mitrailleurs occupent la position par surprise, suivis par les spahis et les territoriaux qui l'organisent aussitôt. Mais la mort du commandant Madelin mine le moral des assaillants contre-attaqués à la grenade et bientôt privés de leurs officiers. Les spahis résistent toute la nuit dans les entonnoirs aux contre-attaques lancées à la lumière de fusées éclairantes. Les Français ne pouvaient conserver que le sud de l'ouvrage. Le bataillon de chasseurs avait perdu la moitié de son effectif, les spahis comptaient plus de cent tués, dont le capitaine Paoli, un brave des braves. Aucun feu d'artillerie n'avait soutenu l'opération.

L'attaque continuait sur le front de Carency le 11, mais elle était arrêtée par le canon. Pourtant les positions conquises sont plus ou moins gardées. Pétain reste sceptique, malgré la vaillance de ses soldats : les Allemands ont établi devant son corps une nouvelle organisation très forte. Surtout leur artillerie lourde ne peut être atteinte par les pièces de campagne françaises et « enfile complètement le terrain des attaques ».

Malgré le renforcement par Joffre du parc des canons de gros calibre, les anciens de la bataille de mars assistent donc à une réédition de l'échec de la première offensive, mieux préparée, plus ample en moyens, mais tout aussi meurtrière. Carency en ruine est repris plusieurs fois, comme la chapelle de Notre-Dame-de-Lorette, où viennent mourir les fantassins du 21e de Langres.

Pourtant, le 14 mai, après cinq jours de bataille indécise, Joffre ordonne de continuer, et de s'emparer à toute force de la « grande crête » de Givenchy à Bailleul, passant par Vimy. Là doit se situer la percée, au plus fort des défenses ennemies. Comme en Champagne, il organise la noria des divisions, en envoie immédiatement deux en renfort. 26 000 hommes jetés dans la fournaise. Il ordonne à d'Urbal de combattre de jour et de nuit avec la même intensité.

Les morts sont si nombreux que, le 15 mai, son état-major ordonne de s'organiser par des travaux incessants sur les positions conquises pour préparer une nouvelle avance. L'attaque ne pourra pas reprendre avant dix jours, mais il n'est pas question d'y renoncer. Les fantassins du recrutement de Langres qui ont pris et repris la chapelle de Notre-Dame-de-Lorette doivent savoir qu'ils ne peuvent reculer.

Joffre apprend le 15 mai que les Russes sont en retraite sur tout leur front, et redoute que les Allemands vainqueurs ne ramènent leurs corps d'armée à l'ouest. Il faut se hâter d'emporter la décision, poursuivre, malgré les pertes, sous peine d'être submergé par les renforts ennemis sur un front où il dispose déjà de deux millions de combattants. Les hommes meurent pour s'emparer de points de départ en vue d'une future opération, du cimetière d'Albin Saint-Nazaire ou du fortin des Quatre Boqueteaux. Ils s'enfoncent jusqu'aux genoux dans le terrain détrempé par les pluies et ne peuvent progresser. Les quelques avancées des groupes de choc sont compromises par de violents tirs d'artillerie lourde.

Les rafales d'obus accablent les fantassins du 109e de Chaumont, du 282e de Montargis et du 289e de Sens, des jeunes recrues qui ne sont pas habituées à ces bombardements violents. Les soldats sont isolés en petits groupes dans les trous. Le ravitaillement ne peut leur arriver sur le plateau détrempé et constamment battu par le canon de Notre-Dame-de-Lorette. Ils n'ont ni eau ni vivres et leurs officiers sont morts. Les bataillons sont réduits à quelques poignées de combattants.

Pourtant l'ordre est donné aux fantassins de Troyes et de Sens de s'emparer le 19 mai de l'éperon de la Blanche-Voye. Heureusement Cadoudal, qui commande la 13e division d'infanterie, arrête les frais : le terrain est impraticable, les hommes s'y enlisent. Le brouillard empêche les artilleurs de régler leur tir et les aviateurs de sortir. Il est impossible d'enlever les ouvrages de vive force, tant que l'artillerie n'a pas les moyens de les neutraliser. D'Urbal fait le bilan : le corps Pétain a avancé de quatre kilomètres grâce aux légionnaires, aux tirailleurs, aux zouaves de la division marocaine, mais aussi à la brigade alpine de la 77e division : les meilleures troupes de l'armée. Mais il a été bloqué par la lenteur de l'arrivée des renforts et la violence du feu de représailles ennemi. Le corps Balfourier est arrêté par les ouvrages imprenables du Labyrinthe et du cimetière de Neuville-Saint-Vaast. Le 17e corps est impuissant à Loos, les 17e et 10e corps ont à peine pu sortir leur attaque des tranchées. A quoi bon poursuivre, devant des positions aussi fortes et sous un feu meurtrier d'artillerie ? Est-ce la fin de l'offensive ?

*

On bataille encore jusqu'au 18 juin. Joffre a médité sur les premiers échecs. Les Français se sont aperçus que si les tranchées de première ligne n'étaient que faiblement occupées, elles étaient défendues par d'invisibles nids de mitrailleuses sous casemates tirant sur les flancs. On savait déjà que l'ennemi avait creusé des abris profonds mais on ignorait que les positions de la ligne de défense étaient organisées selon les principes de la guerre de forteresse, sur toutes les faces. Mêmes cernés, les défenseurs pouvaient continuer un combat opiniâtre.

Les boyaux vers l'arrière étaient fortifiés en sapes doubles, protégés par des barbelés, aménagés sur les deux faces en tranchées de tir avec emplacements de mitrailleuses. Ils étaient autant de lignes fortifiées. Dans les villages, les Allemands bétonnaient les voûtes des caves et communiquaient d'une cave à l'autre. La destruction de ces points forts devait être réalisée par l'artillerie lourde si l'on voulait que l'infanterie attaque sur un front large et profond, poussant ses réserves pour bénéficier aussitôt d'un avantage.

Comment les fantassins auraient-ils pu prendre et se maintenir dans ces réseaux de forteresse, sans disposer de moyens supérieurs à ceux de l'ennemi ? Pourtant on persiste. On envoie d'autres troupes et le fortin de la Blanche-Voye est pris. On donne l'ordre à Pétain de progresser malgré l'insuffisance de son artillerie. Une lutte acharnée se poursuit dans le Labyrinthe, sur le plateau de Notre-Dame-de-Lorette, à Neuville-Saint-Vaast. Les troupes d'assaut sont constamment relevées et remplacées, quand leurs pertes excèdent 50 %.

Enfin le répit s'annonce. Pétain demande quinze jours de délai pour reprendre l'opération. Tous les chefs de corps le suivent. Il faut bien organiser les relèves et creuser de nouvelles parallèles, attendre aussi les munitions d'artillerie. D'Urbal, qui veut aller plus vite, leur donne comme point limite le 31 mai. Pendant dix-huit jours la seconde partie de l'offensive de l'Artois va se dérouler dans des conditions tout aussi incertaines, malgré la montée en ligne des réserves. Les Anglais ne peuvent plus soutenir l'offensive, faute de munitions. Ils acceptent seulement de relever une division française devant Loos.

Joffre demande à Millerrand, dès le 30 mai, le renforcement des unités britanniques sur le front. 58 ont été levées par lord Kitchener. 21 seulement sont en France. On peut doubler ce total, ce qui permettra de résister au reflux des unités allemandes en France, après les succès qu'elles ont remportés sur le front russe. Il n'est plus question de bouder le concours anglais. Il est désormais certain que la rupture ne peut provenir « que d'une attaque combinée de plusieurs armées » et non d'un « front unique ».

La supériorité des effectifs allemands est établie par une note du 31 mai du 2e bureau de l'état-major de la première armée. On y parle sans sourciller de la « consommation en hommes » qui oblige les Allemands à renforcer leurs unités de premier échelon (les 870 000 hommes du service actif et les 1 180 000 hommes réservistes des cinq premières classes, de 23 à 28 ans) de la Landwehr comportant deux bans : le premier, de 970 000 hommes de 28 à 35 ans, et le second d'un million d'hommes de 35 à 39 ans, et l'état-major impérial dispose en outre d'une masse d'ersatz-réservistes : 900 000 hommes de 17 à 45 ans. Au total, un réservoir immense de 4 900 000 hommes, au lieu de 3 500 000 pour les Français, permettant d'engager 97 corps d'armée sur tous les fronts, avec 11 divisions de cavalerie. Les Allemands ont même mobilisé ceux de la *Landsturm* âgés de 39 à 45 ans. Ils envisagent de ramener du front de l'Est 17 divisions. Il faut avoir ces chiffres présents à l'esprit pour rationaliser la « consommation d'hommes » désormais prise en compte, au jour le jour, par l'état-major français, au même titre que celle des chevaux, des obus et des balles.

Joffre manque de tout, veut consommer plus qu'on ne peut produire. Il demande que l'on force la fabrication des canons lourds de 220, seuls capables de percer le béton des casemates de mitrailleuses de la ligne fortifiée allemande. La Xe armée, pour son offensive, ne disposait que de deux batteries de ce calibre. On constate aussi la pénurie en engins de tranchée, mortiers et grenades. Les Allemands, dans leurs attaques, rampent désormais de trou en trou, invisibles, par petits paquets, uniquement armés de grenades qu'ils jettent dans les tranchées où ils font le vide. Chaque compagnie dispose de mille grenades. Il faut s'adapter à cette nouvelle forme de guerre. Dans le Labyrinthe, Berthelot a mené uniquement à la grenade l'offensive vigoureuse de sa 53e division, consommant 23 000 grenades en trois jours. Il a réussi.

La Xe armée attaque de nouveau, en pure perte, le 16 juin, sur toute sa ligne, alors que 50 000 hommes sont déjà perdus. Tous les poilus devront sortir des tranchées. Voici que montent en ligne, à la VIe armée, de nouvelles unités, le 42e de Belfort, le 292e de Clermont-Ferrand et la 3e division coloniale. Encore des unités d'élite, farcies de jeunes recrues. Joffre prévoit, pour aller plus vite et pour la première fois, d'enlever une brigade entière par automobile. Toutes les armées doivent prendre l'offensive, pour empêcher l'ennemi de dégarnir son front au profit de l'Artois. On a remplacé les divisions détruites en amputant les maigres réserves, mais le matériel n'a pas été sensiblement renforcé. On a seulement envoyé en ligne huit vieux mortiers de siège de 270 à mille obus par pièce. On ne dispose encore que de sept batteries de 220 pour tout le front, et d'un total de 42 mortiers de ce calibre. On se préoccupe seulement de rassembler ce parc attelé ou tracté pour le mettre à la disposition du grand quartier général à la veille d'une attaque, et le porter massivement sur la partie du front concernée. Les pièces étaient jusqu'alors saupoudrées dans toutes les unités.

Les Marocains ont enlevé trois ou quatre lignes de tranchées en accusant des pertes considérables. Ils ont dû se replier sous le feu très violent des canons ennemis « négligeant, confesse l'état-major, notre artillerie ». Le « bombardement intense et incessant » a rendues vaines les avancées meurtrières de l'infanterie française. De nouveau les jeunes classes et les régiments d'élite, Marocains, tirailleurs algériens, Légion étrangère, chasseurs, 20e corps de Nancy, Bretons et Gascons, fantassins du Nord et de l'Ile-de-France, sont venus mourir en vagues successives dans la saignée de juin.

Depuis l'arrêt de l'offensive, les survivants s'organisent comme ils peuvent sur un champ de bataille bouleversé. Les pertes avouées sont lourdes : du 6 mai au 18 juin, 1 894 officiers et 84 288 soldats, tués, blessés ou disparus. Le ravitaillement est irrégulier en première ligne, les vivres manquent. Les réserves de munitions et de grenades ont été épuisées. On se garde des tirs incessants de l'artillerie ennemie avec des moyens de fortune, en reliant les trous d'obus pour reconstituer des lignes.

Les cadres ont beaucoup souffert des attaques. Un sergent-tailleur a été nommé sous-lieutenant au 9e corps et les promotions de ce genre sont nombreuses. Les officiers improvisés ne connaissent pas leurs hommes, arrivés peu avant l'offensive, souvent sans formation sérieuse. Certains ne savaient pas se servir du Lebel. Très vite épuisés par l'offensive, ils accusaient un moral bas et tombaient fréquemment malades. On redoutait à l'état-major des « simulations de maladie ». Quant aux soldats des corps d'élite, ils avaient perdu plus de la moitié des leurs, et les survivants étaient épuisés. L'offensive avait cassé la force de frappe de l'armée française, pour un gain maximum de quatre kilomètres de positions intenables.

*

Pas un mot des responsables politiques pour condamner ces attaques, exiger la cessation des offensives. Poincaré attribue l'échec de Pétain, dont l'attaque avait été « brillante » à la montée trop tardive des réserves, laissées à douze kilomètres en arrière. Pas un mot pour obliger Millerand à se débarrasser du général Baquet, responsable des fabrications d'artillerie. Quand le socialiste Albert Thomas lui succède, avec le titre de sous-secrétaire d'Etat et flanqué de deux adjoints militaires, il daigne ne plus redouter « qu'il n'ait pas la compétence technique nécessaire ». Le gouvernement hésite sur la conduite à tenir à l'égard de Joffre. Les officiers supérieurs, Foch pour le Nord, Dubail pour l'Est et Castelnau pour le Centre, lui reprochent de leur enlever toute initiative et de mal dominer son état-major pléthorique, trop loin de la troupe. « Il faut que le général en chef change de méthode, écrit Margaine, député radical de la Marne, qu'il ne s'isole pas de plus en plus. S'il n'accepte pas, il n'y a qu'à le laisser partir. Personne maintenant ne le regrettera. »

La Chambre est accablée par les nouvelles du front. Charles Humbert, sénateur de la Meuse, plus tard accusé de diriger un journal payé par les fonds secrets allemands, affirme qu'on chante *L'Internationale* dans certains corps. L'armée refuse l'accès de la commission sénatoriale au service sanitaire de Nœux-les-Mines ou d'Aubigny, particulièrement chargés en blessés. On commence à exiger un contrôle parlementaire, des députés en mission, comme en 1793. Le député-soldat Bokanowski exige un comité secret pour interroger Millerand sur la gestion de la guerre.

Joffre ne répond à aucune critique sur les opérations militaires, mais affirme simplement qu'on ne lui donne pas les moyens de « conduire la guerre » en établissant avec les alliés une synchronisation des opérations. Les Anglais ne s'intéressent qu'à l'Orient, les Italiens tardent à s'engager sur un front, les Russes sont en débandade, le corps expéditionnaire des Dardanelles s'enterre dans des tranchées, comme sur l'Aisne. La négociation d'un commandement unique appartient aux politiques. Qu'attendent-ils ? Pour sa part, tirant à sa manière les leçons de l'échec, il prépare une troisième offensive générale pour le 25 septembre sur deux fronts, Artois et Champagne, avec la participation entière de l'armée britannique : six corps français et quatre anglais pour l'Artois, dix corps français pour la Champagne avec près de deux mille pièces lourdes. Il n'a pas renoncé à faire la preuve que la percée était possible. Il s'y prépare en méprisant l'incompétence des politiques. Mais tiendra-t-il jusqu'en septembre ?

La commission du Sénat s'acharne contre Millerand, accable Joffre de reproches. Clemenceau tonne contre lui, et plus encore contre le gouvernement qui ne sait pas s'imposer au quartier général. Il juge sévèrement le despotisme de Joffre et annonce une révolte prochaine des généraux contre lui. Pénelon, l'attaché militaire de l'Elysée, fait un rapport dans ce sens à Poincaré : les généraux, même de groupes d'armées, se plaignent d'être conduits « par des théoriciens et des professeurs ». Déjà Pétain fait savoir que, faute d'avoir consulté au préalable les chefs de corps, l'offensive a échoué « à cause de sa méthode déplorable ». Il commence à se déclarer hostile à la reprise d'une offensive, tant qu'on manque d'artillerie lourde et de munitions. Il soigne son personnage de temporisateur, auréolé de sa victoire relative en Artois. Même Foch ne prononce plus le mot d'offensive, comme s'il était tabou. Il affirme que la guerre sera très longue, et qu'il faut s'organiser pour la durée. D'Urbal, le responsable des opérations en Artois, se dit las des offensives partielles qui sont en train « de briser notre instrument de victoire ». Pour tous ces généraux, les poilus doivent retourner à la tranchée et mener une guerre défensive. Y aurait-il rivalité ou divergence de vues au sein de l'état-major français ? Les députés, fermés à ce débat des chefs, parlent seulement de la lassitude des troupes.

Il est de fait que les généraux Cordonnier et Roques ont demandé à Poincaré de gracier vingt-trois soldats du 56e régiment d'infanterie de Chalon-sur-Saône, condamnés à mort pour avoir abandonné une tranchée au bois d'Ailly. On affirme que, dans l'Est, un général français a reçu des balles sur sa voiture « qui n'étaient pas envoyées au hasard » et que le général Duval, dans les rangs des soldats, est traité d'assassin. Le mécontentement dans les tranchées s'accroît quand on peut lire dans la presse que le gouvernement veut faire rentrer dans les usines les soldats ouvriers : ceux-ci se croient des droits, et exigent leur départ immédiat des lignes. On précise très vite que les ouvriers rappelés resteront mobilisés, et qu'ils pourront être à tout moment renvoyés au front « s'ils travaillent insuffisamment ou font preuve d'indiscipline ». On débat au gouvernement pour savoir s'ils seront moins payés que les civils.

Le mécontentement grandit aussi dans la population, selon

Viviani. Tant de morts n'ont abouti à aucun succès sérieux et la guerre se prolonge. L'attente du public a été constamment trompée par l'information officielle. On a promis la percée, qui n'est pas venue, la fin de la guerre pour la fin de l'été : il n'en est plus question. Les renseignements des communiqués plastronnent emphatiquement à la moindre avance, et sont démentis le lendemain. On a annoncé plusieurs fois la prise du Labyrinthe où les soldats se font encore tuer.

Comment demander à la population de prendre patience, alors qu'on s'ingénie à lui offrir de faux motifs d'espérance ? Même à Gallipoli, les deux divisions françaises oubliées du public ne parviennent pas à avancer. L'émotion du Sénat, qui filtre dans la presse, habitue le pays à penser que l'administration de la guerre fournit aux soldats des tubes de canons qui éclatent, de la poudre mouillée, des grenades si mal fabriquées qu'elles explosent dans les mains des combattants.

On ne peut avoir d'écho direct du front, puisque les permissions ne sont toujours pas autorisées. Millerand décide, le 1er juillet seulement, d'accorder aux hommes des permissions de huit jours, transports non compris, à raison de trois ou quatre par groupe de cent et pour cause de moissons. Un groupe de députés préoccupés de la natalité française demande que ces permissions soient réservées aux hommes mariés. On peut redouter une crise du moral, non seulement au front, mais dans le pays tout entier.

*

La guerre peut repartir sur des bases nouvelles après la conférence de Calais du 8 juillet 1915, où Asquith et Balfour, avec lord Crewe et Kitchener, rencontrent Delcassé, ministre des Affaires étrangères, Augagneur et Joffre, avec le maréchal French et Ignatieff, représentant de l'armée russe. Les Anglais sont décidés à faire débarquer en France dix-huit divisions, par tranches de six par mois, et à prendre la responsabilité d'un front continu à condition qu'on renonce à toute offensive immédiate. Joffre se réjouit de ce renfort, qui lui permet précisément de mettre en route sa grande opération sur deux fronts pour réaliser à l'automne la percée qui lui paraît encore possible. Dès juillet, il aura six divisions britanniques supplémentaires en France, et autant en août. Il lui suffit de se concerter avec French pour les utiliser au mieux.

Les poilus sont assurés de ne pas voir la chute des feuilles dans les tranchées. Ils repartiront au combat. Dès le 14 juillet, jour où l'on célèbre solennellement le transfert des cendres de Rouget de Lisle, des milliers d'hommes tombent dans l'Argonne. Pour eux, l'offensive continuait. Sarrail, rendu responsable de cette opération désastreuse, était expédié à l'armée d'Orient. Et Joffre confiait à Poincaré, fin juillet, qu'il méditait une grande offensive. Le président aurait alors tenté de le modérer : « A ce moment, lui dit-il, vous devrez consulter le gouvernement. »

Cela n'empêchait pas Poincaré de passer en revue les troupes coloniales nouvellement formées pour les réserves d'offensive, le 2e et le 3e *bis* de zouaves, les 2e et 3e mixtes de tirailleurs et de zouaves, de la 45e division levée en Afrique du Nord, ainsi que les tirailleurs marocains. Ces régiments formés ou reformés étaient promis aux tout premiers assauts, ainsi que des unités de choc exposées depuis le début aux plus rudes batailles, comme la division de fer de Nancy. Dès le début d'août, Joffre entend profiter du débarquement de la IIIe armée de Kitchener pour préparer son offensive. Poincaré et Viviani sont alors résolument contre, ne voulant pas renouveler les échecs de Champagne, de la Woëvre et des Eparges. « Je demande formellement, explique le président, qu'aucune offensive nouvelle ne soit engagée avant qu'on m'en ait exposé complètement les conditions et la portée. »

Un groupe de pression parlementaire se forme au sein des radicaux, appuyé sur Briand et Painlevé, pour exiger une intervention à Salonique, aux fins d'aider l'allié russe en difficulté, ou un renforcement de la présence française aux Dardanelles, pour forcer les Détroits. Joffre reste sourd à ces suggestions. Il accélère ses préparatifs, confesse au gouvernement le 14 août, sans y avoir été moindrement autorisé, qu'il prépare une offensive en Champagne le 15 septembre, d'une durée de quatre à cinq jours. « Je ne puis rester sur la défensive, explique-t-il, nos troupes perdraient peu à peu leurs qualités physiques et morales. » Il aligne neuf cents canons lourds sur un front de trente kilomètres et croit, une fois de plus, au succès. Il refuse d'envoyer quatre divisions de renfort aux Dardanelles avant la fin de son opération.

C'est Joffre qui manœuvre Millerand et les Anglais pour obtenir leur appui à ses projets. Kitchener, rendant visite à Millerand, se rallie à l'offensive et le fait savoir. Le 21 août, la décision est prise par les militaires. Poincaré n'a aucun moyen de s'y opposer, même s'il redoute le pire. Personne n'ose encore renvoyer le vainqueur de la Marne.

Il est ovationné à la Chambre, qui ignore ses nouveaux projets et rêve d'un second front en Orient. L'échec des Anglais aux Dardanelles ne rend que plus urgente, au moment du désastre des armées russes, une réaction commune des alliés de l'Ouest, pensent les généraux. « La bataille que nous allons engager, dit Joffre, sera la plus grande bataille de l'année. Nous tuerons à l'ennemi plus de monde qu'il ne nous en tuera. » S'il n'a pas dit « nous les grignoterons », il l'a, à coup sûr, pensé et les responsables politiques au courant des projets de l'état-major semblent s'y être résignés.

Le 1er septembre, le ministre de la Guerre est seulement informé par l'état-major de Chantilly que l'offensive, pour des raisons techniques, en raison des objections présentées par les généraux d'armée, est reportée au 25 septembre. Poincaré, bien renseigné par les officiers généraux qu'il visite au front ou dont il reçoit les émissaires, recueille des avis contraires à celui de Joffre. Les commandants d'armée ont multiplié les objections. En vain. Ils ont fini par se rallier parce que Joffre annonce un remuement général du front par deux offensives au lieu d'une : Artois et Champagne, les deux terrains des précédents échecs. Il veut « une dernière expérience ». Ni de Langle de Cary, ni Pétain ne font plus d'objections. Ils ont reçu un renfort de plus de trois cents pièces lourdes chacun. La division marocaine quitte déjà Giromagny, près de Belfort, où elle était au repos pour monter en ligne en Champagne. C'est le *morituri te salutant*, grommelle le général de Maud'huy qui les passe en revue.

Pas de surprise possible. Les renseignements informent Joffre que les Allemands savent depuis le 15 septembre qu'une offensive s'organise en Artois. Déjà les convois d'artillerie lourde venue de Russie convergent vers Arras. Un nouveau carnage se prépare, au moment ou l'état-major fait officiellement ses comptes depuis le début de la campagne : au 17 septembre, les Français ont perdu 470 000 hommes tués, 350 000 disparus dont 270 000 prisonniers (contre 64 000 Allemands dans les camps français), 770 000 blessés ou évacués sans compter des pertes de

122 000 hommes en Orient. On comprend que le Parlement manque d'enthousiasme à l'annonce d'une prochaine offensive, et le gouvernement lui-même. Joffre refuse de communiquer le chiffre exact des batteries lourdes et de leurs approvisionnements, pour éviter, dit-il, les indiscrétions. « Nous avons le droit et le devoir de savoir », clame Poincaré. Il sent sa responsabilité politique et morale engagée : « Trop de fautes ont été commises. » Joffre a déjà lancé son ordre général n° 23 aux « soldats de la République ». Il n'est pas question d'arrêter l'offensive. Elle partira.

*

A l'aube du 25 septembre, Foch engage dans la région d'Arras, sur le front La Bassée-Ficheux, 19 divisions françaises pourvues de 380 pièces lourdes, soutenues par l'attaque de deux armées britanniques, la première attaquant sur Loos, la seconde à l'est d'Ypres. En Champagne, les IIe, IIIe et IVe armées françaises attaqueront sur un front de trente-cinq kilomètres avec 37 divisions et plus de mille canons de gros calibre. La Ve armée soutiendra l'effort avec six divisions et deux cent cinquante pièces lourdes. Il est désormais admis par l'état-major qu'aucune action ne peut réussir dans la guerre de forteresse si elle n'est soutenue par un puissant matraquage de l'artillerie. Le tir doit être conduit pendant six jours « selon les règles de la guerre de siège », explique Joffre, avec emploi massif d'observateurs aériens.

Les canons de 75 sont destinés à nettoyer les réseaux de fils de fer barbelés, les 120 et 155 doivent détruire les ouvrages de mitrailleuses, les canons longs les batteries ennemies, les mortiers lourds les redoutes bétonnées et les abris. Enfin les gros calibres sur chemin de fer accablent les gares en arrière du front. Au moment de l'attaque les canons de tranchée de 58 et de 240 doivent marmiter les lignes ennemies. Pour la première fois les Britanniques sont en mesure de déployer devant eux une nappe de gaz asphyxiants. Les Français n'ont pas encore réussi à intoxiquer les lapins du polygone de Vincennes.

Foch en Artois, Castelnau en Champagne conduisent les assauts, dès que le feu d'artillerie a cessé. En tête, les troupes d'élite, chasseurs, soldats du 20e corps, division marocaine. Ceux-là sont toujours les premiers à partir. On les enlève à leurs cantonnements de repos pour les conduire le plus vite possible dans les tranchées de départ, au besoin en camions. Pour eux le séjour en secteur est une détente. Ils sont le plus souvent, en dehors des attaques, à l'arrière en cantonnement, occupés à enseigner aux nouvelles recrues appelées en renfort les contraintes du front et la technique des attaques. Ils ont mission d'entraîner les autres, aussi sont-ils de tous les coups durs et leurs rangs sont constamment recomplétés par des renforts venus d'Afrique, instruits en France.

Ils étaient 13 000 au départ d'Afrique du Nord, ceux de la division marocaine : 13 bataillons de zouaves tirailleurs et de légionnaires lâchés par Lyautey pour aller combattre en France aux ordres du général Humbert. Débarqués à Bordeaux, ils étaient formés en deux brigades : la première groupait les tirailleurs algériens du 4e régiment et le régiment de marche de la légion étrangère commandé par le colonel Rollet. Le 8e zouaves et le 7e régiment de marche de tirailleurs étaient regroupés dans la 2e brigade. Ces troupes devaient être constamment sacrifiées aux « percées » des offensives, et aussitôt reformées avec des renforts. Elles accumulaient les récompenses, portaient la fourragère rouge et fournissaient une garde d'honneur au PC de Joffre à Chantilly. Elles étaient toujours citées en exemple. On les exhibait aux défilés en l'honneur du président de la République et des souverains étrangers.

Elles étaient de nouveau prévues pour l'attaque de Champagne du 25 septembre. A la bataille de Charleroi elles avaient durement subi le baptême du feu. Le 28 août, les zouaves en chéchias rouges étaient morts à Dommery. Les régiments des colonels Cros et Fellert avaient enlevé la ligne allemande, permettant ainsi la retraite française. Le 30 août, les unités coloniales avaient assuré à l'armée en retraite le passage de l'Aisne, avant de mourir dans les marais de Saint-Gond et au château de Mondement, pendant la bataille de la Marne. Le 8e zouaves s'était sacrifié contre la Garde prussienne. Les tirailleurs du 7e régiment algérien étaient tombés sous les mitrailleuses allemandes dans les villages de Reuves et de Saint-Prix. Le colonel Fellert, héros légendaire des campagnes d'Afrique, était tué, les pertes étaient telles qu'un seul régiment remplaçait les deux unités décimées.

Les survivants s'étaient reposés l'hiver dans les tranchées avant d'attaquer en Belgique, puis en Champagne, le 28 janvier. Pendant que l'armée hivernait dans les secteurs, les coloniaux étaient, avec d'autres troupes d'élite, engagés dans les offensives partielles, avant de participer aux grandes opérations du printemps. Le 9 mai, la Marocaine attaquait les Ouvrages blancs et la butte de Vimy. La Légion étrangère et le 7e tirailleurs de marche y avaient subi des pertes énormes. Ils avaient de nouveau attaqué le 11 mai, après une préparation d'artillerie trop faible, les pentes d'une colline hérissée de mitrailleuses. Le 4e régiment de marche des tirailleurs tunisiens devait perdre en Artois cinquante de ses officiers et deux mille hommes. Depuis lors, il était au repos en Alsace.

Le 7e régiment de marche algérien n'avait pas été mieux traité. Il avait attaqué la butte de Vimy en trois vagues successives, avec la Légion. Il avait enlevé deux lignes ennemies et assuré la progression de quatre kilomètres en perdant plus de deux mille hommes, soit les deux tiers de son effectif[1]. Le 15 juin, l'unité pleurait ses morts au sud de Souchez. La Légion étrangère, formée hâtivement après la mobilisation sur la base d'un recrutement volontaire de 45 000 étrangers, dont trois mille garibaldiens, avait formé un régiment de marche pour la division marocaine, avec les débris des unités massacrées dans l'Artois le 9 mai. Des renforts entraient en ligne, instruits à Bayonne, Lyon et Avignon, puis à Rouen, Blois, Orléans, Toulouse. « Mes hommes partiront sans sacs pour mieux courir, disait le colonel Pein, qui devait trouver lui-même la mort. Si leurs vêtements les gênaient, ils iraient tout nus. Mais ils sauteront sur la cote 140. » Ils devaient y perdre deux mille des leurs et de nouveau six cents dans le ravin de Souchez.

Quant au 8e de zouaves qui faisait brigade avec le 7e de tirailleurs algériens, il avait subi de telles pertes après Charleroi et la Marne qu'il avait dû recevoir des renforts au camp de Mourmelon-le-Grand, avant de repartir dès novembre pour la Belgique. Pas de répit pour les zouaves, ils étaient engagés au « bois triangulaire », à la « ferme des Anglais », à Nieuport et sur tous les points chauds de la bataille de l'Yser. Reprenant des forces pendant quelques semaines, ils attaquaient la cote 140 sur la butte de Vimy en Artois, mourant de soif et de faim sur les positions conquises, perdant la moitié de leurs effectifs sous les tirs des mitrailleuses.

1. Bulletin n° 22 de l'Association des anciens de la DM, 2.8.1964.

De nouveau les renforts arrivent au dépôt des zouaves de Sathonay, dans le Rhône. Des sous-officiers venus du Maroc et de la cavalerie reconstituent les cadres. En juin, le 8e régiment se fait de nouveau décimer dans l'attaque de la cote 119, toujours en Artois. Il enlève la tranchée des Walkyries, celle du Rhin, le bois de la Folie. L'aumônier Blachère conduit les hommes à l'assaut, la canne à la main. Ils sont tellement en avant qu'ils ne peuvent être ravitaillés. Les corvées d'eau sont meurtrières, les liaisons inexistantes. Le régiment a de nouveau perdu la moitié de ses effectifs. Il part pour un long repos à Belfort et campe à Giromagny, à Rougegoutte. De nouveau complétés et couverts d'honneurs, ils débarquent à Saint-Hilaire-au-Temple, en Champagne, le 18 septembre 1915. On compte sur eux pour la percée.

Une fois de plus la division marocaine, comme la division de fer de Nancy, avait reçu l'une des plus dures missions de l'offensive du 25 septembre : l'attaque de la forteresse imprenable du Bois Sabot, en Champagne. La dernière danse de l'année allait commencer, la dernière hécatombe.

*

Les coloniaux, cette fois, partent casqués. Ils ont reçu la bourguignotte et sont vêtus de kaki, alors que toute l'armée métropolitaine revêt l'uniforme bleu horizon. Première concession visible de l'état-major à la sécurité des poilus. Les rapports sur les blessures au crâne avaient depuis longtemps alerté l'état-major. Il avait chargé l'intendant Adriant d'étudier un modèle efficace en liaison avec les usines de Japy frères de Lafeschotte dans le Doubs, déjà dotées de marchés importants de calottes d'acier pour les casquettes, de marmites et de bouthéons. Louis Kuhn, contremaître de l'entreprise, avait conçu le premier casque de l'armée, inspiré de celui des pompiers et de la « bourguignotte » de la guerre de Cent Ans. Dans toute la France, des ateliers de casques sortaient de terre. Les unités de choc en avaient été dotées dès les premières livraisons. Le soldat René, dans les Vosges, toucherait le sien le 12 octobre seulement. « Si tu voyais la tête qu'on a sous ces saladiers, écrirait-il à sa mère, c'est à faire peur aux corbeaux et aux hiboux. »

Ainsi coiffés, les coloniaux attendaient dans les parallèles d'attaque, dans la nuit du 24 au 25 septembre. Un saillant très puissant, doté d'une garnison enterrée dans des abris à l'épreuve des obus lourds. Aux côtés des zouaves et des tirailleurs, les Bretons de Nantes, de Guingamp et de Saint-Malo. Les tirailleurs des 4e et 7e régiments attaquent avec la Légion. La forteresse est enlevée au prix de très lourdes pertes : mille hommes au 7e. Les légionnaires s'emparent de l'ouvrage Wagram, mais butent contre la ferme Navarin. Les régiments se font hacher, pris dans les réseaux non détruits de barbelés. Les deux unités de la Légion gardent si peu de combattants qu'il faut les fondre en un seul régiment de marche. Les zouaves « sans peur et sans pitié » attaquent au clairon, la musette gonflée de grenades, le couteau à la ceinture des « nettoyeurs de tranchée [1] ». La tranchée d'Iéna, le boyau du Danube sont enlevés. Les prisonniers désarmés sont laissés à l'arrière sans que personne ne s'en occupe. Les zouaves enlèvent une batterie d'artillerie, prennent encore les boyaux de Budapest et de Thuringe, se retrouvent en flèche, harassés par les contre-attaques, bombardés par un feu incessant. Quand ils repartent au repos aux portes de Paris sans avoir pu « rectifier le front », ils ont de nouveau perdu la moitié de leurs camarades.

Sur tous les secteurs d'attaque, les meilleures unités sont engagées, les régiments d'élite, déjà signalés pour leur « esprit de sacrifice » par les chefs de corps. Les assauts n'ont pas toujours réussi : les fantassins de Toul, de Sens et de Montargis se sont trouvés pris dans un feu d'enfer et ils ont dû regagner leurs parallèles. Les 9e et 17e corps sont bloqués : le général Curé juge « impossible de renouveler avec des troupes fatiguées une attaque le soir même ». Un bataillon de tirailleurs a été « entièrement détruit », pris par un mouvement de flanc que l'artillerie n'a pas pu contrarier.

Les petites vallées sont remplies de « gaz suffocants » qui gênent la progression à la IIIe armée. Les Anglais aussi attaquent aux gaz, sans résultats probants. Pourtant Joffre mobilise les hussards de Niort, les chasseurs d'Afrique et les spahis pour exploiter une éventuelle percée. Pourtant la Xe armée du général d'Urbal progresse vers le nord, en liaison avec les Anglais. Mais la 5e division d'attaque a perdu la moitié de son 274e régiment de Rouen et accuse

1. Voir colonel Berthier, *in* bulletin no 22 de l'Association des anciens..., *op. cit.*, p. 10.

en fin de journée un moral bas. Le 135e d'Angers a dû se replier sous les tirs très violents de *minenwerfer*. Sur la Suippes, le régiment d'Argenton-sur-Creuse a été très éprouvé et celui d'Alençon a trouvé intacts devant lui les nids de mitrailleuses. Dans l'Artois sont aussi engagés les régiments de Mamers, du Blanc, de Chartres et de Dreux. Ces excellentes troupes n'ont pu se maintenir dans la première ligne allemande. Elles ont été renforcées par le 202e régiment de Granville et bientôt par les soldats du Sud-Ouest, le 11e de Montauban, le 20e de Marmande et même par les Lyonnais du 158e et du 17e. Toutes les unités françaises vont-elles défiler en Artois et en Champagne ?

Parmi les corps d'élite, les soldats du 20e corps de Nancy ont beaucoup souffert dans le secteur de Maisons-en-Champagne, près de Vitry-le-François. Ceux de Troyes, de Toul et de Neufchâteau sont accablés d'obus dans les ravins et ne peuvent progresser. Les gros obstacles à la marche, d'après le capitaine Aublet, ont été « les feux de batteries intactes de l'ennemi, les mitrailleuses restées intactes et les réseaux de fils de fer non coupés ».

Les régiments de Compiègne, de Troyes et de Soissons ont subi des pertes élevées devant la ferme Navarin où ils sont entrés en action après les coloniaux. La ligne ennemie a été enlevée sur quinze kilomètres, avec une progression maximum de trois. Sur le front de Tahure, dans la Marne, entre Reims et Sainte-Menehould, les Bretons du 11e corps, venus de Quimper (118e), de Nantes (65e), de Vannes (116e) ou de Vendée avec le 137e de Fontenay-le-Comte et le 93e de La Roche-sur-Yon, les fantassins du 64e d'Ancenis attaquent la « Brosse à dents » et s'y trouvent mal : « Nous sommes isolés, télégraphie le capitaine Chaumont. Nous sommes installés dans une tranchée. On demande des ordres. Je ne puis en déboucher seul. Je n'ai plus de commandants et j'ai seulement avec moi 300 hommes. » Il ne peut gagner le « bois des mulots » où deux compagnies de mitrailleuses sont également isolées. Le régiment de La Roche-sur-Yon n'a plus aucun officier. Le colonel Desgrées du Loü vient d'être tué.

La 14e division a fait avancer le 60e de Besançon, le 44e de Lons-le-Saulnier et les deux régiments de Belfort dans les bois de Champagne où ils n'ont pu se maintenir. « Troupes très disloquées, télégraphie le général, pertes des plus sérieuses, surtout en officiers. » Le 60e a particulièrement souffert sous le tir des mitrailleuses. Le 3e zouaves a attaqué jusqu'à la limite de ses forces. Il ne reste plus rien de ce régiment.

Devant la butte de Souhain, les bataillons des Alpes sont en première ligne : le 30e d'Annecy, le 140e de Grenoble plusieurs fois recomplété depuis le début de la campagne, qui souffrent beaucoup des tirs d'artillerie. Le 99e de Vienne se fait hacher par les obus au bois Bricot, grenadant dans les boyaux, avec ceux de Montélimar et de Romans. Le capitaine Antoinat, qui a perdu son colonel et beaucoup de ses hommes, écrit à la division pour se plaindre : « Mon avis personnel, ose-t-il télégraphier, est qu'il faut une préparation d'artillerie sérieuse et efficace pour enlever la cote 201. Beaucoup d'artillerie en place avant le jour. »

De l'artillerie ? Joffre en manque, une fois de plus, en dépit du renforcement des canons lourds qui tirent trop souvent court, gênant la progression de l'infanterie. Les servants des 75 du corps colonial se dépensent sans compter, prennent position près du Bois Sabot et suivent l'infanterie dans son avance, pour être au plus près de l'ennemi. Les attelages franchissent les réseaux de barbelés démolis, sautent les tranchées à peine nivelées, contournent les trous d'obus et se mettent en batterie cent fois en vingt et un jours, tirant plus de quatre-vingt mille obus. Les servants sont décimés par les contrebatteries ennemies, les tubes chauffés au rouge éclatent.

L'artilleur Donati [1], brigadier à la 7e batterie du 55e d'artillerie à cheval d'Orange, en campagne depuis août ne ménage pas sa peine. Il a perdu nombre de ses camarades tués au feu. A 20 ans tout juste, il est déjà un survivant. Aussi est-il nommé rapidement maréchal des logis, dès le 23 août, sur le tambour. Il a le commandement d'une pièce mais se porte bientôt volontaire, seul de la batterie, comme bombardier de tranchée. Il suit les cours des écoles à feu pour mortiers de 15 et 90 cm. Il apprend à manœuvrer le nouveau mortier de 58. Depuis février 1915 il partage la vie des fantassins dans les tranchées, organise une section de bombardiers de seize hommes. Il ne tarde pas à être nommé adjudant à la batterie des mortiers et se fait enterrer plusieurs fois par des torpilles allemandes dans la région de Verdun. Au cours de l'offensive de juil-

1. Notes de campagne de Louis Donati, transcrites par Philippe Donati, 1985.

let, il est cité à l'ordre de la division et nommé sous-lieutenant à titre provisoire, à 21 ans. Joffre, reconnaissant l'évidente efficacité des mortiers de tranchée, a créé un insigne spécial pour les encourager dans leur périlleuse besogne. Donati, recruté dans le rang comme officier, est alors muté à l'artillerie divisionnaire du 15e corps, comme commandant de batterie. A la tranchée où il dispose ses pièces, il rencontre les survivants du 173e de Corte, des camarades du lycée de Bastia dont Papa Giudici est capitaine, l'avocat Peraldi sous-lieutenant. Son oncle Georges est « cabot-patate ». Son frère Charles est absent. Il est parti aux Dardanelles.

Donati est engagé dans la IIe armée de Pétain qui attaque en Champagne. Il est expert en bombes, et fait des démonstrations avec ses hommes devant les généraux. Il n'est pas de la première offensive du 26 septembre et son rôle se borne à organiser une fausse attaque sur le front de Craonne. L'avance en Champagne n'a pas été suffisante pour ébranler toute la ligne du front. Donati trompe son angoisse en tendant des collets pour manger du lapin. Sa batterie attaque au début d'octobre, enlevée par camions autos, sur le front de Suippes. Il dispose ses mortiers dans les tranchées. On l'a appelé d'urgence parce que les canons de 75 n'ont pas réussi à rompre les réseaux de barbelés. Les mortiers vont tirer 900 bombes pour préparer l'attaque, bouleversant les tranchées ennemies. Mais le soutien de l'artillerie française est insuffisant. Les salves de 77 s'abattent sur les bombardiers dans les tranchées. Donati est « aveuglé par une flamme, étourdi par une explosion toute proche avec une violente douleur au crâne et à la figure ». Inondé de sang, il est évacué d'urgence. Les tirs de barrage des 150 et des 210 ennemis sont irrésistibles.

Le général Curé avertit qu'au 9e corps il ne reste plus d'artillerie divisionnaire que seize canons, dont dix suspects. A l'armée Pétain, la 31e division, estimant la préparation d'artillerie insuffisante, n'a pas exécuté son attaque du 26 septembre. Dès le soir du 26, on donne partout des instructions pour ménager les munitions d'artillerie. Les obus manquent aussi. Franchet d'Esperey, chef de la Ve armée, se plaint de n'avoir pu maîtriser, faute de munitions, les batteries ennemies de la région de Craonne.

*

Dès le 26, Foch arrive à la conclusion que l'attaque en Artois vient d'échouer et qu'il doit dégager les unités valides pour permettre à Joffre de l'emporter sur le front de Champagne. Mais comment décrocher, alors que les Anglais progressent ? Une fois encore, au lieu d'arrêter l'offensive, Joffre a recours à Grossetti qu'il nomme chef d'un groupement d'unités chargées de réaliser la percée, dont la 16e division fraîche d'infanterie coloniale. On achemine de l'Est des troupes reposées, des réservistes de l'Ouest, comme ceux du 122e de La Rochelle. La noria est engagée, rien ne peut l'arrêter.

Un général de division, Paulinier, doit menacer ses chefs d'unités. Ils n'ont pas le droit de lancer leurs hommes à l'attaque tant qu'ils ne sont pas sûrs que les « défenses accessoires ont été neutralisées ». C'est dire à quel point les attaques ont pu être lancées à la légère[1]. Le général de Villaret, de la IVe armée, avertit « que les pertes subies sont extrêmement sérieuses ». Sa 14e division ne compte plus que 2 000 fusils, et la 37e n'est pas plus forte. Va-t-il renoncer à l'assaut de la deuxième position ? Nullement. Il va faire intervenir une division fraîche. L'offensive ira jusqu'à son terme, jusqu'à l'évidence de l'échec.

Pourtant, les liaisons, à la IIe armée de Pétain, sont si imparfaites qu'on ne connaît pas au juste l'emplacement des unités. Le courant ne passe pas entre l'artillerie et l'infanterie. Un bataillon de chasseurs a dû arrêter son mouvement sous les tirs des 155 français. L'attaque du 2e tirailleurs et du 2e zouaves, troupes d'élite, n'a pu aboutir en raison d'une trop faible préparation d'artillerie. A la 18e division d'infanterie, les recrues d'Angers avaient été décimées dans les champs de barbelés. L'ennemi avait eu le temps de réparer les brèches. Les canons de 75 se trouvaient souvent hors service à 300 coups seulement. Plus du double de pièces aurait été nécessaire, affirmait le général Lefèvre, pour obtenir des résultats.

L'inorganisation des parallèles était pour beaucoup dans l'échec. Les fantassins de la IIIe armée d'Humbert devaient attaquer avec leur sac, sur ordre du divisionnaire, sur les pentes boueuses de l'Argonne. Les hommes étaient serrés les uns contre les autres dans les boyaux, attendant le moment de l'escalade. Pas de plantons pour diriger les hommes, pour affecter aux porteurs de blessés des

1. AFGG TIII, Annexes, 3e vol., p. 196.

tranchées spéciales. Devant la lenteur de l'action, les Allemands avaient eu tout le temps d'organiser leur contre-attaque sur la route de Servon. Les tirs de barrage avaient obligé les compagnies à rentrer dans les tranchées.

Rien n'illustre plus clairement la vanité des entreprises lancées contre les organisations défensives que l'horreur de l'attaque du 9e corps, dans la région d'Arras, contre les redoutes de Blairville : la densité des tirs de 75 sur ces défenses était insuffisante. Quand la première vague a débouché, les soldats du Blanc (268e), « instantanément et à la seconde même », ont reçu des tirs croisés de mitrailleuses. Le barrage bien réglé de l'artillerie de tous calibres accablait les assaillants surpris par l'utilisation massive des obus à gaz. Les fils de fer n'étaient que partiellement détruits. Les Marocains de la 4e brigade, les zouaves et les tirailleurs étaient bientôt encerclés. « La ligne allemande se refermait derrière eux. » Le colonel Savy voyait « tomber sous ses yeux » ses Marocains « sans rien pouvoir faire pour eux ». La ligne ennemie, inexpugnable, avait résisté à la préparation d'artillerie. Le mauvais temps avait rendu inefficaces les observations aériennes et aveuglé les batteries françaises. La première tranchée avait servi une fois de plus d'appât aux Français.

Trois journées de lutte, affirmait le commandant Faucher, observateur de Joffre chez Pétain, avaient amoindri la IIe armée. « Livrée à ses seuls moyens, elle ne serait plus susceptible, pour un certain temps, que d'attaques à portée limitée. » Et cependant Pétain décidait d'envoyer encore à l'assaut la 16e division coloniale fraîche, et Joffre lui expédiait de nouveaux renforts, la 3e division venue de l'Est par convois automobiles. Sans plus de résultats, car les Allemands avaient également renforcé leur front. Toute l'armée française allait-elle périr en Champagne ? La bataille de l'Artois était un échec manifeste : malgré la supériorité écrasante des alliés qui attaquaient à 37 divisions contre 16, malgré le feu des pièces lourdes, malgré l'emploi des gaz asphyxiants, les Anglais avaient pris Loos et progressé sur Lens mais les renforts ne suivaient pas et l'assaut français sur Vimy avait échoué. En Champagne la supériorité numérique des Français était encore plus manifeste : 39 divisions contre 17 et 2 500 canons pour assurer la percée. Mais les hommes étaient trop nombreux, les unités se chevauchaient, le désordre était à son comble aux premières attaques. On avait en vain rapproché les renforts de la ligne du feu : les troupes de Pétain s'étaient fait décimer en donnant l'assaut à la forteresse de la Main de Massiges. Le général Marchand, à la tête du 2e colonial, était mort à l'assaut de la ferme Navarin.

Le bruit avait couru soudain que la « tranchée des Tantes », sur la deuxième position allemande, venait d'être prise. Aussitôt l'état-major, sans vérifier l'information, avait envoyé dans le désordre 40 000 hommes en soutien sous le feu des canons qui devaient anéantir 40 % des effectifs. Des renforts venus par trains entiers de Russie avaient permis à Falkenhayn d'encercler les troupes qui s'étaient engouffrées dans la brèche. Castelnau y avait perdu son troisième fils.

Il donnait alors, le 6 octobre, le signal de la fin des combats qui devaient se prolonger sur d'autres fronts jusqu'au 11 octobre. En Artois et en Champagne, les alliés avaient perdu 250 000 hommes, tués, blessés ou disparus, contre 140 000 Allemands. Toutes les conditions du succès avaient été réunies, mais l'organisation sur le terrain était défaillante. L'avance des unités n'avait pas été balisée avec une précision suffisante et l'entrée en ligne subissait de gros retards, dont l'ennemi profitait pour avancer au plus près ses batteries et ses mitrailleuses. Donati en est témoin : les lance-torpilles étaient dans la tranchée d'avant. La coordination des armes était également défectueuse. Les artilleurs recevaient mal les messages de l'aviation et encore plus mal ceux de l'infanterie, souvent victime de tirs mal réglés. Surtout l'emplacement des batteries allemandes, qui se déplaçaient sans cesse, n'était pas suivi de près par les observateurs. Fayolle concluait : « Maintenant il reste démontré que la percée n'est plus possible. Que faire désormais ? La solution n'est plus à attendre que de l'usure économique. » Pour les poilus de nouveau sacrifiés à une conception périmée de la guerre, était-ce la fin des offensives ?

5.
LE POILU DE VERDUN

Depuis le 10 septembre 1915, le front retombe dans la guerre de tranchées. Les poilus passent l'automne et l'hiver en ligne, connaissent de nouveau l'alternance des jours de guet, de repos, d'exercices au cantonnement de l'arrière. Ils peuvent espérer retomber pour longtemps (qui sait ? Jusqu'à la paix ?) dans la routine de la guerre de position, à peine ponctuée de coups de main. Ils ne peuvent savoir qu'ils ont, à brève échéance, rendez-vous avec l'Histoire.

Les Français combattant à Verdun en 1916 n'ont rien de commun avec les pantalons rouges d'août 14, ni avec les victimes très nombreuses des batailles des frontières, de la Marne, ou des offensives de 1915. Ceux qui vont mourir à Verdun vont faire la preuve, toujours évocable de nos jours, qu'un peuple ne peut disparaître, même sous le coup de la plus industrielle des agressions, s'il réussit, par son courage, sa volonté de survie, à l'emporter sur un calcul d'anéantissement. Celui de Verdun, le premier de l'Histoire, faisait dépendre la victoire non d'une percée des lignes ou d'une stratégie, mais de la révélation que la sidérurgie ou la chimie pouvaient avoir raison d'une guerre, juste ou injuste, et imposer par l'horreur déployée l'arrêt immédiat des combats. La guerre changeait de nature et d'échelle. Elle n'avait plus rien d'humain.

Avant ce massacre programmé, les soldats en ligne d'un bout à l'autre du front croient pouvoir se reposer dans les tranchées. Ils sont rapidement détrompés. Pendant que les unités décimées se réorganisent et font appel à des renforts venus des dépôts, les duels d'artillerie se poursuivent en Artois et en Champagne, qui ne laissent pas les poilus au repos la nuit dans les abris. La guerre des mines reprend, en Argonne, en Woëvre, nerveusement épuisante, angoissante pour les équipes de relève qui ne savent jamais si l'explosion va survenir pendant leur tour de guet. Les officiers allemands cherchent à reconquérir les positions perdues pour leurs observatoires d'artillerie, et lancent fréquemment des coups de main meurtriers.

De la sorte, le front n'est jamais calme et les secteurs restent alternativement soumis à d'incessantes opérations locales. Tous les jours, on enregistre des pertes, et les comptables de l'état-major établissent des moyennes mensuelles.

Ainsi en Artois, le 14 novembre, les Bavarois attaquent un corps encore meurtri par la bataille de la Xe armée, dans la région du Labyrinthe où le sang français a beaucoup coulé. On se bat férocement pour quelques mètres de territoire.

L'ennemi renouvelle son attaque quelques jours plus tard, en faisant sauter une mine. Les fantassins de Pétain et de Langle de Cary ne sont pas plus tranquilles que ceux de Foch. Le 6 décembre, le bombardement accable la région de Saint-Hilaire et de Saint-Souplet dans la Marne. Un bataillon de chasseurs à pied est accablé d'obus dans le secteur du Chapeau-haut-de-forme. Il doit se défendre à la grenade et à la baïonnette pour ne pas être exterminé.

On compte cinq cents tués ou blessés dans l'affaire de la butte de Souain, le 7 décembre : les poilus reçoivent à l'aube la visite des *feldgrau* chargeant en masse et réussissant à s'emparer de la tranchée de première ligne. Rien ne peut les en déloger. Les coloniaux de la 16e division, à la fin de novembre, sont prêts à donner l'assaut du mont Têtu, au plus haut du massif de la Main de Massiges. Il s'agit de reprendre aux Allemands une colline qu'ils ont enlevée de vive force le 3 novembre. Les tirailleurs et les zouaves attendent jour après jour le signal de l'attaque, sans cesse décommandée pour des raisons météorologiques, du 29 novembre au 12 décembre. Ils dominent leur angoisse, luttent contre la neige et la boue jusqu'au moment ou Castelnau annule finalement l'opération. Pendant un mois, ils ont tremblé de froid et de peur pour rien.

Plus de deux mille hommes vont encore mourir dans les tranchées de Saint-Hilaire-le-Grand et de Ville-sur-Tourbe le 9 janvier, sous une attaque d'obus lourds au gaz expérimentés par l'ennemi, qui précède un assaut aux lance-flammes. C'est la répétition d'une guerre chimique rendue possible par les progrès technologiques des ingénieurs des usines d'outre-Rhin. Les Français doivent mener deux contre-attaques pour reconquérir leurs observatoires. On relève cinquante morts et blessés et quatre cent cinquante intoxiqués dans une attaque au gaz au nord-ouest de Verdun. L'état-major français se persuade que les Allemands préparent une offensive d'un nouveau style.

Partout ailleurs, dans les lignes françaises, les poilus sont employés à organiser les défenses. La seule opération d'envergure de l'hiver est menée à l'est dans la région de l'Hartmannswillerkopf. Elle est particulièrement meurtrière. Les Français, des chasseurs alpins de Montbéliard et Besançon, ou des fantassins de Bourg et de Langres, doivent attaquer le 18 décembre dans une tempête de neige les pentes de la montagne inhospitalière. Ils parviennent au sommet et font de nombreux prisonniers le 21, mais l'ennemi, revenu de sa surprise, attaque en force le lendemain après un violent bombardement de cinquante batteries sur un front de trois kilomètres. Des détachements pourvus de mitrailleuses grimpent dans la neige, détruisent le 152e régiment de Langres. Le général Serret, chargé de l'offensive et ancien attaché militaire à Berlin, y trouve la mort avec la moitié de ses effectifs : 7 300 hommes sur 14 500. Joffre en conclut trop tard qu'il faut renoncer dans cette région à des opérations « laborieuses et coûteuses ».

D'autres bataillons de chasseurs relèvent les unités fourbues et décimées et la vie de secteur reprend sur les pentes de la montagne enneigée. Les bombardements y sont incessants et les chasseurs apprennent à reconnaître au son les nouveaux obus lourds à gaz : ils font moins de bruit, leur chute est furtive, « en queue de poisson ». Ils explosent dans une pétarade sèche, avec une forte odeur qui rappelle celle de l'ail. Les Alpins ont des masques rudimentaires et n'ont pas encore touché la bourguignotte à la fin de décembre. Ils se battent encore en bérets.

Les blessés ont descendu les pentes sur des civières ou juchés sur les cacolets des mulets. En haut de la montagne, des abris perforés, des moignons d'arbres, des cimetières provisoires. La popote est misérable et les officiers se réservent les meilleures parts, affirme le hussard Coudray. On distribue aux hommes un rhum infâme qui sent l'éther et l'iode. Du moins les chasseurs peuvent-ils partir en permission. Pas tous cependant, et pour peu de temps : la durée de la « détente » est fixée à six jours, avec d'interminables trajets en chemin de fer. Il reste aux refusés du tableau des « perms » à boire le « remboursable », le vin lourd et noir de l'intendance.

*

Même dans l'est du front, les victimes sont nombreuses. Beaucoup de camarades manquent à l'appel dans toutes les armées et les officiers sont, la plupart du temps, des nouveaux : plus de 50 000 ont été perdus depuis le début de la guerre. Les remplaçants ne sont pas toujours bien reçus de la troupe. Tel commandant de chasseurs fait passer par les armes un soldat pris dans une rixe, qui a blessé plusieurs de ses camarades. « Un officier brille par sa martiale intolérance, accompagnée d'une lâcheté répugnante au feu. Un homme à particule qui ne bouge jamais de son abri. » Au 11e bataillon, un officier tué à l'ennemi, Belmont, jouissait de l'estime universelle. Cet étudiant en médecine, engagé volontaire devenu sous-lieutenant de réserve, avait gagné ses galons au feu[1]. Ainsi les hommes ne se privaient pas de jauger et juger les gradés. Ils avaient trop supporté pour ne pas bondir d'indignation devant l'inconduite de certains chefs.

Depuis l'entrée en guerre, 1 911 000 hommes de la seule armée française sont morts, blessés ou évacués, ou encore disparus. Sur les 404 000 de cette catégorie, combien de prisonniers ? 300 000, au moins, sans qu'on en connaisse le chiffre exact. Ils sont mal vus au commandement, où l'on enquête constamment sur les conditions de leur reddition. Ils devront faire la preuve, une fois rentrés, qu'ils n'ont pas déserté. Les officiers se font un devoir de s'évader et l'on compte par milliers les récits d'évasion. On ignore leur traitement en Allemagne, mais les cartes qu'ils envoient à leur famille, les comptes rendus de la Croix-Rouge suisse permettent de mieux connaître leurs conditions de détention.

La Convention IV de La Haye signée en 1907 par 44 Etats assurait en principe leur protection. Il était entendu qu'ils étaient « au pouvoir de l'ennemi, mais non des individus ou des corps qui les

1. Honoré Coudray, *Mémoires d'un troupier*, Paris-Bordeaux, A. Coudray éditeur, p. 69.

ont capturés ». Ils pouvaient être astreints au travail, mais devaient refuser de travailler pour la guerre. La France avait prévu que les officiers allemands pouvaient conserver leur solde, leur épée et leur ordonnance. Les hommes visités sanitairement recevraient également une solde et seraient internés dans des conditions humaines. On avait organisé des camps à Coëtquidan, Saint-Brieuc, Belle-Isle, Vaccarès, Montélimar et Barcelonnette. Les officiers étaient encore accueillis dans les forteresses de Cholet Vitré, Fougères ou dans les îles.

On apprit en France que les Allemands soumettaient parfois leurs prisonniers à des mesures vexatoires, contraignaient les officiers à coucher au camp de Zossen sur la paille, à même la terre. Ils les nourrissaient mal, sans les chauffer, aux camps de Koenigstein et de Lechfeld, les punissant d'heures d'exposition attachés à des poteaux. Les autorités françaises décidèrent alors des mesures de rétorsion. Qui avait commencé le premier, des deux adversaires, à maltraiter les gradés prisonniers ? La propagande de guerre faisait ses choux gras de la moindre information. Plusieurs centaines de PG français étaient morts du typhus, au printemps de 1915. Mais les Allemands étaient morts aussi. On apprit que le lieutenant Delcassé, fils du ministre des Affaires étrangères, avait été condamné au traitement le plus rigoureux[1]. La presse s'empara de ce mini-scandale.

Une escalade de mauvais traitements, assortis de campagnes de propagande, fit rage en 1915. Les journaux d'outre-Rhin accusaient les Français de faire périr les prisonniers dans les travaux les plus durs au Maroc. Une commission suisse d'enquête rétablit la vérité, d'autres furent envoyées en Allemagne. La crainte de la réciprocité finit par atténuer les différences de traitement, humanisant le sort des détenus. Evadé le 2 août 1915 et repris, Jacques Rivière, après trois jours de cavale, avait été maltraité par ses gardiens, menacé d'être fusillé et finalement condamné à une peine de 35 jours de cellule, avec une soupe et une couverture tous les quatre jours. Sa peine avait été réduite à 28 jours après la suppression des camps de représailles, obtenue, disaient les journaux, « à la suite d'un

1. Georges Cahen-Salvador, *Les Prisonniers de guerre*, Paris, Payot, 1929.

accord intervenu entre les gouvernements ». Quittant l'enfer de Hülseberg, il avait été ramené à Koenigsbrück [1].

Les prisonniers reçoivent le droit de correspondre avec leurs familles. Leurs lettres, transitant par la Suisse (plus de quatre millions par mois, sans compter les 625 000 colis expédiés de France), sont censurées par les Allemands comme le sont, par l'autorité militaire française, celles des soldats au front.

Le service postal aux armées s'est organisé. En théorie, les lettres de la région parisienne parviennent le lendemain ou le surlendemain au secteur, celles qui viennent des départements éloignés du Midi mettent deux jours et trois les courriers des campagnes isolées. Mais les lettres saisies par la censure peuvent être retardées d'une semaine. Plus de 4 millions de lettres sont centralisées chaque jour au Bureau central militaire de Paris, avec 70 000 journaux, 320 000 paquets et 11 000 mandats. Le triple de l'ordinaire de temps de paix. A l'Hôtel des Postes de la rue du Louvre, deux mille personnes trient le courrier expédié par automobiles vers les gares.

Quarante-quatre wagons chargent les 320 tonnes des sacs postaux. Les mobilisés répondent en expédiant cinq millions de lettres quotidiennement. On écrit beaucoup dans les tranchées, pendant les longues semaines de calme, et l'on attend le vaguemestre avec impatience. La ventilation des lettres par secteurs et leur distribution demandent du temps. Les « payeurs aux armées », surnommés par les poilus les « hommes verts » à cause de leur uniforme, sont installés dans les villages en ruine ou dans de simples cagnas. On a fini par les doter de camionnettes pour qu'ils reçoivent au plus vite les lettres. On les trie quelquefois dans les églises bombardées, sur les billards des marchands de vin, souvent au bord d'une route. Il n'est pas rare qu'un obus pulvérise l'un de ces centres de tri avancés.

Les vaguemestres prennent livraison d'une dizaine de sacs par régiment. Ils gagnent en voiture à cheval le poste de commandement qui peut être distant de 35 kilomètres. Souvent sous les tirs d'obus. Nombre de ces convoyeurs sont tués ou blessés. Il leur reste à remonter dans les lignes, à se faufiler dans les boyaux pour distribuer le courrier à proximité immédiate du front. Ce dernier

1. Voir Jacques Rivière, *op. cit.*, p. 257

trajet est le plus long, le plus aléatoire : il explique les retards de distribution, les courriers perdus et l'impopularité des vaguemestres. Les poilus d'Orient sont beaucoup plus mal traités que ceux du front français : les navires peuvent être torpillés et les sacs postaux s'abîmer en mer. Les distributions demandent souvent des semaines de délai. A certaines périodes les retards s'accumulent aussi sur le front français. Un soldat du 15e régiment d'Albi en ligne dans le Nord reçoit ses colis de Paris avec trois mois de délai en janvier 1915. La bataille a perturbé les circuits.

On ne se donne pas de mal pour les expatriés. Certaines unités sont parties pour Salonique, où les Français veulent envoyer plusieurs corps d'armée pour sauver les Serbes. La brigade de Belfort s'est embarquée à Marseille, et ces départs suscitent les quolibets de ceux qui restent en tranchée. Suivre Sarrail en Orient est considéré comme un privilège scandaleux. Heureux ceux qui vont prendre des vacances sous le soleil de Grèce ! Bientôt Clemenceau traitera de « jardiniers de Salonique » les poilus d'Orient accusés de planter des salades, dans leur désœuvrement.

En Argonne, dans les Vosges ou sur le sable des Flandres, les poilus s'impatientent et s'indignent. Dans les plaines inondées de Haute-Alsace, les tranchées sont abandonnées en novembre. Il faudrait des scaphandres pour les tenir. « Nous ne craignons pas une attaque des Boches, dit le soldat René, car il faudrait qu'ils viennent en bateau ! » Heureusement le froid survient, qui transforme les prés en patinoires. Mais le courrier ne suit pas. Il tarde trop. Il n'importe ! les poilus écrivent sans cesse, au crayon le plus souvent, tant leur pèse la solitude. Quand ils n'ont pas de famille, d'épouse ou de fiancée, on leur trouve une marraine de guerre. Et rien ne les empêche de noter au jour le jour sur un carnet leurs impressions de la journée. Ainsi hivernent les hommes, entre deux offensives.

*

Car Joffre a mis ses fers au feu pour lancer au début de 1916 une nouvelle opération en accord avec les Anglais, sur la Somme. Plus que jamais certain de l'emporter, fort de l'expérience des précédents échecs. On pense désormais dans le haut commandement qu'il faut abandonner les opérations « coups de poing » précédées de longues préparations d'artillerie pour relancer les attaques, l'une après l'autre sur le même point du front, comme un bélier sur la porte cloutée d'une forteresse. Ainsi pourra-t-on éviter l'engorgement des lignes par les renforts avancés trop près. L'artillerie lourde aura tout loisir de se préparer à chaque étape de l'offensive, dans une escalade de la poussée en force. Foch ne croit pas à la brusque percée mais il estime « qu'en appuyant fortement sur un point bien choisi, on pourra ébranler le front et ensuite, par de nouvelles pressions successives, mais bien préparées, lentes, méthodiques, renverser l'obstacle et passer ».

Le gouvernement ne suit pas, il temporise. Le cabinet Viviani est au bord de l'effondrement. En pleine crise politique, Joffre insiste désormais pour qu'on sauve l'armée serbe en persuadant les Anglais d'envoyer des forces à Salonique, où Sarrail tente de remonter la vallée du Vardar. Ce devoir impérieux doit s'accompagner d'une démonstration de force contre la Grèce hostile. Le cabinet britannique hésite longtemps. Delcassé, réticent à l'expédition d'Orient, a quitté le gouvernement. Viviani doit céder la place à Briand, nommé à la fin d'octobre. Joffre accepte la désignation de Gallieni comme ministre de la Guerre. Non seulement celui-ci ne remet pas en question la présence de Joffre à Chantilly, mais il accepte qu'il soit nommé généralissime des armées françaises, avec autorité sur l'armée Sarrail en Orient, à condition qu'il prenne Castelnau comme major-général. A peine Briand est-il en poste qu'une solution de pondération est imposée dans le haut commandement. Sous couleur de grandir Joffre, on le coiffe d'un ministre des plus circonspects, on le flanque du « capucin botté » Curières de Castelnau à qui l'on donne autorité sur le franc-maçon Sarrail. Briand divise pour régner.

Il vient de faire à la commission des affaires étrangères de la Chambre une déclaration sans équivoque. Loin de lui l'idée de rechercher une paix de compromis. « Je ne vous cacherai pas, dit-il, que je serais tout disposé, pour le moment, à considérer le mot paix comme un mot séditieux. » En France, les socialistes de la Haute-Vienne commencent à reprocher à leur appareil d'être « chauvin ». En Allemagne, un groupe de minoritaires s'est constitué au Reichstag autour de Karl Liebknecht pour refuser la guerre de conquête programmée par le « manifeste des grandes associations allemandes » qui exigent l'annexion de la Belgique, du littoral français, du bassin de Briey, d'un « territoire de colonisation à l'Est » et des provinces baltes. Il est temps, pour Briand comme pour Bethmann-Hollweg, de raffermir leur opinion.

Celle des poilus est-elle ébranlée par la trop longue guerre et l'échec sanglant des offensives ? Chez les soldats du Midi, pas de découragement. Emile Bouquet, maréchal des logis au du 56e régiment d'artillerie d'Albi, est allé en permission de détente, avant l'offensive de Champagne. « Notre ennemi est rudement fort et tenace, écrit-il à son épouse, Angèle. En viendrons-nous à bout ? » Les journaux assurent que les Allemands sont exténués, que le blocus les affame. Il a vu passer des convois de prisonniers entassés dans des autobus. « Ils n'avaient pas l'air de mal se porter. » Il retrouve sans plaisir la vie de tranchée après l'échec de l'offensive où il a perdu ses meilleurs camarades. « Des tranchées a droite, à gauche, dans tous les sens, dit-il, des trous d'obus partout. Des cadavres à moitié enterrés. Au moins, s'il y avait de l'eau ! On fait six kilomètres pour aller en chercher dans des barriques. » Il fait froid dans la plaine crayeuse où le vent souffle sans arrêt. Dans le village de Perthes, proche de Saint-Dizier, ni eau ni vin. Il faut attendre la pluie pour pouvoir se laver.

Les morts de l'offensive sont souvent restés sur place. Les servants d'une batterie de 105 allemande ont séché à leur emplacement. « Un rat fait du trapèze dans leurs côtes. » Personne n'a pu les ensevelir sans risque. Dans ce désert de Champagne, la canonnade rend fou et sourd. Le soldat Emile doit accomplir chaque jour huit kilomètres pour faire boire les chevaux de sa pièce à l'abreuvoir. Il a touché un masque contre les gaz asphyxiants qui sent l'éther et le soufre. « Un nouvel hiver nous effraie », dit-il.

Quand tombent les obus d'une demi-tonne, la terre tremble. Le rêve est d'être malade, pour pouvoir quitter les lignes. Emile va voir le major. Mais il n'est ni tuberculeux ni atteint par la dysenterie. Une simple pilule, et il repart. Comment se plaindre, alors qu'on vient d'apprendre que Castelnau a perdu trois de ses fils au front ? La nouvelle fait le tour des popotes. La résignation domine dans le courrier de l'Albigeois : « Les jours s'écoulent sans grands changements, écrit-il en octobre. Maintenant la Bulgarie contre la Serbie [...] que tous s'y mettent, le monde entier se massacrera et lorsque l'on sera fatigué de sacrifier des vies humaines, on dira : c'est assez ! D'ici là que de morts en puissance ! »

Il a très envie de voir marcher son petit Georges, son enfant qu'il ne connaît pas. Il veut que sa femme touche l'allocation. « C'est bien gentil de tenir, lui dit-il, mais on ne regarde pas si nous en avons les moyens. » Il attend les colis de grattons et de lapins aux olives. Il demande du tabac et de l'amadou. Sa femme lui annonce 15 000 hommes perdus pour la ville d'Albi. « C'est énorme, dit-il, mais les régiments qui ont recruté dans notre ville sont le 15e et le 145e, le 122e et le 80e, les 142e, 81e, 96e, 53e et les régiments coloniaux, tous du 16e corps d'armée. » De fait, les soldats des dépôts étaient versés immédiatement dans les unités les plus éprouvées. Ainsi le 81e de Montpellier, renforcé par des éléments d'Albi, avait successivement perdu depuis le début de la guerre 11 000 hommes, soit l'effectif de trois régiments.

A quand la fin du massacre ? « On discute dans le vide, dit Emile, la guerre peut finir le jour où l'on s'y attendra le moins, ou durer un an, ou davantage [...] Nous pouvons tenir longtemps. Nous sommes tous très fatigués, certains jours encore davantage, mais s'imaginer sous la botte de ces gens-là ! » C'est une motivation forte des poilus. Ils ont perdu trop de monde, supporté trop d'épreuves, pour consentir à l'invasion. « L'avance à laquelle nous avons tous cru s'avère impossible. » Déception du dernier échec. Mais « la France n'a jamais été abandonnée dans les jours les plus pénibles. Attendons ».

*

Emile demande des sabots, de l'eau de Cologne et une couverture, sans oublier les plumes pour écrire. A la fin d'octobre on lui annonce qu'il restera sur la position au moins six mois. La guerre s'enterre de nouveau. Il n'entend pas parler d'une nouvelle offensive.

Il maudit ces temps de malheur qui obligent les hommes à se terrer dans les cagnas et à livrer les chevaux sans abris au vent et à la pluie. « Je maudis cette guerre et ceux qui en sont les auteurs. Si seulement quelqu'un s'en fatiguait ! Bandes de sauvages, tous autant que nous sommes ! »

Mais l'arrière peut-il se rendre compte des souffrances des poilus ? « Tous ceux qui en reviennent sont unanimes, à l'intérieur personne ne manque de rien, tous sont si habitués à cet état de choses que pour la plupart ils n'imaginent pas ce qu'endurent nos pauvres soldats. » Les permissions, de ce point de vue, sont une épreuve de plus pour les poilus qui se sentent isolés sur les lignes. Pourquoi la guerre finirait-elle alors que l'arrière en prend si aisément son parti ? « Les théâtres jouent, le monde s'amuse, pendant ce temps, de pauvres malheureux se font tuer, alors que tout le monde devrait être en deuil et recueilli, personne, vous m'entendez, PERSONNE ne songe à eux. Alors pour qui ? pour quoi versent-ils leur sang ? »

On triche sur les permissions, en rajoutant des jours sur les feuilles. Quand les coupables sont traduits en conseil de guerre et condamnés à deux ou trois ans de prison, les poilus grognent ; c'est trop cher payé. Les commentaires en popote sont unanimes : l'arrière se moque d'eux. Une femme ne voulait pas laisser repartir son mari, un soldat du 309e de Chaumont. Elle voulait le cacher dans sa cave. Les troupes d'active ont le même moral bas que les réservistes. Les jeunes ne pensent pas autrement que les anciens : ils souhaitent que la guerre finisse au plus tôt. Au 309e, les soldats cherchent à s'échapper de la tranchée en postulant pour l'artillerie, l'aviation, les services automobiles : toutes demandes généralement refusées. Quand l'un d'entre eux obtient satisfaction, on le soupçonne d'avoir bénéficié d'une protection politique. Les permissionnaires venus de Paris affirment que l'arrière n'est plus certain de la victoire. Les officiers promettent, mais sans réussir à persuader leurs hommes, que l'année 1916 verra la fin de la guerre.

Le bruit court en novembre « que l'Allemagne demanderait une paix honorable ». Coudray, dans les Vosges, entend le même son de cloche. Gérard B., un soldat du Midi, écrit à ses parents : « Il paraît que les Allemands commencent à parler de traité de paix. Tous les prisonniers de guerre ne sont que des hommes de 16-18 ans, ils ne peuvent continuer, paraît-il[1]. »

Un autre soldat raconte : « Contrairement à ce que nous ont dit les journaux, les Boches ont de tout en quantité, on a trouvé dans les tranchées prises des cigares, des seaux de dix kilos de confiture. » Les journaux assurent en effet que l'Allemagne est à bout. Mais qui croit à ce « canard » ?

A Albi, une famille, les Carayon, a eu son troisième fils tué au

1. Cité dans *La Plume au fusil*, *op. cit.*, p. 167.

front. Magne, un ami d'Emile, vient de mourir à Somme-Suippes des gaz asphyxiants. Les hommes se cotisent pour qu'il ait un enterrement décent et une messe dite par le curé de Valmy. Ils s'arrangent entre eux de leurs malheurs. Les fantassins tombent tous les jours dans la guerre de position et personne ne croit plus à la fin de la guerre pour Noël. « Nous ne croyons pas un mot de ce que nous racontent les journaux, dit Emile. Il nous semble à tous que c'est notre métier et que nous sommes ici pour toujours. »

Même scepticisme chez le soldat René. On lui a parlé aussi d'une offre de paix des Allemands. Il ne veut pas y croire. « Il faut aller jusqu'au bout », dit-il. Il ne peut s'empêcher de regretter les années 1900, les longues et bienheureuses années de paix. « Si nous avons eu en 1871, grâce aux inventions, une période de grande prospérité, après la guerre ce sera la purée partout [...] Pourquoi se bat-on ? Peu sauraient le dire ». La guerre est interminable : « Seule une révolution pourrait la faire cesser, mais il ne faut pas y compter. »

Comme tant d'autres, René entend parler le 28 septembre d'une victoire en Champagne : trois corps d'armée allemands seraient anéantis et trois divisions françaises auraient percé les lignes. « Si cette opération a pour but de nous éviter quelques mois d'hiver, c'est un beau résultat. Autrement, il est inutile d'avoir sacrifié tant de monde. » Quand l'échec est flagrant, c'est le découragement et la résignation : « Les Boches sont toujours en France et en Belgique et ils y seront dans dix ans. Je ne vois plus aucune possibilité de finir la guerre. » Il peste d'avoir reçu depuis trois mois plusieurs modèles différents de masques contre les gaz. « Chaque quinze jours, on trouve un nouveau modèle. » Ils ne sont jamais assez efficaces.

L'hiver de 1915-1916 est froid, tout enneigé. Emmitouflé dans son tricot et son chandail de laine, la tête protégée par un passe-montagne contre le vent du Nord, l'artilleur d'Albi ne songe qu'à survivre, dans la chaleur de la camaraderie du front. Sa femme lui reproche d'être moins affectueux dans ses lettres.

« Ne me parle pas ainsi, lui dit-il, tu me fais de la peine. Jamais je n'ai cessé de t'aimer, autant et plus qu'au premier jour. Que dirais-tu si je restais comme certains 8 ou 15 jours sans écrire ? »

Il n'a qu'une idée, écrit-il au terme de sa longue lettre, « c'est la FIN, mon retour définitif, mon chez-moi tranquille, vivre de mon labeur ».

Les chevaux ont de la boue jusqu'au ventre quand l'escadron remonte du côté de Perthes, vers le 10 décembre. Les changements de secteurs inquiètent le poilu. Un nouveau coup de chien est-il programmé ? Le 29 décembre, Emile est rassuré : « Nous ne reprendrons notre activité sur le front qu'en février », écrit-il. Il est alors en Champagne, au milieu du vignoble.

Honoré Coudray marche en direction des Vosges, traversant le pays de Bresse, « où l'on tisse tant de toiles et où les lits n'ont pas de draps ». Pour la nouvelle année, il ne croit pas à la fin du conflit : « On aura beau être allié avec Pierre et Paul, dit-il, chacun commandant de son côté, cette absence d'unité de vues doit influer sur l'efficacité de l'action. » Il demande aux chefs d'être économes du sang des soldats : « Certes, vous n'êtes pas responsables de la guerre, mais puisque entre vos mains est placée la direction des armes, n'est-il pas possible de vous montrer avares ? »

Les officiers sont calmes, résignés, « personne maintenant n'espère à la victoire complète ». Beaucoup de régiments de l'Est partent en Serbie. « Il faut que ceux qui croient à la victoire soient bien peu intelligents, conclut le soldat René, car tout le monde pense que nous serons vite battus en Serbie. » Le nouveau gouvernement ne lui dit rien qui vaille. Après sa déclaration à la Chambre, lue dans les journaux, René pense « qu'il faut voir la guerre durer encore bien longtemps. C'est fou, mais il n'y a rien à dire ». Quand il apprend que la classe 17 est appelée, il abandonne tout espoir de paix prochaine. Des tracts allemands ont été jetés par avions dans les lignes pour apprendre la nouvelle avec pour légende : « La classe 1917 conduite à la boucherie anglaise. » Il ne redoute rien tant que le départ d'une nouvelle offensive. « Nous n'aspirons qu'à une chose, ne plus être en guerre », dit le brancardier pessimiste du 309e régiment de Chaumont.

A Baccarat, il n'a rien à craindre. C'est dans la Somme que Joffre a décidé de frapper.

*

Au régiment de Chaumont, troupe de vieux « briscards » qui ont cousu sur leurs manches les nouvelles « brisques » comptant les années de campagne, on ne croit guère à cette nouvelle offensive. Les pertes des deux dernières sont trop lourdes. « On ne se figure pas ce qui s'est passé en Champagne, on ne le saura jamais. On ne peut croire qu'il y a des hommes perdus dans des lacs de boue au nord du camp de Châlons. » Peut-on imposer à l'armée à peine reconstituée le renouvellement de ces horreurs ? « Les poilus en ont assez », répond, dans une lettre adressée à sa mère, le soldat René. Et Georges Clemenceau, féroce, cite alors dans les couloirs du Sénat le mot qu'un soldat aurait prononcé devant son colonel : « Si les généraux n'étaient payés qu'un sou par jour, il y a longtemps que la guerre serait finie. »

Ils ont passé l'hiver à organiser des régions fortifiées et les régiments d'active ont donné la main aux territoriaux. On a entrepris le désarmement des forts, trop vulnérables, pour leur substituer des défenses en profondeur. Ainsi le fort de Douaumont a perdu, sur le front de Verdun, son artillerie.

Les unités d'active elles-mêmes marquent un flottement, lasses des combats incessants. Le 26e régiment de Nancy a été renforcé plusieurs fois. Dès le 6 août, ses « sections franches » ont enterré leurs premiers morts. Le 10 août, les pantalons rouges de Nancy ont reçu le baptême des tirs de mitrailleuses au Signal allemand. Des officiers sont déjà tombés sous le bombardement infernal des pièces lourdes. Le régiment a perdu de son monde à la bataille de Morhange et plus encore dans la lutte pour le Grand-Couronné. Dès le 27 août, il a dû être une première fois recomplété. Les furieux corps à corps avec les Bavarois, ainsi que les bombardements incessants ont réduit certains bataillons à trois cents hommes. On touche de nouveaux renforts de réservistes, alors que la génération des appelés de 1914 est déjà décimée.

Le 26e a perdu encore des effectifs lors de la « course à la mer », même s'il a peu donné pendant la bataille de la Marne. Il s'est battu sur la Somme, où il a touché de nouveaux réservistes en renfort après la tuerie des 25 et 26 septembre. Il a reçu une citation à l'ordre de l'armée le 29 septembre, s'étant battu sans discontinuer pendant trois jours et trois nuits. Les attaques à la baïonnette sont commandées au clair de lune. La plupart des officiers sont morts. Le régiment a déjà changé trois fois de colonel. Nouvelle arrivée de réservistes au début d'octobre, avant d'autres combats meurtriers où même les cuistots sont mobilisés pour défendre les positions. Encore des réservistes le 11 octobre, encore des tués. On se bat contre des corps d'élite, la Garde prussienne, les Bavarois. Quand le régiment est passé en revue dans son entier pour la première fois le 3 novembre 1914, on s'aperçoit que rares sont les survivants des bataillons du 30 juillet. Des réservistes venus de toute la région et même des territoriaux ont été appelés à combler les vides.

Ils sont aussitôt expédiés en Belgique pour la bataille de l'Yser, où l'unité est de nouveau éprouvée. Ils combattent avec d'autres régiments d'élite, les zouaves, les fantassins du 37e de Troyes, les tirailleurs. On commence à parler au front de « l'esprit de corps » qui, avec des effectifs constamment renouvelés en raison des très lourdes pertes, maintient la réputation du 26e.

Quand il est cité pour la deuxième fois à l'ordre de l'armée et qu'il a droit enfin au repos, on lit aux nouveaux soldats les lettres des habitants de Nancy, accompagnées de cadeaux, qui remercient les poilus pour leur sacrifice. Les bleus du régiment sont pris en main par le colonel Colin qui, au repos, se charge de leur éducation patriotique. Il évoque les croix, les décorations qui ont récompense les anciens. Il les fait défiler devant le président de la République, aux accents de la marche des « gars du 26e ».

Rien n'est négligé pour perpétuer la tradition de bravoure de la plus belle unité de la division de fer. On présente aux jeunes le caporal Bach, engagé volontaire pour la durée de la guerre, ex-soldat, en tant que Lorrain, de la province annexée dans le régiment de la Garde prussienne de Berlin. Bach a retrouvé sur le terrain ses anciens camarades, il a permis de reconnaître, avec le soldat Grenewald, de Dieuze, le porte-drapeau du régiment prussien. Ces transfuges de l'armée allemande, incorporés du Reichsland, sont des exemples que l'on cite sans cesse pour leur bravoure patriotique. Ils ont choisi la France.

Le régiment est fortement commotionné par les offensives de 1915. Va-t-il perdre à son tour le moral ? Pas question de découragement dans les rangs. Pas de repos prolongé, peu d'immobilité en secteur. Après un cours répit, en avril, le régiment a été engagé dans la bataille d'Arras, comme troupe de choc de la Xe armée. Il a perdu l'essentiel de ses effectifs dans le Labyrinthe, attaqué au clairon, trébuché dans les réseaux de fils de fer barbelés non détruits. 800 hommes ont été perdus au premier élan, sans aucun profit. A la grenade à tir-feu, si archaïque contre les grenades allemandes à manche, les fusiliers du 26e attaquent la Targette, affrontent les premiers jets de lance-flammes et les grenades asphyxiantes. Quinze jours de combat qui laissent le régiment exsangue. Il repart cependant en juin, après une solennelle messe aux morts dite par un ancien du 26e, Mgr Ruch, évêque de Metz, sur un « autel de verdure ».

Les recrues de la classe 1915 viennent d'arriver dans les bataillons. Ils sont aussitôt préparés au combat, encadrés par des officiers venus de la cavalerie, au moral élevé. On les jette, une fois de plus, à l'assaut de positions défendues par des barbelés non détruits[1]. Les bleus recrutés encore dans la région sont saisis sous une pluie d'obus à gaz, utilisés pour la première fois par les Allemands. Les nerfs des soldats sont ébranlés. Il faut les relever rapidement.

Les anciens ont droit, après un an de campagne, à leur première permission et passent six jours dans les familles pieuses et patriotes de Lorraine qui viennent de connaître la bataille. Celles de Nancy sont bombardées par le canon allemand. Les soldats, cantonnés au sud de Saint-Nicolas du Port, peuvent voir leur famille très souvent, étant au repos dans un cantonnement bien tenu. Pour retremper le moral de l'unité, on la renvoie à sa région d'origine. Il en est ainsi de tous les régiments de l'Est. On organise des visites sur les lieux des précédentes batailles de Lorraine, pour mettre à l'honneur les survivants couverts de décorations. Les recrues défilent, amalgamées aux anciens, aux accents de la marche lorraine, devant les généraux et les politiques, sous les vivats des Nancéiens.

Le 26e est à toute épreuve. Aussi est-il lancé dans l'offensive de Champagne, la plus meurtrière, celle du 25 septembre. Il se fait tuer, parfois par sections entières, sur la butte du Mesnil, véritable forteresse, ou devant la ferme de Beauséjour, ainsi que dans le ravin Marson, nid à obus de gaz asphyxiants. Exténué par le tir des torpilles, il marche sur un terrain chaotique pour tomber, une fois de plus, sur un champ de barbelés intacts, scellés en terre par des blocs de ciment. Nouveau massacre. 28 officiers et 1 200 hommes perdus, plus d'un tiers de l'effectif. Quand le régiment est relevé,

1. *Historique du 26e régiment d'infanterie*, Nancy-Paris-Strasbourg, Berger-Levrault, s.d., p. 55.

on ne le laisse pas au repos. Il doit travailler de jour et surtout de nuit à la réfection des lignes de tranchées.

L'état-major se soucie plus que jamais de son moral. Pour remettre les survivants en forme, ils sont débarqués une fois encore en Lorraine, où le canon allemand à longue portée accable Nancy. Nouvelle prise en charge par la population qui multiplie les visites, les signes d'estime et d'affection, les branches de gui pour Noël cravatées aux trois couleurs, les visites du clergé. Cette unité d'élite, dûment recomplétée et instruite, est de nouveau d'attaque, sans murmure, pour l'offensive qui se mijote à Chantilly. Plus que jamais, Joffre veut des troupes de choc. Qu'on les ménage, qu'on les dorlote, qu'on les encense. Elles entraîneront les autres.

*

Pourtant on évoque déjà dans les milieux gouvernementaux le remplacement du général. Une campagne entretient dans les couloirs du Sénat les préventions contre Joffre. André Tardieu, mobilisé au GQG, s'était engagé dans une compagnie de chasseurs. Il n'avait pu tenir au front, accablé par une congestion pulmonaire dans sa tranchée. Il se disait à son retour convaincu « que la guerre durerait encore deux ans » et que c'était une folie d'avoir persévéré dans l'attaque de Champagne, après l'échec des deux premiers jours. On avait ainsi neutralisé pour longtemps l'armée française.

D'autres allaient plus loin dans leurs critiques, dénonçant les meurtrières offensives. Driant, un député devenu par engagement colonel de chasseurs à pied en poste à Verdun, avait alerté les commissions parlementaires sur l'absence d'une seconde ligne solide dans la région fortifiée. Si l'ennemi attaquait, nous n'aurions pas, assurait-il, les moyens de le contenir. Joffre avait répondu avec humeur qu'il démissionnerait si le gouvernement accueillait les « dénonciations » d'officiers placés sous ses ordres.

La question des effectifs le préoccupe constamment. Au 31 décembre 1915, l'armée a perdu, depuis les débuts de la guerre, près de 2 000 000 d'hommes, dont 600 000 tués et 400 000 disparus. Pour continuer la guerre, il faut en ligne 1 600 000 hommes. Joffre ne les a pas, il compte, tout au plus, 1 236 000 soldats sur les 2 700 000 mobilisés. Les jeunes de la classe 1916 sont « disponibles », comme on dit à l'état-major, ils ont été groupés en bataillons dans la zone des armées pour 100 000 d'entre eux sur un effectif de 180 000. Mais ils sont tenus en réserve, selon le principe admis jusque-là de la nécessité d'employer aux attaques des hommes nouvellement formés, non ankylosés par la guerre de position. Promis à la prochaine offensive de la Somme, ils ne doivent pas être affectés en secteurs. Il n'est pas possible d'imposer au Parlement l'autorisation de lever la classe 1917 avant le mois de janvier. On engagera donc dans les « actifs » les classes de 1915 à 1900, les hommes de 20 à 35 ans et jusqu'à 40 ans dans ce que l'on appelait autrefois la réserve. Les territoriaux de la classe 1894 seront affectés au service armé.

On gratte les fonds de tiroir : dans les dépôts, on peut imaginer, en pure théorie, d'envoyer au front, tous les mois, 49 000 fantassins. Mais si les blessés guéris n'ont pas à subir d'instruction militaire, les inaptes, les récupérés des commissions de réforme sont loin d'être utilisables.

L'état-major songe alors à faire appel aux « indigènes » en plus grand nombre dans les unités combattantes. L'Afrique du Nord a déjà fourni 33 bataillons et le reste des colonies 12. Une loi du 19 octobre organise les levées de troupes dans les communes de plein exercice du Sénégal, ce qui doit permettre de constituer de nouveaux bataillons de tirailleurs. Joffre compte réaliser l'amalgame entre les 22 bataillons de Sénégalais retirés du feu et 50 000 recrues destinées à fournir des renforts. L'armée d'Orient recevrait 2 bataillons malgaches et 4 d'Annamites. 2 000 Malgaches et 16 000 Annamites seraient utilisés dans les travaux du front français.

Reste à programmer la nouvelle offensive, et d'abord à la doter de moyens suffisants, seuls capables d'éviter les nids de mitrailleuses non détruits et de pulvériser le béton des forteresses. L'état-major est bien convaincu, Foch comme Joffre, et surtout Castelnau, que la victoire dépend de la production industrielle. Les soldats ne manquent pas de Lebel, mais il faut créer de nouvelles compagnies de mitrailleuses : elles sont produites au rythme de 1 400 par mois, soit trois fois plus qu'au début de l'année. On prévoit 4 000 000 de grenades à fusil Viven-Bessières et 40 000 tromblons. Joffre attache une importance particulière aux pièces de tranchées notoirement insuffisantes et inférieures à celles des Allemands.

Le colonel Estienne met déjà à l'étude un char d'assaut. On

commence à créer des batteries de 75 sur tracteurs automobiles en raison de la pénurie de chevaux. Mais l'armée se plaint de ne disposer que de 4 000 canons à tir rapide. On n'a pas oublié, dans l'infanterie, les monstrueux éclatements des tubes pendant les offensives, qui laissaient l'artillerie sans voix au moment des attaques.

L'artillerie lourde restait insuffisante. On prévoyait pour le premier trimestre de 1916 l'équipement des 120 et 155 longs en chariots porteurs et différents modèles d'obusiers avaient été commandés. Sur 3 700 pièces en théorie disponibles en février, le commandement n'avait en ligne que 241 canons modernes à tir rapide. La masse du parc d'artillerie ne pouvait guère équiper, en fait, que 25 régiments dont 20 attelés et 5 à tracteurs. Quant à l'artillerie super-lourde à grande puissance montée sur chemin de fer, elle était réduite à 119 pièces, pour beaucoup de marine, réparties en trois groupements d'armée et se déplaçant sur ordre de l'état-major.

Cette force de frappe essentielle restait insuffisante et commençait seulement à devenir opérationnelle. Même lacune dans l'aviation, devenue indispensable à la préparation des tirs d'artillerie. Le nouveau programme était lancé seulement le 18 novembre 1915, avec priorité aux appareils de combat. On attendait en janvier 1916 la livraison échelonnée au cours de l'année de 1 430 aéroplanes mais les retards de fabrication des moteurs étaient tragiques. L'essentiel de la production était orienté sur le lancement de 710 automobiles par mois, rendu nécessaire par les déplacements de l'infanterie sur camions dans les cas urgents, et par l'équipement des batteries d'artillerie.

Joffre comptait sur la meilleure utilisation des armes pour emporter la décision. Aussi son cabinet multipliait-il les instructions pour faire « oublier au soldat la marche abritée dans les boyaux » et lui réapprendre « son métier de tirailleur ». L'infanterie devait recevoir un enseignement de spécialistes, grenadiers pionniers, et s'entendre au plus près avec les artilleurs et les observateurs de tranchée. Les exercices combinés devaient se multiplier, et l'on créait des camps d'instruction dans tous les groupes d'armée, tels ceux de Crèvecœur, de Ville-en-Tardenois ou de Mailly. Il ne suffisait pas d'enseigner la tactique : les unités « dressées pour l'assaut » devaient recevoir « une solide préparation morale ».

Cette affectation des troupes d'active aux centres d'entraînement n'était pas sans danger. On les remplaçait en ligne par des territoriaux incapables de tenir le front. Une pression allemande en Artois, au mois de janvier 1916, avait inquiété l'état-major. Il était imprudent de dégarnir le front. Mais les réserves étaient insuffisantes pour organiser l'instruction avec efficacité et par roulement. Dans ces conditions, l'offensive prévue sur la Somme ne pouvait raisonnablement être lancée, en liaison avec les Britanniques, avant le mois de juillet. Mais, dès le 18 février 1916, Joffre avait approuvé le plan d'attaque dressé par Foch, sur un front de quarante kilomètres, de la Somme à Lassigny.

*

Le pouvoir politique n'opposait pas alors la moindre objection à ce retard, bien au contraire : depuis octobre 1915, il ne songeait qu'à l'intervention dans les Balkans. Briand et Painlevé voulaient y expédier d'importants effectifs, et Joffre s'était décidé à porter secours — trop tard — à l'armée serbe.

Le gouvernement était conscient de la nécessité de laisser le front en repos pour permettre aux effectifs de se reconstituer. Pétain et Langle de Cary étaient hostiles à l'engagement immédiat au front de la classe 1917. Ils voulaient la garder en réserve. « Nous devons faire une guerre bourgeoisement, disait à Poincaré Castelnau, le nouvel adjoint de Joffre. C'est un compte d'épicier à dresser. »

Pourtant Joffre insiste. On manquera d'hommes, dit-il, si la classe 17 n'est pas instruite pour le printemps. (Si cruel qu'il soit de faire dévorer ainsi la jeunesse française, commente Poincaré, le Conseil s'incline devant l'inexorable nécessité.) Ainsi il vient d'être décidé, dès le 18 novembre, que les jeunes gens de 19 ans participeraient à la prochaine offensive de juillet. Ils seront incorporés dans les groupes d'assaut.

Hostile à cette précipitation, le général de Castelnau, père de famille très éprouvé, avait fait une tournée en Orient, pour évaluer les possibilités d'action dans les Balkans, à partir de l'armée du général Sarrail. Pour la première fois les poilus français côtoyaient à Salonique non seulement des Britanniques mais les Serbes rescapés de la déroute, des Italiens, des Monténégrins, des Russes, combattant sous la tutelle coordinatrice d'un général français. On s'acheminait vers une internationalisation de la guerre. Mais Joffre et Gallieni étaient d'accord pour limiter à 150 000 hommes les effectifs de ce « front secondaire ». Le gouvernement eut beaucoup de mal, en décembre, à décider les Anglais, qui évacuaient les Dardanelles, à rester à Salonique. Ils voulaient consacrer leurs forces d'Orient à la défense exclusive de l'Egypte contre les Turcs.

On commence alors à évoquer dans le milieu politique la possibilité d'une attaque allemande sur le front français du Nord avec 25 divisions. Joffre se croit en mesure de la contenir. Mais les commissions du Sénat et de la Chambre expriment des doutes. Ceux du Pas-de-Calais affirment que les lignes sont mal tenues, peu entretenues. Boudenoot, sénateur, sénateur du Nord, explique à qui veut l'entendre que les hommes sont si négligés par le commandement que des mutineries sont à craindre. Les territoriaux du 102e recrutés à Saint-Etienne restent douze jours sans interruption dans la tranchée et douze dans un cantonnement bombardé, sans pouvoir trouver le repos.

Le général d'Urbal, responsable de ce front, ignore ces réalités. Il ne sait pas que le 16e de Péronne est employé sans discontinuité aux travaux défensifs. Ses cantonnements manquent de paille et sont mangés de poux. Pas la moindre paillasse, ni lanternes, ni poêles. Il en est de même, plus au sud, dans les tranchées d'Arras. Jusqu'à quand le commandement laissera-t-il les hommes dans cet état d'indigence ?

Il est ébranlé par les dissensions du pouvoir. Gallieni, en plein conseil du 15 janvier, a expliqué qu'il ne fallait pas espérer percer le front allemand en France et qu'il était préférable de rechercher une solution dans les Balkans. Son opposition à Joffre filtre au Parlement et dans la presse. Contre l'avis du généralissime, une division supplémentaire est envoyée à Salonique. Sceptique sur les chances de percer le front bétonné de France, le ministre de la Guerre est naturellement hostile à toute reprise d'offensive, même partielle. Il n'est pas sourd à la polémique soulevée par Abel Ferry au Parlement sur l'imprudence de l'état-major dans les offensives de 1915. Dans la guerre de bureaux qu'il entretient contre Joffre, on devine qu'il veut changer au plus tôt de général en chef.

Il n'en a pas le temps, parce que les bruits d'une attaque allemande de grande envergure se confirment. Dès le début de février,

Poincaré juge bon de se rendre sur le front de Verdun, de visiter les cantonnements, les premières lignes, de passer en revue les recrues de 1916 qui n'ont pas encore connu le feu. Le général Herr fait recenser les défenses, et se plaint de manquer d'unités en ligne. Poincaré ne fait aucune remarque sur la faiblesse des secondes lignes.

Le 19 février, le préfet de la Meuse avertit son ministre Malvy que l'armée lui a demandé d'évacuer les civils de Verdun. L'attaque allemande est-elle attendue sur ce front ? Le GQG en prévient Poincaré. Le bombardement de la ville a commencé. Le général responsable du groupe d'armées, Langle de Cary, a déjà mobilisé de l'artillerie lourde et des renforts pour faire face. Mais Joffre le taciturne croit à une diversion. Il attend l'ennemi ailleurs, en Champagne sans doute. Il se méfie de son service de renseignements : les Allemands sont habiles à le tromper. Si une offensive se prépare effectivement, il est trop tôt, pense-t-on à Chantilly, pour en prévoir le point d'application principal.

*

Verdun, 7 heures du matin, le 21 février 1916. Les roues de la tonne à eau grincent sur le chemin pierreux qui apporte le café aux chasseurs de Driant, tapis dans le bois des Caures. Le soleil se lève, radieux, au-dessus des lignes allemandes. Les hommes des 56e et 59e bataillons, du recrutement de Lille et d'Epernay, n'ont aucune raison de redouter une offensive, même si les guetteurs signalent des bruits de charrois sur les routes.

L'état-major n'est pas plus inquiet. Un prisonnier alsacien capturé le 20 février a bien affirmé que l'attaque était pour le lendemain, mais personne ne veut le croire. Le général Herr, qui commande la région fortifiée, a constaté que les Allemands n'avaient pas creusé de parallèles d'attaque. Langle de Cary, commandant du groupe d'armée depuis son PC assez éloigné d'Avize, au sud d'Epernay, ne croit pas à un assaut dans cette région tourmentée. A Chantilly, les renseignements affluent, mais ils sont contradictoires. Les mouvements de trains, les colonnes sur les routes repérées par les aviateurs peuvent aussi faire croire à une offensive en Champagne.

Un coup de canon troue le ciel de Verdun, puis d'autres, très nombreux. Les chasseurs de Driant gagnent leurs abris en toute hâte. Leurs positions sont écrasées par les tirs de *minenwerfer*, par les obus de 155 et de 210 qui abattent les arbres du bois des Caures mais aussi ceux d'Haumont vers l'ouest, d'Herbebois à l'est. Le général Chrétien, qui commande à Verdun, envoie l'aviation. Un seul appareil peut rejoindre sa base. « Il y a partout des batteries, dit l'aviateur, elles se touchent, les flammes de leurs obus forment une nappe continue. »

Patiemment, presque clandestinement, 1 250 pièces avaient été rassemblées, de tous calibres, sur un front très réduit de vingt kilomètres et soigneusement camouflées. Les 270 canons français sautaient comme des fétus de paille sous le tir des pièces lourdes. Elles frappaient jusqu'à trente kilomètres, pour empêcher l'arrivée des renforts. Des pièces de 240 étaient écrasées dans le ravin d'Haudremont. Très vite, l'artillerie française était réduite au silence. A Romagne, un village au nord d'Ornes doté d'un bon observatoire, trente pièces allemandes de 210 et deux batteries de 420 étaient alignées sur des plates-formes de béton, bâchées, camouflées, pour éviter les observations aériennes. Cent pièces venues de la place de Metz étaient tapies dans le bois de Tilla. Les 150 à tirs courts touchaient même les ravins et les crevasses, avec une précision stupéfiante.

Les bois compris entre Brabant, Ornes et Verdun recevaient en quelques heures deux millions d'obus. Ce *Trommelfeuer* avait été minutieusement préparé par von Falkenhayn qui voulait affirmer sur le terrain précis, limité de Verdun la primauté absolue de l'industrie allemande.

La guerre changeait d'esprit. Plus d'offensive stratégique destinée à ouvrir à l'armée des mouvements de percée et d'enveloppement, comme au temps de von Schlieffen. Il suffisait pour arrêter la guerre et décourager l'ennemi de lui prouver que la supériorité allemande du feu était capable de transformer un secteur paisible du front en enfer, où rien ne pourrait survivre. Le Kronprinz disait aux officiers avant le début de l'attaque : « Mes amis, il nous faut prendre Verdun. Il faut qu'avant la fin de février, tout soit terminé. L'empereur viendra alors passer une grande revue (*eine feste Parade*) sur la place d'armes de Verdun et la paix sera signée. » Il n'est pas question d'offensive ni de stratégie. Six divisions seulement sont massées pour l'assaut, contre deux françaises.

La prise de Verdun ne suppose pas, à l'origine, un affrontement désordonné de centaines de milliers d'hommes sur le terrain, mais doit résulter d'une telle démonstration de puissance industrielle qu'on fera même l'économie de l'assaut. Les Français, surpris, paniqués par un tel déploiement de force, demanderont la paix. C'est le calcul des Américains, en 1945, à Hiroshima.

Verdun, ville mythique de la Germanie au temps de Charlemagne, prise par les Prussiens en 1792 et en 1870, doit tomber par la volonté de Krupp et de l'industrie chimique de Mannheim-Ludwigshafen. L'état-major s'en remet aux techniciens de l'industrie du soin d'éliminer toute résistance sur un champ de bataille limité. On ne compte pas vingt-cinq kilomètres du village de Malencourt à l'ouest du front de Verdun jusqu'au fort de Tavannes vers l'est.

Dans ce triangle précis, qui porte au sud jusqu'à la citadelle, toute trace de vie doit être éliminée. Les fantassins avanceront l'arme à la bretelle, en longues colonnes, coiffés de casques d'acier et précédés de lance-flammes. Les obus au gaz auront nettoyé les ravins. Les bombes incendiaires lancées d'avions ou par les engins de tranchées auront anéanti les positions. La verrue de Verdun sera brûlée au chlore, à l'acide, la croûte de la terre percée en profonds entonnoirs par les calibres géants. Rien ne doit survivre à Verdun. « Il s'agit de montrer à nos ennemis, dit encore le Kronprinz qui prend la tête des forces opérationnelles, que l'armée allemande brise toute résistance. » Il devrait dire : l'industrie allemande. Verdun fera la preuve qu'elle est la première au monde.

*

Le tir de l'artillerie est concentré d'Avaucourt à Brabant-sur-Meuse. A partir de 8 heures, le bombardement gagne en ampleur, battant toute la rive gauche de la Meuse, la route d'Etain, les Hauts de Meuse. Il atteint la lisière des armées voisines et détruit le seul chemin de fer qui relie Verdun à Sainte-Menehould. Seule la nationale 35, en piteux état, peut assurer la liaison.

Les obus de 150 et ceux des *minenwerfer* détruisent les parapets, anéantissent les tranchées, ensevelissent les poilus. Les lourdes marmites de 210 et de 305 rasent les bois, abattent des chênes et des hêtres de vingt mètres de haut. Les 380, et même des 420 s'attaquent aux forts bétonnés que l'on croit encore garnis de pièces. Ils font sauter les ponts pour empêcher l'arrivée des renforts. Les schrapnells arrosent les ravins où se cachent les troupes, ainsi que les obus à charges toxiques. Les tirs sont guidés par six *drachen*, des ballons dirigeables que l'aviation française est incapable d'abattre en raison de la supériorité de la chasse allemande. « Sur cinq poilus, dit le caporal Brassard, du 56ᵉ bataillon de chasseurs à pied, deux sont enterrés vivants, deux sont plus ou moins blessés, et le cinquième attend. »

Les troupes en place dans les tranchées de Verdun ont survécu aux offensives de 1915. Elles ont l'habitude du feu. Les soldats de la 51ᵉ division viennent du Nord. Leur patriotisme n'est pas douteux. Ils ont abandonné les fermes et les villages dans les territoires envahis. Leurs familles, quand elles ne sont pas restées sur place, sont recueillies vaille que vaille dans le Sud. Ceux d'Arras (233ᵉ RI), de Saint-Omer (208ᵉ), de Béthune (273ᵉ) et de Valenciennes (327ᵉ) se battent depuis 1914 pour libérer le territoire.

La 51ᵉ division de Boulangé a déjà changé trois fois de général. Elle a beaucoup donné depuis l'entrée en guerre. Sa participation à la bataille de Guise, à la bataille de la Marne dans les marais de Saint-Gond a obligé le quartier général à la retirer du front pendant huit mois pour cause de reconstitution. De nouveau engagée dans les combats de 1915 et surtout dans la bataille de Champagne en octobre, elle a perdu tant de monde qu'elle a été tenue au repos prolongé, de nouveau reconstituée, puis affectée à des travaux de terrassement et à l'occupation du secteur forestier où le bombardement la surprend, à l'est du front d'attaque.

Vers l'ouest, les deux bataillons de chasseurs à pied du bois des Caures sont des unités d'élite, mais les six régiments de la 72ᵉ division de Bapst sont aussi de bonnes troupes, rescapées des combats de 1914 et 1915. Les poilus de Verdun (164ᵉ) et de Laval (324ᵉ) ont pour camarades les ch'timis des unités de Saint-Quentin (351ᵉ), Cambrai (362ᵉ) et Lille (165ᵉ et 365ᵉ). Mobilisée à Verdun, la division n'a pratiquement pas quitté ce champ de bataille, participant constamment à des opérations locales qui lui ont tué du monde. Moins accablés par les offensives récentes que leurs voisins de la 51ᵉ, les soldats sont familiers des lieux et décidés à se défendre. Ils sont immédiatement assommés par le tir d'artillerie, et doivent abandonner leurs lignes bouleversées. L'agent de liaison Champeaux, du régiment de Verdun, ne reconnaît plus le champ de bataille : « Nous devons nous terrer dans un large entonnoir, explique-t-il, nous sommes entourés de blessés que nous ne pouvons même pas secourir. »

Au 362e de Cambrai, les bataillons sont ensevelis. Les survivants sont inertes, aphones, semblent dormir. Les oreilles sifflent, les tympans éclatent. Les hommes rentrent la tête dans les épaules, se retrouvent dans la boue neigeuse des trous d'obus, dans la position du fœtus. Impossible de se protéger, il faut s'enterrer. Les plus valides prennent la pelle ou la pioche pour creuser des abris dans les trous. Les fusils sont tordus, projetés à cent mètres, les mitrailleuses détruites ou enterrées.

Les troupes de seconde ligne sont également accablées. Un fantassin du 243e, Hovine, est tapi dans le bois de la Wavrille, derrière Herbebois. « Les arbres sont fauchés comme fétus de paille, dit-il, de la fumée se dégage de certains obus. La poussière produite par la terre soulevée forme un brouillard [...] Toute la journée, nous courbons l'échine [1]... » Dans le ravin de Vacherauville, les hommes qui n'ont pas mis à temps leur masque à gaz risquent de perdre la vue ou le souffle. On n'y voit pas à deux mètres.

Les tranchées bouleversées de l'Herbebois sont pleines de cadavres, de débris humains saignant dans la poussière, de casques crevés et de ferrailles informes. Sur le front de la 72e division, il ne reste parfois que deux ou trois survivants par compagnie. Des bataillons entiers ont disparu. Beaucoup d'unités sont amputées de 60 % de leurs effectifs d'attaque. On ne connaît pas à l'arrière l'état des pertes. Les téléphones sont coupés. Les « coureurs », sautant de trou en trou, risquant leur vie à chaque bond, essaient de gagner l'arrière au prix d'efforts inhumains pour rendre compte du cataclysme. Aucune ligne de tranchées continue : les capitaines, quand ils n'ont pas été eux-mêmes ensevelis, ignorent combien de survivants sont cachés dans les trous.

« Les Français sont à bout. Il est temps de faire avancer les troupes spéciales F2 », décide von Haeseler, au quartier général du Kronprinz.

1. Témoignages recueillis par Jacques Péricard, *Verdun*, Librairie de France, 1983, p. 80 et suiv.

*

Les colonnes d'assaut entrent dans les bois ravagés, par petits groupes. Les hommes plient sous le poids de leurs sacs bourrés de grenades. Les premiers ont le lance-flammes à la main. Ils marchent dans les décombres, avec attention, le fusil au bout du bras. Les mitrailleuses portables suivent, avec les mortiers de tranchée. Les officiers ont sans cesse les yeux fixés sur leur montre. Le tir de barrage qui les précède progresse à une vitesse convenue, il ne faut pas prendre de retard.

Trois corps d'armée allemands attendent, tapis dans les abris, les résultats de la première attaque, prêts à envoyer des renforts. Les ordres des *stosstruppen* sont de contourner les nids de résistance et de ne pas interrompre leur avance sur la Meuse. L'artillerie française n'intervient pas, comme frappée de stupeur. Aucun avion français dans le ciel, aucune saucisse. Les colonnes ne rencontrent d'abord aucun obstacle. Les officiers repèrent sur la carte le tracé des tranchées françaises mais ne les reconnaissent pas sur le terrain : les lignes se sont volatilisées.

Les infirmiers qui suivent les colonnes ne marquent aucun intérêt pour les blessés français qui geignent dans les trous. Au bois d'Haumont, les Allemands ont découvert les corps des guetteurs français endormis, ensevelis sous les décombres. Ils n'avaient plus de fusils à leurs côtés. Personne n'a songé à les faire prisonniers. Les *feldgrau* sont trop occupés à se frayer un chemin au milieu des chênes abattus du bois des Caures, dans la neige fraîche. Ne trouvant pas d'ennemis, ils remettent le fusil à la bretelle et poursuivent leur progression, bien persuadés que le feu de l'artillerie a éliminé toute résistance. Au-dessus d'eux, les obus géants de 420 vont percer la carapace du fort de Douaumont.

Les Allemands découpent au chalumeau les treillis qui entourent les points fortifiés, où leurs ennemis ont trouvé la mort. Inutile d'utiliser les lance-flammes. Les abris sont écrasés par les torpilles. Le bois d'Haumont est entièrement occupé sans résistance.

A la tombée du jour, les coups de feu éclatent, puis les tirs de mitrailleuses isolées : des rescapés qui réalisent enfin que les Allemands les entourent, qu'ils sont à portée de fusil. Ceux qui tiennent encore leur Lebel font mouche à tout coup, sur des *feldgrau* qui ne se méfient plus. La fusillade gagne de proche en proche, de trou en trou, sur un front qui n'existe pas. Dans le bois des Caures entièrement marmité, les survivants se reconnaissent au claquement sec des Lebel.

Tirer, c'est manifester que l'on vit. Les coups de feu sont un défi, presque une provocation. L'écrasement industriel a échoué. Il a laissé des témoins, qui redeviennent des combattants. Ceux-là sont décidés à faire payer chèrement leur vie. Il n'y a plus de sentiments nobles, de souvenirs patriotiques. Tirer, c'est affirmer rageusement, désespérément, que l'on existe encore.

La fusillade crépite au nord de l'Herbebois. On se bat d'arbre en arbre, de marmite en marmite. Les officiers ont le fusil à la main, les hommes épuisent leurs réserves de grenades. Ils s'échappent par petits groupes, gagnent l'arrière sans être poursuivis, dans l'obscurité de la forêt enneigée.

Au bois des Caures, le colonel Driant attend l'assaut, avec les survivants des deux bataillons de chasseurs. Les ouvriers et les mineurs du 56e font bon ménage avec ceux du 59e, des paysans du Nord et de la Meuse. Les uns et les autres, accablés par le bombardement, sont décidés à se défendre jusqu'au bout. Un lieutenant, Robin, au premier rang d'un ouvrage fortifié, se dresse et tire au Lebel. Un capitaine, Séguin, repousse quatre assauts avec une poignée d'hommes. Quand les munitions sont épuisées, les chasseurs se défendent à la baïonnette. On se tue à coups de pelle et de crosse, dans des abris à moitié détruits. Les mitrailleuses du sergent Léger crépitent encore dans leurs trous : onze chasseurs défendent la position contre deux bataillons allemands. Quand les mitrailleuses se sont tues, ils résistent jusqu'à la dernière grenade.

Sur tous les ouvrages tenus par les chasseurs, la résistance se poursuit toute la nuit. Combien sont-ils ? A peine trois cents, sur les mille trois cents qu'ils étaient au petit matin. La rage de survivre anime les courages. Sans ordres, sans liaisons avec leur propre unité, les hommes tirent dans l'obscurité. Pas de rapports avec les unités voisines, pas d'ordres venus de la brigade. Driant commande seul. Sur les arrières du bois, il sait que les Allemands se sont infiltrés, coupant la retraite. Le secteur est « encagé » par l'artillerie. Il n'y a pas d'autre choix que de mourir sur place.

A l'arrière, on les ignore. Ils sont coupés du QG de la division, de celui du 30e corps du général Chrétien. A la nuit tombée, sur les rares informations qu'il reçoit, il ordonne « de ne pas abandonner un pouce de terrain ». Comme si les hommes l'avaient attendu pour mourir ! Le 365e de Lille, tenu en réserve, doit « reprendre les tranchées perdues ». Le général ignore simplement qu'il n'y a plus de tranchées.

*

La bataille de Verdun impose à l'armée française une suite pratiquement ininterrompue de combats du 21 février au 24 octobre 1916, impliquant la montée en ligne de presque toutes les divisions, sans aucune possibilité de repos sur des positions aménagées. Les tranchées, à peine construites, sont détruites par le canon. Pendant cette année la bataille de Verdun se double d'une désastreuse offensive en juillet dans la Somme. Le poilu vit dans les abris et les trous, dans les granges bombardées de l'arrière immédiat lors des courtes périodes de repos, sans pouvoir dormir. Une armée entière devient insomniaque, nerveuse, angoissée, promise à la mort.

Ceux qui ont la chance très provisoire de s'abriter dans des lignes solides – partout ailleurs sur le front – ne sont pas assurés d'y rester, tant la noria des divisions qui empruntent en camions la « voie sacrée » puise ses victimes jusqu'aux coins les plus reculés du front. Chacun sait qu'il a droit à son billet gratuit de voyage pour le casse-pipe. De la sorte, l'angoisse de Verdun gagne toutes les lignes. Les poilus qui ont la chance d'être en tranchée savent que leur tour viendra. Ainsi l'exige la justice égalitaire dans une armée de citoyens : bonnes ou mauvaises, toutes les unités doivent donner à l'impôt du sang.

Trente-six bataillons français, au soir du 21 février, se sont fait hacher, sans soutien d'artillerie, pour résister à un feu colossal et à l'assaut de soixante-treize bataillons allemands. Au prix de sacrifices qu'aucun officier n'était sur place en mesure d'exiger, les Allemands, par miracle, ne sont pas passés. Les combats se sont poursuivis spontanément de nuit, sous la neige, d'un groupe à l'autre, acharnés. Les Français se sont juré de faire payer aux *feldgrau* l'horreur qu'ils ont subie.

Plus d'unités organisées dans les lignes volatilisées. Ce désordre nuit aux Allemands, au lieu de les aider, comme les pierres des décombres de Stalingrad ont permis aux Russes de tenir. Les fascines détruites, les innombrables cratères des obus, les fils de fer tordus, groupés en boussons épineux, les poutres, les branches, les pans de mur noircis, autant d'obstacles pour les agresseurs. La bataille tourne à l'engagement individuel. Le bombardement du 22 est moins efficace, parce que les lignes allemandes s'étirent et s'effilochent, comme les françaises. Les 77 hésitent à tirer, repérant mal leurs fantassins. Comment les canons de Pétain, survivant à l'écrabouillement, pourraient-ils aider les leurs, alors qu'ils sont perdus dans la poussière opaque des décombres, dans les brouillards terreux, les nuages de détritus ?

« Nous courons comme des fous, explique à Péricard un caporal du 208e de Saint-Omer appelé en renfort. L'écume aux lèvres, on enjambe des morts, le ravin est complètement labouré par les obus : ce ne sont que des trous de cinq et même de dix mètres de largeur remplis de cadavres. Un énorme obus tombe en plein sur la première section de la compagnie ; dix blessés du même coup et quinze morts qui voltigent dans les airs. Des quartiers de cadavres s'abattent de tous côtés, nous sommes couverts de sang. » Un adjudant du 321e, régiment de réservistes de Montluçon appelés à la rescousse en première ligne, confirme cette vision d'horreur : « Le boyau d'Haumont est rempli de cadavres. Des mourants sont là dans la boue, râlant, nous demandant à boire et nous suppliant de les achever. Il ne me reste plus que dix-sept hommes sur les trente-neuf que j'avais au départ. »

Les bataillons, les compagnies attaquent dans le désordre. Le 310e de Dunkerque marche toute la nuit pour prêter main-forte à un bataillon du 208e de Saint-Omer, très malmené. Un bataillon du 327e de Valenciennes s'amalgame aux débris du 208e. Plus d'unités, de PC, d'ordres, de carte de guerre. Les chefs de section sont livrés à eux-mêmes, des sergents, des caporaux commandent ces compagnies réduites, pulvérisées. Inversement des capitaines ou des lieutenants sans troupes font le coup de fusil avec quatre ou cinq hommes, comme des caporaux. Ces petites unités ne sont anéanties qu'après une résistance féroce. Deux ou trois soldats isolés rejoignent d'autres groupes, sans songer à se rendre. On mène des contre-attaques avec deux compagnies clairsemées. Un lieutenant-colonel survivant du 233e d'Arras rassemble des hommes de quatre régiments différents pour arrêter l'ennemi entre les bois de l'Herbebois et des Caures.

Quand ce dernier est encerclé par de petites unités de *stosstruppen*, six mille hommes au maximum, Driant et les survivants de ses deux bataillons décident de tenir. Le capitaine Séguin perd un bras au milieu de ses cinquante hommes qui résistent aux assauts d'un bataillon. Le sergent Avet tue net quatre Allemands avant de se terrer dans un trou, laissant passer la vague pour fusiller dans le dos les assaillants. Le sous-lieutenant Pagnon prend en plein visage le jet de flamme d'un nettoyeur de fortin. Les hommes sont tués à bout portant, mais Driant résiste encore. Plus que cent vingt chasseurs. Aucun renfort possible. Les Allemands attaquent sans répit, par petits paquets. Plus que quatre-vingts chasseurs. Les *stosstruppen* avancent une pièce de 77 qui tire à vue. Driant n'a pas d'obusiers, pas de canons de tranchée. Des mitrailleuses seulement. Elles sont anéanties.

Sur ordre, trois groupes de chasseurs tentent de s'échapper. Driant reste en place, avec l'aumônier de Martimprey et le médecin Baudru qui secourent les blessés. Le colonel est touché par un éclat d'obus. Deux sergents font glisser son corps dans un trou, pour tenter de l'abriter. Il est déjà mort.

La poignée de chasseurs regroupés autour de Vacherauville, sur la Meuse, sont blessés pour la plupart. Aussitôt la propagande de guerre s'empare de leur exploit : ils ont, dit-on, retardé de quatre heures l'avance ennemie. Pourquoi se hâter d'avancer le canon, alors que le sacrifice de l'infanterie suffit à contrarier une offensive ? Seul le terrain compte et le fantassin en est le maître. De la sorte, le courage viscéral des hommes promis à la mort par le bombardement, enterrés dans les trous, enfouis sous des montagnes de pierres et de terre, ripostant spontanément, avec leurs seules forces, contre la plus monstrueuse des agressions, se trouve récupéré par l'état-major et érigé en doctrine : l'infanterie doit savoir qu'elle n'a d'autre devoir que de mourir, comme les chasseurs de Driant.

*

Dès lors, une mécanique du sacrifice se met en place : les camions de la voie sacrée, inaugurée par le général Chrétien, apportent les renforts incessants de plusieurs corps d'armée, et chargent pour les hôpitaux de l'arrière les blessés transportables. Les fantassins de Verdun ne sont que de passage. Le 327e de Valenciennes n'existe plus. Au 62e de Lorient, il ne reste, le 22 février, après une contre-attaque sur le village d'Haumont que cinquante survivants sur trois mille. Les rares rescapés du régiment de Saint-Quentin qui tenaient le village de Brabant ont réussi à se retirer. Ils en sont blâmés par le général de Langle de Cary, qui télégraphie à Chrétien, du loin de son état-major : « L'occupation de tout point, même entouré, doit être maintenue à tout prix. » Chacun sait que, faute de mourir, on ne peut y tenir longtemps. Le passage obligé dans le canyon de la mort devient le lot de l'infanterie française.

Les renforts montent en ligne, fondent aussitôt dans la fournaise. Les coloniaux d'abord. Le sergent Leeman voit son colonel du 2e zouaves « pleurer à chaudes larmes ». En quelques heures, son régiment n'a plus que 1 200 braves. Les 2e et 3e tirailleurs disparaissent à leur tour. L'état-major, qui ordonne la reconquête des villages perdus, fait preuve d'un singulier aveuglement. Il ne *voit* pas littéralement la situation, étant trop loin des lignes. Nul ne peut progresser sous le feu d'enfer des canons et des mitrailleuses.

Seule compte la résistance désespérée de petits groupes qui s'agglutinent, se rassemblent, se dispersent et se retrouvent au hasard des empoignades, quand les *feldgrau* sortent de leur trou pour avancer après la fin des bombardements. Les Français se regroupent dans le plus grand désordre. Les officiers sont morts. Ceux qui survivent rassemblent à peine quinze compagnies au bois de Chaume, provenant de quatre régiments décimés, ceux des ch'timis qui ont subi les premiers assauts. Ils sont déjà morts par milliers, les poilus venus de Lille, d'Arras et de Valenciennes. La 51e division a fondu de moitié. La 72e n'existe plus. Ceux qui résistent encore ont juste les moyens de s'abriter, non de creuser des tranchées.

A Samogneux, petit village arrosé par la Meuse, les fantassins de Saint-Quentin et de Laval subissent le plus grave détriment. Le général Chrétien est convaincu que le village est occupé par les Allemands. Il fait tirer des pièces de 155 rameutées à grand-peine, qui broient les restes des malheureux régiments. Les survivants sont anéantis au lance-flammes par les *stosstruppen*.

Le 24 février, les Allemands descendent des bois en groupes compacts, bien décidés à percer. Le 60e de Besançon, qui leur résiste, est anéanti, les zouaves et les tirailleurs asphyxiés par les tirs d'obus. Le 35e de Belfort a péri, son colonel en tête. Rien ne subsiste du 30e corps que des éléments épars, épuisés, sanguinolents, tapis dans les abris provisoires. Le front risque de crever, au soir du 24 février, faute de renforts, de canons, d'avions, faute de munitions.

Les blessés ne peuvent être tous secourus. Les hôpitaux de la ville, où les chirurgiens opèrent jour et nuit, sont bombardés. Les grands blessés sont installés à l'arrière, sur les bords de la rivière, sous des tentes marquées d'une croix rouge et plantées dans la neige. Les ambulances transportent les opérables à Baleycourt. Les autres attendent leur sort, déposés à même le sol sur leurs brancards. Rien pour soigner les gazés. Un major a fait le tri des opérables. Les rejetés attendent la mort dans la neige. « Il faut, dit l'ambulancier Paul Muenier, rassurer ce lamentable troupeau criant en plusieurs langues la souffrance et le désespoir [...] Des visages sanglants où l'on ne voit plus qu'un œil, des épaules arrachées [...] Il y en a qui se traînent sur les genoux, à quatre pattes, insoucieux de la neige, des éclats meurtriers et de l'âcre fumée jaune qui remplit cette rue infernale. »

On manque de brancards, de désinfectants. Beaucoup meurent de la gangrène et sont alors jetés dans une fosse commune. Les brancardiers se sont fait tuer dans les lignes. Les blessés meurent sous les obus dans les abris de premiers soins, avec leurs infirmiers. Rejoindre le poste de secours du bataillon est une entreprise insensée, sous le feu incessant. Nombreux sont ceux qui hurlent dans les marmites, en pure perte. Les Allemands relèvent aussi les blessés ennemis, mais dans les secteurs conquis. Impossible d'enterrer les morts. Quand on parvient à les enfouir dans un trou d'obus, pêle-mêle dans des toiles de tente, ils sont déterrés, projetés en l'air par d'autres projectiles. A peine peut-on relever leur identité. Ils sont le plus souvent portés disparus.

Les ambulances s'approchent le plus près possible des lignes, et parmi elles quelques voitures Ford des volontaires américaines. Elles ne peuvent faire des miracles. Les brancardiers, pour arriver jusqu'aux postes, doivent se faufiler d'un trou d'obus à l'autre et se font souvent tuer. Une bataille de cette ampleur est forcément une hécatombe pour les blessés. Ceux qui n'ont pas été tués sur le coup échappent difficilement aux opérations de sauvetage. Les médecins n'opèrent que les soldats ayant réussi à ramper jusqu'à eux, ceux qui ont été arrachés au champ de bataille par des brancardiers courageux. Enfin ceux qui ont été jugés opérables. Ils sont la minorité du peuple des mourants enfoui à la hâte et, au meilleur des cas, dans la chaux vive des fosses communes.

*

L'organisation des transports sur la voie sacrée par le capitaine Doumenc inaugure la deuxième phase de la bataille, celle de l'arrivée des renforts français. Les fantassins sont enlevés et acheminés par camions par une noria de 3 500 véhicules dont les chauffeurs roulent jour et nuit, jusqu'à tomber de fatigue, les yeux rouges, au volant. S'ils sont accidentés, le camion est immédiatement poussé dans le ravin. 1 000 camions permettent d'enlever d'un coup deux divisions, par groupements de 400 véhicules. Ils apportent 2 000 tonnes de munitions par jour, et 20 000 hommes. Les poilus se pressent dans les « chantiers d'embarquement » et sont débarqués au plus près de leur entrée en ligne. 190 000 soldats sont ainsi transportés du 22 février eu 7 mars, par 8 500 hommes du train qui n'ont pas ménagé leurs efforts. Au 1er mars, l'armée de Verdun compte déjà 430 000 combattants et 136 000 chevaux et mulets. De quoi livrer une bataille d'anéantissement.

Depuis l'échec de l'offensive allemande de février, les deux adversaires se sont installés dans la guerre d'usure, bien que les Allemands n'aient pas renoncé à obtenir la percée. L'équilibrage progressif des forces d'artillerie rapproche cette offensive du style classique des opérations de 1915. Elle risque d'être aussi meurtrière.

L'approche du champ de bataille ne se fait pas d'abord par camions. Les premières unités envoyées au feu cheminent à pied, et s'épuisent dans cette marche. Le 95e régiment de Péricard[1], recruté à Bourges, exécute marches et contremarches pour gagner progressivement la cuvette mortelle de Verdun, à partir des tranchées de la région d'Apremont. Les pieds des fantassins habitués à la guerre immobile sont soumis à rude épreuve. Ils marchent treize heures par jour et couchent la nuit sur la paille avant d'arriver sur le champ de bataille le 24 février au début de l'après-midi. En

1. Voir Jacques Péricard, *Ceux de Verdun*, Paris, Payot, 1917.

trente-six heures, les poilus ont fait cinquante-deux kilomètres. Ils voient défiler devant eux des attelages d'artillerie que l'on retire du front pour qu'ils ne soient pas capturés.

Au coup de corne du colonel, les hommes prennent leur tenue d'assaut, avec pelles, couvertures et toiles de tente en sautoir. Ils traversent un terrain labouré par les obus et s'embusquent près du village de Douaumont qu'il faut tenir. La prise du fort abandonné par quelques fusiliers bavarois a rendu la défense du village essentielle. D'autres unités rejoignent le 95e dans une ligne improvisée de défense. Les ordres sont d'engager les renforts « le plus tôt possible, à fond et jusqu'au dernier homme ». Langle de Cary, qui voulait abandonner la rive droite de la Meuse, est fermement semoncé par Joffre. Pétain est nommé dans la nuit du 25 au 26 pour animer la résistance. « Tout chef qui donnera un ordre de retraite sera traduit en conseil de guerre », a dit le généralissime.

Les poilus du 95e ignorent ce flottement dans l'état-major. Péricard et ses camarades dorment dans des replis du terrain, blottis les uns contre les autres, marmités au matin par des tirs de 77 qui détruisent le village. Impossible de boire le café. Les roulantes ne peuvent approcher. Les cadavres s'accumulent, répandant une odeur insupportable. « Nous faisons les morts, explique Péricard, couchés pêle-mêle au fond de la tranchée, par-dessus les morts véritables, les bras étendus, la bouche ouverte, afin de donner aux observateurs l'illusion que tous les défenseurs du village sont tués et que toutes nos défenses ne sont plus qu'un vaste cimetière. » Pas le moindre tir d'artillerie français pour soutenir les défenseurs : « Nous avons l'impression, dit Péricard, d'être seuls, abandonnés du reste de l'armée, holocaustes choisis pour le salut de Verdun. »

Les poilus des deux divisions d'origine combattent depuis quatre jours et leurs survivants tiennent encore. Ils ont reçu trois divisions en renfort, le plus souvent arrivées à pied. « Partis de Charmes-sur-Meuse dans les Vosges, dit le caporal Macquot du 156e de Troyes, nous avons marché toute une journée et toute une nuit, et nous sommes arrivés à la côte de Poivre le 25 février au début du jour. On nous avait dit : nous ne savons pas où est l'ennemi, allez de l'avant jusqu'à ce que vous le rencontriez et là, fortifiez-vous sur place. »

Rien n'illustre mieux le sacrifice de cette infanterie : mission désespérée, tâtonnante, sans ordres fermes. Les soldats qui prennent position après de longues marches sont exténués. Ils sont immédiatement pris sous le bombardement : « A chaque rafale qui passe, dit un aspirant de chasseurs, le corps se resserre, les nerfs se contractent, et la respiration se fait plus courte, plus saccadée. » Un lieutenant qui ne supporte plus d'être accroupi dans son abri sort et se fait décapiter par un éclat.

Les officiers sont dépassés par la situation. Plus d'abris, plus de tranchées, et des bataillons de plus en plus compacts d'Allemands à l'attaque. Un vieux capitaine de Rohan veut former le carré comme à Waterloo. Le colonel du 85e de Cosne recourt à cette tactique parfaitement anachronique pour résister à un assaut. Les 210 emportent soixante hommes par obus. Les bataillons fondent de moitié. Force est de se jeter dans les trous pour laisser passer les rafales. Quand Pétain prend son commandement, les Allemands peuvent encore l'emporter.

*

Ils donnent des signes d'essoufflement. Les divisions prévues pour l'assaut ont toutes été engagées et malmenées par la résistance des Français, épuisées à coup sûr par les journées d'attaque. Les *stosstruppen* ont été tuées les premières et les fusiliers qui les suivent n'ont pas leur valeur offensive. Des récits allemands évoquent les colonnes d'ambulances remplies de blessés qui gagnent l'arrière. Les artilleurs commencent à ménager leurs munitions en raison de l'infernale consommation d'obus de ces quatre journées. L'état-major reçoit des rapports alarmants sur le moral des unités ordinaires de la VIIe armée. Mais les renforts finissent par arriver, et l'offensive repart.

Les Français semblent faire corps avec le sol rocailleux. Sans ordre apparent, éparpillés en unités disparates, ils tiennent. Les poilus n'ont jamais connu de conditions de survie aussi difficiles. Les sources sont taries par les bombardements. Pas d'eau. On suce de la glace, on fait fondre la neige. Dans les boyaux, l'odeur des cadavres est atroce. Impossible d'enterrer les corps, même des camarades. Le sol est gelé, il résiste aux coups de pioche. Les fantassins des unités de renfort, déjà accablés par le feu, passent leur deuxième nuit au front les pieds dans la boue, sans pouvoir dormir. Pour changer de chaussettes, on ouvre les musettes des morts. Les blessés sont évacués en rampant. Les sections de mitrailleuse entassent tous les débris possibles pour s'abriter.

Les survivants ont à peine mangé la soupe froide du matin que l'ennemi se présente. Les Français lui montrent le poing, « leur fièvre s'exaspère en rage », dit Péricard. Les hommes attaquent en liaison avec les Marocains. Quand le colonel propose de garder la position jusqu'à la nuit, malgré les pertes subies, pas un murmure dans les rangs. Les poilus savent bien qu'ils n'échapperont pas à la mort en gagnant l'arrière, que le plus sûr est de tenir sur place. Quand la première phase de la bataille s'achève, on compte plus de seize mille disparus pour trois divisions, avalés par le sol, éclatés par les obus.

Quand Pétain reconstitue enfin une force d'artillerie sur la rive gauche de la Meuse, l'espoir reprend sur le terrain défoncé de la ligne française, même si l'attaque allemande repart de plus belle en mars, et cette fois sur les deux rives. Le soldat allemand de Verdun est, au début de la bataille, relativement moins malmené que son adversaire. Il ne subit pas le tir d'artillerie et attend l'heure de l'attaque dissimulé dans les abris souvent bétonnés. Le sol des ouvrages d'avant-poste est dallé, les murs sont en pierre avec des joints cimentés. Les roulantes ne sont jamais loin et si la soupe est pauvre en matières grasses, elle est servie chaude. Les antennes sanitaires sont plus efficaces, plus proches des lignes, et dotées d'une plus grande capacité d'enlèvement. Le capitaine de Gaulle, du régiment d'Arras, blessé d'un coup de baïonnette autour de Douaumont est ramassé inanimé sur le terrain par des brancardiers allemands qui le conduisent au poste de premiers secours.

Dans les lignes françaises, rien ne ressemble à de vraies tranchées, comme le souhaiteraient Pétain et les poilus. L'eau suinte dans les boyaux disloqués. Les soldats subissent le tir ennemi dès qu'ils prennent la pelle pour creuser. Un territorial raconte qu'il est surpris par le feu ennemi au bois des Corbeaux : « Ça tombait de tous les côtés. On était tué sans même savoir d'où le coup était parti. »

A Chattancourt, en seconde ligne, on creuse le sol marécageux, avec de l'eau à mi-jambe. Les terrassiers manquent : ils jettent des cailloux sous les roues aux pneus pleins de la voie sacrée. Les six régiments d'infanterie qui tiennent la rive gauche de la Meuse en première ligne sont de Montauban, Toulouse et Marmande. Ils réussissent à creuser, à force de travail de jour et de nuit, une ligne bien ébauchée, avec des réduits et des fortins, protégée de barbelés, mais non reliée aux autres réseaux. Impossible de quitter les boyaux en cas d'attaque. Il faut s'entre-tuer dedans.

Le bombardement a interrompu toutes les lignes et le téléphoniste Emile Carrier, du 29e d'Autun, prend des risques pour les rétablir : « Les fils sont coupés par les obus cinq à six fois par jour et autant la nuit. Nous bondissons de trou en trou avec notre rouleau de fil et l'appareil qui nous sert à délimiter les cassures. Notre baïonnette nous sert de piquet de terre. » L'état-major insiste : les téléphonistes doivent réparer coûte que coûte et ne prendre aucun repos. La sécurité de l'armée dépend d'eux. Ils sont aussi utiles que les grenadiers.

L'attaque allemande s'est rationalisée en mars. Il n'est plus question d'avancer avec confiance sur un champ de bataille nettoyé par l'artillerie mais de mener au plus juste le combat d'infanterie. Cette nouvelle tactique nous est connue par des récits de soldats. Le sergent Teyssère a bien observé les modalités nouvelles de l'assaut, réglé comme un ballet. « Les vagues étaient précédées d'hommes qui portaient un brassard blanc et, une fois la ligne franchie, s'avançaient toujours, laissant aux autres le soin du nettoyage. Ils lançaient avec un pistolet à chaque avance une fusée blanche et une fusée rouge. C'était évidemment une élite. Des jeunes, chics, sans sacs. Ils n'avaient qu'un fusil, cartouchières et ceinturons, et un calot. »

Ils ont pour fonction de bien marquer, pour l'artillerie, le parcours de l'approche. Les troupes ordinaires suivent à cinquante mètres, par sections, au pas, le fusil à la main, comme à l'exercice. Un sous-officier indique en tête le mouvement, un fanion à la main. Aux premiers barbelés les feldwebel tirent des fusées. Le tir roulant de l'artillerie, incessant, se porte plus avant de quelques secondes. La synchronisation est parfaite. Les canons plus lourds tirent aussi pour « encager » la section française en face, pour la couper de tout renfort possible, et lui interdire tout recul.

Ainsi se trouve encerclé et décimé le 211e de Montauban. Le régiment est bientôt isolé à trois kilomètres au cœur des lignes ennemies sans pouvoir bouger. Les prisonniers seront nombreux et certains bataillons anéantis par le feu d'artillerie que les Français ne sont pas encore en mesure de contrebattre.

*

Le moral français flanche. Les Gascons du 211e régiment accusent les généraux : on les laisse, la poitrine nue, en face du rouleau compresseur. Aucun soutien d'artillerie. Pas la moindre contre-attaque. Au bois des Corbeaux, les soldats de Foix (259e) sont encore seuls à contenir la ruée des *feldgrau*. Ceux de Toulouse s'accrochent aux ruines, tirent à la mitrailleuse. Des fuyards crient sauve qui peut ! Le capitaine Pougès dispose à l'arrière des territoriaux armés de mitrailleuses pour regrouper de force la troupe débandée. Ceux de Marmande se font décimer en reprenant à la grenade les abris abandonnés par les territoriaux au Mort-Homme.

Le seul remède contre la panique est le recours aux régiments sûrs, dotés de chefs intraitables. Macker, avec les Clermontois du 92e, est chargé d'arrêter le recul. On envoie aussi les zouaves et les tirailleurs de la 25e division d'Alger. Ces troupes sont à leur tour massacrées. Macker, qui veut mourir glabre, se rase avec du pinard. Il fait sonner le clairon, ordonne la charge comme aux plus beaux jours d'août. Dix de ses officiers tombent, il reprend le bois des Corbeaux et, le 10 mars au matin, le bois de Cumières, perdant la vie dans cette attaque sur terrain découvert. Les pertes sont effroyables. Le général de Bazelaire publie un ordre du jour tonitruant « Morts ou vivants, bravo les Gascons ! »

Sur le corps des Clermontois exterminés, amoncelés sous la neige, les Aurillacois du 139e s'avancent. Leur premier bataillon perd neuf hommes sur dix. Les survivants sont pris par un bombardement violent. « On marchait sur des morceaux de viande, raconte un capitaine, c'était une bouillie humaine. » Le 9e de tirailleurs algériens n'existe plus. Une brigade de la division d'Alger se trompe de bois, elle attaque un réduit dense de mitrailleuses au pas de charge. Des milliers de pieds-noirs tombent en pure perte.

Le tir des 75 rameutés par Pétain manque totalement de précision, faute de marquage des lignes et d'observatoires. Les obus accablent souvent les unités françaises, où l'on maudit les artilleurs. Plus que jamais, les divisions fraîches sont jetées sur ce charnier pour arrêter à tout prix l'avance allemande. Autour de Vaux le 107e d'Angoulême se fait tuer avant d'arriver à destination de son attaque. Deux nouvelles divisions entrent en ligne, la 13e du général de Bouillon et la 120e de Nicolas, à leur tour exposées aux tirs exterminateurs. De bonnes troupes, venues de Lyon, Langres et Chaumont.

Elles fondent dans le déluge de feu. Les avions à croix noires et les *Drachen* repèrent tout mouvement sur le terrain et avertissent les batteries, qui tirent aussitôt. Le 17e de Béziers est encerclé, anéanti, malgré la bravoure de ses soldats. Pour empêcher la percée, les brancardiers abandonnent les blessés pour prendre le Lebel, les téléphonistes font le coup de feu, les pionniers jettent leurs pelles. Cette « compagnie des lions » résiste jusqu'à l'arrivée des renforts.

Le sacrifice de l'infanterie se poursuit dans le désordre. Les divisions succèdent aux divisions. On sacrifie même les excellentes divisions du 20e corps. La 153e est anéantie par le feu, même si elle tient encore ses lignes du côté d'Haudremont, la 39e disparaît complètement. Le 26e régiment de Toul est placé dans le secteur d'Esne, sur la rive gauche de la Meuse, près de la cote 304. Pétain ne veut à aucun prix perdre cette position dominante, essentielle dans la bataille. Le régiment ne trouve, à son arrivée sur les pentes au-dessus d'Esnes, pas la moindre tranchée. Il doit creuser le sol sous le bombardement. Le commandant Debosves s'y fait tuer : il était le dernier des officiers commandant l'unité nancéienne à son entrée en guerre. Le 9 avril, le régiment a tenu la cote 304, mais il a perdu 880 hommes et 20 officiers. Relevé le 20 avril, il est resté trois semaines en ligne : une sorte de record pour Verdun.

Morts en masse, les fantassins de Melun (231e) et de Fontainebleau (246e) de la 39e division, hâtivement remplacés par les soldats du 201e de Cambrai. La 43e division qui entre alors en ligne disparaît aussitôt corps et biens. Son général, Boissoudy, est affecté à une autre unité parce qu'il n'a plus de soldats à envoyer au feu. Pétain dépêche la 42e, parce que la 39e, en deux jours, est exterminée. Le 149e d'Epinal est toujours dans le village de Vaux. Il tient les ruines avec la moitié de son effectif.

Les poilus deviennent fous. Le 21e bataillon de chasseurs, mal commandé, est décimé en pure perte sous Douaumont. Le sacrifice inutile est insupportable. « Tâchons de vendre chèrement notre peau », dit un capitaine à ses hommes, près de la ferme de Ducourt : « Vous savez que nous sommes sacrifiés. » Le moral devient instable, pousse aux excès de découragement ou de folle bravoure. Pendant la défense du fort de Vaux, les jeunes de l'active partagent avec les territoriaux des crises d'hystérie quand les attaques sont repoussées. « Le plus ardent et le plus sanguinaire de mes hommes, dit un lieutenant de la territoriale, était un placide chemisier d'Angers. Il visait avec calme et poussait un cri de joie quand un des assaillants tombait. » Le corps à corps prolongé développe une sorte d'ivresse non contrôlée qui conduit aux pires excès. Pas de quartier, dans l'eau de ruissellement mêlée d'urine et de merde des souterrains de Vaux. On s'y empoigne sauvagement.

Ailleurs, au bois de Malaucourt, la troupe découragée flanche. A la 29e division, les Allemands font 2 500 prisonniers des régiments d'Avignon et d'Antibes. Pour la première fois, à Verdun, une unité s'est rendue sans combattre, dans les positions ravagées du Mort-Homme. Le colonel Brümm ne répond pas. Il est parti en captivité avec vingt compagnies. Les Allemands occupent son PC. Une enquête est ouverte sur la défaillance, celle du 258e d'Avignon à Avocourt. Vingt et un hommes, dont un sergent, ont abandonné l'unité au moment d'entrer en ligne. Des sanctions dures frappent les hommes. Elles sont injustes. On ne peut frapper les morts, ni ceux qui se sont rendus. Et les officiers ? Le témoignage des territoriaux est formel : aucune résistance sérieuse n'a été opposée à l'ennemi. Premier exemple spectaculaire d'un refus de monter en ligne.

Sans doute les soldats avaient-ils des raisons de refuser la mort programmée. Le 14 mars, ceux du Mort-Homme avaient reçu cinquante mille obus en six heures. « Vous êtes dans une mission de sacrifice », disait un officier aux soldats du 151e, régiment formé en 1914 à Saint-Quentin renforcé de réservistes de Verdun. « Le jour où ils viendront, ils vous massacreront jusqu'au dernier et c'est votre devoir de tomber. » Un discours à des condamnés à mort qui laissait les hommes dans un état « d'isolement et d'hébétude [1] », dormant dans des boyaux dont l'axe n'était pas calculé en fonction des tirs de l'ennemi, et qui prenaient les rafales en enfilade. Rares étaient les colonels qui faisaient creuser à bon escient des tranchées à contre-pente. Pourtant ceux du 258e régiment d'Avignon, à l'aile gauche de l'armée, dans le secteur d'Avaucourt, disposaient de belles tranchées comme il n'en

1. Voir Raymond Jubert, *Verdun*, Presses universitaires de Nancy, 1989.

existait nulle part ailleurs. Qu'avaient-ils à se plaindre ? Pétain disait que ces hommes avaient « mauvais esprit ». On estimait prudemment à l'état-major qu'ils avaient perdu la tête, pour ne pas les présenter comme des mutins et donner ainsi un exemple fâcheux à l'infanterie. 500 hommes s'étaient rendus dans cette partie du front. Le moral était-il gravement compromis ? On s'inquiétait aussi des mouvements de fraternisation possibles au Mort-Homme, où les corvées françaises de soupe tombaient souvent sur des postes allemands, où les prisonniers des deux camps étaient traités en frères d'armes.

Comment réduire ce mouvement de panique qui condamnait le système Joffre de résistance sur le terrain de Verdun par les seules unités d'infanterie ? Le 111e d'Antibes avait lâché pied au bois de Malancourt, le 20 mars. Une enquête devait établir qu'il était « entré en pourparlers avec les Allemands », ainsi que le 258e. Retirer du front les divisions douteuses ? Donner une prime à la lâcheté ? Pétain s'y refusait. La seule exigence était l'égalité devant la mort, scrupuleusement respectée. On changeait les généraux, on envoyait des renforts, mais la 29e division combattrait jusqu'à l'extermination avant que ses débris ne fussent remplacés par des troupes fraîches.

Pétain ne voit alors de remède à cette instabilité du moral que dans la noria des divisions, dans les relèves de plus en plus rapides. Les unités de renfort ne peuvent intervenir en plus des troupes au combat, elles doivent les remplacer au pied levé, prendre la suite du jeu de massacre. En vain le général commandant à Verdun demande-t-il à Joffre des renforts d'artillerie lourde qui permettraient d'économiser les vies humaines. A trois mille hommes de pertes tous les jours parmi les poilus, Falkenhayn aurait gagné bientôt son pari, il aurait « saigné l'armée française ». Mais Joffre gardait obstinément ses canons lourds pour l'offensive projetée sur la Somme. Il ne donnerait pas une pièce de plus. Pour « sauver Verdun », l'infanterie n'aurait que des 75.

*

Une intensification de la noria pouvait seule permettre de répondre à l'offensive allemande du début avril, précédée d'un intense bombardement. Désormais les divisions qui montaient en ligne pour remplacer les unités épuisées n'étaient pas fraîches. Elles assureraient au cours de la bataille jusqu'à trois ou quatre interventions par rotation, après s'être recomplétées à l'arrière par l'incorporation de jeunes soldats.

Aristide Briand, Raymond Poincaré et de nombreux députés s'impatientaient, émus par les pertes accumulées. Ils demandaient, non plus de prudence mais plus d'audace, qu'on sorte de l'inertie à Verdun, qu'on engage une offensive permettant de rejeter les Allemands. Pétain appelait à son quartier général le commandant de Tricornot de Rose pour lui demander de nettoyer le ciel du champ de bataille en engageant en groupe ses meilleures escadrilles de chasse. Mais il ne pouvait repousser les attaques allemandes, faute d'artillerie lourde mobile, qu'en sacrifiant une fois encore l'infanterie. Mangin, commandant la 5e division, se voyait retirer l'une après l'autre ses unités pour combler d'urgence des brèches. Aucune opération d'ensemble n'était possible.

Jeune soldat de la 42e division de Verdun, Raymond Jubert grimpait les pentes du Mort-Homme sur des positions préparées par le génie, mais bombardées toute la nuit. L'attaque était menée par petits groupes, par sections bondissant d'un trou à l'autre. Jubert était parvenu au sommet. Les lignes allemandes étaient désertes. Comment prévenir son colonel ? Pas de téléphone, pas de coureurs. Il y va lui même, bravant la mort, pour demander un renfort.

« Débrouillez-vous seul. Toutes les unités disponibles sont déjà engagées. »

Jubert regrimpe au sommet. Sa compagnie, parfaitement isolée, tient cinq jours et cinq nuits. Sa division est décimée, anéantie. D'autres troupes la remplacent, les coloniaux, les fantassins du général Taufflieb. Une fois de plus, le front tient par la résistance désespérée des soldats d'Avocourt et du Mort-Homme. Le général Nivelle, chaud partisan de l'offensive, nommé par Joffre à la tête d'un groupement, doit courber le dos comme les autres. Sur six cents pièces lourdes, l'armée de Verdun n'a pas de 155 courts. Il ne lui reste que 486 pièces en état de tirer, de modèles anciens, peu adaptées au combat mouvant de Verdun. Comment suivre Joffre, qui exige la reprise de l'offensive ?

Les soldats n'y sont pas prêts. Français ou Allemands, ils se considèrent à Verdun, en dehors des explosions de haine non contrôlées des corps à corps, comme les victimes d'un même carnage. Le père Bonsirven, prisonnier et blessé du 2e régiment de zouaves, raconte que les Allemands arrêtent les convois près des fontaines, pour que les prisonniers puissent boire. Un aumônier de la 51e, également captif, s'intègre à un cercle de soldats allemands rassemblés dans la neige autour d'un brasero, « enveloppés dans des couvertures comme des moines ». Ils font place aux Français, leur donnent des couvertures. Un caporal de chasseurs assure qu'il doit la vie à un jeune Allemand qui l'a tiré blessé d'un trou d'obus. Un sergent du 272e d'Amiens, égaré dans une compagnie allemande, est reçu fraternellement, boit du rhum et fume avec les occupants de la tranchée avant de regagner ses lignes. Les Lyonnais du 217e « oublient toute rancœur ». Ils offrent à des prisonniers épuisés de l'eau et du chocolat. Les exemples de ce genre abondent, ils indiquent que les sentiments d'humanité n'ont nullement disparu dans les lignes.

Il devient de plus en plus difficile d'imposer le sacrifice de l'infanterie, surtout quand Nivelle, qui succède à Pétain, prétend entreprendre en mai la reconquête du fort de Douaumont qu'il a promise aux hommes politiques. Les poilus accablés par les bombardements et les attaques incessantes deviennent comme fous. Un chasseur à pied, assommé devant Thiaumont par le tir ininterrompu de cinq mille obus de 210, submergé par le nombre des assaillants, démuni de grenades et de munitions, saute à la gorge du premier Allemand qui se présente et l'étrangle de ses mains. Les hommes du 30e régiment d'Annecy croient perdre la raison : ils sont pris sous le tir trop court des Français et celui des Allemands pendant une heure, le jour de Pâques.

Cent batteries de six cents canons lourds ont transformé en croûte la cote 304. Le moral ne résiste pas toujours à ce martèlement monstrueux. Deux compagnies du régiment de Poitiers se rendent, les poilus de Parthenay veulent être capturés, pour en finir. Ils sont morts de soif et mangent du singe depuis cinq jours. Leur découragement est tel qu'une compagnie de jeunes de la classe 16, meurtrie par le bombardement, sort des abris pour gagner l'arrière. Le colonel sort de son PC pour marcher à leur rencontre et les « raisonner ».

Ils ne sont pas les seuls à perdre la tête. Un commandant a perdu son bataillon. Il erre de poste en poste, pour le retrouver. « Ah ! que c'est drôle », dit-il. Il était resté trois jours enterré. En juin, pendant la dernière offensive allemande, ceux du 137ᵉ, les Vendéens de la « tranchée des baïonnettes », avaient subi pendant des heures, plusieurs jours de suite, le marmitage des pièces lourdes. Les obus de 420 perçaient jusqu'à vingt mètres la terre et les rochers, qui retombaient ensuite pour ensevelir les combattants, comme à l'abri des Quatre-Cheminées. Beaucoup de poilus furent ensevelis dans ces cratères. Mais le lieutenant Comte raconte, pour avoir été l'un des miraculés du 137ᵉ, qu'enseveli sous une marmite il avait été dégagé par une seconde explosion. Comment la raison pouvait-elle résister à un pareil traitement ?

*

Les coloniaux eux-mêmes doivent être relevés. Nivelle écrit à Joffre, parle de la « dépression physique et morale » des divisions. Certaines ont besoin d'au moins un mois de repos. Même les « hirondelles de la mort », du célèbre 170ᵉ d'Epinal, ne peuvent plus tenir. La Garde prussienne et les canons lourds ont eu raison de leur résistance.

On vient de rapporter au général Nivelle qu'un homme a été retrouvé pendu dans un abri, parmi vingt poilus hagards. Plus que tout, cette nouvelle alerte et accable le général. Il faut réagir, mais comment ? A Tavannes, le 7 mai, un obus de 380 a provoqué l'explosion de la poudrière et l'effondrement du tunnel, et l'anéantissement du 57ᵉ régiment de Libourne. Il est temps de changer la donne à Verdun. Mangin, qui a échoué dans son avance sur Douaumont, vient d'être rétrogradé. Les régiments du Havre, de Caen et de Rouen ont encore été « sacrifiés » dans cette opération insensée, qui n'avait pas la moindre chance de réussir. Les Basques, Béarnais et Gascons du 34ᵉ n'étaient plus qu'une quarantaine quand ils étaient arrivés au fort.

« Mon commandant, rendez-vous, disaient-ils à leur chef, ayez pitié de nos femmes et de nos enfants. »

Le commandant se rend. Il a perdu les trois quarts de ses hommes. D'autres poursuivent l'attaque, relevant les unités décimées. « Les gars qu'on relève sont fous, dit un Toulonnais du 112ᵉ. Ils se sauvent à notre arrivée sans nous donner aucun renseignement sur les Boches. » Fous, les mitrailleurs du 162ᵉ de Cambrai qui s'écrient, en voyant arriver les renforts : « Sauvez-vous, les voici ! » Seuls tiennent encore sur la rive gauche, du côté du bois des Caurettes où le régiment des « sauvages » de Bar-le-Duc s'est fait massacrer, les Corses courageux du 173e qui montent à l'assaut un drapeau tricolore à la main.

Assiégé le 1er juin, le fort de Vaux tient jusqu'au 7, au prix de souffrances immenses des soldats du commandant Raynal. Une partie de la garnison était composée de jeunes de la classe 16. Ils étaient les plus acharnés à la résistance. L'atmosphère polluée par les gaz, la poussière, la fumée de la poudre était irrespirable. Les lampes s'éteignaient d'elles-mêmes, faute d'oxygène. Les assiégés n'avaient d'autre chance de survie que l'arrivée des renforts.

Le commandant ne correspondait avec l'extérieur que par pigeons voyageurs. Pour avoir la réponse à ses messages, il devait envoyer des courriers qui franchissaient les lignes de nuit, en évitant les Allemands. L'un d'eux réussit l'aller-retour. Malgré cet exploit, qui annonçait l'arrivée de secours, le fort était condamné. Plusieurs actions très coûteuses en hommes sont en vain tentées pour le dégager, dont l'une après la reddition du fort, que les Français ont apprise par un radio allemand.

Cette inutilité de l'effort combinée avec l'inefficacité de l'artillerie française qui tire trop souvent dans ses propres lignes suscitent la grogne et le découragement des soldats. Ils se plaignent encore de l'inégalité de traitement des unités en première ligne. Certaines partent vers l'arrière après un délai plus court. Pétain estimait l'usure des divisions, en juin, au moment de la grande attaque allemande, non plus à une tous les deux jours mais à deux tous les trois jours. Comment donner des permissions pour soutenir le moral, alors que les Allemands attaquaient sans répit ?

Falkenhayn n'avait désormais d'autre but que d'« user » l'armée française avec 20 divisions contre 24, grâce à la supériorité de son artillerie. Les Français répondaient à ce défi en accélérant le roulement de la noria, en multipliant les pertes. Les poilus se rendaient compte qu'ils étaient le seul rempart, sur le terrain bouleversé de Verdun, à la puissance démesurée des attaques allemandes, toujours accompagnées de moyens lourds. Une division entière, la 52e, d'abord recrutée à Mézières dans les Ardennes, puis recomplétée dans la région parisienne, avait flanché. Un bataillon de chasseurs alpins s'était replié sans ordres, le 10 juin. Nivelle avait réagi avec la plus grande vigueur, interdisant la moindre indulgence. Le bruit courait en juin que deux bataillons du 75e de Romans et du 140e s'étaient débandés.

Dans le secteur de Thiaumont, les Ardennais du 347e régiment avaient été accablés d'obus et de gaz asphyxiants. Le régiment était réduit à 350 hommes. Deux lieutenants, Herduin et Milan, avaient donné un ordre de repli tactique. Ils furent arrêtés, jugés sommairement, condamnés à mort et exécutés. « Ils furent braves devant l'ennemi, disait leur camarade de Saint-Roman et plus braves encore devant la section qui devait les fusiller. La lettre de l'un d'eux à sa femme fait verser des larmes. » Nivelle avait pris l'entière responsabilité de la sanction.

Puisque la 52e division ne présentait « aucune garantie », il fallait l'exclure des opérations, mais non pas la ramener à l'arrière. On transformerait les poilus en terrassiers de première ligne, chargés de creuser le sol sous une pluie d'obus. Il fallait aussi remplacer la 56e division du 12e corps de Limoges en secteur depuis soixante-trois jours et à la limite de la révolte.

La dernière offensive allemande, la plus dure, du 23 juin, ôtait aux poilus toute illusion. Reculer, c'était tout perdre. Les actes d'héroïsme devaient se multiplier contre les 70 000 *feldgrau* qui attaquaient après un feu d'enfer. Nivelle exigeait une nouvelle livraison de renforts, le recomplètement immédiat avec les jeunes de la classe 16 dont 76 000 étaient déjà envoyés au front. Des braves défendaient le village de Fleury jusqu'à la mort, d'autres Froideterre.

Le front français désarticulé retrouvait le réflexe de survie du 21 février. Une fois de plus « ils » ne passeraient pas, et les généraux n'y seraient pour rien. Au bois Fumin, près de Souville, un coureur découvrait les poilus assis ou couchés dans les trous. « On dirait plutôt des mourants, tant leurs traits sont tirés et leurs figures jaunies. La soif les dévore, ils n'ont même pas la force de parler. Je leur dis que ce soir nous serons sans doute relevés. La nouvelle les laisse quasi indifférents, leur seul désir est d'avoir un quart d'eau. »

*

Misère et courage extrême des poilus de Verdun, jusqu'au dernier moment. A partir du 24 juin, leur supplice risque de s'atténuer.

Le général von Falkenhayn vient d'effectuer les premiers retraits sur ce front, après l'échec de sa dernière poussée. Il estimait au début de la bataille les pertes françaises probables dans la proportion de cinq à deux, il avait perdu 240 000 soldats contre 275 000 Français seulement : trop peu pour s'obstiner. Les calculs des mangeurs d'hommes sont formels : il faut évacuer progressivement le front de Verdun.

Pourtant la tuerie continue. Les Français n'ont engagé que 14 divisions contre 26 britanniques dans l'offensive de la Somme qui part enfin le 1er juillet, mais Joffre a détourné du front de Verdun 9 000 canons lourds et 1 100 canons de 75 pour obtenir la décision, qui ne vient pas. Pendant un mois, cependant, les pertes allemandes sont de 267 000 hommes et 69 divisions vont défiler sur la Somme, soulageant ainsi Verdun.

Mais l'obstination de l'état-major allié à emporter la décision prolonge l'offensive jusqu'en novembre, avec les meilleures troupes : le 26e régiment de Toul, de la division de fer, étrillé fortement à Verdun, était engagé au premier jour à Maricourt dans une attaque en règle, précédée d'une intense préparation d'artillerie, comme les poilus de Verdun n'en avaient jamais connue. Les tranchées étaient solides, les parallèles d'attaque ne manquaient pas. Les soldats de Toul pouvaient faire la différence avec le front de Verdun et ses misérables conditions de combat. On n'avait jamais eu le temps ni les moyens d'y installer un seul réseau de défenses efficaces.

Pourtant l'attaque française échouait, bien que des observatoires aient guidé le feu des pièces, installés dans de faux arbres dotés de périscopes. Les poilus de Toul étaient arrêtés devant la « tranchée rouge » et plus tard, à Maurepas, par les mitrailleuses dissimulées dans les trous d'obus. 76 000 Français périraient sur la Somme, et les Anglais perdraient 200 000 soldats. Mais les Allemands étaient sur ce champ de bataille les premières victimes de la « guerre d'usure » qu'ils avaient engagée à Verdun, faute d'avoir pu réussir leur opération d'anéantissement industriel. Pour dégager leur front accablé, il ne leur restait d'autre solution que de poursuivre les attaques sur Verdun, afin d'empêcher Joffre d'y prélever des renforts.

Ainsi les attaques, les bombardements reprennent, avec un commandement français décidé à lancer continuellement des offensives partielles, pour prévenir un retour de flamme ennemi. Les pertes sont, plus que jamais, accablantes et sans résultats appréciables, bien que les Français aient renforcé modérément leur parc d'artillerie lourde.

Les Bretons de la 60e se font massacrer à Thiaumont, qui devient un charnier. A Souville, un bataillon du 7e régiment de Cahors se fait capturer dans ses trous d'obus sans avoir les moyens de résister. Dans les ruines du fort, le lieutenant colonel Astruc, qui commande l'ouvrage, meurt asphyxié. Un simple lieutenant, Dupuy, sauve la situation en attaquant à la grenade, avec l'aide des mitrailleurs du 7e. Le 100e régiment de Tulle se fait tuer pour reprendre Fleury. Les zouaves et les tirailleurs de Constantine attaquent à leur tour le 15 juillet, sans plus de résultats. Les divisions de Montauban, de Montpellier, de Dijon se succèdent dans l'infernale boucherie.

L'été permet à Mangin d'employer des Sénégalais, également sacrifiés sur les points de résistance du champ de la mort. Ils accusent 60 % de pertes au début d'août, au sud de l'ouvrage de la Laufée. « Au petit jour, raconte le soldat Pasquier, un épouvantable spectacle s'offre à nos yeux : le sol est jonché de cadavres, des Allemands, des Noirs, des coloniaux. Certains sont atteints d'atroces blessures et sont étendus dans leur sang. D'autres ne présentent aucune plaie apparente et semblent endormis. Cependant la douleur et l'effroi se lisent sur leurs masques. » On reconnaît sur le champ de bataille les morts en capotes kaki de l'armée d'Afrique. Les divisions de Montauban, d'Alger et de Grenoble sont à bout de forces. Quand on les retire enfin du front, à la fin d'août, elles ont, dit Pétain, la consistance d'un bataillon.

D'autres divisions entrent en scène, sans répit, celles de Perpignan, celle de Toul. Toute la France défile à Verdun pour reprendre Fleury, souffrir de la soif au ravin de la Mort, tenir les trous d'obus de Vaux-Chapître. Une dernière attaque allemande éclate en septembre. Elle est contenue à grand-peine, avec un nouvel engagement des Africains. « De pauvres Noirs, explique un sergent d'infanterie, blessés depuis plusieurs jours, agonisent lentement. Exposés en plein jour au soleil et aux mouches, ils nous accrochent par la capote pour nous demander à boire. » Personne n'a d'eau à Verdun et les blessés peuvent mourir : le service sanitaire ne peut les secourir tous.

Un caporal du 120e de Péronne raconte qu'il était atteint au genou : « Sur les deux mains je me suis traîné (jusqu'au poste de secours) mais là, tous étaient débordés. Un major me conseille d'aller par mes propres moyens jusqu'au fort de Souville. » Sur la rive gauche de la Meuse, les blessés sont rassemblés au château d'Esmes et conduits aux majors qui ne peuvent qu'amputer à la chaîne, dans les caves. Les membres « s'entassent en piles, comme un tas d'ordures », dit un chasseur à pied. Les non-opérables, comme ceux du 21 février, sont allongés sur leurs brancards dans la cour d'honneur, sans soins. Les infirmiers chassent autour d'eux les rats avec des bâtons. Quand ils meurent, ils sont entassés dans une grange. Beaucoup d'opérés périssent de gangrène. Ils doivent attendre souvent deux jours ou plus leur évacuation vers un hôpital de l'arrière. Les postes de secours sont des mouroirs. En période d'offensive, les services sont débordés, les brancardiers impuissants. Beaucoup de morts de Verdun sont des blessés qui ont agonisé, faute de secours, dans la misère et le froid.

*

En octobre 1916, Joffre avait, une fois de plus, échoué dans une offensive. On enterrait les cadavres dans les champs de Picardie. Les péniches circulaient sur les canaux et les rivières, pleines de blessés à la tête qui ne supportaient pas le voyage en chemin de fer. La seule bataille dont pouvaient se prévaloir généraux et hommes politiques pour entretenir le moral de la nation était désormais Verdun.

Les poilus de garde étaient moroses, lors de la rencontre du 13 septembre entre Poincaré, Joffre, Pétain, Nivelle et Mangin à Verdun. Foch était absent, il était limogé, portant injustement seul le poids de l'échec sur la Somme. Que préparaient les « huiles », sous prétexte de remettre à la ville martyre la croix de la Légion d'honneur ? Croyaient-ils la bataille terminée ? Les Allemands étaient toujours à Douaumont.

Justement : il était question de les en chasser, pour avoir un symbole de victoire palpable, visible, exploitable. La reprise de Douaumont était programmée. Elle coûterait beaucoup d'hommes mais rien n'était trop cher pour sortir de la guerre par une paix de victoire. Pour contenir ces minoritaires socialistes, qui, tel Brizon, demandaient à la Chambre de négocier, un succès était nécessaire. Nivelle devait faire la preuve qu'il avait les moyens de gagner.

En face de lui, Hindenburg et Ludendorff. Falkenhayn a été retiré de l'état-major. Le vieux maréchal, glorieux vainqueur de Tannenberg, encensé et statufié de son vivant dans toutes les villes allemandes, entend affirmer son pouvoir contre les civils émus par les trop lourdes pertes de la Somme, où les Allemands ont vécu l'enfer. Le récit de Ludwig Renn décrit, à partir du 16 septembre, une situation comparable, pour les fantassins allemands, à celle des Français à Verdun six mois plus tôt. Les compagnies reçoivent en renfort des jeunes de 18 ans « pâles dans leurs uniformes neufs ». Elles se dissimulent pour échapper aux observateurs des avions français, désormais nombreux en ligne. Des blessés aux bandages sanglants « courent de tous côtés, englués de boue de la tête aux pieds ». Il ne reste dans les compagnies que quelques hommes et plus d'officiers. Les soldats sont sales, ils ont faim.

Les feux de barrage français accablent les lignes, rendent les mouvements impossibles. Les hommes deviennent fous à force de bruit et d'angoisse. Un lieutenant s'épuise à dégoupiller des grenades, même blessé à la jambe au centre de soins, il continue à lancer. Il faut lui retirer les grenades des mains. Pour entrer en ligne, Ludwig éprouve les plus grandes difficultés. Transporté d'abord en train, puis en camion, il marche longtemps dans la boue avant de trouver les guides qui indiquent la position avec difficulté. A peine arrivé, ayant plusieurs fois glissé dans des fossés où pourrissent les cadavres, il est soumis au bombardement français et trébuche dans les barbelés. Il passe la nuit dans un abri humide et reçoit une blessure au bras dès qu'il sort pour reprendre le bois des Turcs où les Français se sont infiltrés. Il erre longtemps avant de recevoir les premiers soins et doit attendre son tour avant d'être évacué vers l'arrière.

La situation décrite est en tout point comparable à celle des soldats français de Verdun au plus fort des offensives de mars ou d'avril. Jusqu'au découragement des *feldgrau* : « Nous n'en pouvons plus, disent les hommes tapis dans un tunnel. Nous ne rentrerons plus jamais en Allemagne. Dans quelques jours, on sera prisonniers chez les Français ou morts au fond de quelque tranchée, et les autres enjamberont nos cadavres ! »

Hindenburg doit relever le moral de son armée. Comme Joffre, il n'a pas le choix : Verdun est le seul champ de bataille où l'état-major puisse réaffirmer la supériorité allemande grâce à l'artillerie. La dernière bataille, celle d'octobre, ne sera pas la moins dure.

Mais les Français se sont renforcés, et adaptés à la nouvelle forme de guerre. Les sacrifices demandés à l'infanterie sont cette fois accompagnés d'une technique nouvelle de progression par bonds, avec ces spécialistes du champ de bataille que sont les soldats du génie, les grenadiers, les artilleurs de tranchée, les mitrailleurs désormais armés de fusils et non plus seulement de mitrailleuses portables. L'aviation est plus nombreuse, plus offensive, et Mangin a exigé des artilleurs une plus ferme coordination avec les compagnies. Plus d'attaques par « vagues successives déployées », des assauts de professionnels. L'image du poilu immobile dans sa tranchée fait horreur aux officiers de l'état-major. Des groupes mobiles de 155, le seul canon lourd français à tir rapide vraiment efficace, seront enfin engagés dans la grande affaire qui se prépare, la reprise de Douaumont.

La victoire d'octobre, la reconquête du fort peuvent apparaître comme celle de « l'esprit offensif », le slogan de Nivelle, et permettre de le présenter comme le vainqueur de Verdun. Malgré les réticences de Pétain qui déplore encore l'absence des moyens lourds, l'ardeur des troupes d'assaut, fantassins et chasseurs de la 133e division Passaga et zouaves de la Coloniale, assure le succès de la reconquête du terrain. C'est bien encore une victoire des combattants, et non des généraux.

C'est encore le sacrifice des soldats des régiments de Montauban, d'Alger et de Chambéry qui permet aux unités de pointe de l'emporter, dans l'attaque générale du 24 octobre. La division Passaga vient de toute la France, de Roanne et de Mâcon, de Montluçon, de Vannes en Bretagne et de Chartres dans la Beauce. Elle a été constituée en mars, avec des éléments épars à Belfort, pour se battre à Verdun. Les soldats ont marché au combat « sans enthousiasme », dit Robert Laulom, du 321e de Montluçon, mais avec le sentiment que, cette fois, on ne se moquait pas d'eux : le canon était là. Les 155 avaient défoncé le bois de la Caillette, qui donnait accès au fort. Le colonel Piquart pouvait avancer sans se heurter à des barbelés intacts, jusqu'à la carcasse bétonnée sans trop de pertes. La guerre avait changé.

Les obus à gaz avaient anesthésié la garnison, des projectiles lourds avaient percé la carapace. Les pièces de 155 accablaient les renforts et jusqu'aux gares de débarquement. Enfin l'armée de Verdun, après des mois de géhenne, avait la possibilité de prendre sa revanche. Le régiment colonial du Maroc, avec 8 000 hommes tués ou blessés, pouvait se flatter d'avoir enlevé, par une dernière charge, le fort de Douaumont.

Une victoire aussitôt transformée en symbole par la propagande de guerre. Un regard sur le champ de bataille pouvait en mesurer le prix. « A Verdun, écrit l'ancien combattant Louis Gillet, une division, dans l'espace d'une relève, laisse en moyenne 4 000 hommes. La terre elle-même change de forme [...] Le paysage prend cet aspect monstrueux, jamais vu, cet aspect de néant, cette apparence croulante de fourmilière et de sciure, où des échardes, des fétus, des débris de choses mêlées comme de la paille dans du mauvais pain, rappellent qu'il y eut des bois, des fusils, des brancards, on ne sait quoi de concassé là. On ne vit plus [...] On ne dort plus, on ne mange plus, on range les morts sur le parapet, on ne ramasse plus les blessés. On attend le moment fatal dans une sorte de stupeur, dans un tressaillement de tremblement de terre, au milieu du vacarme dément. Toute l'armée française a passé par cette épreuve. »

De cette destruction massive, inhumaine, d'un demi-million d'hommes dans une bataille sans autre issue que le retour au *statu quo* de la ligne de guerre devait naître un sentiment que l'on croyait en 1918 durable de dégoût du massacre, d'amour de la paix. Une autre guerre serait pourtant nécessaire pour que l'Europe affirme enfin, à Verdun et ailleurs, sa volonté d'éviter à jamais l'holocauste.

6.
LA GRÈVE DE LA GUERRE

A la fin de l'année 1916, les pertes de l'armée française sont considérables. Elle accuse 950 000 morts, dont plus de la moitié en opérations, 19 % emportés à la suite de leurs blessures, 13 % par maladie, 17 % de disparus au front. On estime alors à 400 000 le nombre des prisonniers, signe manifeste de découragement. Le gouvernement, au début de 1917, se refuse à envoyer au front les jeunes recrues de la classe 1917, surnommés les « bleuets », les réservant pour des opérations ultérieures.

La troupe se demande alors si la guerre ne va pas se poursuivre jusqu'à l'épuisement complet. Dès la fin d'octobre, les officiers de liaison de Poincaré lui signalent qu'un « mauvais esprit » commence à se manifester chez les poilus « et notamment chez les territoriaux ». Le ministre des Finances a envoyé aux armées des formulaires pour souscrire à un emprunt de guerre. Les soldats, trouvant l'opération indécente, ont quelquefois renvoyé les feuilles avec des injures. Ils n'admettent pas qu'on leur demande de cotiser pour la prolongation de la guerre. « On en arrive à souhaiter, écrit un soldat, que tous ceux qui veulent verser pour un nouvel emprunt crèvent comme des chiens. » Ne dit-on pas à tort au front qu'on a rétabli, à l'arrière, les courses de chevaux sur l'hippodrome de Longchamp ?

L'échec de l'offensive de la Somme a fait oublier les succès coûteux du front de Verdun. Le député socialiste Cachin accompagne Marcel Sembat, membre du cabinet, chez Poincaré en compagnie d'un jeune poilu, « qui est leur ami politique ». Il appartient à la 120e division du général Mordacq, levée dans la région ouvrière de Saint-Etienne. L'unité a été engagée sans répit pendant quarante-sept jours au sud de la Somme. Elle est « fatiguée et démoralisée ». Reformée en cantonnements entre Amiens et Beauvais dans des villages misérables, elle ne peut trouver le repos auquel elle a droit.

Même le 20e corps a le moral en berne. Le lieutenant Bellay, un notaire lyonnais, engagé volontaire à cinquante ans, ne faiblit pas à la tête de sa compagnie de mitrailleuses, mais les hommes sont las des combats en Artois et beaucoup ont dû être évacués pour pieds gelés. Enlevés avec égards en camions le 2 décembre, les poilus de Toul et de Nancy sont de nouveau installés en Lorraine, près des leurs. Beaucoup « se traînent lamentablement, incapables de marcher ». Les effectifs ont fondu.

Le séjour dans les tranchées devient insupportable. Il faut réchauffer le vin et la nourriture gelés à l'alcool. La neige succède à la pluie. De nombreux malades doivent être évacués pendant l'hiver. Le 19 janvier, une période d'instruction s'annonce au camp de Saffais. Par un froid très vif, les régiments d'élite sont aux manœuvres. Toutes les unités ont été transformées en groupes de spécialistes, les grenadiers, ceux des tromblons VB, les fusiliers mitrailleurs et les voltigeurs, habitués à l'attaque par petits groupes. « Pour que le 20e corps soit remis à l'instruction, se disent les poilus, il doit encore y avoir quelque chose dans l'air. »

Dans les régiments de l'Est, la colère gronde. Ceux qui sont en secteur dans les Vosges ont aussi participé à la noria de Verdun. Les camarades du 221e régiment de Langres ont perdu un tiers de leur effectif du côté de Tavannes, et subi l'attaque allemande massive du 11 juillet. Depuis lors, ils ont pansé leurs plaies dans les Vosges, non sans acrimonie. « Nous manquons d'hommes, et les demi-guéris viennent au front, et c'est honteux », dit le brancardier René. Les poilus pestent contre Briand qui repousse, à la fin de septembre, toute idée de paix. Ils disent en octobre que l'Allemagne « a demandé un armistice et que nous et l'Angleterre nous l'avons refusé ». Un camarade s'est pendu, trop déprimé pour survivre. Les autres perdent confiance dans l'issue de la guerre. « La victoire, dit-il, nous nous en moquons comme de notre première culotte. Ce qui nous intéresse, c'est la fin des hostilités. »

Les poilus sont convaincus que « la guerre ne peut pas finir avec les armes ». Ils pestent contre les ouvriers d'usine, qui reprochent aux soldats de jouer aux cartes. Ils enragent contre les civils à l'arrière du front, qui les considèrent comme des sauvages et les font coucher dans des granges glacées. Aucun espoir, pour le troisième Noël de guerre. « On s'attend, pour dans quelques mois, à la reprise de la grande tuerie. » En janvier, les fantassins pataugent dans un mètre de neige. De nouveau les pieds gelés et le découragement. Combien d'hivers encore devront-ils supporter au front ? Sur les lignes, les fraternisations refleurissent. « Les Boches et les nôtres sont dans les meilleurs termes. En certains coins, ils mangent ensemble. »

Le courrier arrive mal, le ravitaillement est compromis par les rigueurs de l'hiver. Au 11e bataillon de chasseurs, l'état d'esprit n'est pas plus optimiste. Les officiers sont l'objet de toutes les critiques dans les corps qui ont, comme dit Poincaré ou Pétain, « mauvais esprit ». Ils sont les seuls à cotiser pour l'emprunt de la victoire. N'est-ce pas normal ? Ils touchent quinze à vingt francs par jour ! Certains se conduisent avec aveuglement, et férocité : on accuse un gradé d'avoir abattu d'une balle de revolver un chasseur de la classe 1915 « dont les forces morales et physiques étaient à un tel point trahies qu'il avait une frousse irraisonnée et se sauvait en une course folle loin des marmites [1] ». Il a été enterré sous la rubrique « tué à l'ennemi ». On trouve alors dans les journaux quotidiens des poilus des notations annonçant la révolte. « Les soldats sont des hommes, dit Coudray, et doivent être traités comme tels. Nous ne devons pas subir cette soumission moutonnière qui diminue et qui ravale. » A la fin de 1916, le poilu a pris conscience de ses droits.

*

Il a eu connaissance des rumeurs de paix. Depuis que Wilson a fortement réduit, trois semaines après sa réélection, les ouvertures de crédit aux Anglo-Français, il songe à expédier une note aux belligérants pour leur demander d'ouvrir des pourparlers de paix. L'Allemagne a pris les devants. Le 12 décembre 1916 elle rend publique une note des « puissances centrales » proposant « d'ouvrir des négociations de paix ». Le gouvernement de Berlin n'indique naturellement pas de programme de négociation. Cette note est des-

1. Honoré Coudray, *op. cit.*, p. 96 et 97.

tinée à prévenir l'intervention des Etats-Unis et à diviser l'adversaire.

Les alliés coupent court sans retard, l'Italie d'abord, puis la France et la Grande-Bretagne : « un acte de ruse », dit Briand, un « nœud coulant », confirme Lloyd George. La réponse officielle est un refus. L'offre formulée par Wilson le 20 décembre demande « des réponses franches ». Elle n'est entendue ni par les Allemands, peu soucieux d'afficher leurs prétentions, et moins encore par les alliés qui posent à Rome, le 10 janvier 1917, les conditions d'une paix de victoire. L'Allemagne, qui vient d'écraser la Roumanie entrée en guerre et de prendre Bucarest, assurant ainsi pour longtemps son ravitaillement en pétrole, n'a nullement l'intention de traiter.

Pour la première fois depuis le début du conflit, pourtant, on avait prononcé le mot paix. Les journaux l'imprimaient, les soldats le lisaient. Ont-ils cru à la possibilité de négociations ? « Il y a un peu de vérité là, dit Coudray, mais pour qui connaît la race teutonne, c'est un avertissement avant de mieux frapper. La paix, on ne la sent pas. L'odeur du charnier prime encore ! » Au 221e régiment, on est d'abord plus confiant. Ce Noël au front sera peut-être le dernier, car les Etats-Unis et la Suisse se mettent à nous inviter à cesser les hostilités. Faut-il y croire ? « Les Boches proposent de quitter la France et de rendre la Belgique en échange de leurs colonies. Pourquoi n'accepterions-nous pas ? C'est ici ce qu'on se demande. » Et le soldat René de commenter, le 13 janvier 1917 : « Avec la réponse idiote faite aujourd'hui aux Etats-Unis, on voit que ce n'est pas encore cette année que la guerre finira. »

De fait, les gouvernements belligérants sont bientôt bloqués par la formulation de buts de guerre ambitieux, rédigés à la suite de négociations entre alliés, ou sous la pression de groupes dominants. Celui de septembre 1914 du chancelier Bethmann-Hollweg était aussi provocateur que la revendication française exprimée par le gouvernement Briand au début de 1917 sur la Rhénanie, à l'occasion de négociations avec le tsar, qui convoitait les Détroits.

Le chancelier avait été conforté par le « manifeste des grandes associations allemandes » du 10 mars 1915 et par la « pétition des professeurs, diplomates et hauts fonctionnaires » du 20 juin, affirmant des revendications sur la Belgique, le littoral français du Pas-de-Calais, la ligne de la Meuse et le bassin de Briey. Dans un mémoire secret rédigé en janvier 1916, le gouverneur général allemand en Belgique von Bissing affirmait que l'Etat belge devait disparaître. Le grand quartier général allemand faisait imprimer à Munich les résultats d'une enquête menée par des spécialistes dans plus de quatre mille entreprises qui devaient être détruites en France occupée.

La libération de la Belgique, de l'Alsace et de la Lorraine était le but de guerre essentiel des alliés même si Briand, à la fin de 1916, avait laissé se développer dans la presse française une campagne pour l'annexion de la Sarre et de la rive gauche du Rhin. Pour arrimer plus solidement la Russie défaillante à l'alliance, le gouvernement français, longtemps hésitant, avait consenti le 11 mars 1917, en échange de l'appui du tsar dans les revendications rhénanes de la France, à lui donner « toute liberté de fixer à son gré ses frontières occidentales », ce qui portait un coup fatal à l'indépendance de la Pologne et ouvrait la route de Constantinople. Cet accord n'avait pas été communiqué à Londres, où il ne pouvait être reçu. Mais les Anglais avaient accepté le traité signé à Londres avec l'Italie, qui garantissait ses ambitions sur l'Adriatique. Les buts de guerre, de part et d'autre, avaient exprimé assez de convoitises au nom de la « sécurité » des Etats pour que des butoirs solides empêchent toute négociation. Aussi les belligérants ne pouvaient-ils recevoir le message prononcé par Wilson devant le Sénat des Etats-Unis, le 22 janvier 1917 : « Il faut que nous arrivions à une paix sans victoire. »

Deux revendications pour la paix s'étaient exprimées en 1916 : celle du président Wilson, mais aussi celle des socialistes internationalistes du groupe des « zimmerwaldiens », ainsi appelés parce qu'ils s'étaient réunis en mai 1915 à Zimmerwald, près de Berne, pour « exiger la paix sans annexions ni indemnités de guerre ». Parmi les délégués, deux Allemands, Hoffmann et Lebedour, et deux Français, Merrheim, de la fédération CGT des métaux, et Bourderon.

Réfugié en Suisse, Lénine avait trouvé ce manifeste insuffisant et participé à une seconde conférence, en avril 1916 à Kienthal, en pleine bataille de Verdun. Trois députés socialistes français y étaient présents sans être mandatés. Le manifeste demandait aux élus socialistes de refuser toute participation gouvernementale, de ne pas voter les crédits de guerre et de recourir à l'action directe :

« Par tous les moyens en votre pouvoir, amenez la fin de la boucherie mondiale ! » L'appel à la révolution, selon le vœu de Lénine, était lancé par la commission de Berne dans une circulaire du 18 février 1917. Au front, par les feuilles clandestines de la propagande pacifiste, les poilus en avait été quelquefois informés et ils n'y croyaient pas.

L'appel risquait fort d'être entendu en Russie où le régime menaçait ruine, mais non chez les autres belligérants. Liebknecht en Allemagne et Monatte en France ne suscitaient aucun ralliement. Mais l'idée de « paix sans victoire », aussi bien léninienne que wilsonienne, faisait son chemin.

*

En France, le flottement politique manifesté en 1916 et la fronde parlementaire contre l'état-major général avaient pour conséquence l'acceptation par Briand des comités secrets de la Chambre et du Sénat et l'institution d'un « contrôle parlementaire aux armées » ainsi que la création d'un Comité de guerre siégeant en permanence avec les ministres concernés et convoquant fréquemment les chefs militaires.

Personne ne contestait encore, sauf quelques minoritaires socialistes comme Brizon, la formule de « l'union sacrée ». Mais la propagande de Merrheim dans les syndicats portait ses fruits, au parti où le Conseil national d'août 1916 groupait déjà un tiers d'opposants, surtout dans les départements travaillant pour l'industrie de guerre, la Loire, la Haute-Vienne, le Rhône et l'Isère : ils comptaient à peu près la moitié des délégués en décembre. La politique de guerre risquait d'être remise en question.

Les forces gouvernementales exigeaient une impulsion plus forte du cabinet sur l'état-major. Après la démission de Joffre, promu maréchal de France, et l'arrivée de Lyautey rue Saint-Dominique, le nouveau gouvernement Briand affirmait sa volonté de conduire la politique militaire, d'en prendre la responsabilité au lieu de la déléguer. Le général Nivelle, qui remplaçait Joffre, s'était soumis à cette exigence.

L'évolution des rapports des pouvoirs civils et militaires était comparable en Angleterre, à ceci près que jamais l'état-major n'y avait bénéficié de la puissance qu'il avait en France. Lloyd George, appelé par le roi au pouvoir le 6 décembre, était à la tête d'un *War Cabinet* restreint siégeant tous les jours. Les politiques montaient au créneau.

Une évolution exactement contraire conduit en Allemagne l'état-major général à exercer une véritable dictature de guerre. Le rayonnement de la personnalité de Paul von Beneckendorff und von Hindenburg, parfaite illustration du militarisme protestant prussien, est pour beaucoup dans la reculade du pouvoir civil. Secondé par Erich Ludendorff, premier quartier-maître général, formé par Schlieffen et ancien collaborateur de Moltke, il décide d'appuyer la politique de « guerre sous-marine à outrance » de l'état-major naval, contre l'avis de Bethmann-Hollweg, soucieux de ménager les Américains.

L'arrogance du maréchal est telle que le Reichstag lui donne tort. Le Zentrum, parti catholique, vote alors une motion le 16 octobre qui marque des limites au pouvoir civil : « Le chancelier d'Empire devra s'appuyer essentiellement sur la décision du commandement suprême de l'armée. »

Le parti socialiste allemand a aussi ses minoritaires, les spartakistes. Liebknecht, leur chef, est en prison depuis qu'il a crié « à bas la guerre ! » dans les rues de Berlin le 1er mai. Mais la Direction suprême de l'armée est devenue, grâce à Ludendorff, la Direction suprême de la guerre, coiffant tous les états-majors alliés. Le grand quartier général retire leurs prérogatives à un nombre croissant de ministères civils. Un seul office général de la guerre *(Allgemeinekriegsamt)* rassemble, autour du général Groener, tous les services économiques et sociaux et passe les commandes de l'armée aux firmes concentrées, assurant l'essentiel de la production : ainsi Krupp ou l'IG Farben, émanation de la Badische Anilin et regroupant la plupart des industries chimiques.

Pour transformer le front français en ligne inexpugnable, entièrement pourvue de forts et d'abris bétonnés, Ludendorff fait décréter le travail obligatoire en Belgique, force les prisonniers de guerre à travailler dans les mines, crée un service auxiliaire civil pour mobiliser tous les hommes non enrégimentés de 17 à 60 ans. Cette orientation vers la guerre totale réduit l'autorité du chancelier, qui doit répondre aux exigences de l'état-major. Celui-ci a l'industrie de guerre à son service et la sert à son tour par l'exploitation des territoires conquis.

Ni l'état-major ni le ministère de la Guerre n'ont en France une autorité comparable. Briand a usé trois ministres de la Guerre : Gallieni, déjà tout près de la démission à cause de sa mésentente avec Joffre, est remplacé après sa mort inopinée par Roques, qui cède lui-même la place à Lyautey, quand Nivelle est chargé du grand état-major.

La production industrielle de guerre, les échanges, les finances, la santé dépendent des ministres et secrétaires d'Etat. Albert Thomas, député socialiste et maire de Champigny, chargé de l'Armement, engage à ses côtés un habile polytechnicien non parlementaire, Louis Loucheur, chargé d'un sous-secrétariat aux Fabrications. Les « comités interministériels » répartissent les matières premières importées et fixent les prix en liaison étroite avec les grands intérêts industriels.

Le système français peut donc générer, avec l'appui de la finance anglo-saxonne, une économie de guerre conçue pour une durée indéterminée, à condition de n'être pas contrarié par les menées pacifistes et par les grèves syndicales. L'industrie a touché ses spécialistes de retour du front et le monde ouvrier vit à l'écart de la guerre, comme les campagnes françaises qui recourent à la main-d'œuvre des prisonniers allemands.

« On dirait, note le capitaine de Lattre de Tassigny blessé au front et soigné à l'hôpital du Mont-Dore, que le pays fait au loin une vaste expédition coloniale dont les péripéties n'émeuvent plus. » Il s'est « refait une nouvelle existence de guerre ». Le milieu ouvrier n'est pas encore bouleversé par la vague des grèves et la propagande pour la paix qui s'affirme dans des journaux souvent soutenus en secret par des fonds allemands.

La propagande pacifiste touche peu les soldats en ligne en raison de la censure et de la vigilance de l'état-major : le ministre de l'Intérieur Malvy renvoie au front les ouvriers coupables d'avoir distribue les tracts de Zimmerwald et de Kienthal. Les Thomas, les Sembat, les socialistes patriotes comme Lebas, maire de Roubaix, pris en otage par les Allemands en 1914, animent une contre-propagande très active au sein des majoritaires.

Poincaré évoque dès avril 1916 dans ses *Souvenirs* la campagne du *Journal* de Charles Humbert, de *L'Eclair* de Judet de *L'Œuvre* et de *L'Heure*, dévouée à Caillaux dans l'affaire Desouches, qui porte sur le financement occulte de la presse parisienne par l'ennemi.

Les procès en trahison menacent déjà. Lyautey reçoit une dépêche de l'attaché militaire à Berne. Il affirme que le chargé d'affaires allemand se flatte d'avoir eu connaissance de tous les renseignements confidentiels donnés au Comité secret de la Chambre par le gouvernement. On commence à parler de Bolo Pacha, commanditaire d'Almeyreda, et du journal *Le Bonnet rouge*.

Les affaires vont permettre de reprendre en main l'opinion publique déconcertée par les bruits de paix. Malvy mène une politique de répression, estimée à droite trop mesurée contre les instituteurs syndiqués qui se livrent, dans les Bouches-du-Rhône notamment, à une propagande pacifiste. Painlevé, le ministre de l'Instruction publique, est pour l'indulgence. Il redoute une protestation collective contre le licenciement des militants. Mais une manifestation d'institutrices menée par Hélène Brion, de Pantin, est interdite par la force.

Malvy surveille encore les conférences « défaitistes » faites dans l'Isère, département industriel. Il rapporte la campagne organisée par Brizon dans son département de l'Allier, contre l'ensemencement des terres. Le député socialiste minoritaire veut ainsi protester contre le maintien à l'armée des hommes de plus de quarante ans chargés de famille.

On lit en réunions publiques des lettres du front sur les unités défaillantes et sur la répression. Tous les jours, le ministre Malvy doit faire face à des grèves encore limitées, comme celle des tramways parisiens en novembre 1916. « Les défaitistes gagnent chaque jour du terrain », note Poincaré.

Les mesures de restriction décidées par Clémentel n'élèvent pas le moral de la population, qui se lasse de l'état de guerre. Elles ne sont pas encore graves : suppression du pain flûté, des glaces et des bonbons de chocolat. Les Allemands, en raison du blocus, ont dû se montrer beaucoup plus rigoureux. Mais les plaintes contre les insuffisances de l'intendance viennent aussi de l'armée. Les tenants de la guerre jusqu'à la victoire, très majoritaires dans le pays, au Parlement et même dans la presse attendent du pouvoir civil qui a pris la responsabilité des opérations une action plus énergique : en termes militaires, une offensive.

*

Nivelle en est chargé. Il est alors présenté comme le vainqueur de Verdun, son nom est constamment associé dans la presse à la reprise de Douaumont. Il passe pour posséder la recette de la guerre moderne, la synchronisation des armes et l'emploi de spécialistes de l'attaque. Il peut relancer avantageusement la guerre, étant le portrait-robot, parfaitement inconnu des Français, de Foch le fonceur et de Pétain l'économe.

Après Joffre l'immobile, voici l'oiseau rare, paré de toutes les vertus. Né à Tulle, fils d'un capitaine au 40e de Ligne, il est l'époux d'une Anglaise et entretiendra de bons rapports avec les officiers britanniques, contrairement à Pétain. Colonel d'artillerie héroïque en Alsace, promu brigadier en octobre après sa conduite à la Marne, chef de division en 1915 sur la Somme, puis commandant en mai 1916 de l'armée de Verdun, il a pour maître mot « l'esprit offensif » encore appelé « esprit nouveau ». Seule la victoire, annoncée à Verdun par Poincaré comme la seule issue possible de la guerre, pouvait enrayer la crise du moral, qui faisait pendant l'été des ravages sur le front de Verdun.

Avec Mangin, Nivelle pouvait se flatter de l'avoir emporté. Joffre et Pétain lui avaient enfin donné les moyens de frapper à coup sûr des lignes ennemies affaiblies par la bataille sur la Somme. Depuis lors, il ne cessait de développer le concept de la « guerre moderne » devant les parlementaires et aux ministres en visite à son PC de Souilly. Clemenceau, président de la commission sénatoriale de l'armée et non suspect de tendresse pour les généraux du front, avait découvert des techniques nouvelles d'attaque, rationalisées par un commandement soucieux d'efficacité. On exhibait les obusiers de 400 sur chemin de fer, les lourdes pièces de 280, les pistes empierrées pour les assauts, les abris bétonnés pour les mitrailleuses. Les poilus seraient-ils désormais traités comme des *feldgrau* ?

La victoire appartenait aux spécialistes. Oublié le fantassin en pantalon rouge. « L'esprit nouveau » consistait à marcher, courir, bondir, se tapir par petits groupes, mais surtout à dégoupiller les grenades, à mettre en batterie les mitrailleuses portables, à ne plus considérer les artilleurs comme des planqués et les aviateurs comme des fanfarons.

L'armée avait changé. A l'exemple des Allemands, on comptait trois compagnies au lieu de quatre par bataillon, trois bataillons par régiment, trois régiments par division. Mais l'infanterie était mieux armée : les fusiliers étaient des spécialistes des armes automatiques, de plus en plus nombreuses. Les mitrailleuses Hotchkiss, plus sûres que les Saint-Etienne, étaient attribuées à raison de huit pièces par bataillon au début de 1917, contre douze dans les unités allemandes, qui pouvaient être encore renforcées par deux cents détachements de mitrailleurs d'élite à six pièces chacun, en période d'offensive. Le tac-tac de la mitrailleuse devenait plus que jamais la hantise du poilu. La densité du tir était telle qu'il ne pouvait y échapper. La survie devenait une loterie.

Les artilleurs de tranchée ne disposaient en 1916 que du Crapouillot, contre le redoutable *minenwerfer* allemand (48 pièces par divisions). En 1917, ils recevaient de bons mortiers Stokes, Brandt ou Jouhandeau-Deslandres, puis des petits canons de 37 capables de tirer jusqu'à 1 200 mètres. Avec les grenades, ces armes étaient devenues fondamentales dans le combat d'infanterie. On entraînait les servants à faire avancer leurs engins dans les attaques, à les mettre immédiatement en batterie, dans les camps d'instruction constamment agrandis et multipliés, à destination des armes spéciales.

De 1914 à 1916, les Allemands avaient créé cent divisions nouvelles grâce aux ressources de leur recrutement : chaque classe alignait 450 000 hommes et l'on pouvait ratisser 120 000 ajournés dans les dépôts. Pour les deux fronts, le commandement disposait ainsi de 219 divisions en janvier 1917 contre 105 (renforcées de 70 britanniques et de 6 belges) au commandement de Nivelle. Chaque division était forte de 9 batteries de 77 et de 3 de 105. Le programme Hindenburg de mise en fabrication mensuelle de 14 000 mitrailleuses et 2 000 canons permettrait d'organiser une réserve d'artillerie disponible et mobilisable pour parer aux attaques massives en expédiant aussitôt par voie ferrée les batteries, à partir de Metz ou de Bruxelles, profitant de la capillarité d'un réseau bien organisé.

Le programme français, arrêté seulement le 30 mai 1916, était en retard, mais expédiait déjà au front les 155 courts, trapus et agressifs comme des dogues, qui avaient permis de reprendre Douaumont. Nivelle l'artilleur avait mis au point un commandement de l'artillerie divisionnaire qui permettait d'accélérer la mise en place des unités de renfort. Plus de trente mille spécialistes avaient pris en charge le nouveau matériel de traction des camions porteurs de 75 et des lourds engins de l'ALT (artillerie lourde tractée) qui alignait déjà cent quatre-vingts batteries de 155.

Pourquoi ne pas construire des chars sur le modèles des tracteurs américains expérimentés par Estienne ? Les Anglais avaient déjà engagé sans résultat la première division blindée de l'Histoire : des tanks Mark I sur la Somme, près de Cambrai, en 1916. Les Français conçurent au Creusot le char Schneider, puis le Saint-Chamond. Ces lourds engins pourraient-ils ouvrir la route à l'infanterie ? Estienne lui-même en doutait, après les premières expériences. Aussi persuada-t-il Joffre de mettre de préférence en fabrication le petit Renault FT en novembre 1916, qui n'interviendrait dans les lignes qu'en mai 1918. Il n'était pas disponible pour Nivelle. Mais celui-ci comptait sur des tracteurs lourds montés sur *caterpillars* pour faire gravir aux 155 les pentes de l'offensive.

L'artillerie antiaérienne s'entraînait contre les avions ennemis, de plus en plus nombreux et offensifs. Les fantassins ne se contentaient pas d'assister aux duels aériens des « as des as », comme à des démonstrations de champs d'aviation. Ils comptaient désormais sur les avions pour les assister dans l'assaut. Les artilleurs étaient les plus exigeants. Les chasseurs devaient détruire les redoutables *Drachen*, qui renseignaient les pièces allemandes, et abattre les appareils ennemis. Longtemps inférieure en nombre, en armement et en vitesse, l'aviation française progressait rapidement en 1916 : 2 700 pilotes étaient formés cette année-là pour protéger les soixante compagnies d'aérostiers qui, dans l'incendie de leurs saucisses, ne pouvaient compter que sur leurs parachutes.

Un programme de 2 600 avions avait été mis en chantier pour le 1er mars 1918 afin d'affronter à armes égales les 48 escadrilles de reconnaissance, les 96 d'observation d'artillerie réparties par division, les 30 de chasse, les 30 de protection, les trois escadres de bombardement de l'armée adverse : une aviation redoutable, aux ordres du général von Hoeppner. Mais les nouveaux chasseurs Spad faisaient bonne figure, à 180 km/h, contre les Albatros. Sur la Somme, ils avaient mis en échec la chasse allemande. Nivelle comptait sur ses escadrilles équipées de postes de radio et d'appareils photographiques à plaques pour appuyer l'offensive de l'artillerie, qui devait « conquérir le terrain ».

*

Avec lui triomphaient les jeunes-turcs de l'état-major, modernistes et partisans de l'offensive sans pertes. Le plan miraculeux dont il avait la charge avait été pour la première fois tracé par Joffre, qui n'avait pas renoncé à prendre sa revanche, avec la coopération totale de l'armée britannique, dûment négociée par des conversations approfondies d'états-majors.

La loi sur le service militaire obligatoire avait été votée au Parlement de Londres en juin 1916 seulement. On ne pouvait donc compter sur des renforts massifs dans l'immédiat. Mais l'apport de cinquante-neuf divisions n'était pas négligeable et les Français n'avaient plus assez d'effectifs de réserve pour partir seuls à l'attaque. Force était de négocier l'appui des alliés, rendu difficile à la suite de l'échec commun sur la Somme. Mais Lloyd George croyait en l'étoile de Nivelle et prêtait volontiers l'oreille à son discours, quand il prétendait en finir une fois pour toutes avec la guerre. Haig, hésitant, avait été contraint de se soumettre. Les poilus ne pouvaient se douter que la négociation interalliée portait sur les modalités d'une nouvelle offensive, et non sur la recherche de la paix.

Nivelle avait donc repris le plan Joffre d'une double attaque française et britannique, mais il en avait inversé les termes : l'offensive principale serait celle des Français sur l'Aisne, et non des Anglais entre Vimy et Bapaume. Le but était de percer sur Laon, en prenant le Chemin des Dames. Trois armées, Mangin en tête de la 6e, Mazel de la 5e et Micheler de la 10e, en seraient chargées. Tout reposait sur la surprise, et la rapidité d'exécution. Le général en chef avait fait accepter les grandes lignes de ce plan à la fois par Briand et par Lloyd George. Il ne restait plus qu'à l'exécuter.

Nivelle devait sa nomination à un changement de politique imposé par le Parlement, et au renvoi de Joffre. Elle avait été accueillie avec plus de soulagement que d'enthousiasme : on croyait, au Palais-Bourbon, en avoir fini avec la « tyrannie » de l'état-major. Nivelle disposait donc, au départ, d'un pouvoir amoindri. Il devrait constamment rendre compte, et se garder de ses protecteurs. Il était bien entendu que les généraux commandants d'armée seraient nommés, sur sa proposition, par Lyautey, son ministre. Finie la belle époque des généraux. Joffre est en sursis, on cherche un placard pour Foch, et Castelnau est désormais mal vu. Quant à Pétain et Fayolle, on les traite de temporisateurs. Docile et bien intentionné, Nivelle abandonne symboliquement Chantilly pour s'installer à Beauvais. Il n'a pas l'intention, assure-t-il à la cantonade, de se retrancher dans son état-major.

Mais il rencontre bientôt l'opposition du milieu politique qui l'a placé au sommet. Pour son offensive, il avait besoin d'hommes. On les lui refusait. Briand ne voulait pas entendre parler d'un retrait de troupes sur le front de Salonique. A partir de janvier, le président du Conseil était harcelé au Parlement et en Comité secret. Le milieu politique critiquait déjà, avant d'en connaître les lignes, le projet Nivelle. La loi sur les exemptés et les réformés ne passait pas, traînait en longueur. Les députés refusaient de laisser embrigader les pères de quatre enfants et les veufs, pères de trois enfants. Un radical osait exiger que fussent renvoyés dans leurs foyers les soldats de 48 et 49 ans. Quelle audace ! Lyautey tempêtait contre une mesure qui aurait d'un coup privé l'armée de 95 000 hommes. Il refusait sèchement de démobiliser, comme le demandait un autre radical, 140 000 soldats des classes 1890 et 1891. Il n'avait pas à faire le lit du minoritaire Brizon.

Nivelle pourrait-il jamais donner l'ordre d'attaque ? Briand, qui aurait dû le soutenir, était lui-même critiqué. Les Clemenceau, les Ribot, les Painlevé, les Maginot menaient la danse. On considérait en mars son ministère comme moribond. Lyautey, faute d'avoir prise sur les bureaux de Beauvais, pestait rue Saint-Dominique. Selon Wladimir d'Ormesson, il finissait par démissionner, pour ne pas cautionner une offensive mal préparée, dont il n'attendait qu'un nouvel échec, ce qui entraînait la chute du cabinet Briand. Pétain, qu'il avait consulté à son QG de Chaumont sans en avertir Nivelle, lui avait fait partager son pessimisme.

Le général en chef n'avait plus de président du Conseil, ni de ministre, à un mois de l'heure H, alors que les trains déversaient leurs troupes sur la rive de l'Aisne. Les soldats en étaient-ils émus ? « Briand est tombé, écrivait le hussard Honoré Coudray, infatigable lecteur de journaux. Oh ! Pas de haut ! Ribot a été désigné [...] pour des sinécures de ce genre, les candidats sont nombreux. » Il trouve bouffon que l'on ait mis « un civil à la guerre ».

Alexandre Ribot, ignoré presque de la troupe, investi le 20 mars, rassurait l'état-major en faisant une déclaration poincariste sur les buts de guerre de la France (restitution de l'Alsace-Lorraine, garanties de sécurité et réparations) en assumant le projet Nivelle : « Lorsque le gouvernement, disait-il à la Chambre, a choisi le chef qui doit conduire nos troupes à la victoire, il lui laisse une complète liberté pour la conception stratégique, la préparation et la direction des opérations. »

Ces paroles rassurantes masquaient l'angoisse du gouvernement et du ministre de la Guerre Paul Painlevé, qui risquaient leur avenir – et peut-être celui du pays – dans une opération dont le fer de lance était une armée de 350 000 hommes confiée à Mangin.

Comme Lyautey, Painlevé consultait Pétain. Il était le premier civil à la rue Saint-Dominique, après une série de trois généraux, Gallieni, Roques et Lyautey. Le premier voulait partir, l'approche de la mort seule l'avait condamné à rester en poste. Le deuxième était heureux d'être congédié. Le troisième avait démissionné à la tribune de la Chambre : une fâcheuse série.

Tous les généraux affirmaient qu'une offensive était imprudente contre la ligne fortifiée que Hindenburg venait de renforcer par un redoutable repli stratégique réalisé sans pertes, en quelques nuits, sous le nez des alliés. La réussite exemplaire de cette opération, qui raccourcissait et fortifiait le front adverse, n'avait nullement convaincu Nivelle de renoncer à son projet. Il lui paraissait « peu vraisemblable que l'ennemi abandonne l'un des principaux gages qu'il tient sur le sol français ». Le recul limité, contrôlé, de « l'opération Alberich » n'avait pas réussi à l'inquiéter.

*

Avec une main-d'œuvre forcée de civils et de prisonniers russes, l'état-major allemand avait conçu et exécuté une des plus spectaculaires opérations tactiques de la guerre. Ludendorff, qui avait déplacé l'état-major général de Pless à Bad Kreuznach en Rhénanie, pour pouvoir mieux surveiller le front de l'Ouest dont dépendait désormais la victoire, avait minutieusement préparé l'évacuation d'un front de soixante-dix kilomètres entre Arras et Soissons.

Surpris, les Britanniques de la Vᵉ armée avaient constaté au petit matin l'abandon des tranchées par l'armée allemande, le 25 février. Les Australiens pénétraient dans Bapaume en ruine, coiffés de leur large chapeau de feutre. Les hussards français de reconnaissance de la IIIᵉ armée (général Humbert) avaient fait la même découverte devant leurs lignes à l'aube du 13 mars.

Les cavaliers d'avant-garde s'étaient avancés avec prudence sur le terrain libéré, mais miné et détruit. Plus un pont, plus une route, plus un point d'eau. Les Allemands avaient pris soin d'évacuer les civils, qu'ils renverraient plus tard en France par la Suisse pour ne pas garder de bouches inutiles, quand ils ne les avaient pas rassemblés, blêmes de peur et de froid, dans les villes en ruine abandonnées de Noyon, Roye, Péronne ou Bapaume. Ludendorff avait seulement ordonné de ne pas empoisonner les sources, dans un but humanitaire.

Le 48ᵉ bataillon de chasseurs avançait sur la route de Lessigny dans une odeur de menthe sauvage, persuadé qu'on allait enfin « sortir des tanières ». Il traversait les anciennes lignes françaises aux barbelés rouillés. De tous côtés, des camions, des tracteurs halant des saucisses, des soldats du génie évacuant les troncs d'arbre sur les routes. Dans les cantonnements allemands, les poilus cherchaient les grenades piégées dissimulées. Jusqu'où avancerait-on ?

Le général Humbert s'était vite rendu compte de l'impossibilité de poursuivre l'ennemi sur ses positions inexpugnables. Ses voltigeurs avaient été accueillis par des rafales nourries de mitrailleuses. Ils avaient progressé très difficilement sur le terrain détruit. A Saint-Quentin, dont les usines avaient été dévastées, les civils avaient été réquisitionnés par l'autorité occupante pour abattre les arbres du bois Savy qui gênaient les tirs d'artillerie.

La nouvelle ligne baptisée Siegfried était imprenable : trois, parfois quatre positions bétonnées distantes de deux ou trois kilomètres, renforcées de fortins, de nids de mitrailleuses, de batteries enterrées, d'abris profonds pour l'infanterie. Et cependant certains chefs d'unités reprochaient à Nivelle de n'avoir pas contrarié le repli allemand, d'avoir renoncé à l'attaque, alors que Ludendorff était en mouvement.

Painlevé n'entrait pas dans ces critiques. Mais il tenait, comme Pétain, que les chances de succès d'une offensive reposaient sur une absolue supériorité du matériel lourd. Aussi convoqua-t-il le conseil de guerre à Compiègne, le 6 avril, sous la présidence de Poincaré.

Ce n'est pas une réunion ordinaire. Elle risque de décider du sort de la bataille. Les Américains excédés par la reprise de la guerre sous-marine à outrance se sont décidés à entrer dans le conflit. Le Congrès de Washington vient de voter, ce 6 avril. Le 15 mars, le tsar Nicolas II a abdiqué devant la première révolution. Ces deux événements changent en profondeur les perspectives. Rien ne dit que les Russes continueront à se battre. Ludendorff pourrait alors rameuter sur le front de l'Ouest une centaine de divisions bien entraînées et reposées, sans compter des centaines de batteries d'artillerie lourde, qui emporteraient la décision.

Le choix est angoissant : faut-il prendre le risque d'attendre les Américains ou prévenir immédiatement l'offensive allemande inéluctable ? Les généraux Pétain, commandant du groupe des armées du Centre, Franchet d'Esperey, celles du Nord, et Castelnau qui a repris son poste dans l'Est, sont priés de donner leur avis. Le pouvoir politique recule, il s'abrite derrière eux, il attend le verdict.

Painlevé coupe la poire en deux : il exprime son accord pour la percée, mais non pour l'exploitation qui ruinerait les réserves. Il a peur. Pétain le soutient. La saison, dit-il, est défavorable, les liaisons insuffisantes. La densité du tir d'artillerie, malgré les 790 canons lourds modernes rassemblés par Nivelle, est inférieure à celle de la bataille de la Somme. Enfin l'avance de la Xe armée de Micheler, pour exploiter la percée, entre la VIe de Mangin et la Ve de Mazel, est une entreprise logistique très hasardeuse, étant donné l'état des chemins. Pétain doute que les soldats français, si longtemps immobiles dans les tranchées, puissent s'adapter à la reprise si rapide de la guerre de mouvement.

Désavoué, Nivelle offre au Conseil sa démission dans le wagon de Poincaré. Elle est refusée. Au matin du 6 avril 1917, il est trop tard pour annuler une offensive prévue dans une semaine. Les soldats attendent déjà l'heure de l'assaut. Le général en chef enlève la décision politique à la hussarde, contre Pétain qui se rallie, contraint et forcé. Le général en chef a promis verbalement de ne pas « recommencer la Somme », et de s'arrêter au bout de quarante-huit heures, si la percée n'est pas obtenue.

Le Chemin des Dames, ses grottes nombreuses où se tapit l'ennemi, ses fortifications bétonnées ne l'arrêtent pas. Le relief tourmenté, la barre rocheuse coupée de ravins ne lui semblent pas plus imprenables que les hauteurs ravagées de Verdun. Il a une confiance absolue dans son artillerie : ses 2 700 canons de 75 dont beaucoup sont autotractés, ses 200 chars d'assaut, ses 850 000 hommes à l'entraînement depuis plusieurs semaines, les tirailleurs noirs de Mangin et les troupes de choc coloniales chargés du premier assaut le réconfortent. Même Painlevé ne met pas en doute la possibilité de la percée, et les Anglais marcheront au canon, le second jour. Humbert sur l'aile gauche, Anthoine dans les monts de Champagne soutiendront l'effort. Dans les tranchées, on attend l'heure H. Le général croit au succès. Mais les poilus ?

*

Sur l'ensemble du front, ils se doutent dès janvier que l'offensive va reprendre, en raison des mouvements nombreux et précipités d'unités mises en réserve ou expédiées dans les camps d'instruction. Les divisions d'élite du 20e corps ont été reçues au camp de Saffais dès le 19. Le 17 février, la moitié de la division de fer de Nancy a déjà gagné les camps boisés de l'Aisne. Les soldats retirent les numéros de régiment visibles sur les uniformes et les voitures. Ils camouflent avec soin leurs campements, pour éviter d'être repérés et aveugler l'ennemi. Funeste présage, le train qui enlève un régiment pour Château-Thierry en télescope un autre, près de Gondre : on retire des voitures éventrées vingt-six tués et trente-quatre blessés.

La division est amoindrie par ses pertes antérieures et le tarissement des renforts. Elle se trouve réduite à deux régiments, le 26e de Nancy et le 69e de Toul, avec le renfort de deux bataillons de chasseurs de Troyes et de Brienne. La mise en place est lente, et cahotante la progression par les villages détruits de la zone évacuée. Les chefs de bataillon, tous nouveaux, venus au 26e régiment, étudient des cartes en relief pour y voir clair sur un terrain boisé, coupé de ravins. Les sapeurs aident à la traversée du canal en jetant des passerelles. Les grenadiers ploient sous leur charge, sur la route interminable.

Au passage du canal, les grenades pressées dans les musettes explosent. Plusieurs hommes sont blessés, un lieutenant tué. Dans les tranchées boueuses, les hommes avancent avec peine pour gagner les emplacements dans les parallèles : « Beaucoup de monde dans bien peu de tranchées », commente un poilu de Nancy.

Mais le terrain est étudié « dans le plus petit détail » pour l'attaque. Pendant plusieurs jours, des répétitions ont été organisées dans la zone des étapes, sur un relief comparable à celui du jour J. Le général Mazillier, commandant du corps, sait qu'il devra attaquer le plateau du Chemin des Dames qui domine d'un abrupt de plus de cent mètres la vallée de l'Aisne par le canal : un passage des plus difficiles, avant l'escalade du plateau. Les hommes ont confiance. Ils ont vu défiler des centaines de pièces lourdes et même des unités de chars. On leur a demandé une action courte, « violente et brutale ». Ces troupes d'élite y sont habituées.

Les unités prévues pour l'attaque sont toutes désignées pour les qualités dont elles ont fait preuve dans les précédentes batailles. Les régiments, comme ceux du 20e corps, portent tous la fourragère, et les médailles militaires ont récompensé les braves bataillonnaires. A l'ouest de la 6e armée de Mangin, les coloniaux des 2e et 3e divisions dûment recomplétées attendent dans les tranchées.

La 56e du général Hellot est l'ancienne unité de Micheler, qui ne passait pas pour ménager ses hommes, tous originaires de Bar-le-Duc, Troyes, Soissons, Chalons ou Reims, villes martyrisées par le canon. Elle avait largement donné à Verdun où des camions l'avaient débarquée en mai, puis à la bataille de la Somme en octobre. Depuis lors, elle était au repos ou en secteur, puis à l'instruction, tout comme la 127e du général d'Anselme, la division de Belfort.

Ces unités d'élite ont subi plusieurs renouvellements presque complets de leurs effectifs depuis 1914. Elles instruisent et absorbent les jeunes recrues qui sont conduites au feu par des anciens chevronnés. Elles voisinent avec des divisions coloniales comme celles du 2e corps de Blondat, qui avait assuré la victoire à Verdun en octobre sous les ordres de Mangin, avec les divisions Guérin et Marchand. Le général avait placé en première ligne ses Sénégalais, ses Algériens, ses Marocains et ses zouaves dont il connaissait l'ardeur au combat.

Des douze divisions de la Ve armée de Mazel, qui avait pour cible le plateau de Craonne, la 162e du général Raucher se composait de deux unités amalgamées, les meilleures et les plus anciennes de l'armée française, la première levée initialement à Lille, où figurait, levé à Cambrai, le premier régiment de France, et la 2e, celle de Guignabaudet où combattaient les survivants du 33e d'Arras, celui du lieutenant de Gaulle commandé en 1914 par le colonel Pétain. Le recrutement des deux unités était tari : on avait dû les accoler pour qu'elles figurent encore au « champ d'honneur », avec des recrues de vingt ans venues d'ailleurs.

Les Briards de la 10e où figurait encore le 76e régiment de Péguy, les Beaucerons de la 9e, couverts de palmes après la victoire de Verdun saluaient les équipages de chars qui prenaient position derrière l'Aisne. Le 32e corps de Passaga qui avait repris Douaumont avec les divisions de Reims et de Verdun voisinait avec les unités venues de l'Est du 7e corps de Bazelaire dont les chasseurs alpins, rompus aux combats de montagne dans les Vosges, devaient attaquer la montagne de Reims, aidés par les Russes de la brigade Lokhvtzky, toujours pieux et loyaux, en dépit de leur révolution.

Nivelle et Mangin avaient monté leur attaque de premier jour avec des unités dont ils étaient sûrs, qui avaient fait leurs preuves à Verdun et qu'ils avaient longuement laissées au repos et à l'instruction, avant de les conduire en ligne, dans les parallèles de départ. Aucune n'avait connu la moindre baisse du moral. Originaires de l'Est ou des régions envahies, ruraux des plaines à blé de la région parisienne dont les anciens avaient été couverts de gloire après la Marne, ces soldats monteraient à l'attaque au coup de sifflet des capitaines, convaincus par le déploiement des moyens qu'ils avaient une chance de terminer la guerre en s'emparant du Chemin des Dames. Nivelle et Mangin avaient la *baraka*, répétaient les soldats marocains des troupes coloniales. Ils avaient repris Douaumont, demain ils seraient à Laon.

*

Ces grenadiers, ces fusiliers et ces tankistes étaient des troupes de choc comparables aux *stosstruppen* de Ludendorff, instruits dans des camps spéciaux dans les mêmes conditions, disposant d'un matériel identique et rompus aux combats de « l'esprit offensif ». Nivelle engageait dans l'aventure l'élite de l'armée française.

Les autres poilus, ceux qui attendaient dans les camps de l'arrière l'heure de monter en renfort, étaient loin d'afficher un moral aussi élevé. Ils n'étaient en rien tenus au courant de leur affectation, en dépit des fréquentes mutations de leur unité. Le jeune instituteur de la Creuse Louis Masgelier[1] est arrivé au front, dans la forêt de Compiègne, fin novembre 1916 avec ses amis Maurice, Raymond et Eugène, à l'âge de 19 ans. Louis sort de l'école normale de Guéret. Affecté à la division de Limoges, il ignore si son unité participera à l'offensive.

Il est longtemps employé à la taille des piquets et des gaulettes pour le clayonnage des tranchées. Il commence ainsi sa vie militaire dans l'incertitude totale sur l'éventualité de sa participation à la bataille. Le soir, à la veillée, un caporal « modeste comme un vieux poilu que l'avenir obscur n'effraie pas » leur raconte la guerre, les tirs de 420, les assauts meurtriers. Il passe régulièrement la revue des fusils piqués de points de rouille par la pluie et donne aux jeunes le « goût du métier ». Aucun discours ronflant ni patriotique, la seule vertu de l'exemple.

Pas la moindre trace de découragement, encore moins de pacifisme dans les carnets du jeune normalien. Il rencontre un camarade d'école devenu aspirant et titulaire de la croix de guerre avec palme pour avoir visité une tranchée allemande de nuit et s'en être tiré indemne. Il voit les premiers poilus de retour du front le 30 novembre seulement. Ces soldats exténués d'un régiment de Granville défilent juchés sur des camions sous la pluie, les capotes terreuses, blanchies : des « vieux papas à moustaches » aux côtés des jeunes de la classe 16. Ils s'engagent sur la route « marchant lourdement sous le sac », accablés de fatigue. Sur leur visage, le jeune Louis voit « la confiance » et non le découragement. « C'est la nation en armes, dit le jeune normalien qui n'a pas oublié son Valmy, dans un seul et même but : l'aspiration au repos par la victoire sur le Boche. »

Remplacé par le 107e d'Angoulême, le régiment de Louis Masgelier gagne en camions Villeneuve-sous-Dammartin, en

1. Carnets édités par Jacques Roussillat, éd. de la Veytizou, 1996.

Seine-et-Marne. Les soldats sont « empilés, fatigués, les jambes ankylosées ». Les roues à pneus pleins trébuchent sur les trottoirs, cahotent dans les trous, glissent sur les pavés. A l'arrivée, du thé bouillant et une botte de paille humide. Heureusement Louis, l'instituteur, devient aide-vaguemestre pour remplacer le titulaire, en permission. Il échappe aussi à l'immobilité du cantonnement, arpente les routes délavées, à la recherche du courrier de la compagnie.

En décembre, il ne croit pas aux offres de paix des Allemands et n'est nullement gagné par la propagande pacifiste. Il retrouve souvent des pays de la Creuse, apprend que l'un d'eux, Camille Roche, s'est fait tuer devant Verdun. Il jure de le venger. L'instituteur rural a gardé les valeurs patriotiques du petit manuel d'histoire d'Ernest Lavisse qu'il enseignait à ses élèves. Il critique les chasseurs à pied qui, dans son secteur, montent des battues au lièvre. « La chasse au Boche devrait passer avant », s'indigne-t-il.

Beaucoup de ses camarades suivent les cours des écoles de spécialistes. Pour le premier de l'an, ils se réunissent pour danser, au son de l'harmonica, des bourrées de la Creuse, en fumant les cigares « du gouvernement ». Ils grognent quand on les oblige à mettre le masque pour les exercices d'attaques au gaz. Ils ont du mal à respirer. On dorlote, on bichonne ces jeunes de Limoges. On ne leur dit à aucun moment ce qui les attend.

En janvier, ils sont embarqués dans des wagons à bestiaux pour Clairoix au nord de Compiègne. Est-ce l'offensive ? Ils se rapprochent du front et comprennent, à voir les convois automobiles qui se succèdent sur les routes, aux travaux des territoriaux construisant des abris pour des champs d'obus en pains de sucre, que l'affaire se prépare.

Nouveau déplacement le 12 janvier, à pied et en colonne, pour Choisy-au-Bac. Les soldats n'ont toujours aucune idée de leur affectation. Ils se logent avec des dragons, des cuirassiers, des sapeurs du génie, des territoriaux, des chauffeurs d'autos dans les ruines du village, puis dans de grands baraquements de planches dotés du courant électrique. Ils sont au bord de l'Aisne, aux rives de peupliers. Autour d'eux, on creuse encore des abris pour les munitions d'artillerie.

Ils prennent bientôt la route de Franc-Port, vers Soissons. Le capitaine, au cantonnement, leur raconte la bataille de la Marne et le départ précipité des Allemands, pour entretenir chaque jour leur moral, suivant les directives de Nivelle. Nouvelle étape par chemin de fer vers Villeneuve fin janvier, par un froid qui fait geler le vin dans les bidons. Le bataillon doit fournir cent hommes au 63e de Limoges pour recompléter ses effectifs. Ils sont choisis par rangs d'âge, sans tenir compte des compagnies. Les jeunes sont encore épargnés.

De nouveau, la compagnie de Louis est embarquée, cette fois pour Compiègne. L'activité de l'armée, en ce début de février, est extraordinaire : les soldats réparent les routes et déchargent les caisses de munitions. Les obus sont alignés sur des caillebotis, du 74 au 280. On s'est rapproché des lignes, car le tocsin sonne pour une attaque au gaz. Les Allemands bombardent le pont de fer que le génie a jeté à Soissons. Le 28 mars, dit Louis avec impatience, « nous attendons toujours, quand notre tour viendra-t-il ? ». Il apprend l'avance anglaise vers Bapaume et rien d'autre. Aucune nouvelle de l'offensive. Le régiment n'y sera pas engagé, malgré ses déplacements continuels. L'état-major l'a gardé en réserve.

*

Edouard Deverin, le cycliste parti de Noisy-le-Sec au deuxième jour de la mobilisation, devenu téléphoniste au 48e bataillon de chasseurs à pied d'Amiens, n'a pas l'enthousiasme patriotique du jeune instituteur de la Creuse. En 1917, il est déjà un ancien. Il a réussi à survivre aux offensives, à combattre la boue et l'ennui dans les secteurs calmes. Les préparatifs fébriles des unités d'assaut ne l'impressionnent pas.

Sur la Somme, en juillet 1916, il avait déjà vu « grouiller les artilleurs, pilotant de monstrueux 280 ». Les poilus avaient alors conçu les plus folles espérances, devant l'ampleur et la minutie des préparatifs de l'armée Foch. Même ceux qui disaient « après tout, je m'en fous d'être boche, ma peau ! » étaient emportés par le sentiment unanime de confiance. Ils avaient vu défiler les prisonniers allemands, reçu les messages annonçant l'enlèvement des deux premières lignes, applaudi à la formidable préparation d'artillerie.

Mais bientôt surgissaient du front les convois de blessés. On enterrait de nouveau les morts par milliers, avec des croix de bois

portant leurs noms : quel progrès ! En 14, on les inscrivait sur des bouts de papier enfermés dans des bouteilles. Il avait vu mourir les Toulousains joyeux, pourrir les cadavres dans la tranchée du Chancelier qui avait emporté tout son bataillon. Au coin du bois Bulow, il avait suivi des yeux un infirmier qui transportait une sorte de paquet : les morceaux d'un chasseur sortaient de la toile de tente, une jambe encore protégée par sa molletière. La déception était immense : pourquoi cette offensive de 17 réussirait-elle mieux que la précédente ? Quand l'ordre d'attaque survenait enfin, sur les bords de l'Aisne, Deverin murmurait : « Si ça se fait, pauvre 48e, il n'en restera pas lourd ! »

Dans les régiments de secteur, les changements sont continuels pendant les trois premiers mois de 1917, parce qu'il faut remplacer en ligne ceux qui partent dans les réserves d'attaque. Au 221e régiment de Langres, les soldats restent au calme jusqu'en février. Le 26 février à l'aube, ils se mettent en route. Pas de camions pour eux, ils sont réservés aux troupes de choc. Ils marchent des journées entières vers l'ouest, intégrés d'abord à l'armée de Verdun. Ils entendent au loin le canon, sans savoir où on les dirige. « Tout le monde est absolument découragé, dit un poilu, parce qu'on ne voit aucun résultat et qu'il n'y en aura pas. »

Des accrochages cependant sur le front de Verdun autour du 15 mars, des morts et des blessés par centaines. La bataille n'arrive pas à s'éteindre sur ce triangle maudit. Le régiment est relevé, il vient d'éprouver des pertes sévères dans une attaque locale, par le bombardement d'artillerie. « Le dégel a fait une boue dans laquelle beaucoup de pauvres diables ont disparu », dit le brancardier René, musicien affecté au service de Santé.

Le 26 mars, il apprend qu'une action est en cours autour de Soissons, sans en connaître le détail. Le régiment marche toujours sous la neige, sac au dos, cueillant des pissenlits gelés aux étapes. On apprend le 4 avril l'entrée en guerre de l'Amérique. Commentaire des poilus : « La guerre en sera prolongée [...] Les Français se seront battus sans jamais savoir pourquoi et pour que d'autres en profitent. »

La nuit du 4 avril est calme. Une simple « petite alerte » qui coûte au régiment sept blessés et deux tués. Les nouvelles se précisent, le 11 avril : on se prépare à attaquer du côté de Reims : « Beaucoup disent à nouveau que pour juillet, nous pourrions voir la fin. » Garde-t-on quelque espoir, du côté de Sainte-Menehould, à voir les convois défiler vers Reims et Soissons ? « A la fin du mois, nous serons fixés », conclut, laconique, le brancardier pessimiste.

Par le bouche à oreille du front, les nouvelles, toujours en retard, arrivent souvent déformées jusqu'aux poilus, secteur par secteur. Ils apprennent ainsi que les Anglais et les Français ont avancé du côté de Noyon. On assure que les Allemands quittent la France : « S'ils s'en vont seuls, c'est possible (comme à Noyon), sans cela, le doute persiste ici. » Les poilus du 221e sont très intrigués par le grand nombre de curés et de séminaristes qui se présentent parmi les recrues destinées à servir comme brancardiers : « Beaucoup pensent qu'il faut que la guerre touche à sa fin pour que l'on se soit décidé à mettre en route de pareilles gens. » Louis Masgelier, encore plus anticlérical, s'indigne qu'on affecte les séminaristes au service de santé, au lieu de les verser, comme les autres, dans les compagnies d'assaut.

Honoré Coudray, à l'armée des Vosges, raconte qu'on a constitué en janvier des « groupes francs, alimentés par des hommes décidés et à poigne ». Ils sont désignés pour les coups de poing dans les lignes « avec tous les moyens approuvés ou désapprouvés ». Des spécialistes des attaques brusquées. On dit que désormais l'armée française aura ses *stosstruppen*, ses groupes d'assaut rompus aux techniques modernes et entraînés aux corps à corps. « Ils ne font que des attaques de ce genre, ensuite, on leur fiche la paix. J'aime ça. » La prochaine offensive sera-t-elle confiée à ces volontaires des troupes d'élite, les autres se bornant à tenir les secteurs calmes ?

Pourtant Pétain prend position contre la spécialisation. Il admet qu'on utilise des grenadiers d'élite pour les coups de main, que l'on remette « l'insigne d'or » « aux grenadiers-lanceurs de premier plan » au cours de « petites fêtes ». Il est utile « d'exploiter à fond la vigueur, l'adresse et l'audace des grenadiers les plus doués ». Mais le fantassin français « n'a pas besoin de détachements d'entraîneurs pour donner l'assaut ». Il n'est pas question, jure-t-il, de créer dans l'armée des troupes d'élite formées, à l'allemande, dans des écoles spécialisées. Les chances de chacun doivent être égales devant la mort.

L'hiver de 1916-1917 est exceptionnellement froid. Il n'est pas rare que le thermomètre descende à –25°C. Pour économiser les camions, tous les déplacements de corps se font à pied par ce climat et l'ensemble du front est concerné par les changements de secteurs. Les poilus s'étaient arrangés pour hiverner dans leurs coins savamment protégés contre la froidure. Voilà qu'on les expose à la glace et au vent sous prétexte de leur « redonner des jambes ». Ils parcourent des étapes de quinze, vingt ou vingt-cinq kilomètres. Quand ils arrivent au cantonnement, les manœuvres, les exercices commencent.

Des rideaux clairsemés de veilleurs se remplacent aux créneaux des tranchées, sans cesse relevés par des unités décimées à la recherche d'un secteur calme pour se refaire, des territoriaux ou des laissés-pour-compte du recrutement. Les bataillons ne sont jamais tranquilles, même en ligne. On les occupe à des terrassements pour l'ouverture d'une deuxième ou d'une troisième position.

Avant le 16 avril, le général Nivelle a mis toute son armée en mouvement dans un ordre impressionnant. La réussite logistique est remarquable. Les opérations, tout aussi minutieusement réglées dans leur marche, répondront-elles aux les espoirs de l'état-major ?

*

Deux mille attelages d'artillerie tirent les 75 le plus près des lignes de départ, pour amorcer la préparation. Les 1 650 pièces d'artillerie lourde croient avoir repéré leurs objectifs. A la VIe armée de Mangin, un canon se cache sous son abri tous les vingt mètres. Cinq cents avions seulement sont disponibles pour les reconnaissances et les réglages d'artillerie, avec une quarantaine de ballons appelés « saucisses ». Il faut espérer que le temps sera beau.

Cinq artilleurs lyonnais du 5e de Besançon, l'ancien régiment de Nivelle, se retrouvent au front, après une instruction hâtive sous les ordres d'un capitaine horloger dans le civil. Ils sont de Vesoul, de Grenoble et de Lyon, parfois de Paris, à disposition d'un adjudant-chef corse venu des bataillons disciplinaires [1]. Ils ont abandonné la vieille cité bisontine et regrettent la rue Sachot, où

1. Marcel E. Grancher, *Cinq de la campagne*, Les éditions Lugdunum, 1937.

pourtant nombre d'entre eux (un sur cinq en moyenne) ont contracté véroles et chaudes-pisses.

Deux camarades, qui ont déserté, ont été retrouvés et condamnés en conseil de guerre à cinq ans de travaux publics et à la dégradation des boutons, des écussons et des pattes d'épaules. Les jeunes recrues ont l'air martial de ceux qui ne connaissent pas le front. Ils affichent fièrement leurs spécialités : ils sont pointeurs, déboucheurs, chargeurs ou pourvoyeurs et accomplissent en un temps record la mise en batterie de leur pièce, exténuant leurs chevaux canadiens mal dressés au centre de la Vitriolerie à Lyon.

Le 5e régiment avait déjà donné à Verdun lors de la reconquête de Douaumont. Il avait perdu nombre de ses batteries et les servants étaient tombés en grappes sous les éclats des obus allemands. Aussi les jeunes de la classe 17 avaient-ils dû partir avec des pièces neuves, pour compléter les batteries sur le front de la « Gauloise ». Ainsi appelait-on la 133e du général Passaga, qui avait repris Douaumont.

Les jeunes Lyonnais s'apprêtaient à entrer dans la danse avec leurs caissons « camouflés de teintes pisseuses », leurs avant-trains « hérissés de seaux, de manches d'outils, de toiles de tente, de sacs d'armes et de cordes à chevaux ». Les téléphonistes s'empilaient dans une voiture spéciale, bourrée de matériel. Le chef de batterie, un ingénieur sorti de l'Ecole centrale, exigeait d'eux un service infernal. Tous devaient s'attendre à suivre l'attaque. Ils devraient pousser leur pièce le plus avant possible, dès le départ des Sénégalais, des chasseurs et des grenadiers qui s'entassaient déjà dans les parallèles.

Les artilleurs de Lyon enrageaient de voir l'aviation française impuissante devant la chasse ennemie, toujours présente dans le ciel. Les Allemands, depuis la bataille de la Somme où ils étaient en infériorité, avaient renforcé considérablement leurs escadrilles. Les jeunes Lyonnais avaient assisté à un engagement aérien très décevant : un petit avion français de réglage R3 prenant des photographies à l'avant des lignes avait été contraint d'atterrir chez l'ennemi par deux chasseurs, sans que ceux-ci soient en rien contrariés par les Spads. Mauvais présage.

A l'armée Mangin, aucun appareil ne pouvait franchir les lignes sans être attaqué. Les *Drachen* allemands étaient intacts. L'aviation de Nivelle n'était pas en force : une inquiétante défaillance. Les meilleurs pilotes français, déplorait le général Micheler, avaient été retirés du front pour s'entraîner sur les nouveaux modèles. La batterie des Lyonnais assistait impuissante aux vols de réglage des petits avions allemands bien protégés par leurs chasseurs. La danse risquait d'être sévère.

Une information circulait dans les états-majors : une batterie allemande bien camouflée avait pu être repérée pendant la précédente bataille de la Somme. Un « poste central avertisseur » de TSF transmettait au chef de batterie le message radio d'un avion anglais qui demandait un tir d'artillerie immédiat sur les pièces ennemies. Les serveurs de la batterie allemande avaient pu descendre aussitôt aux abris. Leurs techniciens radio avaient les moyens de capter et de traduire instantanément les radio-télégrammes. Les alliés ne disposaient pas encore d'un système comparable. Ils n'en dépendaient que plus des conditions météorologiques.

Il est clair que la surprise ne pouvait jouer, puisque l'observation aérienne avait amplement informé Ludendorff de l'importance des concentrations françaises devant le Chemin des Dames. A l'armée Mazel, un sergent-major du 3e zouaves avait été fait prisonnier, avec les plans complets d'attaque du régiment. Les Allemands avaient eu le temps de renforcer leur artillerie et leur aviation, et de faire monter en ligne les troupes d'élite, Garde prussienne et Bavarois. Où était la surprise ?

*

On ne pouvait se faire d'illusions sur la capacité de résistance des lignes allemandes depuis l'attaque manquée du 13 avril en direction de Saint-Quentin. Les fantassins du 276e en avaient fait l'expérience : partis à la boussole à travers les champs labourés, ils avaient reçu de plein fouet des tirs furieux de mitrailleuses sous abris et s'étaient heurtés à des réseaux successifs de résistance bien étalonnés sur le terrain. La plaine de 1 500 mètres devant Neuville-Saint-Amand était « couverte de réseaux serrés que les aviateurs n'avaient pu repérer car elle était couverte de branchages ».

Dans son observatoire d'artillerie dissimulé dans une cabane de pierraille, Henri Bouvereau [1] apercevait les lignes allemandes, éta-

1. Henri Bouvereau, *op. cit.*, p. 106.

gées jusqu'aux crêtes derrière Saint-Quentin. La ville elle-même servait de réduit, les caves d'abris, les maisons éventrées d'emplacements de batteries soigneusement dissimulées par des toits de tuiles. On avait détruit des quartiers entiers pour rendre la ville imprenable. Inutile de s'illusionner : une attaque sur Saint-Quentin était d'avance condamnée. Les Allemands en avaient fait une forteresse imprenable.

L'infanterie coloniale avait fait la même expérience du côté du Moulin de Laffaux, à l'ouest du Chemin des Dames. Le général Berdoulat, commandant le 1er corps colonial, écrivait à Mangin pour lui signaler le danger des mitrailleuses embusquées et l'utilisation des « cavernes naturelles de la région ». Il était à craindre que l'artillerie lourde ne pût venir à bout des organisations bétonnées qui communiquaient entre elles par des souterrains. Les 155 n'avaient pas réussi à mordre sur le béton des abris.

Quant à l'armée Anthoine, dans les monts de Champagne, elle se heurtait à un réseau de positions enterrées, à une artillerie nombreuse dirigée par les observatoires du mont Cornillet, du mont Blond, des croupes du Casques et du Téton : toutes positions qu'il faudrait prendre d'assaut, au prix de lourdes pertes, si l'on voulait tenir la ligne de crête du massif de Moronvilliers. Au Chemin des Dames, les Allemands avaient organisé trois positions solides : la première au pied des pentes, avec des abris enterrés, la deuxième comprenait trois lignes de tranchées creusées sur l'éperon et communiquant avec les « creutes ».

La VIIe armée du général von Boehm alignait une troisième position au-delà de la crête, interdisant toute descente sur l'Ailette. Avec quatorze divisions de première ligne, contre vingt-deux unités françaises, von Boehm ne pouvait compter que sur la résistance des positions et sur la supériorité de son artillerie et de l'aviation. Il n'avait pas, contrairement à Nivelle, de ces chars d'assaut qui faisaient l'admiration des poilus, quand ils voyaient défiler sur les routes de l'Aisne les monstrueux Schneider et les lourds Saint-Chamond.

Comment les 360 000 hommes entassés dans les tranchées et les abris pouvaient-ils connaître les résultats de la préparation d'artillerie, pourtant vitale, entreprise à partir du 3 avril par l'armée Anthoine dans les monts de Champagne ? L'artillerie lourde s'était déchaînée, mais ses tirs manquaient d'efficacité en raison de l'insuffisance du repérage par avions et ballons. L'incertitude était plus grande encore sur le front de la VIe armée qui ne disposait guère d'observatoires, étant tapie dans les fonds de la vallée de l'Aisne. Les artilleurs de la Ve armée étaient mieux lotis, puisque les positions avancées étaient creusées sur le plateau, mais la brume, le vent, les giboulées de neige, les nuages très bas avaient beaucoup gêné les aviateurs. 54 avions s'étaient abîmés dans les lignes par accident, et 37 au cours d'engagements aériens.

Où étaient tombés les cinq millions d'obus de 75 et le million et demi de projectiles lourds tirés par l'artillerie ? Nul ne pouvait le dire, sauf, naturellement, les Allemands qui avaient éprouvé des pertes sévères, surtout parmi les unités qui montaient en ligne, accablées par le tir des pièces lourdes. Dans la correspondance des artilleurs allemands on trouve des notations précises : le Bavarois Albert Reichel écrit : « Aujourd'hui c'est le quatrième jour (11 avril) que notre secteur est bombardé sans trêve. » Il a trouvé refuge dans un abri bétonné dont la carapace de 30 cm résiste aux obus lourds. Mais les servants de la batterie sont « ahuris, le crâne ébranlé ». Quant à l'infanterie, une seule bombe défonçant un abri-caverne a tué dix hommes, sans compter les blessés ». L'artilleur est stupéfait que les batteries allemandes ne répliquent pas.

Mais cela ne signifiait rien : elles se réservaient sans doute pour l'attaque. Le 15 avril, à la veille de l'heure H, des tirs de tous calibres avaient accablé les premières lignes, tuant les hommes des compagnies d'assaut. Les observateurs d'artillerie estimaient qu'une pièce allemande sur deux seulement avait été inquiétée et repérée. Ils étaient optimistes. On devait plus tard apprendre que tout au plus 53 batteries avaient été débusquées, sur un total énorme de 392. On ignorait aussi que les Allemands avaient quadruplé leur aviation, ce qui expliquait leur supériorité sur le terrain. Enfin, ils disposaient d'un renfort possible de 15 divisions reposées, ramenées d'Orient, après la prise de Bucarest. Dans ces conditions l'attaque « en quatre bonds », l'action violente, brutale et rapide qu'exigeait Nivelle risquait d'être, au départ, gravement compromise.

*

Il faut croire que les officiers avaient réussi à maintenir le moral de leurs troupes, puisqu'un témoignage d'un maréchal des logis du 12e hussards de Gray, en avant de la 15e division d'infanterie coloniale, observe avec confiance les lignes ennemies, précisément entre la sucrerie de Troyon et le poteau d'Ailles[1]. « Chacun est de bonne humeur. Le régiment doit enlever le plateau, descendre dans la vallée de l'Ailette [...] atteindre Martigny où la 38e division nous dépassera. Avant midi, nous aurons atteint nos objectifs. Le colonel Maroix a prescrit aux musiciens d'emporter leurs instruments : ils joueront *La Marseillaise* en arrivant à Martigny. »

D'autres lettres[2] témoignent du même optimisme. « La première journée de l'attaque, nous allons avancer de cinq à six kilomètres, la deuxième de douze kilomètres ; après, ce sera la poursuite des Boches éperdus. » Le jeune poilu cite les paroles de son capitaine. Il ne peut pas savoir qu'au cours des offensives précédentes, les troupes de choc n'ont jamais avancé de plus de quatre kilomètres.

La plupart de ses camarades se plaignent de la longue attente. « Nous avons eu huit morts dans la grange à cause du froid, dit l'un d'eux. Vivement la grande offensive que tout soit fini ! Y'en a marre ! » Ou encore « C'est honteux de faire souffrir les hommes comme ça. » Un soldat reste tout de même sceptique : « Les meilleurs corps de France sont là. Irons-nous le soir même de l'attaque souper chez les Boches ? Je l'espère, ou alors il faudra arrêter coûte que coûte ce fléau. »

Ce poilu semble donner raison à Nivelle, qui a promis au gouvernement et aux Anglais d'arrêter son offensive quarante-huit heures après, si elle n'avait pas abouti. L'accumulation des unités et des pièces d'artillerie remonte le moral à l'approche de la bataille. « Nous allons attaquer. Le régiment a confiance, dit un biffin, le plus ennuyeux, c'est la pluie qui tombe toujours, avec des bourrasques de neige qui s'annoncent, et le froid très vif dans les tranchées, qui glace les os des Sénégalais. »

Les hommes sont réveillés depuis 3 h 30, le lundi 16 avril. Aucune fusée, aucun signal. Les boyaux envahis d'eau n'ont pas

1. Cité par René Courtois, *Le Chemin des Dames*, Guides Historia, Tallandier, 1992, p. 49.

2. Citées par R. G. Nobécourt, *Les Fantassins du Chemin des Dames*, éd. Bertout, 76810 Luneray, 1983, p. 130.

permis de dormir. Les tirailleurs sont transis de froid. Les poilus croisent sur leurs poitrines les courroies de la musette à grenade et de la musette à vivres, portent en sautoir la couverture et la toile de tente, le masque à gaz, et rangent cent vingt cartouches dans leur cartouchière, une pelle sur le dos pour les trous individuels, et, naturellement, le Lebel. La gourde est pleine de pinard. Avant 6 heures, ils boivent le quart de gnôle et le café qui précèdent le bond dans l'inconnu. Les plus anxieux échangent les adresses des personnes à prévenir, si l'on ne revient pas. Les officiers dénombrent fiévreusement sur la carte les lignes de tranchées qu'ils devront enlever : elles s'appellent Kreutzer, Dresde ou Brahms.

La première vague est massacrée. Ceux du premier corps de l'armée Mazel devaient enlever les positions de Craonne, des plateaux de Vauclerc et de Californie, les plus fournis en abris défensifs. Les plus beaux régiments devaient y laisser leurs effectifs : le premier, de Cambrai, le plus ancien de France, relayait, à 10 h 30, d'autres unités déjà décimées. Les soldats étaient fauchés en un quart d'heure par des nids de mitrailleuses non détruits. Les survivants de Verdun et de la Somme étaient venus mourir à Craonne.

Un caporal de Boulogne-sur-Mer était plaqué dans un trou d'obus. Impossible d'en sortir, tant le feu des mitrailleuses était serré. « Un jeune de la classe 17, raconte-t-il, dont c'était la première attaque, gémissait, blessé [...] Je l'encourageais, lui tendais mon fusil pour le tirer jusqu'à moi. Dès qu'il fit un mouvement pour le saisir, des balles l'achevèrent [1]. » Ce poilu n'avait pas vingt ans.

Tout ce que peuvent réussir les soldats d'élite du premier régiment est de s'enterrer jusqu'au soir. En quelques heures, le corps d'armée a perdu 6 500 hommes. « Les régiments, explique le général Mutteau qui commandait l'unité [2], ont été pris presque aussitôt sous le feu d'innombrables mitrailleuses que des casemates bétonnées ou des cavernes naturelles avaient soustraites à l'action du bombardement [...] Dans la plaine à l'est de Craonne, un grand nombre d'entre elles se sont révélées en plein champ, sans que des photographies, prises dans ces derniers temps, aient pu en faire soupçonner la présence. » Elles étaient enfouies dans des puits pro-

1. Nobécourt, *op. cit.*, p. 149.
2. AFGG, t. V, 1er vol., Annexes, 2e vol., p. 956.

fonds, à l'abri des plus lourds calibres, et les équipages sortaient au dernier moment pour mettre leurs mitrailleuses légères en position de tir.

Les poilus du 201e de Cambrai attaquent au nord de Craonnelle. Ils doivent parcourir neuf cents mètres à découvert avant d'arriver au pied de la falaise rocheuse hérissée de défenses. Entreprise folle ! Dans le Ravin sans Nom « des violettes, et la neige tombe ». Le régiment franchit le ruisseau, et se terre sous une avalanche de balles. A 10 heures, l'attaque reprend, précédée d'un matraquage d'artillerie.

Un capitaine de 23 ans, Battet, à peine sorti de Saint-Cyr, enlève les siens sur la pente du Tourillon. A la grenade, les poilus progressent par bonds. Beaucoup sont blessés. Comment les enlever ? La moitié des brancardiers sont morts. Les blessés geignent dans la neige, à la tombée de la nuit. Le régiment a pu s'accrocher sur la crête, mais il est sans soutien, épuisé, à la merci d'une contre-attaque. On aperçoit sur le champ de bataille des monceaux de corps entassés, aux capotes bleu horizon.

Les plateaux de Vauclerc et de Californie sont imprenables. Les hommes s'y épuisent. L'artillerie française presque totalement aveugle tire sur ses propres troupes. « On massacre mon régiment ! » crie un colonel du 127e de Valenciennes. Les forteresses de Craonne ont résisté. La brigade russe s'est fait massacrer dans le massif de Brimont, avec la 41e division. L'attaque de la Ve armée a échoué. Vers l'est, elle comptait sur l'appui des chars du commandant Bossut pour percer dans la trouée de Reims. Les tanks réussiraient-ils, là où les hommes échouaient ?

*

Le commandant Bossut lance ses équipages à partir des bois de Beaumarais, dans la plaine au sud de Craonne : 128 chars lourds dont c'est la première action massive sur le front français. Les avions allemands maîtres du ciel signalent aussitôt leur lourde avance, à 5 km/h. L'artillerie se réveille et tonne. Les obus calorigènes mettent le feu aux réservoirs.

Les premiers Schneider ont trébuché devant la première tranchée, trop large pour être franchie : ces 48 mastodontes restés en panne sont une cible de choix pour les pièces lourdes qui les accablent. Les chasseurs d'élite se précipitent sous le feu, chargés de fascines, pour faciliter le passage des autres. Les chars sont pris à partie tout le long de leur avance, titubant vers les positions allemandes. Ils brûlent et sautent sous les obus lourds, mais progressent cependant, vaille que vaille, vers la troisième ligne. Les fantassins, hachés par les tirs de mitrailleuses, ne peuvent les suivre.

Le commandant Bossut trouve la mort dans l'incendie de son char. Les cinquante autres poursuivent leur avance, mais sont bientôt anéantis par les obus. « Beaucoup de chars, en dehors de ceux qui ont brûlé, sont en panne à la deuxième position allemande », explique le capitaine Chanoine. Des 128 chars engagés, 47 seulement peuvent rentrer indemnes. Ludendorff en conclut aussitôt qu'il est inutile de mettre en fabrication des engins aussi inefficaces, dont l'artillerie a eu facilement raison, à Reims comme à Cambrai. Le général Estienne, au contraire, pousse la mise au point des chars légers, plus mobiles. La leçon du Chemin des Dames n'a pas été perdue : les Schneider et les Saint-Chamond sont condamnés.

Mais la route de Laon n'est pas ouverte. Les troupes sont toujours à l'assaut du Chemin des Dames . à la VIe armée Mangin, Marchand, le héros de Fachoda, lance les braves de sa 10e division coloniale. On compte sur eux pour une attaque miraculeuse, décisive. Le 33e régiment d'Arras doit soutenir, avec les fantassins de Montélimar et de Perpignan l'assaut conduit en première ligne par trois bataillons de Sénégalais, sur le goulot d'Heurtebise. On a même prévu les lance-flammes des compagnies Shit pour attaquer les creutes.

Les Noirs partent à l'attaque, des gelures aux mains, avec des Lebel du modèle 1907 et seulement deux fusils-mitrailleurs. Ni grenades, ni fusées de signalement. Ils font irruption dans la tranchée de Spandau et sautent dans un tunnel où cent cinquante soldats de la Garde allemande sont tués. « Avec quelques Sénégalais, écrit un poilu, nous avons surpris quelques Boches au fond de leur abri. Ils faisaient chauffer leur jus. Les Sénégalais leur ont fait coupe-coupe et nous avons bu le café. » Ce massacre est raconté avec complaisance par le témoin.

Les troupes avancent difficilement sur le terrain gluant, dans les rafales de mitrailleuses. Elles ne peuvent soutenir le rythme de cent mètres en trois minutes imposé par le commandement. De la sorte, le barrage d'artillerie progresse trop vite. Les Allemands ont le temps de sortir de leurs trous et de mettre en batterie leurs mitrailleuses qui prennent de plein fouet les vagues d'assaut. L'avance s'éparpille, les groupes de fantassins se protègent comme ils peuvent, profitant du moindre repli de terrain. Ils sont débordés par la seconde vague qui les dépasse et qu'ils suivent en désordre. Les unités sont ainsi mélangées, sans commandement efficace. Dans les bataillons sénégalais, les officiers ont été tués les premiers.

Des mitrailleuses installées sur des éperons accablent les assaillants, les forcent à refluer. A midi, les coloniaux n'ont toujours pas approché de leur objectif et les pertes sont lourdes. Du Trou d'Enfer, de la caverne du Dragon sortaient des hommes armés de mitrailleuses portables. Cette creute était mal connue des Français. Ils ignoraient sans doute qu'elle permettait de traverser de part en part, par souterrain, le goulot d'Heurtebise, de sorte que les mitrailleuses tiraient dans le dos des Français qui croyaient l'avoir neutralisée. Des renforts allemands surgissaient par petits paquets, puissamment armés, sans qu'on puisse les empêcher de déboucher.

Le colonel Querette était blessé et prisonnier. Ses Sénégalais, perdus, tremblant de froid et de peur, étaient abattus par les rafales de mitrailleuses. Selon le lieutenant du Montcel[1], ils étaient montés en ligne « transis et malheureux » et semblaient « dépaysés et tristes ». On avait dû les relever, mais ils s'étaient enfuis avant l'arrivée des fantassins du 144e de Bordeaux qui avaient découvert dans les tranchées les corps entassés pêle-mêle des Allemands et des Sénégalais.

Des soldats du régiment de la reine Augusta étaient alors sortis de leur abri. « Ils me firent comprendre, dit un sergent, qu'ils avaient attendu que les Blancs aient remplacé les Noirs » pour se rendre. Levés dans leur pays par des procédés de recrutement brutaux, ces Africains hâtivement instruits, incomplètement équipés et armés, étaient venus mourir dans la boue de l'Aisne, sous des rafales de pluie, au point le plus dur de la défense allemande, sans soutien d'artillerie ni des mitrailleuses.

A 15 heures, le général Blondlat, commandant de la 15e division

1. J. Thézenas du Montcel, *L'Heure H, étapes d'infanterie, 14-18*, éd. Valmont, 1960.

coloniale, fait savoir que les pertes sont immenses et « qu'il ne peut être demandé aux hommes d'entamer un nouvel effort offensif ». Pour ceux du 20e corps qui attaquent la sucrerie de Cerny, pas de répit. La position est impossible à enlever. Ses réseaux de fils de fer barbelés et ses abris bétonnés sont presque intacts. Les fantassins de la vague d'assaut s'y cassent les dents. Ils doivent la contourner pour s'emparer de trois positions successives de tranchées allemandes, au prix de terribles pertes.

Les compagnies doivent arrêter, dans l'après-midi, des contre-attaques nombreuses menées par petits groupes, à la grenade. La 127e division du corps de Mitry, sur un terrain semé d'embûches, de barres de mines enfouies dont seule la tête dépasse, de pièges à loups, de fosses cachées, est décimée par les mitrailleuses sous abris dès les premières lignes. Non seulement l'attaque est brisée net, mais les poilus de Belfort doivent faire face à de furieux assauts à la grenade en se retranchant sur des positions intenables. Les fantassins du 132e de Reims n'ont plus d'officiers. Ils comptent leurs morts.

Ainsi le 20e corps n'avait pas mieux réussi que les coloniaux. Les Marocains de Pellé avaient été fauchés au-delà du Chemin des Dames, qu'ils avaient pourtant franchi de vive force. La sucrerie de Cerny restait intacte. A l'ouest du front, la 2e division coloniale n'avait pu maintenir son avance vers le moulin de Laffaux. La ferme Moisy et le mont des Singes, emportés par le 7e régiment de marsouins, avaient été repris.

« L'ennemi est doté de plus de mitrailleuses qu'il ne l'a jamais été », rapporte l'officier de liaison Tournès à Nivelle. La journée du 16 avril, malgré la prise héroïque de quelques positions, est un échec sanglant. Faut-il poursuivre ? Oui, répond Nivelle, qui s'est accordé quarante-huit heures pour vaincre.

*

Pour la journée du 17 avril, il compte sur l'armée Anthoine, à l'est du dispositif, pour couvrir la percée de l'armée Mazel au centre, Mangin étant réduit vers l'ouest à la défensive. L'échec des coloniaux, en particulier des Sénégalais, a marqué la VIe armée qui bataille désormais dans les trous d'obus pour conserver les points acquis sur la ligne des crêtes.

L'armée de Mangin est impuissante et se consume pour de maigres avancées. « Nous en sommes aux combats de boyaux, écrit l'officier de liaison Nicolas, ces convulsions ne peuvent conduire à rien de décisif. » Les Marocains de la 39e division, les zouaves du 1er régiment doivent se faire tuer sur place dans la tranchée de la Déva, prise et reprise sans cesse dans de furieux corps à corps. Les Basques et les Béarnais des 18e et 34e régiments qui ont perdu beaucoup des leurs en donnant l'assaut au village de Craonne se font ensuite massacrer par le tir de barrage.

Jamais la brutalisation des combats n'a été plus intense qu'à Craonne ou sur le plateau de Vauclerc, où combattent les unités de l'armée Mazel. Un caporal du 57e de Livourne raconte la mêlée dans la Grande Tranchée, qui barrait le plateau des Casemates, entre celui de Californie et celui de Vauclerc [1]. « La tranchée s'emplit de cris de rage, des baïonnettes luisent, les dents grincent, les yeux s'injectent de sang. » Un sergent « écarte tout le monde et bégaye de fureur : ils ont tué mon frère ». Il lance une grenade dans une sape d'où sortent des cris déchirants. Faut-il épargner les survivants ? On est trop pressé pour prendre des risques. « Pas de ça, dit le sergent, des grenades incendiaires, il faut les brûler vivants ! »

Les Allemands sortent, criant *« Kamerad ! »*. La caverne a deux entrées. Le caporal se précipite à la seconde et dit : « Sortez sans armes, vous êtes prisonniers. » « Les poilus, comme des forcenés, empoignent [le premier Allemand sorti de la sape] le tirent à eux, se le renvoient le long de la tranchée à coups de pied, à coups de crosse, à coups de poing. » Ce sont des soldats du 1er régiment de la Garde prussienne. Ils ont tué à la mitrailleuse et à la grenade des centaines d'assaillants, rendus furieux par la brutalité de l'assaut.

Mazel progresse sur la route de Juvincourt, où ses poilus s'emparent au prix de lourdes pertes des villages de la Musette et de la Ville-aux-Bois. Partout ailleurs, il est bloqué. Trois bataillons de chasseurs se font massacrer au bord de la tranchée de Lutzow. Sous les rafales de pluie, de neige et de grêle qui interdisent toute reconnaissance aérienne, non soutenus par les batteries aveuglées, les fantassins partent et repartent de part et d'autre, avec un acharnement comparable à celui de Verdun. A l'armée Anthoine, la divi-

1. Cité par Nobécourt, *op. cit.*, p. 200.

sion marocaine avance Légion étrangère en tête. Les zouaves prennent d'assaut le mont Sans Nom, les légionnaires ne font pas de quartier dans le corps à corps de la tranchée du Croissant.

Tous les généraux réduisent leurs objectifs. Quand Pétain est informé de l'échec de la percée, il demande des renforts d'artillerie pour défendre les quelques positions acquises, et conquérir le mont Cornillet, dont les observatoires commandent la bataille. Pourtant Nivelle s'obstine. Il télégraphie à Pétain au soir du 17 de « poursuivre l'offensive ».

On entre ainsi dans une guerre de position qui promet à l'armée la même usure qu'à Verdun, sans aucun espoir de décision. Le 18 avril, le général Mazel doit recommencer l'attaque du plateau et des hauteurs de Californie, où sont morts déjà tant de braves. Les poilus se font tuer à l'assaut de forteresses imprenables comme le mont Cornillet et le mont Spin : des fourmilières de défenses.

A Paris l'émotion est vive au Parlement. Le bouche à oreille se propage, avec les exagérations d'usage. Le gouvernement s'en inquiète : les amis de Painlevé attaquent au Parlement Briand, qui a nommé Nivelle. Seuls les Anglais soutiennent encore fortement le général : Haig a besoin d'une prolongation de l'offensive pour lancer sa propre attaque dans les Flandres, la seule qui lui importe, pour dégager les ports.

Des fantassins des régiments de Vannes, d'Alger et de Nantes montent en ligne le 18 pour soutenir l'armée Mangin. Est-ce le début d'une interminable noria qui va de nouveau sacrifier les divisions de l'armée française dans des assauts stériles ? Déjà le 171e de Belfort et le 294e de Bar-le-Duc sont en route pour assurer la relève, dès que les blessés et les morts seront trop nombreux pour tenir les lignes de crête.

Ceux de Fontainebleau, au 20e corps, ont disparu dans la tourmente. Le 133e des Jurassiens de Belley monte en ligne pour les remplacer. On fait descendre deux divisions de l'armée du Nord pour renforcer la Xe armée promise à l'attaque et le 233e régiment de réservistes d'Arras vient au secours des survivants du 33e, perdus dans les tranchées autour de Craonne.

Les poilus du 1er corps, des soldats d'élite, sont « privés de sommeil, immobilisés sous la pluie et dans la boue » sans rien à boire ni à manger. Les roulantes ne peuvent arriver jusqu'à eux, le ravitaillement ne suit pas. Ils manquent de munitions et sont « physiquement épuisés ». Il faut les remplacer d'urgence : la noria de Verdun se met en place sur les routes glacées ou boueuses de la vallée de l'Aisne et du Chemin des Dames.

*

L'artillerie a du mal à prêter main-forte aux attaquants, quand on lui demande de « s'avancer au plus près ». On attelle jusqu'à dix-huit chevaux pour faire gravir aux pièces lourdes les pentes boueuses du Chemin des Dames, que les *caterpillars* n'ont pu mordre. Mais les chevaux tombent par milliers. Ils sont déjà, pour la plupart, espagnols, canadiens ou américains. Un ancien cow-boy français mobilisé aux Etats-Unis est engagé à Saint-Nazaire pour dresser en quinze jours, par un procédé ingénieux, les mustangs sauvages que livrent les maquignons américains sans vergogne. Il restera dans cet emploi précieux pendant toute la guerre.

Pétain a poussé en avant les bataillons d'Afrique et les zouaves d'Algérie pour s'emparer de positions où il veut installer des observatoires entourés de retranchements solides, puisque le sort de la bataille dépend plus que jamais de l'efficacité du tir d'artillerie, qui seul peut éviter ou réduire le sacrifice de l'infanterie. Les Marocains de Degoutte et les légionnaires ont attaqué dans les rafales de neige une position forte, le Konstanzlager, conquis à l'arraché. L'état-major ne sait pas quelle est la situation des troupes en première ligne, dans le lacis des tranchées défoncées.

Pétain veut tracer des routes sur les quelques positions acquises, pour les conserver à toute force. C'est à ses yeux le seul profit véritable de l'offensive. Il n'a jamais cru à la percée du front. Il demande à cor et à cri au gouvernement des canons lourds et des manœuvres. Impossible d'exiger des soldats épuisés des travaux de terrassement.

Il faut plus que jamais faire appel à la main-d'œuvre étrangère rémunérée par contrat. Mais les Italiens déjà engagés sont des civils qui refusent à chaque instant le travail, parce qu'il met leur vie en danger, ce qui n'était pas prévu à leur départ. L'état-major envisage de recruter 80 000 Chinois et 35 000 Indochinois qui seront « constitués en unités encadrées et soumises à la discipline militaire ». Naturellement ces coolies ne pourront pas refuser d'être affectés aux travaux de première ligne, même s'ils ont été recrutés comme travailleurs civils.

Du 19 au 22 avril, les opérations se ralentissent. Les poilus se demandent si l'offensive est arrêtée. Le moral s'en trouve atteint. Les chirurgiens militaires eux-mêmes, qui opèrent vingt-quatre heures sur vingt-quatre (jusqu'à trente-deux opérations), éprouvent des baisses de tension.

Le Rouennais Albert Martin [1] va rejoindre l'arrière au moment où commence l'offensive du Chemin des Dames. A plus de cinquante ans, il doit céder sa place au front, où son ambulance reste présente, à Beaurieux, près de Craonne. « Il y a, explique-t-il, des moments de découragement, même des instants où, par lâcheté, par écœurement ou par excès de sensibilité, on voudrait fuir en enfer. »

Mais il faut tenir. Le chirurgien, avant son départ vers l'arrière, explique à un territorial servant dans son ambulance comme brancardier : « Si nous n'allions pas jusqu'au bout, son fils et le mien auraient des chances de revoir pareilles horreurs et d'en être plus que des témoins, mais encore des acteurs. C'est le raisonnement qu'on fait pour se donner du cœur et tenir. »

Le chirurgien s'en afflige. La guerre est pour lui « une plaie qui saigne très abondamment de temps en temps, à Verdun, dans la Somme », puis au Chemin des Dames. « L'écoulement diminue un peu, mais il ne s'arrête jamais. Et, finalement, c'est l'épuisement. »

En a-t-il opéré, des agriculteurs normands ou picards, leur enlevant jusqu'à trois membres pour leur sauver la vie ? Il n'a pas pu empêcher de mourir « un pauvre diable qui avait sept perforations intestinales », une rafale de mitrailleuse. Il a soigné de nombreux blessés de 75 français.

Il sait que les blessés, quand ils arrivent à son antenne, ont subi de dix à onze heures de transport sur des brancards, puis sur les planches rugueuses d'une voiture tirée par des chevaux depuis les lignes. Quand ils sont arrivés au centre de soins, s'ils survivent, il leur est interdit de recevoir des visites, et même d'écrire à leurs familles. Le chirurgien reçoit la lettre d'une mère au sujet de son fils qu'il a opéré. Il est mort depuis huit jours. Personne n'a prévenu les siens.

1. *Albert Martin, Souvenirs d'un chirurgien de la Grande Guerre*, Bertout imprimeur, Luneray, 1996.

On ne peut pas imaginer, dit le docteur Martin, « ce qu'est la salle d'opération d'une ambulance du front ». Dans des caves, des baraques de planches, sous des tentes, les chirurgiens sont submergés, comme à Verdun. Les intransportables restent sur place après l'opération, attendant le plus souvent la mort. Un quart environ des blessés graves passent de vie à trépas après quelques minutes, sans que leur état leur permette de subir une opération.

Un poilu, criblé d'éclats d'obus, présente des plaies souillées de terre et déchiquetées qu'il faut traiter l'une après l'autre. On soigne hâtivement les blessés au crâne, à la pince-gouge et non au trépan. Le casque protège les méninges dans de nombreux cas, mais souvent la cervelle est atteinte et les chances de survie sont faibles. La gangrène provoque une mortalité de 21 % pour les blessés des jambes ou des cuisses. Les hommes atteints d'hémorragie périssent le plus souvent sur le champ de bataille ou dans le transport, sauf s'ils reçoivent à temps le sérum artificiel, récemment utilisé en ligne, ou s'ils ont pu pratiquer une ligature avec la bretelle ou la ceinture. « Il est impossible de soigner des blessés de l'abdomen qui présentent des lésions viscérales[1]. »

On anesthésie hâtivement à l'éther, au chloroforme ou au chlorure d'éthyle. On opère à la lumière des lampes à acétylène. En 1917, les premières transfusions sanguines peuvent être réalisées au front, quand on en a le temps. Les médecins sont particulièrement démunis contre les affections dues aux gaz. Etre gravement blessé, en avril 1917, c'est être promis très souvent à la mort.

*

Les poilus le savent. Ils ont vu passer sur des civières leurs camarades mourants emportés par les brancardiers de la territoriale ou par les musiciens des régiments, tous affectés au service de santé. Les anciens ont été souvent renvoyés au front après la guérison de blessures légères, dans les délais les plus brefs. Le 20 avril, quand il est clair aux yeux de tous que l'offensive, une fois de plus, a échoué, les combattants n'ont qu'une idée : se refaire, changer de secteur, rentrer dans les tranchées après l'arrêt des combats.

1. *Albert Martin..., ibid.*, p. 215. Conférence faite à la réunion médico-chirurgicale de la Ve armée, juin 1916, par le Dr Martin.

Ils ne peuvent savoir que la tuerie va reprendre de plus belle. La poursuite de l'offensive est déjà programmée, non pas de l'initiative de Nivelle, mais cette fois imposée à lui par le pouvoir politique.

Les généraux, pourtant, hésitent. Les chefs de grandes unités de la Xe armée, encore intacte, ne veulent pas l'aventurer sans garantie de soutien, sans espoir réel de succès, et certains ont fait une démarche commune auprès de Poincaré pour empêcher l'hécatombe. Le ministre de la Guerre, Painlevé, est intervenu en personne pour limiter les moyens d'une attaque prévue sur le redoutable massif de Brimont dans la montagne de Reims, où les parlementaires prétendent, non sans raison, que la brigade russe a été exterminée. Le bruit courait que les soldats de cette unité avaient voté pour savoir s'ils prendraient ou non part à l'assaut. Ils s'y seraient résignés à une faible majorité. Des bolcheviks ? Pas encore.

Des deux régiments de la brigade, un seul flanche, celui de Moscou. Ces hommes sont des volontaires recrutés par le tsar dès la fin de 1915 pour répondre à une demande de Joffre. Leurs officiers parlent français. Les soldats savent lire et écrire. Ceux du régiment de Moscou ont été choisis pour leur haute taille, leurs cheveux châtains et leurs yeux gris. Au 2e régiment de Samara, les blonds aux yeux bleus des bords de la Volga sont moins sensibles à la propagande révolutionnaire. Ils sont partis le 2 février 1916 par le Transsibérien, puis par le Transmandchourien pour embarquer à Dairen, près de Port Arthur, et débarquer à Marseille, d'où ils ont été dirigés, en avril 1916, vers le camp de Mailly.

Ils ont reçu l'instruction française d'officiers russophones comme le lieutenant Fouque-de-la-Garde, élevé à Moscou, ou Sichel-Dulong, directeur d'une mine dans l'Oural avant la guerre. Ces Français connaissent bien les officiers russes, le prince Gagarine, chef de bataillon, les généraux Lokhvitsky et Gilinski. Le colonel Mikhael Netchvolodoff a du mal à dominer les soldats aux yeux gris de Moscou, qui trouvent insupportable la messe des popes au front, alors que leur pays se libère de la tyrannie tsariste.

Les Russes ont été engagés prudemment dans le secteur calme d'Auberive, puis en Champagne, dans l'armée Gouraud. Quand ils montent en ligne dans la montagne de Reims, ils n'ont jamais connu les offensives meurtrières. Ils se font tuer et blesser par milliers, comme leurs voisins français. Pourtant un rapport du 1er mai 1917 de la Section de Renseignements aux Armées explique « qu'au premier bataillon de la 3e brigade russe, en Champagne, une scène de désobéissance s'est déjà produite [1] ».

Les responsables politiques sont renseignés par des généraux hostiles au grand état-major. Nivelle, apprenant que Mazel l'a trahi, veut l'éliminer. Le ministre Painlevé le lui refuse, mais lui impose la démission de Mangin-le-fonceur, à qui l'on reproche le sacrifice des Noirs. Nivelle doit signifier lui-même son congé à son brillant second, à son camarade de Verdun.

Le pouvoir politique intervient désormais constamment dans les décisions militaires, contrariant toute initiative de Nivelle. Avec 98 000 blessés avoués, et un nombre de morts non révélé, Painlevé et ses amis estiment qu'il faut arrêter l'opération et changer de général en chef. Le bruit court déjà, le 29 avril, que Pétain serait nommé. Si Nivelle n'est pas immédiatement remplacé, c'est pour ménager les Britanniques.

Les 4 et 5 mai, Lloyd George est venu à Paris pour s'assurer que les Français poursuivraient leurs efforts : « Nous subirons certainement des pertes pénibles, dit-il, mais puisque nous sommes en guerre, nous ne pouvons pas ne pas faire de pertes. » Le Premier ministre anglais a décidé de soutenir le projet d'offensive du général Haig dans les Flandres. Il a grande hâte de libérer Anvers, de s'emparer des bases sous-marines de la côte belge et des hangars de zeppelins. Il fait pression sur Ribot pour obtenir la poursuite de l'offensive. Les Anglais ont attaqué et perdu beaucoup d'hommes pour aider Nivelle. Ils attendent qu'on leur rende la pareille. Painlevé l'admet. Il demande seulement qu'on le laisse mettre en place un nouveau dispositif « scientifique », pour une offensive « à l'économie ». Dans ces circonstances, le 15 mai 1917, Pétain devient officiellement général en chef.

*

Mais l'offensive Nivelle n'a pas été abandonnée pour autant. Au front, les soldats de la Xe armée, ignorant tout des manœuvres de

1. Voir Guy Pédroncini, *Les Mutineries de 1917*, Paris, PUF, 1974, p. 45.

coulisse, ne s'étonnent nullement même s'ils s'en indignent, d'être envoyés au casse-pipe. L'attaque est lancée sur tous les fronts, du moulin de Laffaux aux monts de Champagne, à partir du 4 mai, alors que se termine la conférence franco-britannique de Paris. « Je me trouve placé, disait Nivelle, en face d'une situation existante qu'il faut liquider au mieux. »

De nouveau les poilus partent à l'assaut des plateaux maudits autour de Craonne. A l'ouest de Cerny, le 102e bataillon de chasseurs d'Amiens fond en quelques heures et doit être retiré du front dès la tombée du jour. Les blessés affluent dans les antennes chirurgicales mobiles mises en place par Nivelle mais immédiatement débordées. Un bataillon du 79e de Neufchâteau avancé jusqu'à la crête du Chemin des Dames perd 450 hommes sur 700.

Personne ne mesure le renforcement des effectifs allemands, effectué de nuit, par des souterrains et boyaux invisibles. On ignore le nombre exact des batteries ennemies et l'emplacement des mitrailleuses qui sortent des cavernes au dernier moment. Le 48e de Guingamp et le 70e de Vitré perdent 700 hommes en quelques heures sur le mont Blond. « Ce piton, explique leur général, est truqué à fond. Il a une garnison toute spéciale, dont chaque élément est dressé à un rôle particulier. » Il l'a découvert seulement au moment de l'action, quand tant de bons soldats sont morts. Ce piton n'a nullement été réduit par les tirs pourtant massifs des obusiers géants de 400 et des batteries de 270, faute de repérage suffisant. L'armée Anthoine a, une fois de plus, échoué.

Le 5 mai, les troupes qui repartent à l'assaut du Chemin des Dames ne sont pas mieux renseignées sur le renforcement du dispositif ennemi. A la gauche du dispositif, les cuirassiers à pied de la division Brécart se couvrent de gloire du côté de Laffaux. Leurs officiers, capitaine de Chasteignier, lieutenant Wagner, sous-lieutenant de Carbuccia, sont tués dans l'affaire. Un aspirant de vingt ans, Parisse, tombe à son tour. C'est un maréchal des logis qui continue l'assaut. Au retour de Laffaux, les survivants défilent en présentant les armes à leurs camarades morts : un baroud d'honneur.

Près de 1 000 hommes étaient tombés en deux jours dans ce secteur pour gagner quinze cents mètres de terrain défoncé. Dans la nuit du 5 au 6 mai, les renforts ennemis avaient contre-attaqué sans relâche. « Nous nous sommes trouvés entre deux feux, disait un soldat du 65e de Nantes. Boches devant, Boches derrière. Nous n'avons plus d'officiers. A la compagnie, nous étions 180. On est à peine 40 à présent. » On comptait à certains endroits une mitrailleuse allemande tous les dix mètres : un mur de feu. Et l'attaque reprenait néanmoins le 6 mai, avec une inutile obstination. A 18 heures le général Maistre, qui remplaçait Mangin, ordonnait enfin l'arrêt de l'offensive sur le front de la VIe armée.

A la Xe de Duchesne, une division entière s'était fait massacrer autour de Craonne, les fantassins de Lille et de La Rochelle avaient exterminé les soldats de la Garde prussienne, mais ils avaient dû être remplacés le soir même, parce qu'ils ne pouvaient plus poursuivre le combat. L'attaque sur Chevreux avait échoué, mais la lutte se poursuivait dans ce secteur, acharnée, sans relâche, jusqu'au 9 mai à midi. L'offensive était un désastre. L'armée avait perdu près de 140 000 hommes, dont au moins 30 000 morts, selon les estimations les plus crédibles. 24 divisions étaient hors de combat, soit un quart environ de l'armée française.

Pétain hérite de cette situation catastrophique, au moment où l'armée russe, selon ses propres termes, « n'est plus qu'une façade ». Il sait qu'une affaire de refus de monter en ligne a été signalée dès le 16 avril, au début de l'offensive, dans le secteur de la ferme du Choléra. Au 151e régiment de Saint-Quentin engagé dans l'attaque de l'armée Mazel, les hommes ont tous bravé la mort pour enlever la position. Mais un caporal et cinq hommes en proie à l'épouvante ne sont pas sortis de l'abri. Ils ont été jugés et condamnés à mort le 9 juin, mais ils n'ont pas été exécutés, tant on redoute l'extension de la mutinerie [1].

Les jeunes de la classe 17 n'exprimaient aucune révolte contre la guerre et n'étaient pas suspects de pacifisme ou d'activités politiques. Ils estimaient qu'après une instruction bâclée il était inhumain de les plonger dans le creuset brûlant de la guerre, où ils étaient sûrs de disparaître.

Un autre cas semblable, plus grave, avait éprouvé la division Mordacq, dans la IVe armée d'Anthoine. Des soldats du 108e régiment de Bergerac, maintes fois recomplété pour ses lourdes pertes depuis le début de la guerre, avaient été transportés par camions et engagés dans des conditions très périlleuses, le 17 avril. L'unité

1. Guy Pédroncini, *op. cit.*, p. 102.

avait été laminée. Les survivants ne voulaient plus repartir. Dix-sept d'entre eux levaient la crosse en l'air. Ils entendaient ainsi protester contre l'inutilité d'une offensive meurtrière, une préparation bâclée, un soutien insuffisant de l'artillerie. La légèreté du commandement à l'égard des poilus leur semblait insupportable. L'armée française couvait déjà la mutinerie.

*

On leur avait tant promis la victoire « sûre, facile et rapide » ! On avait tant fait appel à leur « confiance », à leur « courage », à leur « esprit de sacrifice » ! Ils avaient répondu à l'appel, au-delà du possible. Chaque division avait été en moyenne engagée dix fois depuis le début de la guerre, et jusqu'à dix-sept fois. Le 19e bataillon de chasseurs d'Epernay, pour un effectif de 800, avait perdu 3 000 hommes depuis août 1914. Les renforts le reconstituaient constamment. Rares devenaient ceux qui pouvaient se flatter d'avoir combattu à Charleroi ou à la Marne sans recevoir une seule blessure. Les « bleuets » étaient eux-mêmes des morts en sursis.

Et cependant ils étaient montés en ligne, ils avaient franchi le parapet alors que l'offensive avait été plusieurs fois remise, au détriment de leurs nerfs. Ils avaient attendu sous la pluie et la neige l'heure d'en découdre pour tomber sur des positions intactes, sur des nids de mitrailleuses, sur le gruyère inaccessible du mont Spin et du Téton de Champagne. Une fois de plus, ils étaient floués. L'offensive n'avait aucune chance de réussir et tournait au massacre. Etait-il étonnant que la confiance disparaisse ?

Le pire était l'accalmie qui avait suivi la première hécatombe. Dix jours au plus pour les unités qui avaient été retirées pour avoir perdu un tiers au moins de leur effectif, selon la norme de l'état-major. « Nous étions descendus au repos après un mois de tranchée, et après avoir fait l'attaque du 16, explique un poilu dans une de ces milliers de lettres saisies par la censure. Ça fait dix jours seulement et nous remontons ! » Un autre avouait : « Ce qui me fait marcher, c'est la peur du conseil de guerre et l'honneur de ma famille. » Il était indigné de ce repos trop court, dérisoire, après le sacrifice consenti. « Il y a beaucoup de déserteurs, disait-il, ils ne veulent plus remonter aux tranchées. J'ai un cafard du diable et je n'ai plus de force. »

Ces hommes ne sont pourtant pas des déserteurs. Ils n'abandonnent pas leur unité, ils sont seulement révoltés contre le « cassepipe ». Le 29 avril 1917, quand le bruit court que l'offensive va reprendre, le 20e de Marmande, si brave au feu, perd le moral. 200 fantassins refusent d'obéir, se cachent dans les bois et dans les creutes. Ils ne veulent pas entendre parler d'un nouvel assaut sur la colline « truquée » du Téton. Trop des leurs y ont laissé la peau. Six sont condamnés à mort. Aucun n'est exécuté. Le régiment de Marmande a été plusieurs fois recomplété et ses briscards arborent la croix de guerre et la médaille militaire.

Même refus de monter en ligne à la veille de la reprise de l'offensive du 4 mai dans les troupes d'élite de l'infanterie coloniale. La division Sadorge, du 1er corps de Berdoulat, a perdu des milliers d'hommes autour du moulin de Laffaux. Les régiments de Bourgoin, Bernay et Lille ne sont pas prévus dans l'attaque du 4 mai. Ils se mutinent cependant, car ils savent qu'ils sont tenus en réserve et devront donner à leur tour.

Les 87e et 272e d'Amiens et de Saint-Quentin, dont les dépôts et centres de recrutement sont désormais situés à Quimper et à Morlaix, sont de bonnes troupes qui n'ont pas participé à la première offensive. Ils sont alertés pour l'assaut du 4 mai. Du 2 au 14 mai, les abandons de postes se multiplient dans ces régiments de choc, beaucoup parmi les jeunes de la classe 17. La division de fer de Nancy n'est pas épargnée : le 69e, régiment d'Essey-les-Nancy, le 2e bataillon d'élite des chasseurs de Lunéville comptent aussi des mutins, à partir du 2 mai.

Le refus de monter en ligne n'est pas un refus de la guerre et les « mutins » ne sont ni des déserteurs ni des pacifistes. Ils ont perdu, c'est un fait, la foi dans une percée victorieuse. Les hécatombes se sont succédé, toujours précédées des mêmes promesses : chaque « offensive » se prétendait la dernière. « Je ne crois plus que nous ayons la victoire par les armes après ce que je viens de voir », dit un poilu. La notion d'offensive est à proscrire des calculs de l'état-major. Celle du Chemin des Dames sera la dernière.

Elle n'a pas été plus meurtrière que celle de la Somme, mais plus ramassée dans le temps, et d'une autre nature. Les nouveaux soldats appelés « bleuets » de la classe 17 n'ont pas souffert, comme ceux de Verdun, d'un incessant et massif bombardement d'artillerie, mais d'une succession de corps à corps acharnés et de combats sanglants à la grenade, au lance-flammes, autour de points précis, toujours les mêmes, équipés en forteresses et soutenant des sièges. La ferme de la Royère et le village de Craonne, la sucrerie ou le mont des Singes ne sont pas de simples positions prises et reprises, comme Fleury sur le champ de bataille de Verdun, mais de véritables places d'armes, servies par des souterrains, avec des garnisons abritées des obus les plus lourds.

L'assaut donné à des systèmes défensifs est toujours meurtrier et les combats sont enchevêtrés au point qu'il est impossible d'évacuer les blessés et d'enterrer les morts. « Jamais je n'avais vu de choses aussi atroces », dit un « bleuet ». Le souvenir obsédant des survivants est la brutalité des corps à corps sans quartiers, de l'élimination physique de l'ennemi, par tous les moyens, et de part et d'autre. La sauvagerie des assauts est telle, dans l'odeur repoussante des cadavres d'hommes et de chevaux croupissant dans les ravins et les creutes, que le Chemin des Dames a donné de la guerre une image particulièrement insupportable, celle de la proximité de la mort, de sa présence incontournable. « Au petit jour, dans le boyau, explique un poilu dans une lettre, je croyais avoir la veine de ramasser une boule de pain. C'était la tête d'un boche qui émergeait du sol. »

Craonne, centre des affrontements incessants, a symbolisé le massacre dans une chanson célèbre[1] : elle exprime le refus du sacrifice inutile, de l'acharnement sanglant, monstrueux, sans limites, imposé, et qui n'est plus consenti. Le poilu se rebelle. « On abuse de notre volonté et de nos forces », dit l'un d'eux. Il faut admettre que le soldat existe comme personne, qu'il peut mettre cette guerre en question, que l'on doit compter avec lui.

*

1. Chanson écrite par les mutins du secteur. « Adieu la vie, adieu l'amour – Adieu, toutes les femmes ! – C'en est fini et pour toujours – Dans cette guerre infâme. – C'est à Craonne sur le plateau – qu'on va laisser la peau. – Car nous sommes tous condamnés. – C'est nous les sacrifiés ! »

Le récit de la bataille par les Allemands n'exprime pas moins de lassitude, même sous la plume du « lansquenet » Jünger. En secteur près de Douai, il ne combat pas les Français, mais les Anglais, dans une compagnie où « était tombé devant Reims, à l'automne de 1914, le poète de la Basse-Saxe, Hermann Löns, volontaire à près de cinquante ans ». L'armée compte-t-elle, parmi les jeunes recrues de dix-huit ans poussées vers le front, des patriotes de cette nature ?

Pour le feldwebel Renn, la baisse de l'aptitude des soldats au combat est dramatique. Sur les recrues qu'il vient d'accueillir pour contre-attaquer sur le front de l'Aisne, très peu savent se servir des mitrailleuses légères et il n'a pas d'instructeurs. Un tiers environ « paraît avoir décampé pendant la route. Le reste est inapte au combat ». Les jeunes gens « pâles et maigres se montrent très maladroits à l'exercice ». Les blessés guéris sortant de l'hôpital ne sont plus aptes à la marche et aux veilles prolongées dans les abris. A la tête de la compagnie, l'officier lui-même ne fait preuve d'aucun zèle. Les nouveaux venus regardent avec horreur des cadavres entassés dans le ravin où l'unité prend position. On décide de les sortir de la tranchée pour les éloigner. Personne ne songe à les enterrer. Ils sont trop.

Le commandement ignore le tracé exact des lignes devant la montagne Blanche, occupée par les Français. On désigne les lieux, entre chefs de compagnies, sous les noms inconnus sur les cartes de « cabanes des morts » ou « ravin des morts ». Si un officier d'état-major parcourait ce secteur, il ne pourrait s'y reconnaître. La rupture avec l'arrière est consommée.

« Etait-ce comme ça en 1914 ? demande un jeune.

— Certainement non ! Alors il n'y avait pas encore d'hostilité entre le front et l'arrière. Ceux de l'arrière n'ont pas compris la troupe et la troupe a cru savoir tout mieux et n'a plus voulu obéir, parce que c'est à elle qu'on demande les sacrifices. »

Les Allemands aussi sont las des massacres, même s'ils appartiennent au corps d'élite de la Garde prussienne. Les bruits de négociation de paix commencent à circuler dans leurs rangs. Les unités changent d'affectation, on remplace fréquemment les troupes en secteur pour éviter la démoralisation. Le régiment de Renn est « réduit à sa plus simple expression ». Quelque part sur le front, tout un bataillon a été cerné et fait prisonnier. « On va dissoudre un régiment de réserve pour compléter les effectifs de notre régiment. »

Les services de renseignements alliés ont des informations sur l'état d'esprit de l'armée allemande après la bataille de l'Aisne. Les désertions ont été nombreuses, en particulier chez les Polonais de la 11e division de Breslau. Ils se sont rendus par centaines. Les Wurtembourgeois ne sont pas plus sûrs. Ils se sont mutinés dans le Nord, devant Poelcapelle. On les a transportés d'urgence et par force sur le front italien, après l'élimination des meneurs. Les soldats de l'ancien duché danois du Schleswig annexé par Bismarck et ceux du Hanovre comptent cent déserteurs pour une brigade. Les cas d'abandon de première ligne sont nombreux chez les Saxons. Un régiment a lâché pied dans les Flandres. Un autre se débande, sous-officiers en tête, avant une attaque. Une division poméranienne se mutinera pendant l'été de 1917 devant Verdun.

A cette date, les marins de Wilhelmshaven sont entrés en rébellion contre leurs officiers. Les équipages du *Luitpold* et du *Friedrich der Grosse* ont donné « des signes d'insubordination dégénérant en mutinerie », selon l'amiral Scheer. Ils ont été influencés par le discours contre la guerre prononcé au Reichstag par Erzberger. Cinq mutins sont condamnés à mort et exécutés. Ils mettaient en question la poursuite de la guerre.

L'échec de la guerre sous-marine était alors manifeste. Pouvait-on encore espérer l'emporter par les armes ? Le catholique Erzberger avait demandé à ses collègues de se rallier à la formule : « Nous sommes prêts à faire la paix sur la base de 1914. »

Les morts du Chemin des Dames n'étaient pas pour rien dans cette évolution des esprits, au front comme à l'arrière. Les tués, blessés ou disparus dans l'armée allemande étaient de 163 000 et 39 000 prisonniers. Hindenburg avait dû organiser vers le front très menacé entre Berry-au-Bac et Craonne une noria des divisions, faire appel aux réserves.

Ludendorff, aux prises avec ses propres problèmes de discipline, relativement restreints et facilement résolus, ne pouvait pas croire les récits des prisonniers évadés qui racontaient les mutineries. Dans les lignes, les artilleurs bombardaient constamment les tranchées allemandes et les poilus se défendaient vivement dans les assauts. « Il se produisit, écrit Ludendorff[1], des mutineries dont

1. Ludendorff, *Souvenirs de guerre*, Paris, Payot, 1920.

nous ne recevions que de faibles échos. C'est seulement plus tard que nous vîmes clair. »

Le quartier-maître général n'avait aucune envie de publier les rares informations venues du front français, de crainte d'une contagion dans les rangs *feldgrau*. La censure aux armées avait reçu une note du 7 juin du ministre de la Guerre Painlevé interdisant de donner le moindre détail sur les mutineries. Peu de renseignements filtraient dans la presse allemande. Et pourtant le *Landauer Anzeiger* affirmait le 30 juin 1917 : « Les 36ᵉ, 129ᵉ et 74ᵉ régiments d'infanterie auraient refusé d'aller aux tranchées. Des cris séditieux ont été poussés à Soissons. »

L'information était parfaitement exacte : trois régiments de la 5ᵉ division du général de Roig-Bourdeville, ceux de Caen, Le Havre et Rouen étaient entrés en rébellion dans la région de Soissons les 30 et 31 mai. Les soldats avaient crié « à bas la guerre ! ». Le journal allemand publiait un peu tard un renseignement dont il ne précisait pas la source. Le commandement et l'opinion allemande avaient ignoré l'ampleur du mouvement.

*

Depuis la fin de l'offensive, les abandons de poste se multiplient dans les unités qui ont participé à l'assaut, mais aussi dans celles qui doivent monter en secteur pour les relever. Il semble que les mutins ne redoutent plus la justice militaire. Tout leur paraît préférable au casse-pipe. Le mouvement est spontané, irraisonné, fondé sur une protestation qui gagne, de proche en proche, de secteur en secteur, les lignes tout entières, contre la guerre telle que la pratiquent les généraux.

Pourtant la justice a frappé durement depuis le début des hostilités. Le 10 août 1914 une simple circulaire du ministère autorisait la traduction immédiate des mutins ou des déserteurs devant un conseil de guerre « si la répression immédiate est nécessaire et s'il n'existe aucun doute sur la culpabilité ».

Le 11 octobre 1914, le général Joffre précisait encore, pour éviter la généralisation des recours en grâce toujours possibles : « L'exécution sans délai est la règle » pour les conseils de guerre spéciaux, à composition restreinte et à procédure simplifiée institués le 9 septembre. Ces conseils s'appelaient aussi cours martiales.

Ils pouvaient être désignés à hauteur d'un simple bataillon et jugeaient en flagrant délit, sans recours ni pourvoi.

Cette procédure ultra-sévère répondait alors à l'inquiétude de Joffre sur le grand nombre des désertions en septembre 1914. Si sévère, et couvrant sans doute tant d'abus, qu'une circulaire du 15 janvier imposait, au besoin par télégramme en cas d'urgence, l'examen du dossier par le président de la République. Il est dit alors que le conseil de guerre normal de division doit rester le « juge ordinaire ».

Depuis lors, la législation s'était assouplie, offrant des garanties aux soldats. Ils seraient défendus par un avocat. Les conseils de guerre spéciaux seraient supprimés en mai 1916. Enfin les généraux pourraient surseoir aux exécutions. Le 3 octobre 1916 la loi Meunier rétablissait le recours en grâce et décidait qu'il suspendait *ipso facto* l'exécution. Ainsi les mutins de 1917 étaient-ils relativement protégés par un appareil judiciaire, du moins dans les textes.

Car le commandement ne manque pas de regretter la mansuétude que lui ont imposée les politiques. Il ne réprouve pas toujours les exécutions sans jugement (comme celle d'un chasseur déserteur arrêté en civil dans les rues d'Arras) ou les fusillés par erreur tels les quatre poilus du 63e régiment de Limoges.

Il estime de son devoir de réprimer durement les désertions de l'intérieur (15 000 au moins par an) qui concernent les permissionnaires ou les appelés qui abandonnent le convoi partant du dépôt, ainsi que les mutilations volontaires. Il pense que l'appel aux armées des récupérés de 1916 et surtout l'affectation dans les régiments de bagnards, de disciplinaires et de condamnés de droit commun fait plus pour la baisse du moral que les lenteurs de la justice militaire et les garanties accordées au poilu.

Nivelle, commandant de l'armée de Verdun en 1916, pense alors que les chefs d'unité ont une responsabilité dans la baisse du moral : tel ce général Weywada qui a monté avec sa 7e division cinq attaques successives catastrophiques. Que dire du général Réveilhac, de la 60e division, commandant à ses poilus bretons en secteur près de Souain « d'aller couper des fils de fer barbelés en plein jour » et de faire fusiller pour refus d'obéissance quatre caporaux ?

Le fléchissement du moral ne tient-il pas aussi au « problème des cadres » ? Ne vaut-il pas mieux sanctionner les lâches en les obligeant, dit Nivelle, « à des travaux pénibles et rebutants dans les sections de discipline » que d'attendre leur jugement ? Fayolle évoque la dureté de Pétain devant la découverte d'un groupe de quarante soldats mutilés à la main dans la même unité. « Il donne l'ordre de les lier et de les jeter de l'autre côté du parapet aux tranchées les plus rapprochées de l'ennemi. Ils y passeront la nuit. Il n'a pas dit si on les laisserait mourir de faim[1]. »

L'attitude la plus courante de l'état-major est d'attribuer la baisse du moral à la presse pacifiste que les permissionnaires peuvent lire. Sa Section de Renseignements aux Armées accuse constamment le ministre de l'Intérieur Malvy de laisser se tramer un complot visant à la démoralisation du front et des arrières, dans l'espoir d'obtenir une paix blanche. Les rapports invoquent le lien entre les grèves d'avril et de mai dans les usines d'armement, le développement de la presse pacifiste et la multiplication des distributions de tracts aux armées. Il se trouve que les mutins n'appartiennent pas, le plus souvent, aux régiments dénoncés avec vigueur par les censeurs militaires comme les plus « gangrenés » par le pacifisme, comme par exemple le 45e de Laon, dont le dépôt avait été transféré à Lorient, ou le 319e de Lisieux.

Quelques unités, le 129e du Havre par exemple, pourraient conforter la thèse du renseignement militaire. Il reste que les mutineries seront souvent dénoncées dans les états-majors comme le résultat d'une propagande organisée, même si Nivelle affirme en mars 1917 que la crise du moral est de la responsabilité entière du commandement. C'est à l'évidence un moyen d'éluder cette responsabilité que d'accuser la presse pacifiste et le pouvoir civil.

*

Sur le terrain, les mutineries commencent sérieusement dès le 16 et le 17 avril, elles sont à leur maximum en mai et juin, puis disparaissent très progressivement jusqu'en janvier 1918, après une longue période de convalescence et de brusques sursauts isolés.

Elles concernent les unités engagées dans la bataille du Chemin des Dames ou celles qui sont menacées d'intervenir dans de nou-

1. Maréchal Fayolle, *Cahiers secrets de la Grande Guerre*, Paris, Plon, 1964, p. 79.

velles attaques au front. Ainsi, selon Guy Pédroncini, on n'enregistre plus de refus de monter en ligne dans les secteurs autour de Reims à partir du moment où le général Anthoine décide le 25 mai d'interrompre toute action offensive. Elles se concentrent dans la région de Soissons du 1er au 6 juin, autour de Fismes, parce que les généraux des VIe et Xe armées n'ont pas renoncé à livrer une bataille de l'Ailette. Quatre divisions mettent alors la crosse en l'air. Onze sur dix-sept sont touchées par le mouvement.

Cette révolte oblige le commandement à annuler l'offensive. « Il faut laisser le temps aux hommes qui ont eu la tête montée de se reprendre », écrit le général Maistre à Franchet d'Esperey. Les autres incidents sont liés aux mouvements des unités au repos dirigées vers le front et qui sont bien décidées à ne plus en découdre.

Ainsi la zone géographique la plus touchée s'étend de Soissons à Auberive et concerne 121 régiments d'infanterie, 23 bataillons de chasseurs, 7 d'infanterie coloniale, autant d'artillerie, un régiment de territoriaux et un bataillon de Somali, dont le commandement abusait, car ses soldats avaient la réputation de voir la nuit comme en plein jour, et d'être des courriers rapides.

68 divisions devenaient indisponibles, les deux tiers des grandes unités de l'armée française étaient neutralisées, même si les cas graves ne portaient que sur 3 427 affaires collectives et individuelles réellement jugées, donnant suite à 554 condamnations à mort, 1 381 à des peines graves et 1 492 à des sanctions moins lourdes.

Les soldats protestaient d'abord contre l'inconséquence des généraux qui les envoyaient constamment à l'assaut sans aucune chance de succès. Ceux du 32e régiment de Tours-Châtellerault étaient en ligne depuis le 2 mai. Leurs camarades du 3e bataillon mutinés étaient morts, souvent brûlés au lance-flammes, dans l'attaque du 10 mai dans le secteur du bois des Chevreux, à l'est du Chemin des Dames. Le 13, ils étaient relevés. Pourtant, on annonçait dans les secteurs voisins la fin de l'offensive. Etaient-ils les seuls à attaquer encore ? Ils remontaient en ligne, le 17 mai, au bois des Couleuvres, après quatre jours de repos seulement. Ils ne comprenaient pas pourquoi ils étaient de nouveau envoyés à la mort.

Le 18e de Pau avait perdu 800 des siens et presque tous ses officiers en quatre jours de combats incessants, sur le plateau de

Craonne. Cité à l'ordre de l'armée, doté de six cents citations, il s'estimait en mesure de porter jugement sur l'offensive. Il était obligé de remonter en ligne parce que les camarades du 162e régiment (Cambrai, dépôt à Aubusson) avaient refusé d'attaquer. Ce 18e régiment exemplaire, où combattait le caporal Vincent Moulia, blessé deux fois, deux fois cité pour sa conduite à Craonne, avait insulté les officiers dépêchés pour sa reprise en main, et menacé de prendre le train de Paris pour expliquer la guerre au gouvernement.

Trois soldats avaient été arrêtés, jugés, condamnés à mort et exécutés. Seul Moulia avait échappé en trompant la vigilance des gendarmes. Il avait gagné ses galons de caporal en chargeant lui-même sur ses épaules son capitaine blessé. Il avait reçu la croix de guerre pour avoir capturé à lui seul sept officiers allemands sur le champ de bataille de Craonne. Quatre membres du conseil de guerre avaient demandé pour lui le recours en grâce. Poincaré avait refusé : Vincent Moulia avait giflé un officier[1] !

Même qualité militaire pour ces poilus en révolte du 128e d'Amiens. Ils avaient attaqué avec vaillance le 4 mai. Après des pertes lourdes, ils étaient descendus au repos. Le 20 mai, ils avaient entendu dire qu'ils étaient destinés à une nouvelle opération, très meurtrière. Ils avaient alors refusé de grimper dans les camions.

D'apparence plus politique était la révolte des soldats des divisions d'Orléans, Saint-Dié et Chaumont qui criaient le 28 mai « à bas la guerre ! » et chantaient *L'Internationale* en arborant des drapeaux rouges. Le refus d'obéir aux officiers était-il le prélude à la constitution de soviets, comme on le craignait à l'état-major ? Rien de tel. Les soldats au repos dans la région de Soissons voulaient seulement affirmer leur détermination de ne pas remonter au feu.

*

La répression avait fait son œuvre et le calme était revenu devant le déploiement de force des gendarmes et des cavaliers. « Les poilus en ont marre, disait un soldat résigné du 109e, mais le Boche est toujours là et il ne faudrait pas le laisser passer. » La reprise en main des unités devenait possible, à condition de les éloigner de la zone des combats.

1. Voir Pierre Durand, *Vincent Moulia*. Préface d'Armand Lanoux.

Tout aussi politique pouvait paraître la rébellion de la 41e division du Jura. Les jeunes recrues et les « récupérés » de l'arrière diffusaient des mots d'ordre révolutionnaires contre la guerre. Mais l'unité, au repos dans le camp de Ville-en-Tardenois, accusait son général, Bulot, d'être « un buveur de sang » toujours prêt à les faire massacrer. Un commandant avait fait tirer à la mitrailleuses sur les 2 400 Bretons en colère du 42e d'infanterie. Bulot, qui n'avait pas commandé ce tir, était pris à partie. Pour la première fois un général avait été agressé, frappé, lapidé. On lui avait arraché sa fourragère et ses étoiles. La répression avait été immédiate : cinq condamnations à mort, dislocation de l'unité, répartie, compagnie par compagnie, dans des régiments de l'arrière.

Le 23e régiment de Bourg-en-Bresse, déjà décimé sur la Somme, avait reçu de Joffre la promesse d'un long repos. En fait l'unité avait été engagée en Argonne, puis au Chemin des Dames. Dès le 21 avril, le commandement demandait son retrait : elle avait perdu plus d'un tiers de ses effectifs. Elle avait dû attendre la relève jusqu'au 12 mai. On avait envoyé les poilus du Jura, considérés comme une troupe d'élite, à l'assaut de l'imprenable mont Spin. Ce régiment décoré de la fourragère estimait avoir droit, définitivement, au repos. Ses mutins étaient des héros.

Depuis la fin de mai 1917, les conseils de guerre avaient eu la main lourde, parce que la rébellion s'étendait. Le 28 mai, la 5e division recrutée en Normandie et réputée pour sa bravoure était touchée. Les hommes répétaient qu'ils ne voulaient plus monter en ligne, « alors qu'à Paris des tirailleurs indochinois avaient tiré avec des mitrailleuses sur leurs femmes ». Au 129e du Havre, trois « meneurs » étaient arrêtés, jugés sur-le-champ, exécutés. Le régiment était immédiatement embarqué dans une division de l'arrière et perdait son drapeau.

Les chasseurs du 60e bataillon de Brienne avaient refusé de monter en ligne le 31 mai, pour secourir les poilus de la Coloniale. Pour le code de justice militaire, c'était la peine la plus grave. Ils ne pouvaient que recevoir des sanctions lourdes. Pourtant depuis Verdun, ces combattants exemplaires n'avaient pas connu le repos. Ils considéraient que le commandement faisait toujours appel aux mêmes pour les coups durs.

Les sacrifices inutiles imposés par l'offensive d'avril étaient-ils le seul motif de la révolte ? La 170e division, mutinée dans la région de Soissons à partir du 31 mai, venait des secteurs calmes d'Alsace. Elle n'avait pas donné sur la ligne de l'Aisne. Mais les récits des troupes descendant du front avaient présenté le secteur de Laffaux, où devaient monter les poilus de Lyon et d'Epinal, comme un véritable enfer. Les soldats avaient refusé d'embarquer. Ils savaient que l'échec de l'attaque menée autour du moulin de Laffaux était dû à l'insuffisance du commandement qui lançait les troupes démunies à l'assaut d'une forteresse. Ils avaient pris la route de Villers-Cotterêts pour marcher vers Paris. Les dragons, les cuirassiers à cheval, troupes aussi sûres que la gendarmerie dont certains régiments étaient employés contre les grévistes de la Loire, les avaient arrêtés.

Ceux du 152e de Langres protestaient : parce qu'ils avaient une réputation de bravoure, on les envoyait au front pour remplacer une division défaillante, à Heurtebise, un des rendez-vous mortels du Chemin des Dames. Les mutins s'étaient retranchés dans une creute.

Le général Taufflieb, alors que tant de hauts cadres ne se montraient pas, était allé vers les révoltés pour négocier l'arrestation de cinq meneurs par compagnie. Le bataillon mutiné était rapidement encerclé par les cavaliers et les gendarmes.

Aucune résistance n'était possible. On fit sortir les hommes désignés qui, menottes aux mains, furent chargés sur des camions et dirigés sur la prison du quartier général. « Voilà comment un chef digne de ce nom, commentait Pétain, peut ramener une bande d'hommes égarés et terrorisés par quelques meneurs. »

Les prévenus bénéficièrent au conseil de guerre de circonstances atténuantes parce que le bataillon, en définitive, avait accepté de remonter en ligne, à l'indignation du général Taufflieb, qui jugeait les sentences trop douces. Les soldats avaient longuement discuté entre eux. « Je demande aussi la paix, disait l'un des poilus, mais cette paix-là... Après trois ans de guerre, faudra-t-il les faire entrer chez nous ? » Le patriotisme l'avait emporté.

Ils retrouvaient des camarades qui tenaient les secteurs, bien décidés à empêcher les Allemands de passer. « Moi je demande aussi la fin de la guerre, mais les Boches sont toujours chez nous », disait un fantassin dans la tranchée du 21e de Langres, où l'on parlait de « laisser tout en plan ». Il n'avait jamais été vraiment question d'abandonner les lignes. Les Allemands avaient toujours été tenus à distance. La prise en considération des revendications des poilus pouvait seule, en profondeur, après une longue période de récupération, mettre un terme à cette grève de la guerre.

Mais on avait frappé les officiers, insulté les « têtes galonnées », bousculé les gendarmes, bafoué l'autorité, menacé de prendre les gares d'assaut pour marcher sur Paris, organisé à l'arrière du front, dans les centres de repos, des défilés séditieux, avec banderoles et drapeaux rouges, comme dans les grèves générales d'avant la guerre. La répression se devait de rétablir le plus tôt possible la discipline militaire, avec l'aide des régiments coloniaux et des renforts de troupes solides.

*

Il appartenait à Pétain de la réduire au minimum : un rapport du 3e bureau dénombrait les causes de la mutinerie, mauvais effets de l'ivresse à l'arrière immédiat des lignes, erreurs de commandement, lâcheté des officiers, insuffisance du système des permissions, accablement dû aux échecs des offensives et aux trop grands efforts demandés, démoralisation par la presse. Pétain, partisan de la répression la plus énergique pendant les troubles, prenait du recul dès qu'ils avaient cessé, et se donnait pour but de rétablir le calme en profondeur.

D'abord, arrêter les offensives, décommander les actions prévues dans l'immédiat, se contenter de tenir les lignes. Les soldats veulent seulement changer la guerre, et non signer la paix à n'importe quel prix. Ils exigent qu'on fasse désormais leur guerre, celle des chefs de section, et non celle des généraux.

Surtout, qu'on les traite en citoyens, en hommes, qu'on change l'esprit de la guerre. Qu'on réforme le système scandaleux des permissions, qu'on affiche clairement, avec une justice rigoureuse, le « tour de perm » dans les lignes, qu'on assure un vrai repos à l'arrière immédiat, et qu'on cesse de loger les hommes sur la paille humide pour leur fournir des baraques chauffées, éclairées et des lits décents. Qu'on multiplie les roulantes pour mettre fin au supplice de la soupe froide, qu'on chasse les mercantis qui vendent le pinard à 50 % de plus que son prix. Qu'on organise les transports des permissionnaires pour qu'ils ne passent pas plusieurs jours dans les trains et les gares. Ils ont droit à ces égards. On le reconnaît un peu tard.

Les mutins prisonniers ne sont ni des agitateurs politiques (le seul instituteur socialiste et syndicaliste sera gracié), ils sont le plus souvent des hommes mariés mais aussi des jeunes, des cultivateurs mais aussi des commerçants, des artisans, quelques valets de chambre, garçons de café et même un gardien de la paix. Ils viennent de toutes les provinces de France, et pas seulement de Paris. Ils ont entre dix-neuf et quarante ans. On ne peut leur coller d'étiquette. Ils étaient des poilus exemplaires.

Les exécutions ont porté sur 43 hommes, pour 629 condamnés. Deux hommes manquaient à l'appel des pelotons : l'un s'était suicidé et l'autre, Moulia, s'était évadé.

Parmi les victimes, le caporal Dauphin, dont Poincaré n'a pas voulu signer la grâce, parce qu'il était caporal. Il était à la tête d'une bande de chasseurs à pied du 70e bataillon de Grenoble qui criait « vive la Russie ! »[1]. Le groupe de mutins avait hué, menacé et agressé deux officiers qui tâchaient de les calmer. Ils s'étaient répandus dans les rues de Beuvardes, au début de la nuit, en criant « à bas la guerre ! A bas Poincaré ! A bas Ribot ! ». Ils tiraient en l'air, « balayant la rue ».

Ils avaient cerné la « maison des officiers » en criant « à bas la guerre ! ». Des pierres avaient volé dans les vitres. Les gradés avaient dû s'enfuir, poursuivis par les chasseurs déchaînés. Ils avaient mis le feu à une baraque Adrian où une compagnie refusait de se laisser entraîner. A l'aube, les 150 mutins s'étaient calmés. Ils étaient, le 3 juin, « repentants » devant le général de Pouydraguin.

Quatre sur treize accusés avaient été condamnés à mort le 6 juin. Titulaire de trois citations, le caporal Dauphin était exécuté le 12 et enterré au cimetière de Cormicy près de Reims avec la mention « mort pour la France ».

Le prêtre-soldat qui l'assistait à ses derniers moments écrivait au curé de son village, le 24 juillet[2]. Etait-il coupable ? Ni plus ni moins que les autres, mais « il était le seul gradé parmi les hommes qui ont manqué gravement à la discipline et, au lieu de s'efforcer de

1. Guy Pédroncini, *op. cit.*, p. 156.

2. Nous devons cette lettre manuscrite, communiquée par Alain Orrière, à M. et Mme Célestin Dauphin.

les arrêter, il les a, paraît-il, excités ». La réserve de l'ecclésiastique s'explique par la confession de Dauphin : « Quand je lui ai demandé comment il avait pu se laisser aller à cela, il n'a pu me répondre que deux choses : j'avais bu, et puis on nous avait monté la tête. Je n'ai pas pu savoir qui était-ce *on.* »

Il espérait être gracié, comme tant d'autres. Dauphin n'avait rien d'un agitateur et son passé militaire parlait pour lui. Mais l'autorité militaire avait dû « faire des exemples », il avait menacé des officiers. « J'ai été avec lui, poursuit le prêtre, depuis son réveil jusqu'à ses derniers moments. Il a été extrêmement courageux et il a exhorté jusqu'au bout son camarade qui a été exécuté avec lui à l'être. Il comprenait bien que sa faute était grave et nécessitait un châtiment. Mais évidemment il n'avait pas conscience d'avoir mérité un châtiment aussi terrible. »

Il n'était coupable que d'une manifestation séditieuse à l'arrière, non d'un refus de monter en ligne, encore moins d'un abandon de poste. Il était mort victime des circonstances et de son grade de caporal qu'il avait gagné par sa bravoure. Mort pour l'exemple. Mort pour la France aussi, comme tous les autres poilus.

Comme tous ceux qui exigeaient, après tant de massacres, qu'on leur fasse enfin droit. Il n'a pensé, dans ses derniers moments, qu'à sa femme et à son enfant. « Il n'a cessé de tenir leur photographie devant ses yeux et souvent il l'a portée à ses lèvres. » Le prêtre a béni son corps. La famille n'a retrouvé sa tombe que longtemps après. Ainsi sont morts tant de héros de Craonne et d'Heurtebise, ils ont rejoint leurs camarades.

7.
LES MARTYRS DE LA VICTOIRE

La révolte des poilus a changé l'esprit de la guerre, et contraint l'état-major à poursuivre sur d'autres bases le réarmement moral déjà entrepris sous le consulat de Nivelle. Il est convenu qu'on attend désormais, selon la formule de Pétain, « les Américains et les chars » avant d'entreprendre toute action d'envergure. Est-ce le retour aux tranchées-abris, au calme des secteurs ?

La référence à l'Amérique implique un changement d'état d'esprit, dont Pétain lui-même est très vite conscient. La note en six points qu'il rédige au plus fort des mutineries est révélatrice. Il se préoccupe de fournir des thèmes aux « causeries d'officiers » destinées à reprendre les troupes en main. La révolution russe avait pour but, est-il indiqué, « de chasser un gouvernement qui se préparait à abandonner lâchement les alliés et à conclure une paix séparée avec l'Allemagne ». Déjà nos alliés se préparent à une grande offensive d'été (la dernière, celle du général Broussilov). Il ne faut donc pas que les Français désespèrent de la révolution de février.

Le plus important thème de la propagande officielle est celui de l'apport des Etats-Unis. Pétain promet que les premières unités débarqueront en France avant un mois. C'est, dit-il, « un appoint énorme et vraiment décisif ». Il peut permettre de gagner la guerre à coup sûr. Avec les Américains, les alliés signeront « une paix victorieuse » contre l'Allemagne qui a voulu la guerre, « ou plus exactement l'empereur Guillaume de Hohenzollern et ses hobereaux ». Pétain s'aligne déjà dans son discours sur les mots d'ordre venus d'outre-Atlantique : toute la propagande de guerre est conduite aux Etats-Unis contre Guillaume le naufrageur de civils innocents. Déjà se dégage le slogan maintes fois martelé d'une guerre internationale pour le Droit. Plus question de la flèche de Strasbourg ni de l'Alsace et de la Lorraine, comme dans les premières proclamations de Joffre. Le poilu est seulement, aux côtés des autres combattants alliés, celui qui a consenti le plus d'efforts pour mener à bien cette croisade des peuples libres.

Il est normal que les *doughboys* (ainsi appelle-t-on les fantassins américains) lui viennent en aide. Il n'est plus seul. Il sera massivement secouru. Le monde uni des peuples démocratiques de l'Atlantique se dresse contre les Empires archaïques et répressifs de l'Europe centrale, l'Allemand, l'Austro-Hongrois, l'Ottoman. Les Russes, menés par un gouvernement autocratique, se sont libérés, ce que les Allemands ne tolèrent pas. Ils ne rêvent que « d'étouffer en Russie les libertés naissantes ». Ils sont prêts au besoin à soutenir les bolcheviks, pour empêcher l'éclosion de la République russe. Le gouvernement de la nouvelle Russie, affirme la propagande des bureaux de Pétain, sait parfaitement que l'Allemagne ne songe qu'à dépouiller son pays, à se saisir de ses ressources par une occupation sans pitié d'immenses territoires. Il n'a d'autre ouverture que de poursuivre la guerre aux côtés des alliés, s'il veut éviter des désordres plus graves, et la domination de l'Allemagne.

Telles sont les bases idéologiques du nouveau discours des officiers : les poilus ne sont plus seuls en ligne avec les Britanniques, dont le secours est trop souvent présenté comme mesuré, prudent, égoïste. La guerre est devenue internationale par l'engagement de l'Amérique et de tous ses associés. Il y aura encore des sacrifices nécessaires, mais la victoire est en vue, elle est certaine. Les alliés n'ont-ils pas déjà gagné la guerre sous-marine, dont dépendait la capacité de résistance de l'Allemagne accablée par le blocus ?

Pas question de buts de guerre dans le discours du général en chef. Ces questions concernent les politiques et les diplomates. Elles divisent et embrouillent. Il n'est plus question que de bander les efforts pour le « dernier quart d'heure ». On a demandé trop aux poilus pour leur laisser entendre que l'on pourrait signer une paix de négociation, de compromis.

Pétain n'a pas menti : le mardi 26 juin 1917, quand les mutineries commencent seulement à se calmer sur le front, les premiers soldats américains débarquent, vers neuf heures et demie du matin, dans le port de Saint-Nazaire. « L'accueil de la population est très réservé : pas un cri, pas un bravo, pas un drapeau, pas un hourra ! Mais la seule et unique raison de ce manque d'empressement réside dans le fait que la nouvelle de l'arrivée des Américains avait été tenue secrète, et que la population ne s'en trouva prévenue qu'au dernier moment[1]. »

Le 1er juillet, le général Pershing, devenu chef d'état-major de l'armée quelques mois seulement après sa disgrâce survenue à la fin de l'année 1917, écrit à Joffre pour lui demander de défendre « la discipline et la valeur militaire de ses soldats ». Pas de femmes sur les quais, pas de débits de vin. On doit protéger à tout prix les *boys* de la vérole et de l'ivresse.

La guerre va changer d'esprit quand les poilus pourront comparer leur sort à celui des combattants d'outre-Atlantique. Non seulement ils touchent des soldes que les officiers français estiment trop élevées, mais tout est mis en œuvre pour qu'ils ne manquent de rien. Des baraquements spéciaux sont construits pour eux par une armée de forestiers et de menuisiers débarqués avec les premiers bulldozers, les scies mécaniques, les matériaux préfabriqués, afin de leur éviter la promiscuité des cantonnements de village. Les services sanitaires sont nombreux et fournis, les médicaments en grande quantité, ainsi que les anesthésiques. La nourriture elle-même vient d'Amérique, elle est tenue en réserve dans des usines frigorifiques construites en France. Le confort et la sécurité des combattants passent au premier plan : les « défenseurs virils du droit » ne doivent manquer de rien.

*

Quand ils seront deux millions sur le sol français, comment maintenir les poilus dans leur état de combattants maltraités, mal payés, mal soignés ?

Rien n'avait été négligé pour le confort du soldat américain. L'équipement individuel avait été entièrement renouvelé dès que la recrue avait quitté les camps d'entraînement des Etats du Sud. Il le serait régulièrement au front. L'état-major avait calculé qu'un seul homme devait pouvoir disposer de quatre manteaux, soit huit millions à l'échelle de l'armée. Les gants de laine, pull-overs et

1 Yves-Henri Nouailhat, *France-Etats-Unis, 1914-1917*, thèse d'Etat.

chaussettes étaient prévus dans les mêmes proportions. 131 millions de paires étaient mis en fabrication et 80 millions de chaussures. On planifiait la production de 25 millions de chemises de flanelle et 35 millions de gilets. Toute la laine disponible du pays, soit 246 millions de *pounds* annuels, était réservée à l'armée. On échantillonnait trente mille articles manufacturés nécessaires au combattant, du masque à gaz au savon à barbe.

Le Service of Supplies (SOS) comportait 386 000 soldats qui utilisaient le travail forcé de 31 000 prisonniers allemands et de travailleurs payés, recrutés par contrat, y compris des coolies chinois. Un tiers des soldats présents en France étaient des non-combattants, chargés de nourrir, d'équiper, de soigner et d'approvisionner les hommes du front.

De très nombreux ingénieurs avaient conçu le réseau de transports américains en France, l'agrandissement des ports, le doublement des voies ferrées, l'installation des gares, y compris des stations frigorifiques pour la conservation des aliments et la fourniture de viande et de bière fraîches, plus de cent cinquante établissements hospitaliers, une flotte d'ambulances, trente-trois mille camions, des entrepôts en grand nombre, des camps d'hébergement et d'installation en dur. L'armée devait pouvoir se suffire en tout.

Cet effort de construction coûterait deux fois le prix du canal de Panama. L'effort de logistique permettant d'établir deux millions de soldats en France était rigoureusement planifié et donnait l'exemple frappant d'une véritable organisation de guerre, respectueuse avant tout des besoins du citoyen et de la sécurité du combattant.

La revendication pour une guerre plus conforme aux exigences du citoyen, déjà affirmée avec force par les poilus lors des mutineries, se trouve renforcée par la présence d'abord discrète au front mais bientôt perceptible dans les ports et sur toutes les lignes tirées sur le territoire de la pénétration vers le nord-est d'une armée nombreuse et technicienne. La tenue, l'équipement, le bien-être du *doughboy* stupéfient l'arrière. Même si l'on répète dans les popotes que le combattant américain est inadapté et inexpérimenté, qu'il doit tout, pour ses fournitures d'avions et d'armes lourdes, à la France, qu'il reçoit son instruction des Français, il devient la référence incontournable du soldat-citoyen, entouré, non seulement d'égards, mais de sollicitude par le pouvoir politique et par les gradés.

L'inégalité de traitement des soldats de l'alliance avait été perçue de la même manière par les soldats italiens en 1915, à la montée en ligne des troupes britanniques et françaises, beaucoup mieux équipées, dans la péninsule. Sur le territoire français, les « pantalons rouges » n'avaient pu manquer de concevoir un certain dépit, quand ils avaient pu comparer leur équipement avec celui, impeccable, de l'armée de métier britannique, et surtout leurs soldes. Il est vrai que les différences s'étaient atténuées quand avaient débarqué les divisions « nationales » levées par Kitchener, beaucoup moins bien traitées que les unités de l'armée de métier.

La rivalité des poilus avec les Britanniques était d'une autre nature : ils les accusaient d'être venus trop tard, en trop petit nombre, et de tenir une partie du front trop réduite. Ce reproche était formulé par Pétain, dans une continuelle discussion, souvent aigre, avec Haig.

Pourtant les Anglais avaient sauvé l'armée française en multipliant les offensives sur leur front. En avril-mai, certes, les batailles de diversion avaient échoué en Artois, bien que les Canadiens se fussent emparés, au prix de pertes très lourdes, de la butte sanglante de Vimy. Les Australiens étaient morts par milliers sur la ligne Hindenburg. En juin, quand l'armée française était en proie aux mutineries, Plumer avait attaqué et remporté la victoire sur le saillant d'Ypres. L'offensive dans ce secteur avait continué en juillet, sur la ligne de trois armées britanniques bien dotées en artillerie.

La pluie et la boue avaient eu raison des combattants des Flandres, ainsi que la résistance acharnée des unités allemandes de Sixt von Arnim. Mais Haig l'obstiné avait multiplié les attaques jusqu'en novembre. Quand les Canadiens avaient réussi à s'emparer de la butte de Passchendaele, le maréchal britannique comptait ses pertes : 600 000 hommes, dont 36 000 officiers dont le nom figurerait en lettres d'or au monument du club militaire de Londres, après ceux de Waterloo, de Crimée et de la guerre des Boers.

Il ne disposait que de 750 000 recrues, quand il en fallait au moins 900 000. 35 000 hommes lui seraient envoyés immédiatement pour combler les vides, quand il en demandait 50 000. Il avait déjà réduit ses divisions, comme les Français et les Allemands, de douze à neuf bataillons. Il n'alignait sur le front français que cinquante-deux divisions d'infanterie et cinq de cavalerie : la moitié des effectifs de Pétain. Celui-ci avait exigé et obtenu que les Anglais allongent leur ligne sur le front jusqu'à Barisis, pour soulager l'armée française. Haig estimait que cette mesure imposée par Lloyd George mettait son armée en péril.

Il ne voulait pas plus que Pétain constituer une réserve interalliée comme l'avait décidé le Conseil suprême réuni à Versailles le 31 janvier. Le 22 février seulement, quand les Allemands devenaient menaçants, Pétain et Haig avaient consenti, par un accord âprement négocié, à rassembler chacun une réserve de six divisions disponibles pour porter immédiatement secours à l'autre en cas d'agression, et au premier appel.

Les rapports franco-britanniques étaient des plus ombrageux et les poilus, comme les *tommies*, ne pouvaient manquer de partager les réticences et les aigreurs des états-majors, même si elles étaient très atténuées, et inexistantes dans les unités qui avaient combattu au coude à coude avec les Britanniques : ceux de la Ire armée française, alors commandée par Anthoine, connaissaient les souffrances qu'ils avaient partagées dans la boue sanglante des Flandres avec les *tommies* des armées Plumer et Gough.

*

Au premier de l'an de 1918, les poilus étaient plus incertains que jamais sur le sort de la guerre : ensevelis sous la neige, glacés de froid, mal ravitaillés de pommes de terre à peine mûres dans certains secteurs de l'Est, ils dégelaient le pain et le vin, sans trop attendre de l'arrière, même si l'on parlait de plus en plus de pourparlers.

Depuis mai, on évoquait des ouvertures de paix de l'Autriche-Hongrie. Le nouvel empereur Charles passait pour être las de la guerre. Les soldats du front ne pouvaient pas savoir qu'il s'en ouvrait à son ministre des Affaires étrangères, le comte Czernin : « Une victoire éclatante de l'Allemagne, lui écrivait-il le 15 mai, serait notre ruine. » l'Autriche serait alors vassalisée, comme l'avait été la Bavière en 1871. « Une paix à l'amiable, sur la base du *statu quo*, serait la meilleure. »

Cette approche avait alors échoué. Les tentatives de Sixte et Xavier de Bourbon, officiers dans l'armée belge et frère de l'impératrice Zita, avait bien débouché sur une consultation des chancelleries, mais les Italiens avaient fait tout capoter en maintenant leurs ambitions sur les terres irrédentes de l'Adriatique. Les Français n'avaient pas insisté, devant le refus de l'Allemagne d'abandonner l'Alsace et la Lorraine. L'empereur Guillaume II, à l'entrevue de Hombourg le 3 avril, avait imposé la poursuite de la guerre à l'empereur Charles et le grand état-major allemand considérait ces ouvertures de paix comme indécentes.

Avait-il encore l'espoir de l'emporter ? L'offensive sous-marine avait échoué. Devant la suggestion d'Erzberger au Reichstag de voter une « résolution de paix » sur la base du *statu quo*, la fermeté de Hindenburg avait entraîné la démission de Bethmann-Hollweg et l'arrivée à la Chancellerie du faible Michaelis, un jouet entre les mains de l'état-major. Ludendorff pensait désormais qu'il avait les moyens d'abattre l'armée britannique épuisée et d'imposer la paix de victoire. Les Français n'étaient plus en mesure, pensait-il, de secourir efficacement leur allié. L'Allemagne n'avait donc nullement à renoncer à son ambition de devenir la seule grande puissance militaire et industrielle en Europe.

Dans ces conditions, la campagne diplomatique entreprise en août 1917 par le Vatican ne pouvait déboucher sur des pourparlers constructifs. Les catholiques d'Autriche-Hongrie, soutenus par le comte Czernin, ministre des Affaires étrangères de l'empereur-roi, et en Allemagne par Erzberger, avaient sollicité du pape Benoît XV une mission de paix. Le 1er août, le souverain pontife rendait publique une note générale sur la paix du droit et le désarmement, l'abandon d'une indemnité de guerre, la liberté des mers et le *statu quo* territorial : une ouverture destinée à séduire le président Wilson, dont dépendait l'avenir de la guerre.

Londres avait envoyé à Rome le diplomate de Salis, pour information sur la question belge. En Allemagne, où l'état-major venait d'imposer une politique de guerre brutale, un mouvement de redressement moral était engagé. L'amiral von Tirpitz se flattait de réunir un million d'adhérents dans le « Parti de la Patrie ». Stresemann et les nationaux-libéraux, parti soutenu par les milieux d'affaires de la Ruhr et de la Saxe, condamnaient en septembre, par cent voix contre huit, la « paix de démission » et estimaient que « l'avenir allemand ne devait pas reposer sur les traités mais sur la puissance et la force ».

Dans les offensives de 1915, les Allemands aussi ont quitté les tranchées pour s'abriter dans les trous des obus.

(© L'Illustration/SYGMA)

Dès 1915, les Allemands emploient la grenade dont l'usage va se généraliser dans les assauts : des grenades à manche.

(© AKG Paris)

Verdun 1916. Ce servant de batterie attendra longtemps sa sépulture.

Les hécatombes de 1915 en Champagne.
Les blessés attendent sur leurs civières, dans une cour de ferme, les ambulances qui les conduisent à l'hôpital militaire.

La « permission », tant attendue, après Verdun. Ce chasseur héroïque, le caporal Claude Goutaudier, rentre à Renaison, près de Roanne pour embrasser ses parents. Il est l'un des seuls à arborer la Légion d'honneur, réservée aux gradés, à côté de la croix de guerre avec palmes. *(© L'Illustration/SYGMA)*

À Stalingrad comme à Verdun,
les Allemands ont commis l'erreur de tout détruire :
leurs adversaires se sont accrochés aux ruines.
Et « ils » n'ont pas passé.

(© AKG Paris)

Les Sénégalais vont au massacre
sur le Chemin des Dames.
Ils participent à l'assaut des crêtes.

(© Tallandier)

Un ossuaire provisoire près de Verdun.
Hommes et chevaux mêlés.
(© Coll. J. Latoquin/Tallandier)

Autour de Douaumont :
les Allemands résistent dans la dernière attaque.
Les assaillants français de la division Passaga
sont cloués au sol par les tireurs embusqués.

(© E.C. Armées)

Les hommes montent en ligne dans l'enfer de Verdun.
Il n'est plus question des tranchées.
(© Tallandier)

En quelques secondes, cette colonne de renfort est décimée par l'artillerie allemande à longue portée. Les Poilus sont morts sans avoir vu l'ennemi.

(© Coll. René Dazy/Edimedia)

Page suivante :

Belgique 1918 : les Allemands se sont rendus par milliers.

(© Snark International/Edimedia)

21 ans ont passé
entre les deux grandes guerres
du siècle

1914-1918

une guerre de frontières et de tranchées
avec les Poilus

1939-1945

une guerre de libération
contre le nazisme et le fascisme,
avec le sacrifice de millions de civils

9 millions de morts en 1918
40 millions de morts en 1945

1914-1918. Attigny, un de ces bourgs français entièrement détruits par la guerre.

(© Pierre Miquel)

Hambourg 1944. C'est l'Allemagne qui connaît à son tour, trente ans plus tard, les horreurs et les ruines de la guerre.

(© AKG Paris)

Le 6 juin 1944, le « jour le plus long ». Les forces alliées débarquent en Normandie. Dernier chapitre d'une guerre de trente ans.

Le 29 août, les chefs de l'industrie lourde se disaient prêts « à combattre dix ans » pour garder la Belgique et Briey. Le vice-chancelier Helfferich, représentant de la haute banque, et le nouveau secrétaire d'Etat aux Affaires étrangères von Kühlmann poussaient le gouvernement à la rigueur. Même le parti catholique du Centre, réuni en congrès à Francfort, affirmait, avec le cardinal-archevêque de Cologne Hartmann, et le leader catholique bavarois Hertling, qu'il se refusait à placer l'Allemagne « sous le joug américain du dollar ».

Pourtant Michaelis avait obtenu de Guillaume II la réunion d'un conseil de la Couronne. Le 11 septembre 1917, l'empereur avait posé clairement la question de savoir si l'Allemagne, pour faire la paix avec l'Angleterre, pouvait renoncer à la Belgique. Hindenburg s'y était opposé, affirmant que la place de Liège était essentielle pour la sécurité de l'Allemagne. La sonde de la mission de Salis avait échoué. Elle démontrait l'impossibilité absolue de négocier une paix de conciliation avec l'ennemi.

Dès le début d'octobre, Lloyd George organisait la réponse commune des alliés. Dans les deux camps, les jusqu'au-boutistes l'avaient emporté. Ludendorff en avait conclu que l'Angleterre affaiblie ne supporterait pas un dernier coup de boutoir. Il lui revenait de réunir les moyens de la victoire et d'abord de rassembler toutes les divisions disponibles à l'Est pour les orienter vers l'Ouest et réaliser la percée, que les alliés n'avaient jamais pu obtenir.

Les échecs répétés de l'armée britannique de juin à novembre, l'impossibilité de Haig de compléter ou d'accroître ses effectifs le confortaient dans l'idée qu'il fallait attaquer en priorité les Anglais, le plus tôt possible, avant l'arrivée des Américains.

*

Quand les divisions de l'Est seraient-elles disponibles ? Pour les obtenir, l'état-major avait tout fait pour hâter l'agenouillement de la Russie et contribuer à la neutralisation de l'armée du tsar. Dès la nuit du 11 au 12 mars 1917, la mutinerie avait fait son œuvre dans les régiments d'élite Volhynski, Préobrajenski et Litovski, de la Garde impériale tsariste. Toute l'armée devait obéir à la Directive n° 1 du Comité exécutif provisoire qui avait supprimé les grades et aboli la discipline. Des comités de soldats élus prenaient la tête des régiments et fraternisaient avec les Allemands qui avaient reçu des ordres pour les accueillir.

Les alliés espéraient une reprise en main de cette armée démoralisée par le nouveau régime démocratique et continuaient d'expédier des cargaisons d'armements. Pourtant Pétain avait dû retirer la brigade russe du front et n'avait récupéré que les 1 700 combattants de la « légion russe » incorporés à la division marocaine. En Orient, Sarrail avait également retiré du front les unités russes pour donner le choix aux soldats : être rapatriés, rester au corps expéditionnaire, ou travailler dans les mines grecques. Un petit nombre avait accepté de rejoindre les rangs et de risquer de perdre leur identité nationale.

Depuis juillet, en effet, il n'y avait plus aucun espoir de restaurer l'armée russe. La dernière offensive menée par les généraux Broussilov et Kornilov venait d'échouer. Ludendorff autorisait alors le passage à travers l'Allemagne de deux cent cinquante bolcheviks venus de Suisse.

Une opération longuement mûrie par les services spéciaux allemands : à la Wilhelmstrasse[1], on avait suivi de près les progrès de la révolution de « février » à Saint-Pétersbourg. Chargé des affaires russes, le comte de Brockdorff-Rantzau[2] avait fait de Copenhague une antenne de la politique allemande en Russie. Depuis l'avance allemande de 1915 dans les pays de l'Est, le recrutement des agents était aisé. Le « diplomate privé » Keskula avait pris contact dès septembre 1915 avec Lénine réfugié en Suisse. Brockdorff-Rantzau avait constamment entretenu des rapports avec les émigrés. « Nous n'aurons la victoire, écrivait-il à Berlin, et sa conséquence qui sera la première place pour l'Allemagne dans le monde, qu'à condition

1. Nom d'une rue de Berlin proche de la Porte de Brandebourg qui a donné son nom au ministère des Affaires étrangères allemand.

2. Le comte Ulrich de Brockdorff-Rantzau était en 1912 ambassadeur à Copenhague, un des centres du renseignement allemand vers la Baltique et la Russie. Il serait chargé en 1918 de défendre le dossier allemand à la conférence de Versailles et refuserait d'accepter le traité. En 1922, ce spécialiste des affaires russes, et plus particulièrement des rapports avec les bolchevistes, serait nommé ambassadeur à Moscou, chargé de préparer le traité germano-soviétique de Berlin qui poursuivrait le rapprochement amorcé à Rapallo.

de porter à temps la révolution en Russie et de faire ainsi exploser la coalition de nos adversaires. » Par l'intermédiaire de Parvus Helphand, il faisait parvenir d'importants crédits aux bolchevistes « pour favoriser le mouvement révolutionnaire en Russie ».

L'objectif des tractations avec les bolcheviks était d'empêcher les gouvernements russes, celui du prince Lvov, puis celui de Kerenski, de poursuivre la guerre. Le 23 mars 1917, l'ambassadeur allemand à Berne signalait que Lénine demandait un droit de passage à travers l'Allemagne. Deux jours plus tard, Ludendorff donnait son accord, à condition que les bolchevistes fussent enfermés dans un wagon scellé, que leur voyage restât secret en Allemagne. Le Kaiser, non consulté, avait appris par les journaux que trente-deux bolchevistes — dont Lénine, son épouse Kroupskaïa, Zinoviev et Sokolnikov — avaient gagné Stockholm et franchi en traîneau la frontière de Finlande, après onze ans d'exil, le 15 avril 1917.

Le 27 mars, le soviet de Petrograd avait lancé un vibrant appel pour la paix immédiate. Lénine avait-il les moyens de l'imposer ? En mai, un nouveau transport de deux cent cinquante bolchevistes venus de Suisse venait renforcer son état-major. Mais les Allemands n'avaient pas encore fait leur religion sur l'attitude à tenir à l'égard des Russes. Un document approuvé à Kreuznach en avril 1917 par Guillaume II et son chancelier faisait provisoirement le point sur les buts de guerre à l'Est, comme pour la geler. Mais en septembre-octobre, le Kaiser se reprenait de passion pour le *Drang nach Osten*. La victoire sur les dernières armées russes de l'été l'avait conduit jusqu'à Constantinople où il avait installé solennellement le général prussien von Seeckt à la tête de l'armée turque.

Il était de nouveau question de marcher sur Bagdad et sur les pétroles du Moyen-Orient. Ceux de Roumanie seraient acquis après l'armistice de Foczani conclu le 9 décembre 1917, qui mettait fin à toute résistance roumaine[1]. Une victoire contre les armées anglaises de Syrie et de Mésopotamie restait possible. Quant au front de Salonique, il était solidement tenu par les Bulgares encadrés d'artilleurs allemands.

Sur le front italien, la victoire de Caporetto les 27 et 28 octobre

1. Le traité de Bucarest signé le 7 mai 1918 offrirait à l'Allemagne le blé et le pétrole de Roumanie.

1917 avait ressoudé l'alliance chancelante germano-autrichienne. Ludendorff avait fait la preuve qu'il était en mesure de soutenir son partenaire défaillant. On en profiterait pour exiger de Vienne l'engagement de « poursuivre le combat aussi longtemps qu'il faudra pour que ses buts de guerre soient réalisés ».

Plus que jamais la politique de guerre du tandem Külhmann-Helfferich était imposée au nouveau chancelier Herling, un Bavarois qui avait remplacé Michaelis démissionnaire le 29 octobre. Vice-chancelier, Helfferich avait pris la tête d'un office spécial chargé d'étudier les conditions de paix à imposer d'abord à l'Est. Il plaçait von Stein à la tête du *Reichswirtschaftamt* créé en août 1917 pour planifier l'économie de guerre. Le gouvernement reprenait en compte les anciennes ambitions vers l'Est, puisqu'un espace vide s'offrait. Il commençait par imposer à l'allié autrichien la reconnaissance de ses ambitions sur la Roumanie et les pays Baltes : un premier pas vers la conquête de l'espace russe.

*

Kerenski avait réagi promptement à la première tentative de subversion bolcheviste. Le coup des 3 et 4 juillet 1917 avait échoué. Trotski était en prison, Lénine en fuite en Finlande. Le 28 août, nouvelle épreuve pour le faible Kerenski : il demandait impérieusement l'aide des soviets pour faire face au putsch militaire réactionnaire du général Kornilov.

Qu'attendent les amis de Lénine pour s'emparer du gouvernement et signer la paix ? Ils tardent, ils traînent, on dit qu'ils tergiversent. Pour brusquer les choses, le général allemand von Hutier s'empare le 2 septembre 1917 de Riga, sur la Baltique.

Trotski, sorti de prison, organise alors la résistance et le pouvoir des soviets en se rendant maître de celui de Petrograd dès septembre. Il imagine la technique de la prise du pouvoir par l'occupation des points stratégiques à partir « d'une petite troupe, froide et implacable, frappant à coup sûr ». Il réalise, avec Lénine, la révolution d'Octobre 1917 (les 6 et 7 novembre dans le calendrier occidental). Le Congrès pan-russe des soviets vote aussitôt, le 8 novembre, « la paix immédiate, sans annexions ni contributions ». Le 15 décembre, les Allemands et les Autrichiens reçoivent dans la forteresse de Brest-Litovsk les délégués de Lénine pour traiter. Un simple armistice qui se prolonge par des négociations de paix lentes et difficiles, jusqu'au 3 mars 1918.

Lénine revient en effet sur la politique de paix à tout prix. Il refuse les annexions allemandes, mais n'a pas les moyens de résister à la poussée vers l'Est des armées. Le général Hoffmann soutient les revendications des indépendantistes ukrainiens de Kiev contre les Russes du soviet de Kharkov. Il guigne le fer et le blé d'Ukraine, le coton et le pétrole du Caucase. Pour obtenir leur part de blé, les Autrichiens affamés sont prêts à sacrifier le district majoritairement peuplé de Polonais de Cholm, abandonné à l'Ukraine.

Les bolchevistes aussi ont faim. Trotski parvient à rassembler une armée qui se jette sur l'Ukraine, prend Kiev. Il surestime ses forces : le général Hoffmann fait avancer ses unités qui reprennent Kiev et menacent au nord Petrograd. Trotski continue à refuser le diktat allemand et défend la doctrine « ni guerre ni paix » contre Lénine. Celui-ci obtient du Comité central un vote favorable à la paix.

Après l'agenouillement des délégués bolchevistes lors de la deuxième rencontre de Brest-Litovsk, les buts de guerre allemands sont amplement couverts : de la mer du Nord à la Volga, de la Baltique à la mer Noire, de Berlin à Constantinople, l'extension de la carte de guerre devient impressionnante : l'excellent réseau des chemins de fer raccordés aux lignes allemandes permet au *Kriegsernährungsamt* de lever des dîmes dans tous les pays occupés. Le traité de Brest-Litovsk renforçait l'occupation allemande de l'Ukraine, autorisait l'armée *feldgrau* à occuper le port de Rostov-sur-le-Don qui interdisait toute descente des bolchevistes vers Bakou. L'Allemagne avait à sa disposition la Géorgie au cœur du Caucase, pour tenir la route du pétrole. La révolution russe lui avait parfaitement réussi.

Elle dominait la Baltique par la satellisation de la Finlande et l'appui donné à la guerre de libération des partisans de Karl Gustav Mannerheim. Elle occupait jusqu'à Minsk, en Biélorussie. Ludendorff, pour rester maître de cet espace qui promettait à l'économie de guerre allemande des ressources très appréciables, devait laisser sur place 37 divisions. Il ne pouvait pas transférer immédiatement vers l'ouest la totalité de ses effectifs. Mais 30 divisions lui suffisaient pour faire la différence et percer à l'Ouest. Il les mit en mouvement aussitôt après la première rencontre de Brest-Litovsk.

Le grand quartier général disposait également des troupes de retour de Roumanie, d'Italie où les Autrichiens étaient désormais en bonne position et de Salonique, où la tenue du front était abandonnée aux Bulgares. Les unités venues de l'Est étaient reprises en main depuis octobre 1917 dans des camps d'entraînement sur place, pour se familiariser avec le lance-grenade, le fusil-mitrailleur, et surtout la mitrailleuse légère Bergmann. Mais aussi pour réapprendre à marcher à raison de cinquante kilomètres par jour, à courir sur trois cents mètres en bondissant d'un trou à l'autre en moins de quatre minutes. 64 divisions de réserve avaient été constituées en trois mois, dont 38 venaient de l'Est et 4 d'Italie. Elles étaient complétées par des unités formées de jeunes recrues de la classe 1919, pour la moitié au moins des renforts.

Le train et l'artillerie absorbaient une part de plus en plus importante des effectifs : l'armée allemande disposait de 40 000 véhicules en service sans compter les tracteurs et les avions. La force de frappe de Ludendorff, les 8 000 canons lourds capables de s'aligner en quelques heures sur les emplacements d'une offensive, étaient montés sur des wagons spéciaux conçus spécialement par Krupp. Le grand état-major disposait à la fois du nombre et de la qualité. Pouvait-il aussi compter, au jour de l'an 1918, sur le moral ?

*

« On se bat avec confiance, assure Jünger engagé dans la dernière campagne, mais sans rien attendre, sans espoir et uniquement par devoir. » Les visées stratégiques de l'état-major, les buts de guerre impérialistes ne touchent nullement le soldat, encore moins la jeune recrue. Les vingt conscrits du Klosterberg décrits par Erich Maria Remarque[1] se mettent à haïr leur professeur, Kantorek, qui les avait conduits au bureau de recrutement en leur disant : « Vous êtes la jeunesse de fer. » Sur les cent cinquante hommes de la compagnie de Remarque, quatre-vingts seulement devaient sur-

1. Erich Maria Remarque, *A l'ouest rien de nouveau*, Paris, Stock, 1929.

vivre au premier engagement. « Des enfants anémiques qui ont besoin d'être ménagés », disait-il, des « troupes fraîches » qui renflouaient les unités, « qui ne peuvent porter le sac, mais qui savent mourir, par milliers. Ils ne comprennent rien à la guerre, ils ne savent qu'aller de l'avant, et se laisser canarder ».

« Le soldat allemand n'est plus ce qu'il était », dit Ludendorff. A l'arrière, aux étapes, c'est la désagrégation du moral. Les vieilles troupes grognent, traînent des pieds ; les jeunes n'y croient plus, saluent à peine les officiers. Les discours officiels du Kaiser ou du Kronprinz ne laissent plus aucune trace dans ces jeunes cervelles exténuées par le port du lourd casque de fer, pas la moindre étincelle d'ardeur guerrière sur ces visages cachés par les masques à gaz :

« La paix, ça ne sert à rien d'y penser », dit le soldat Beumelburg, en octobre 1917, sur le front français[1]. « Comment peut-on le savoir et au fond, en quoi cela regarde-t-il chacun ? »... Aucun gradé ne peut rien pour la paix. « Sait-on même comment cela a commencé ? Cela continue, toujours de même, et le mieux est de n'y pas penser. »

La vie au front est rythmée, selon des normes précises ; trois jours de première ligne, trois en soutien, et trois en réserve. Le temps s'écoule ainsi, avec, tous les jours, le réveil parfaitement inutile du « tir de barrage ». Les *feldgrau* dont la capote rapiécée n'a plus de couleur sont assis dans la tranchée « comme des poulets ficelés ».

Le soldat de 1917 n'a rien de commun avec le porteur de casque à pointe de 1914. Il est « singulier et silencieux », c'est un « spécialiste du champ de bataille », il reconnaît tout, jusqu'au moindre bruit. Son nez renifle toutes les odeurs « du chlore, des gaz, de la poudre, des cadavres, avec toutes les nuances ». Il sait utiliser toutes les armes de tranchée, même les fusils antichars, servis à deux, capables de percer une carapace avec une balle à noyau d'acier. Il porte au cou, en permanence, car sa vie en dépend, un « pot singulier semblable à un herbier de botaniste, son masque à gaz ». Mal nourri, indescriptiblement sale, « la mort elle-même ne

1. Beumelburg, *La Guerre mondiale racontée par un Allemand*, Paris, Payot.

le tire pas de son calme ; elle est trop près de lui, à tu et à toi avec tous les camarades ».

Pour Ludwig Renn, il devient de plus en plus difficile de rassembler les réservistes au jour dit dans les casernes de départ. Cela fait partie des « signes extérieurs de dissolution ». Les nouvelles troupes n'ont aucune idée du « métier du champ de bataille », il aperçoit des compagnies de jeunes « déployés comme à l'exercice, le fusil en joue ». Il doit expliquer qu'on ne trace plus de tranchées au cordeau depuis longtemps au front : on se contente de relier entre eux des entonnoirs, « aussi irrégulièrement que possible ».

Les jeunes n'ont pas le réflexe de solidarité des hommes du front. Un obus tombe sur une roulante, éclaboussant les blessés de soupe brûlante. Personne ne songe à leur porter secours. Le feldwebel doit hisser, tout seul, un camarade sur une voiture. L'expérience du feu peut encore créer ces liens de fraternité qui manquent aux bleus. Auront-ils le temps de les acquérir ?

On les irrite très souvent au repos par des exercices inutiles. Les chefs de section les contraignent à faire le salut pendant une heure, pour les punir de ne plus saluer. « Je me demande, dit le feldwebel, comment je m'y prendrai pour leur apprendre les marques extérieures du respect sans que cela paraisse d'une ironie sanglante. » Ils font exprès de saluer d'une manière incorrecte, pour manifester leur haine au commandant de compagnie. Si fort encore en 1914, l'esprit prussien se perd. La guerre est passée par là.

*

Pas plus que leurs adversaires, les poilus ne se préoccupent des offres de paix ni de la conduite générale de la guerre, parce qu'il est inutile d'en parler, même avec les officiers, aussi ignorants et résignés que la troupe.

La chute du gouvernement Ribot, son remplacement par celui de Clemenceau le 16 novembre 1917 réveillent-il les espoirs de solution politique ? Le hussard lyonnais Coudray trouve étonnant qu'en pleine guerre les gouvernements tombent et que le président consulte tranquillement les formations politiques. « Il ne devrait y avoir qu'une route et qu'un objectif. » Clemenceau est chargé de « rassembler les morceaux ». Il aura du mal à faire juger « les canailles en smoking », les « Bobo-Pacha ». Le brancardier du

220e régiment René n'est pas enchanté : « Le gouvernement dit, en somme, que ceux qui sont au front n'ont qu'à se faire tuer pour que tout aille bien. » Il brocarde le ministre des Affaires étrangères Pichon qui « invite l'Allemagne à nous faire directement des propositions de paix. Encore un qui ne sait plus ce qu'il dit ».

Les survivants d'août 1914 grognent ou se taisent, les jeunes n'attendent rien des politiques et s'installent dans la guerre, aux côtés des anciens, au jour le jour, sans trop maugréer. Louis Masgelier le Creusois coupe un stère de bois par jour au 338e régiment de Magnac-Laval sous les ordres d'un caporal bachelier Rabès, ancien du lycée de Tulle, trop jeune pour se faire respecter des vieux briscards[1]. Bientôt les normaliens de Corrèze ou de Creuse se retrouvent aux cours des élèves-caporaux, sous la férule d'un instituteur comme eux, originaire du Pas-de-Calais et promu lieutenant au front. Louis devient spécialiste du fusil-mitrailleur, une arme nouvelle dont il ne connaît pas encore les défauts. Un colonel vient assister à un exercice d'attaque de tranchée, et s'autorise à critiquer devant ces bleus la mauvaise coordination des armes.

Jour et nuit, les jeunes fantassins sont occupés. Impossible de s'abstraire du service très dur. On part la nuit pour creuser des tranchées, pour aménager des souterrains, dans la froidure d'octobre. Les soldats, sur les bords de l'Oise, sont peu à peu aguerris. On les rapproche du front.

Ils y sont en décembre. Pour creuser des abris dans l'argile bleue, la pelle est impuissante, Louis doit y mettre les mains. On pose de nuit des barbelés dans la neige. Les poilus bougonnent. L'un d'eux, appelé le Vieux parce qu'il a plus de trente ans, ou encore « le Gaulois » en raison de sa forte moustache, impressionne les bleus par son calme et sa stature. « Sa tenue ressemble au visage. De cravate, jamais, mais un cou bronzé et trop long [...] des jambes [...] à la Don Quichotte, le pantalon serré par des bandes molletières [...] qui atteignent à peine la cheville. » Joyeux, étourdi et ivrogne, « il ne voit dans la guerre qu'un supplice corporel, que

1. Louis Masgelier, *Carnets* (publiés sous pseudonyme) d'un Creusois pendant la Grande Guerre, 1916-1918, présentés par Jacques Roussillat, fils de l'auteur dont le véritable nom était Louis Roussillat. Editions de la Veytizou, 1996.

fatigues physiques ». Il ne faut pas lui parler « d'idéal, de patrie, de paix juste ». Il se tient à sa place, bien décidé à survivre.

A Quessy, dans l'Aisne, les Anglais viennent relever les poilus. Pas la moindre rancœur chez les Creusois à l'égard des alliés, bien au contraire. Mais il est impossible d'échanger la moindre parole. « Nous n'avons que le geste pour communiquer », dit Louis. Il a envie de leur montrer de la sympathie, mais les *tommies* sont épuisés, « le visage rouge, les yeux lassés ». Ils passent pour braves, tenaces, solides et sérieux. Des alliés inestimables.

Sur toutes les lignes françaises, on se prépare à se défendre. Aucune parallèle d'offensive, pas d'emplacement de batteries lourdes : il n'est question que d'établir des « champs de bataille en profondeur », selon les instructions de Pétain, pour accueillir les troupes d'assaut ennemies et les empêcher de percer. Les Allemands luttent contre ces aménagements en bombardant de nuit avec leur nouveau gaz, l'ypérite, aux obus marqués d'une croix jaune.

Le 26e régiment de la division de fer a subi déjà une de ces attaques, le 1er juillet à 1 h 15 du matin, dans la Woëvre. L'émission avait été signalée, les masques étaient en place. Personne ne manquait à l'appel en première ligne. Pourtant « beaucoup tombent bientôt, suffoquant, râlant, secoués par d'horribles convulsions. Les postes de secours se remplissent. Bientôt, tout autour, c'est un alignement de corps gisant à terre, inanimés ».

Les pertes ? 400 touchés, dont 120 sont morts. Les masques des travailleurs des tranchées avaient été souvent endommagés par les branches, les ronces, les barbelés. D'autres soulevaient leur masque pour mieux ajuster leur tir. La protection était illusoire, elle ne résistait pas à un bombardement lourd et insistant.

Le régiment devait être encore soumis au gaz moutarde dans les lignes de Verdun, en janvier 1918. Il creusait des fortifications pour une deuxième position dans les bois de l'Argonne, puis à Haudremont. En trois jours, la position était organisée en profondeur grâce à l'ardeur des poilus. Mais, le 16 février, les Allemands avaient décidé de rendre les travaux impossibles en bombardant avec des obus à croix jaune.

Pendant cinquante-deux jours et autant de nuits, les soldats du 26e avaient dû vivre, travailler, accomplir les corvées, le masque sur le nez et les yeux. Leurs cagnas étaient percées de trous par où le gaz s'infiltrait. Le ravin du Prêtre était devenu irrespirable. Le gaz stagnait, imposant le port du masque sans répit. Les pertes avaient été très élevées. Dans les secteurs soumis aux attaques au gaz, les hommes ne pouvaient rester longtemps en position. Le régiment de Nancy fut changé de secteur. Il ne rejoindrait les lignes que longtemps plus tard.

*

Pétain raisonnait sur les pourcentages fournis par le colonel Zopf, chef des « affaires spéciales », chargées de sonder le moral de l'armée. A la veille de l'offensive allemande, il voulait savoir quel était l'état des troupes affectées en mai-juin 1917 par les mutineries. Tiendraient-elles ?

Ce rapport était décevant. Etabli sur 1 059 unités, il faisait ressortir que le moral était bon dans un quart des régiments, et seulement acceptable dans 71 % des unités. Il restait 5 % de troupes franchement médiocres, qui pouvaient flancher à la moindre alerte. Une minorité des poilus interrogés estimait que l'arrivée des Américains pouvait changer la donne de la guerre. Tous les autres, soit 84 %, pensaient comme le soldat René que « nos braves Américains se mettraient en route quand il ne serait plus temps », même s'ils n'étaient pas pessimistes au point de s'attendre à « être obligé de faire la paix aux conditions de l'Allemagne ».

Les soldats se plaignaient de tout, du gel, du froid, de l'absence de charbon et de lumière dans les cantonnements, de la nourriture exécrable, viande avariée et pain moisi, des pommes de terre cueillies avant maturation, des conserves pourries, des profits scandaleux des mercantis. Ils se réjouissaient de l'amélioration du système des permissions et ne s'intéressaient nullement au jeu politique de l'arrière (1 % seulement évoquent le Parlement, et 10 % sont touchés, sinon atteints par la propagande pacifiste). Ils demandaient tous des sanctions (à 86 %) dans les affaires de scandales politiques et de trahisons, ce qui comblait d'aise Clemenceau. Au prix d'une épuration ferme de l'arrière, concluait-il en lisant ce rapport, on pouvait redonner confiance au front.

Il était plus difficile de combler les vides dans les lignes. Il manquait 70 000 hommes. Clemenceau avait autorisé Pétain à lever les jeunes de la classe 1918 à condition qu'ils ne montent pas tout de suite en secteur. En fait, ils seraient très vite intégrés aux « détachements de renforts » même si Clemenceau avait affirmé sa volonté d'expédier au front avant eux les réformés récupérés et les exemptés. Il avait le souci d'imposer sans faiblesse l'égalité devant la mort, mais aussi de ménager les jeunes classes que l'on avait jusqu'ici sans vergogne poussées au premier rang des attaques meurtrières.

Pétain lui convenait : il rassurait la troupe par des offensives peu coûteuses et bien préparées, comme celle de la Malmaison en octobre 1917. Il développait une thèse rigoureusement défensive qui ne pouvait que recevoir l'agrément des combattants. Mais serait-elle soutenue par Foch, le chef d'état-major, et par les généraux d'armée ? L'idée de la « défensive active » sur un « champ de bataille d'armée » est simple, empirique. Il faut laisser passer en première ligne les *stosstruppen*, reculer jusqu'à une seconde ligne infranchissable, dûment fortifiée, et contre-attaquer à partir de deux « môles de résistance » aux ailes du champ de bataille, où seront retranchés de solides éléments d'artillerie.

Cette tactique nouvelle ne reçoit pas l'agrément de Foch, de Micheler et de tous les « fonceurs » d'état-major, pour qui l'abandon partiel du « sol national » fait courir à la troupe un risque de démoralisation. Ils se refusent à cette aventure du « savoir reculer » et le disent à Clemenceau[1]. Ils font observer que la « défense en profondeur » exige des effectifs plus importants et une armée de terrassiers pour organiser la seconde ligne qui est loin d'exister partout sur le front. Les Britanniques n'en ont pas. Faudra-t-il aussi convaincre Haig d'adopter la tactique nouvelle, alors qu'il manque cruellement de recul à l'arrière de ses armées ?

Un rapport demandé au général Roques établit à 500 000 l'effectif des travailleurs nécessaires à la réalisation du plan Pétain. Les défenses existantes, dit le général Roques, ancien ministre de la Guerre, sont « de simples tranchées, protégées par d'assez nombreux réseaux de fils de fer ». Comment engager des travailleurs civils sur les « positions intermédiaires » battues par le canon ? « Les travaux ne peuvent être exécutés que par des troupes », conclut brutalement l'ancien ministre, le 24 janvier 1918.

1. Guy Pédroncini, *Pétain général en chef. 1917-1918*, Paris, PUF, 1974, p. 217 sq.

Voilà pourquoi les soldats de la division de fer sont employés de nuit, en première ligne, à creuser des tranchées sur le sol bouleversé de Verdun. Les jeunes recrues manient plus souvent la pelle que le fusil et Clemenceau écrit à Pétain pour lui demander de « sacrifier momentanément l'instruction » et d'assurer d'abord la mise en place des organisations défensives. Impossible, répond Pétain : la construction d'une seconde ligne ne signifie pas le retour à l'immobilité, à l'enterrement dans une forteresse, mais à la manœuvre d'armée.

Les Allemands eux-mêmes ont dépassé le stade de la ligne fortifiée Hindenburg. Jünger en témoigne : plus de tranchées confortables en première ligne. Une note de l'état-major a interdit de construire des abris de plus de deux mètres de profondeur. Les hommes de l'assaut n'ont plus que faire des tranchées bétonnées, construites au cordeau, des abris de six mètres et des glacis de cinquante mètres de barbelés. Il n'y a plus de « ligne de résistance principale » qui tienne. Elle subsiste peut-être, mais la victoire est au-delà, dans le grand terrain vague où les troupes d'assaut doivent s'avancer résolument.

Le « nouvel esprit offensif » existe aussi chez l'ennemi. Il faut lui opposer une tactique adaptée, au lieu de compter exclusivement sur la première ligne pour briser l'assaut. Les Allemands ont montré, à Vouziers comme à Riga, qu'ils étaient en mesure de percer les fronts les mieux protégés.

*

Pétain répond à Clemenceau, le 28 janvier 1918, qu'il ne peut transiger sur l'instruction et le repos des soldats, mais qu'il poursuivra le renforcement des lignes par tous les moyens en son pouvoir. Le président du Conseil multiplie les visites au front pour se rendre compte de ses propres yeux. Il tranche, le 8 février, la querelle de doctrine en enjoignant à Pétain de résister férocement sur la première ligne, partout où les défenses de l'arrière ne sont pas prêtes.

C'est le bon sens. Pourtant un voyage en Alsace le persuade qu'une résistance forcenée et malheureuse sur la première position livrerait le pays à l'invasion. Il finit donc par faire confiance à Pétain, pour livrer la bataille défensive qui doit sauver le pays, en entraînant avec soin l'infanterie aux formes nouvelles du combat. On cherche fébrilement dans les unités des spécialistes à instruire, des caporaux et des sergents à désigner, même si, à vingt ans tout juste, comme Louis Masgelier, ils doivent commander à de vieux briscards. Et d'envoyer immédiatement au feu des promotions entières de normaliens, polytechniciens, centraliens, toute l'élite d'un pays qui doit donner l'exemple, et commander, à vingt ans, des batteries et des bataillons. Plus que jamais la bataille en gestation exigera le sacrifice des jeunes. Comme en 1914.

Du moins peut-on compter sur le secours des alliés, ne pas opposer une malheureuse classe de 180 000 conscrits aux 500 000 levés outre-Rhin. L'accord avec les Britanniques a permis de retirer deux grandes unités françaises du front : les fantassins de la Ire armée de Debeney sont à l'entraînement, dans une masse de réserves instruites, tout comme les bataillons exténués de la IIIe armée d'Humbert, mis en réserve dans la région de Clermont-sur-Oise pour aider éventuellement les Anglais. Pétain leur a « prêté » 12 000 travailleurs italiens et des régiments de la territoriale pour les aider à se renforcer autour de Péronne. Mais le principe du commandement unique n'est pas encore reçu par le maréchal Douglas Haig. Foch vient d'échouer dans sa tentative de création d'une réserve générale franco-britannique. Il n'existe pas « d'organe d'entente ».

Les soldats du front comprennent qu'ils auront les Allemands sur le poil avant peu. Les discussions théoriques des états-majors leur importent peu. Pétain est pour eux un rempart contre les Debeney, les Micheler, les Duchêne, les Foch qui désapprouvent la nouvelle tactique et recommandent de se « faire tuer sur place » à la manière de Joffre sur la Marne.

« Je ne songe pas à remplacer Pétain, dit Clemenceau à Poincaré. Il a toujours la cote. Et puis, je ne sais qui pourrait lui succéder. Je tiens à le garder. »

Pourtant le général en chef s'obstine dans une erreur d'appréciation sur l'axe de la future offensive allemande. Il s'attend à une attaque en Champagne et dispose ses réserves dans cette hypothèse. Viendra-t-il à la rescousse si les Allemands attaquent l'armée britannique dans le Nord ? Ses rapports tendus avec Haig laissent présager du tirage en cas de difficulté, et il paraît certain que le maréchal britannique ne déplacera ses six divisions de réserve au secours des Français que s'il n'est pas lui-même en danger.

*

C'est l'armée anglaise que Ludendorff a choisi de frapper massivement, en priorité, exactement à la charnière franco-britannique, précisément pour diviser les alliés. « L'offensive de la paix » est pour lui la dernière, elle doit être décisive, entraîner d'immédiates conséquences politiques.

Les unités venues de l'Est se sont entendu répéter cent fois par les officiers qu'elles ne feraient qu'une bouchée de l'armée anglaise. Les jeunes formés dans les camps de *stosstruppen* d'Alsace et du Palatinat apprennent avec enthousiasme la technique de rupture du front enseignée par les anciens. Des dizaines de divisions d'assaut débarquent depuis cinq ou six semaines, au début de mars, dans les gares de la région de Saint-Quentin, ayant transité par Bruxelles et Metz. Les granges, les villages en ruine, les *stollen* de la ligne Hindenburg abritent les bataillons qui ne se montrent pas de jour. Les divisions peuvent marcher sous la lune. La reconnaissance aérienne de nuit n'existe pas alors.

Ceux qui attendent l'assaut n'ont pas tenu des secteurs de tranchée à l'Ouest. Ils viennent souvent de très loin : les grenadiers de la 371e division Ersatz ont embarqué au début de févier en Galicie polonaise. Leur train a été dirigé sur Brest-Litovsk et Varsovie, avant de gagner l'Ouest par Leipzig et Cassel. Ils ont suivi la ligne de Coblence, Trêves et Thionville, puis le chemin de fer stratégique, encombré de convois d'artillerie, de Sedan, Hirson, Valenciennes et Tournai jusqu'à Ascq, près de Lille. Epuisés par une semaine de voyage en wagons à bestiaux, ils ont été aussitôt mis en réserve à l'arrière du front. Les grenadiers et les voltigeurs prussiens de la 101e division, mieux traités et instruits longuement dans les camps de la Warthe et de Neuhammer, entraînés aux longues étapes à pied, attendent avec impatience l'heure H.

Trois armées se sont ainsi concentrées en respectant les règles strictes du camouflage. Le vainqueur de Caporetto, Otto von Below, commande aux 18 divisions qui prennent position au nord du secteur d'attaque, grossièrement entre Arras et Cambrai. Il est aux ordres du Kronprinz Rupprecht de Bavière, et compte dans les rangs du 16e régiment de réserve bavarois le caporal Adolf Hitler, agent de liaison.

Les 20 divisions de Georg von der Marwitz sont au centre,

devant la IIIe armée britannique de Byng. Enfin les 24 divisions de retour de Russie commandées par Oskar von Hutier doivent bousculer les unités de la Ve armée de Gough, sur la ligne Saint-Quentin-Roye. Ce *junker* parfaitement conforme à l'image de l'officier prussien d'état-major est l'enfant chéri du Kronprinz de Prusse. Il est célèbre dans la troupe pour avoir enfoncé le front d'une armée russe devant Riga, en septembre 1917, grâce à sa méthode d'assaut parfaitement synchronisée de l'artillerie, des groupes d'infanterie et de l'aviation.

Ludendorff compte sur ces généraux éprouvés, et non sur les princes dont les casques à plaques d'argent et à pointes d'or, les chapkas [1] rutilantes et les dolmans à brandebourgs tressés irritent les combattants de première ligne au *stahlhelm* bosselé, troué d'éclats d'obus, maculé de boue, peu enclins à rendre hommage aux seigneurs de la guerre, exaspérés par les discours dynastiques et par les rodomontades sur la dernière des offensives.

Ils croient davantage aux 6 600 canons lourds installés et dûment camouflés entre la Scarpe et l'Oise, entre Arras et La Fère, au nouveau gaz à ypérite qui oblige les Français à fabriquer précipitamment un masque adapté, aux 3 000 avions d'assaut et de bombardement qui tournent chaque jour au-dessus des lignes. Chaque soldat se rend compte, écrit Jünger, le lansquenet optimiste, « de ce que nous sommes et quels sont nos droits à l'existence et à la suprématie ». Le « chant de force » rythmé par le bruit des moteurs enseigne aux *stosstruppen* des paroles très différentes des litanies du Kronprinz : « Devant notre assaut, la terre se fend ; le feu, le poison et les colosses de fer vous précèdent. En avant, en avant ! Sans pitié et sans peur ! Il s'agit de la possession de l'univers [2] ! »

*

Ludendorff a-t-il réellement cru pouvoir reprendre en compte les ambitions de ce pangermanisme à langage nouveau, à l'extrême fin de la guerre ? Il était en tout cas en mesure, s'il bousculait les

1. Une collection remarquable de coiffures militaires allemandes est exposée au musée du Fort de la Pompelle, près de Reims.

2. Ernst Jünger, *Le Boqueteau 125*, Paris, Payot, 1932 et 1985, p. 19.

Anglais, de se présenter devant les Américains comme la seule force capable de repousser le bolchevisme, et de monter la garde en Europe contre la révolution. Sans doute les Quatorze points du président Wilson, diffusés dans le monde en janvier 1918, pourraient-ils fournir une base de discussion avec une Allemagne qui demeurait maîtresse du jeu et entendait bien, sans rien lâcher à l'Ouest, garder ses positions à l'Est en les accommodant de créations d'Etats prétendument indépendants dans la Baltique, en Pologne, dans les Balkans et le Caucase. L'offensive de paix de Ludendorff donnait à Brockdorff-Rantzau les moyens de négocier directement avec Wilson, dont il avait parfaitement assimilé et adopté le discours sur la liberté des peuples.

Les Anglais céderaient-ils le leadership mondial qu'ils conservaient en 1914, malgré la montée en puissance spectaculaire de l'Amérique ? Ils avaient engagé près de 500 000 hommes en Orient pour s'assurer la maîtrise des pétroles de la région et défendre la route des Indes. L'armée d'Allenby, venue du Caire, avait fait défiler 3 000 soldats juifs [1] dans Jérusalem pendant que les cavaliers arabes de Lawrence s'emparaient de Damas. Elle marchait sur Constantinople, protégée par un nouveau groupe d'armées, Yilderim, organisé par Falkenhayn et son état-major, et renforcé des 6 000 hommes de l'Asian Korps dont Ludendorff avait accepté de se priver pour sauver la route et le chemin de fer de Bagdad. Le général britannique Maude, commandant l'armée de Mésopotamie, venait d'entrer dans la ville et remontait sur Mossoul, déchirant les images du grand rêve allemand.

L'Angleterre était la seule à prétendre assumer, contre l'Allemagne, une vraie guerre mondiale. La France pouvait tout au plus intervenir dans les Balkans, avec le souci désormais périmé de soutenir les Serbes, alliés des Russes. Il n'y avait plus ni Serbie ni Russie. En Orient, Clemenceau n'avait pu envoyer en renfort à Allenby qu'une poignée d'hommes commandée par le colonel de Piépape dans le but de rappeler aux alliés, par la présence du drapeau, qu'ils avaient conclu en 1916 avec la France les accords Sykes-Picot de partage impérialiste de l'Orient ottoman. La France

1. Recrutés parmi les colons de Palestine à qui Londres venait de promettre la création d'un « foyer national ».

pouvait espérer un protectorat sur la Syrie et le Liban, mais non les pétroles du Moyen-Orient.

Il fallait être buté comme un maréchal britannique, pensait le Premier ministre Lloyd George, pour estimer que l'avenir de l'Angleterre se jouait dans la boue de Picardie. Il avait essayé de se débarrasser de l'obstiné tandem Haig-Robertson, qui engloutissait les divisions anglaises, en pure perte, dans les offensives du front français. Le chef de l'état-major impérial avait été remplacé, mais sir Douglas Haig était le protégé du roi et Lloyd George ne pouvait lui faire mordre la poussière.

Il pestait contre Haig, toujours affamé de divisions nouvelles. Les services de renseignements avaient informé les états-majors, en janvier 1918, que Ludendorff avait retiré des troupes d'Italie et 23 divisions de Russie. L'attaque se préparait fébrilement à l'Ouest. Pétain estimait les réserves de l'adversaire à 75 divisions et 900 batteries lourdes pour le moins. C'est le moment qu'avait choisi Lloyd George pour présenter au Conseil supérieur de guerre, le 31 janvier 1918, la « note 12 » demandant un « renforcement commun des troupes de Palestine » pour une « offensive contre l'Empire ottoman ».

« Nous ne pouvons pas aller chercher la victoire sur l'Euphrate », avait répondu Clemenceau.

« Clemenceau voulait-il sérieusement, ironisait Lloyd George, que les Anglais abandonnent Jérusalem, Bagdad et Salonique pour conserver à tout prix les quelques petites unités à prélever sur le front de l'Ouest ? »

Il était décidément convaincu que le théâtre européen n'avait pas une importance cruciale. Il n'était pas le seul de cet avis à Londres. Au plus fort de l'offensive allemande, lord Milner [1], secrétaire à la Guerre, écrirait au Premier ministre :

« Nous devons nous préparer à l'éventualité d'un agenouillement simultané de la France et de l'Italie. Dans ce cas le bloc germano-austro-bulgare sera maître de toute l'Europe et de l'Asie du Nord et du Centre, à moins que le Japon ne se dresse pour leur barrer la route. »

Il n'est pas question, pour lord Milner, d'abandonner le combat

1. Voir David Robin Watson, *Georges Clemenceau*, Eyre Methuen, 1974, p. 310.

si la France est envahie et le corps britannique rejeté à la mer. Les intérêts vitaux de la Grande-Bretagne ne sont pas à Calais, mais au Caire, à Aden et à Singapour. Tout dépend de la capacité de résistance des « peuples libres de la mer », les Etats-Unis et le Japon, les Dominions, l'Inde.

« Tout cela, ajoute-t-il, dépend de ce que l'Amérique fera. N'est-ce pas le moment de la sonder, pour savoir ce qu'elle fera en cas d'effondrement de la campagne continentale contre l'Allemagne ? »

Wilson acceptera-t-il de traiter, pour dresser un rempart anti-bolcheviste ? Ou voudra-t-il terminer rapidement l'affaire avec l'Allemagne, en la privant de ses alliés orientaux, la Turquie et la Bulgarie, comme le souhaitait en janvier Lloyd George ?

*

Ludendorff est convaincu que la victoire obtenue rapidement à l'Ouest par une attaque de masse dissuadera l'Amérique de poursuivre. Il se donne six mois pour réussir, sur la base d'un plan d'opération établi par les chefs d'état-major des groupes d'armées des Kronprinz de Prusse et de Bavière.

La décision définitive est prise au Conseil de la Couronne, le 2 janvier 1918. Guillaume II a enregistré ce jour-là la satisfaction des membres du Comité de guerre des industries allemandes. Ni Hugo Stinnes, ni Alfred Hugenberg, les magnats de la Ruhr, ni le ministre Helfferich, ancien directeur de la Deutsche Bank, n'ont le moindre doute sur l'issue de l'offensive, pas plus que Gustav Stresemann, ardent partisan d'une paix de conquête, à la tête du parti national-libéral. La fatigue de l'armée et l'épuisement du pays les incitent à rechercher une décision rapide, qui donne un sens à l'entrée en guerre.

« Par votre victoire, écrit alors le chancelier à Hindenburg, nous serons en mesure de négocier avec les puissances occidentales, de poser les conditions qu'exigent notre sécurité, nos intérêts économiques et notre situation internationale après la guerre. »

Il est question de négocier, non d'imposer. Le chancelier recherche une issue à la guerre, obtenue dans des conditions avantageuses grâce à un dernier sacrifice des soldats. Pour enlever la décision, c'est l'Angleterre qu'il faut frapper d'abord : elle ne combat pas sur son sol et cédera plus facilement. Elle n'a pas d'autre revendication à présenter sur le continent que l'évacuation de la Belgique. On pourra sans doute la contraindre à admettre les intérêts dominants des Allemands dans les charbonnages de Mons et les industries sidérurgiques.

Les Français resteront intraitables, parce qu'ils ont à libérer une étendue considérable de dix départements ruinés. Ils se battront jusqu'au bout, mais sans doute pas pour venir au secours d'un allié défaillant. Entre l'hypothèse de défendre à tout prix Calais pour permettre aux Anglais de réembarquer et la nécessité de protéger en priorité Paris, ils n'hésiteront pas. Il sera facile de remuer le fer dans la plaie franco-britannique en attaquant à la jointure des deux armées. La planification de l'offensive de Ludendorff obéit d'abord à cet impératif politique.

Pour obtenir rapidement la décision, il ne compte pas uniquement sur ses 6 600 canons lourds et ses 3 500 mortiers. Il n'a pas commandé un feu d'extermination comme à Verdun.

Le choix des obus à gaz est significatif. Le colonel Bruchmüller, chargé de régler la préparation, a préféré à l'ypérite (gaz moutarde) qui stagne plusieurs jours dans les fonds et gêne les manœuvres, un mélange de gaz lacrymal, qui oblige les Anglais à ôter leur masque, le temps de recevoir de plein fouet un autre gaz mortel, le phosgène. En tirant plus d'un million d'obus en cinq heures, on choisit un modèle d'opération destructrice mais courte, qui laisse passer le plus vite possible les troupes d'assaut sur un terrain bien ciblé et dégagé. Il est essentiel de neutraliser au départ les 2 500 pièces de la Royal Artillery, pour que les canons allemands puissent suivre l'offensive dans son mouvement sans être contrariés par des tirs de contrebatterie. D'entrée de jeu, on choisit un type de bataille éclatée, partant simultanément dans plusieurs directions d'assaut, pour empêcher l'adversaire de se ressaisir.

La principale direction était d'axe est-ouest sur la ligne Bapaume, Péronne, Ham, La Fère. Entre toutes les directions d'offensive projetées sur la carte, Ludendorff avait choisi celle-ci, baptisée Saint-Michel, pour réussir un « enroulement de l'armée anglaise » dans l'esprit de von Schlieffen, avec remontée vers le nord-nord-ouest à travers l'Artois jusqu'aux ports de la Manche. Les deux armées les plus fortes, celles de Below et de Marwitz, étaient affectées à ce mouvement de vaste amplitude.

Vers le sud, l'armée d'Oskar von Hutier avait à l'origine seulement la mission de couvrir le grand mouvement de faux, en empêchant les Français de remonter. Mais le Kronprinz avait renforcé sans cesse les unités de couverture de cette armée, qui recevaient ainsi la mission de percer à la charnière franco-britannique, et même, le cas échéant, de pousser plein sud vers Noyon et de menacer Paris.

Au 73e régiment du Hanovre servait Ernst Jünger, de la 111e division du groupe d'armée bavarois attaquant au nord du dispositif. Il attendait dans l'anxiété l'heure de l'assaut. « Nous ne doutions pas, écrit-il, que le grand plan ne réussît. En tout cas, ce ne serait pas nous qui le ferions échouer. » Pour ces Bas-Saxons dont « l'humour sec » était à toute épreuve, il s'agissait d'un nouveau départ « pour les courses en plat de Hindenburg ». Les routes étaient encombrées de convois dirigés par des unités de feldgendarmes rigoureux et omniprésents, qui assuraient l'ordre de la minutieuse mise en place. Le coup ne pouvait pas manquer.

*

Pétain n'est pas en mesure d'apprécier l'importance de l'attaque allemande du 21 mars. Dans le brouillard artificiel, les *stosstruppen* bousculent les premières lignes, où 8 000 *tommies* sont morts dans le bombardement. Le front d'attaque n'est que de soixante-dix kilomètres, d'Arras à La Fère. L'artillerie anglaise a été neutralisée, les gaz toxiques ont accablé les défenseurs des redoutes. Les plus récents chasseurs, les *Pfalz DIII*, ont détruit en piqué les avions anglais de reconnaissance : 62 escadrilles de 12 avions de chasse et d'assaut, sans compter les bombardiers pour attaquer les gares de l'arrière. Les Allemands n'ont pas de chars, mais ils ont des chasseurs redoutables, qui vident le ciel en quelques heures.

Les lignes du général Byng, le vainqueur de Vimy, sont enfoncées, mais les contre-attaques se succèdent et il réussit à protéger Arras en reculant seulement de trois kilomètres, au prix de pertes très sévères. A 11 heures, 28 000 combattants ont déjà disparu du front et la plupart des redoutes sont prises dans l'après-midi, contraignant les Britanniques à la guerre de mouvement. Leur résistance acharnée, pied à pied, explique l'échec relatif de l'attaque allemande contre Arras.

La supériorité du feu et du nombre des assaillants est telle que la Ve armée de Gough est, vers le sud, dans un péril extrême. Les Anglais n'avaient pas eu le temps d'installer dans cette région du front plusieurs lignes de résistance, car ils avaient dû remplacer en hâte les unités françaises jusqu'à Barisis, suivant les accords Haig-Pétain. Les premières lignes avaient été arrosées de gaz, pulvérisées par les obus explosifs.

A deux contre un, les Allemands se ruaient, s'emparant de plus de 500 canons. Les pertes anglaises étaient, en quelques heures, de 40 000 hommes. Douglas Haig ne pouvait savoir que sur ce front en pleine retraite, il n'avait plus d'infanterie.

Le 22 mars seulement, quand l'attaque allemande reprit avec plus d'ampleur encore, il réalisa enfin qu'il devait affronter seul la grande offensive de Ludendorff, qu'on ne pouvait plus s'y tromper. Dès lors, quand von Hutier réussit à percer les lignes à Tergnier, Haig dut se résoudre, dans la nuit du 22 au 23 mars, à demander l'aide urgente et massive des Français.

La logistique impose ses délais : les premiers secours ne peuvent survenir que le 25 mars au soir. Pétain fait intervenir en premier les soldats du 5e corps de Pellé, réveillés en sursaut dans la nuit, arrachés à leurs cantonnements de la région de Coulommiers pour être mis en route par camions dès le 22 mars à midi, devançant l'appel de Haig. La mission de Pellé est de maintenir la liaison avec Gough et de défendre Noyon.

Une autre unité, dans le même esprit, a été déplacée dès le 22 mars : la 125e division, de la VIe armée Duchêne, a été mise en place pour maintenir le contact avec l'aile droite de Gough, sur l'Oise, dans la région de Chauny. Elle devrait ensuite passer très vite aux ordres de Pellé et constituer un embryon de résistance pour s'opposer à l'avance allemande vers le sud. Ainsi Pétain, plutôt que de venir en aide aux Anglais, songe d'abord à assurer la protection de sa propre armée.

Mais les divisions fondent en quelques heures, il faut les remplacer aussitôt. Ce que redoutait Pétain devient inévitable : l'envoi au compte-gouttes de divisions incapables de tenir le front ébranlé par une masse d'ennemis soutenus par une artillerie puissante. De nouveau l'armée française est entraînée dans la voie du sacrifice d'une noria d'unités, et cette fois sur le front britannique. L'absence d'un commandement unique se fait cruellement sentir. Division par division, les circonstances arrachent les renforts aux réserves de Pétain jalousement conservées. On ne compte, une fois de plus, que sur le sacrifice de l'infanterie française pour sauver la situation.

Car l'état-major français n'a pas les mêmes facilités que Ludendorff à acheminer rapidement les renforts d'artillerie : le réseau ferré des alliés est éparpillé, discontinu, et soumis au canon allemand. Pétain, qui le 22 mars redoute encore une offensive ennemie en Champagne, hésite à mettre en route les grosses pièces lourdes sur voie ferrée vers le Nord, en pleine déroute anglaise. L'infanterie amenée par camions aux points les plus menacés n'aura pas de soutien suffisant d'artillerie. Comme à Verdun, les soldats devront résister de trou en trou. Les trois divisions du général Pellé envoyées immédiatement en renfort attaqueront sans le soutien immédiat des trois régiments de l'artillerie lourde expédiée par rail, et dont la mise en place sera plus lente.

Calcul juste de Ludendorff : les Français montent au casse-pipe, dans les pires conditions, pour aider leurs alliés en difficulté. La défaite de Gough met à l'épreuvc le moral de l'alliance. Déjà le bruit court chez les poilus que les Anglais se sont rendus par milliers, qu'ils ont abandonné leur artillerie, que le maréchal Haig ne pense qu'à se retirer sur les ports. L'attaque du 21 mars 1918, d'entrée de jeu, met l'alliance en question et place l'armée française dans les plus mauvaises conditions de combat.

« C'est angoissant ! » dit Henri Colin, commandant l'infanterie de la 62e division. « Personnellement j'ai vu en 1914 ce que c'était que d'être ainsi lancé dans la bataille pour boucher les trous et colmater le front. »

*

Cette division, commandée par le général Margot, est très vite mise en alerte pour une seule raison : elle est disponible et prête à être enlevée immédiatement. Elle doit attaquer avec cinq autres unités pour venir au secours des Anglais et les empêcher de retraiter vers les ports.

Le colonel Henri Colin a rendu visite à ses fantassins. Il a une tendresse particulière pour les bleuets de 18, ceux qui sortent de l'instruction et n'ont pas encore connu le feu. Ils sont nombreux au 279e régiment, formé à Neufchâteau en 1914, mais reformé depuis à Decize, dans la Nièvre. Les jeunes de la Creuse et de la Corrèze, dont Louis Masgelier, campent près de Taverny au 338e de Magnac-Laval. Ceux d'Angoulême sont en cantonnement autour de Soisy.

Les hommes ont changé sans cesse de secteur en quelques semaines, comme si l'on voulait leur apprendre à parcourir de longues étapes à pied. Ceux du 338e ont ainsi marché, sac au dos, pendant neuf jours avant de s'installer autour de Taverny. Louis Masgelier, cycliste au bureau du colonel, est heureux d'avoir échappé à la corvée. Mais sa satisfaction est de courte durée. Le régiment, après avoir paradé devant le général Margot, a été enlevé en chemin de fer dès le 18 mars en direction de Fismes. Les soldats débarquaient à Bazoches, pour cantonner à Pars, dans l'Aisne, près de Soissons. La division devait monter en secteur au Chemin des Dames. Le 21 mars, Henri Colin rejoignait son corps en automobile, par une belle matinée de printemps.

Il entend soudain dans le lointain « un roulement violent et ininterrompu ». Est-ce l'offensive allemande ? D'où vient le tonnerre ? Nul ne peut répondre. Colin se rend à l'état-major de Compiègne, pour se renseigner. On lui dit que Byng a reculé un peu, et Gough beaucoup. « On commence à envisager au GQG qu'il faudra aller au secours des Anglais. » La troupe en est informée plus tard, le 24 mars, quand elle est déjà « enlevée » en direction de Ham. Réaction des poilus ? « La bravoure britannique n'a rien pu faire », commente Masgelier.

Pas d'ordre reçu à la division, le 21 mars au soir. « Tout est calme » dans le QG du Soissonnais. Le 22 mars, il est encore question de monter en secteur au Chemin des Dames, comme si rien ne s'était passé. Mais à l'heure du café, on apprend que la relève est suspendue. Il n'est toujours pas temps de monter au front. Au 35e CA dont dépend la 62e division, on explique à Colin que son unité reste en réserve. A 18 h 30 seulement le général Margot annonce à ses officiers que les Anglais se sont repliés sur leur deuxième position et que la 62e sera enlevée en auto le 23 à 6 heures.

23 mars. 8 h 30. Les officiers en automobiles de tourisme précèdent la troupe jusqu'à Vic-sur-Aisne selon un itinéraire fléché. Mais soudainement la signalisation fait défaut. Henri Colin se précipite au GQG de Compiègne, pour demander des ordres précis. Il

apprend que le front anglais vient de céder, et que les Allemands sont à Ham, croit-on.

Après un déjeuner prolongé par les alertes aériennes à l'hôtel de la Cloche avec le général Margot, Colin repart en voiture, bientôt arrêté par un passage à niveau sur la grand-route de Noyon. Il faut bien laisser passer les cinq divisions de renfort et tâcher de retrouver la 62e que l'on a perdue. La route est encombrée de civils fuyant la bataille, des voitures chargées de meubles, des vieillards et des nourrissons : deuxième exode des gens de l'Artois, de Picardie et du Soissonnais. « La population civile, explique le caporal Masgelier, a pour ordre de partir [...] spectacle émouvant que ces départs [...] C'est affreux. Nous pleurerions nous-mêmes si nous ne songions à nous aussi, au sort qui nous sera fait demain. »

Dans le désastre qui s'annonce, les conduites des gens, qu'ils portent ou non l'uniforme, sont souvent inadaptées, dangereuses, absurdes ou désordonnées. Près de Noyon, des territoriaux comblent des tranchées anciennes à la pelle. Colin s'en irrite. Ils feraient mieux de creuser de nouvelles lignes ! Il trouve enfin le général Pellé à Noyon, où l'on s'apprête à livrer bataille, dans la ville évacuée par les Allemands un an auparavant. Les troupes ne s'y arrêtent pas, elles sont à peine gênées par les explosions des bombinettes lancées par les avions [1] rejoignant les objectifs qui leur avaient été fixés. Les fantassins du 5e corps étaient suivis par les cuirassiers et les dragons à pied de la division de cavalerie Brécard qui s'était illustrée au moulin de Laffaux. Le mépris du poilu pour l'aristocratique hussard descendu aux tranchées avait fait place à une fraternité d'armes. Les cavaliers avaient assez donné pour imposer le respect. Ils marchaient au pas de la biffe, sans barguigner, et portaient sur leurs épaules les lourds fusils-mitrailleurs.

Colin prend à Noyon la route de l'ouest, se détournant du flux qui monte vers Ham. Le QG de la division est en effet à Guy, au château démeublé et délabré des Essarts, sur la route de Lassigny.

1. Les Allemands possédaient des escadrilles de bombardiers. Les Hannover CLII et CLIII, dotés de trois heures d'autonomie, pouvaient jeter des bombes sur les arrières. 27 escadrilles d'avions Gotha GV et Staaken RVI pouvaient bombarder Paris et Londres. Certaines bombes pesaient 300 kg, mais le brouet habituellement servi par les Gotha et les Taube n'excédait pas 50 kg.

L'unité s'échelonne vers le nord, en direction de Ham, et trouve ses marques sur les rives ouest et est du canal du Nord, le 279e sur Ercheu, le 307e à sa droite sur Libermont, le 338e, composé de Creusois, en réserve autour d'Ecuvilly. Le QG du général est ainsi installé à une vingtaine de kilomètres de ses avant-postes.

« Triste veillée d'armes, dit le caporal qui n'a pas reçu la moindre instruction de ses supérieurs. Depuis vingt-quatre heures, nous sommes ici. Nous attendons l'ordre qui nous dirigera vers les lieux où l'on se bat. »

Heureusement, l'ennemi n'est pas en vue. Le commandant de l'infanterie, qui a fait donner l'ordre à ses troupes de pousser jusqu'au contact des Anglais, n'est pas sûr de lui : « Les hommes n'ont actuellement, dit-il, que ce qu'ils portent sur eux, soit 80 cartouches, les voiturettes des mitrailleuses n'ont pas été transportées en camions et l'on n'a pu charger que les mitrailleuses avec leurs caisses de munitions, soit 3 600 cartouches par pièce. » Elles devaient en toucher 5 000. Leur autonomie de feu est ridicule. Non seulement l'infanterie n'a pas de soutien d'artillerie[1], mais elle ne peut pas compter, au premier contact, sur ses propres armes automatiques.

Le 23 mars, vers 20 heures, Colin repart en automobile, à la recherche de ses unités toujours en marche qui doivent être en place avant la levée du jour. Il installe alors son propre PC à Beaulieu-les-Fontaines, en avant du 388e régiment de réserve, et se soucie de rencontrer les Anglais. Il tombe sur un état-major de la 36e division britannique, très incertain sur le sort de ses troupes, mais qui croit pouvoir assurer aux Français que le front tient au sud de Ham. « Cela sent la débâcle », se dit Colin.

*

Le régiment de Masgelier, en réserve, connaît une sorte de répit. Le 24 mars, par une marche de nuit, il a quitté Ecuvilly « en direction du Boche. » La nuit est splendide, mais bruyante, et les Français rencontrent sur la route des batteries anglaises. « Les *tommies*

1. Selon Colin, l'artillerie divisionnaire, celle de la 62e, fait route par voie de terre et ne pourra pas entrer en action avant quarante-huit heures. C'est, dit-il, « un moment critique à passer ».

nous regardent passer, compatissants, silencieux devant ces poilus qui marchent au combat. Ils nous offrent gentiment des cigarettes. »

Louis se réjouit de les voir là. Il ne peut encore réaliser que les canons anglais en retraite sont les seuls qui puissent soutenir l'infanterie française aventurée. Les lignes anglaises viennent d'être de nouveau enfoncées au sud de Ham. Colin n'arrive pas à établir une liaison sérieuse avec la 10e division française sur son flanc droit. Le 31e régiment de Melun recule déjà sous la canonnade. La division anglaise décimée reflue derrière les Français. Le général Margot reste calme : « Encore vingt-quatre heures critiques à passer en attendant l'arrivée de notre artillerie », dit-il sobrement au soir du 24.

« Mornes, la tête penchée, nous marchons », dit Louis Masgelier. Il ne peut pas savoir que sa division est désormais seule en ligne et pratiquement sans soutien. Ses pensées ne sont pas tristes, « seulement sérieuses ». Il en est à son premier combat. « Je pense, dit-il, à tous les miens, à ma vie passée, à ce que pourrait être demain. J'envisage les risques de demain et, froidement, je me résigne. Advienne que pourra. » « Mektoub, on verra bien ! », dit Colin, son colonel, à un vieux colonial.

Les Allemands, poursuivant avec méthode leur vaste manœuvre d'enveloppement de la Ve armée anglaise, attaquent sur Ercheu, tenu par les Morvandiaux du 279e. Colin voudrait constituer une ligne de résistance avec ses régiments « qu'il connaît à peine et qui ne le connaissent pas », des bleus pour la plupart.

Aucune tranchée n'existe, et le canon allemand est violent. La guerre de mouvement a repris, comme en 1914, avec des armes beaucoup plus meurtrières, mais sans guère plus de moyens de reconnaissance et de liaison. Colin ne reçoit aucune nouvelle des Anglais, ignore les mouvements de la division à sa droite, et n'a aucune information sur l'importance et la direction de l'attaque allemande. Il faut, dit-il « se débrouiller, avoir du sang-froid et de l'initiative ».

Pendant trois jours, du 25 au 27 mars, les régiments de Colin doivent en effet survivre sans avoir reçu aucun renfort. Von Hutier a décidé de foncer vers le sud, vers Guiscard où les éléments avancés ont déjà pénétré. Le bataillon du caporal Masgelier est en réserve. Le Creusois a passé la nuit « à la lisière d'un bois, couché sur la terre humide », et la journée dans des abris recouverts de branchages, entendant tonner cinquante pièces anglaises dans la plaine. « Les détonateurs nous assourdissent, dit le bleuet, les sifflements nous font frissonner. »

Vers midi, il prend position dans une ferme détruite, sous un soleil accablant. Des blessés du 307e sont évacués. Ils ont été atteints par des obus de 155 français. Masgelier voit enfin de près les *feldgrau* qui attaquent le bois. « Ce sont eux, ce sont les Boches, et presque derrière nous ! Un demi-tour, et nous tirons dans le groupe qui débouche sur la route [...] Ils sont là, à vingt mètres [...] Une minute terrible dont je n'ai pas un souvenir très exact. » L'aspirant Gomeret est tout près de lui. « Il faut tenir ici », crie-t-il ! Jeandaine et son FM, Combeau, le sergent Simon étaient là aussi. « Nous tirons comme des fous, sans viser, dans le tas. Jeandaine, debout, leur passe trois chargeurs de FM en un clin d'œil. Je crie : bravo, Jeandaine !... et autre chose peut-être [1]. »

Jeandaine est tué, Combeau blessé au ventre, Simon touché au poignet demande en hurlant une ligature. « Je ne me souviens plus, dit Louis, dont c'est le baptême du feu. J'ai couru, je suis tombé dans les ronces, essoufflé, sans force. » A côté de lui les mitrailleurs « fauchaient la plaine ». Le capitaine portait lui-même, avec son lieutenant, les caisses de bandes. « Je me remets un peu. J'étais fou tout à l'heure. J'avais perdu mon sang-froid [...] et pour remonter, c'est dur. » Il tombe sur Lagrange et se souvient parfaitement de la poignée de main qu'ils ont échangée à ce moment-là : des survivants.

Un sergent lui fait signe de rallier l'arrière du bois. Il le suit. Il faut mener une contre-attaque dans la vallée, à la baïonnette, comme en 1914. Les poilus hurlent pour se donner du courage et tirent en courant. Les officiers sont en tête. On entend les cris des blessés. Pour se protéger des mitrailleuses, les hommes plongent, cherchent en vain des abris. Beaucoup ne se relèvent pas.

Quand le bataillon rentre sur Beaulieu et Ecuvilly, les compagnies comptent leurs morts. « Impression profonde sur moi-même, note Louis, faite de craintes, d'horreurs, de dégoût pour cette guerre horrible. » Mais en même temps admiration pour le courage des chefs tombés les premiers. « J'ai pu voir ce dont j'étais capable

1. Louis Masgelier, *op. cit.*, p. 127.

et je suis heureux de constater comment, après l'énervement de la première minute, je sus reprendre quelque empire sur moi-même. »

Le futur caporal instituteur s'excuserait presque de son moment de faiblesse. Il se serre près du sergent qui commande désormais la compagnie, tous les gradés étant morts. Il n'a pas un mot de reproche pour le commandement qui les a envoyés à l'attaque sans aucun soutien, avec pour seule mission d'arrêter l'ennemi. Les aînés ne l'ont-ils pas déjà fait à Verdun ?

Décidément, la guerre n'a pas changé. Dans l'attaque sur la route d'Ercheu, le 388e régiment d'infanterie ne pouvait compter ni sur l'artillerie ni sur l'aviation, mais sur son seul courage. L'aspirant Gomeret était mort sans autre résultat que d'avoir, pour une heure peut-être, réussi à inquiéter l'ennemi.

*

Dans la nuit du 25 au 26 mars, le général Margot demande à Colin de pousser un bataillon du 338e vers la droite, pour maintenir la liaison avec la 10e division. Impossible, les Allemands se sont déjà infiltrés dans les bois. La division a reculé. Le contact est perdu. Les bataillonnaires du 338e risquent de tomber sur l'ennemi qui a réussi à séparer, pendant la nuit, les deux grandes unités.

Une compagnie du régiment s'était précipitée au-devant d'une troupe qui marchait colonne par quatre sur la route de Flavy à Fréniches. Le capitaine croyait avoir affaire à des Anglais en retraite : c'étaient des Allemands. La compagnie était prisonnière, sans avoir pu se défendre.

Colin organise une défense improvisée à hauteur de Frémiches. Les Allemands la contournent par une marée montante de troupes constamment renouvelées. Chaque fois que Colin organise le 338e sur une position, il doit reculer pour ne pas être débordé. Le 25, à midi, le régiment est à découvert, du fait de la retraite des Anglais sur sa gauche et de la 10e division sur sa droite.

Le 307e d'Angoulême a abandonné sa position de Libermont pour un repli « trop rapide » sous les obus allemands. « Plus de munitions ! » dit un commandant pour s'excuser. Le moral des poilus est visiblement atteint. Colin décide de rester sur place pour obliger le colonel à la résistance. Il envoie sa voiture pour chercher des caisses à un point convenu de ravitaillement et interdit aux hommes tout recul.

Près d'Ognolles, les poilus de Decize tiennent bon. Près d'eux les batteries anglaises surprennent par leur flegme. Elles tirent « comme des enragées ». Les servants, en bras de chemise, enfournent les obus pendant que leurs camarades au repos se rasent avec des rasoirs mécaniques, à cinq cents mètres de l'ennemi. Quand les « grosses marmites » cernent la position, les avant-trains sont amenés, au dernier moment, pour déplacer les pièces.

Colin se précipite à l'état-major de Beaulieu, pour rendre compte au général Margot. Le village est désert. Le divisionnaire s'est replié sur Candor. Colin « casse la croûte » avec le colonel du 338e, à trois cents mètres de l'ennemi. Il reçoit l'ordre d'installer une nouvelle position en avant de la route Noyon-Roye.

Toujours pas de renforts, et les régiments doivent décrocher. Ils ont déjà perdu beaucoup de monde et sont épuisés par la veille ininterrompue et les marches continuelles. Colin les renforce en leur affectant les compagnies de cyclistes qu'il rencontre sur la route, ainsi que des automitrailleuses. Il fait flèche de tout bois, en cette interminable journée du 25 mars, envoyant les automobiles blindées aux colonels de ses trois régiments pour leur donner les ordres. L'un d'eux est introuvable, mais un adjudant-major, Thierry d'Argenlieu, rencontré sur la route, se charge de prévenir [1]. Précarité des liaisons !

Le 26 mars, le PC de la division s'éloigne encore jusqu'à Canny-sur-Matz. Il est impossible de tenir le front : les Anglais se dérobent, les Allemands sont trop nombreux et les renforts n'arrivent pas. Au 338e, Louis Masgelier n'a pu dormir de la nuit, après son premier combat. « Un tremblement nerveux s'est emparé de moi [...] Je suis affreusement déprimé, presque effaré. » Il a perdu son copain Lagrange, il se serre contre Mœuf, un pays qui le réconforte. Il faut faire retraite, reprendre le sac à Ecuvilly, manger hâtivement du singe, de la confiture et repartir, après deux nuits sans sommeil et une journée de combat. Les poilus se jettent dans les fossés pour dormir au moindre arrêt.

Pourvoyeur de mitrailleuses, Louis fait retraite, arrosé par les

1. Ce récit est emprunté aux souvenirs du général Henri Colin, *La Guerre de mouvement. 1918*, Paris, Payot, 1935.

fusants. Les artilleurs ennemis sont renseignés par leurs saucisses et leurs avions. Les chasseurs français sont absents du ciel. Les Allemands tirent mal, un seul blessé à la compagnie, chargé dans une brouette.

Pour échapper au repérage, on prend un sentier forestier où il faut traîner au brancard les voiturettes de mitrailleuses. Le bataillon s'installe sur une position rapidement débordée. Il faut constamment reculer, pour atteindre le bourg en ruine de Lassigny. La situation devient tragique quand les *feldgrau* réussissent une percée à la gauche de la division. Les régiments refluent, les liaisons deviennent impossibles, le PC alterne les ordres et les contrordres qui arrivent ou n'arrivent pas.

Furieux, le général Humbert limoge Margot et remplace le commandant Lipps, de l'artillerie divisionnaire, qui commence seulement à prendre position avec un retard jugé inadmissible. Les soldats pillent les coopératives pour se gaver de confitures. Les Allemands ne sont pas en reste : ils dévalisant les caves de Lassigny, ils arrêtent brusquement dans ce secteur leur avance de nuit. Les tonneaux de vin généreux ont eu provisoirement raison de leur ardeur offensive.

Les poilus du 338e sont très heureux de retrouver d'anciennes tranchées françaises pour s'y retrancher sans avoir à creuser. Ils mangent leur premier repas chaud depuis le début de la campagne. Le bataillon de Louis Masgelier n'a plus que deux compagnies. Il a perdu presque toutes ses mitrailleuses. Les poilus dorment assis. Ils attendent la relève. Mais l'avance ennemie reprend le 27 mars, plus forte que jamais.

*

Colin tire sur sa pipe, perplexe. Sur la paille d'une cabane où il prend deux heures de repos, il fait le point de la retraite. Seul le 307e d'Angoulême, dont le colonel vient d'être destitué, a montré du flottement. Les autres unités tiennent le choc et surmontent leur fatigue. Le 338e se remet de ses épreuves. Les instituteurs creusois assistent, impuissants et outrés, au déchaînement de leurs camarades qui mettent au pillage le village abandonné de Neuville-sur-Ressons. Les caves, les poulaillers, mais aussi les buffets, les armoires dans les chambres, « mille détails affreux qui me bouleversent », dit Louis.

Le colonel Henri Colin, commandant l'infanterie de la 62e division, a touché un nouveau général, Serrigny, qui naturellement déclare qu'il ne faut plus céder un pouce de terrain. Les renforts arrivent : les cavaliers démontés du 2e corps de Robillot sont annoncés. Et l'artillerie est enfin en ligne. Mais il faut tenir encore vingt-quatre heures sans secours, au risque de compromettre cinq groupes de 75 et trois de 155, faute de soutien suffisant d'infanterie.

Colin part de nuit en voiture, grelottant de froid malgré sa peau de bique. Il tombe sur un bataillon du 4e zouaves. Il obtient du colonel que ces braves partent immédiatement en ligne, pour tenir la position. Ils replient leurs tentes, éteignent les braseros et marchent aussitôt au combat. Des automitrailleuses arrêtent les fuyards des régiments d'infanterie en retraite et les zouaves ont le temps de creuser des trous individuels car les Allemands n'attaquent pas la nuit.

La résistance s'organise ainsi, par des initiatives isolées, alors que les états-majors de l'arrière ignorent tout de la position des unités et se préoccupent seulement « de mettre les troupes, au fur et à mesure de leur arrivée, à disposition des chefs qui mènent la bataille ».

Henri Colin fait creuser des abris et ordonne aux territoriaux d'arrêter tous les éléments perdus des régiments d'infanterie avec ordre de tirer, si nécessaire. Le général Humbert veut lancer sa IIIe armée dans la contre-attaque, mais les lance-flammes des Allemands refroidissent les ardeurs des zouaves. Le 29 mars, deux groupes de canons lourds tonnent enfin. Les zouaves et les tirailleurs repartent à l'assaut. Le général de la 62e division commande désormais des troupes qui l'ont rejoint mais ne lui appartiennent pas, des automitrailleuses, des cavaliers à pied, des chasseurs, des unités coloniales.

Le 30 mars, il faut repousser une formidable attaque allemande, menée en tête par la 5e division de la Garde prussienne. Colin ne peut opposer à cette troupe d'élite que les unités de l'armée d'Afrique empruntées aux divisions voisines. Les zouaves du 4e régiment, ceux du 4e mixte de tirailleurs avaient été enlevés par camions en Champagne le 25 mars, et mis à la disposition du général Humbert, chef de la IIIe armée, la plus proche des lignes anglaises.

Ils étaient tenus en réserve, en cas de coup dur, comme des plombiers en cas de fuite : une troupe d'élite qui avait donné à la Marne, à Verdun, au Chemin des Dames. « Je suis prêt à être alerté d'une minute à l'autre », disait le commandant de Clermont-Tonnerre [1].

Deux jours plus tard, les zouaves se retrouvaient au campement sur la route de Beuvraignes à Tilloloy, où les avait rencontrés Colin. Ils étaient aussitôt poussés au feu, bataillon par bataillon, comme des pompiers dans un incendie. A Orvillers-Sorel, Clermont-Tonnerre les embusquait sur un terrain inconnu, non repéré, coupé de bois et de chemins creux. Ni tranchées ni abris, des trous recouverts de toiles de tente. L'attaque du 28 mars, à 4 heures de l'après-midi, avait été un désastre. La droite du bataillon, non soutenue par l'artillerie, s'était fait hacher sur les pentes de Conchy-les-Pots, où étaient bien retranchés les Allemands, avec du canon. Le 3e bataillon s'était emparé de Boulogne-la-Grasse, mais avait abandonné dans la nuit cette position trop en pointe. L'affaire avait coûté très cher.

Pétain dcmandait aux zouaves, qui avaient perdu tant des leurs pour un gain d'apparence dérisoire, de renouveler leur effort le lendemain 29. Leur secteur était stratégique : s'ils lâchaient, la route de l'Oise était ouverte à l'invasion. Leur résistance montrerait à l'ennemi que la route de Paris était défendue. Le général en chef avait fait renforcer l'artillerie. Les obus français écrasaient déjà les troupes allemandes d'assaut. Mais la division de la Garde prussienne était redoutable, et les zouaves bien affaiblis.

Le 30 mars était le jour de la rencontre décisive, mais la 38e division d'Alger, celle de Guyot d'Asnières de Salins, était alors en ligne dans son complet : le 4e de zouaves était renforcé du 8e de tirailleurs d'un régiment mixte et des marsouins.

A l'aube du 30 mars, les obus et les torpilles pleuvent du ciel bouché sur les coloniaux aux lignes trop étirées : douze cents mètres par bataillon. Après l'artillerie, les mitrailleuses : l'infanterie ennemie ne tarde pas à déboucher « en vagues épaisses et massives »

1. Louis Gillet, *Un type d'officier français, Louis de Clermont-Tonnerre*, Paris, Perrin, 1919.

des hauteurs de Conchy-les-Pots. Les zouaves reconnaissent leurs vieux adversaires. Ils serrent les dents, ajustent les Lebel, reculent de bois en bois pour échapper au canon. A huit heures, les *feldgrau* se précipitent vers le PC où les officiers se défendent au revolver.

Clermont-Tonnerre se jette contre l'ennemi « comme un sergent » pendant que les obusiers lourds accablent Orvillers-Sorel. Les zouaves se tapissent dans les ruines, dans les chemins creux. Un obus fait disparaître tous les officiers. Seul le colonel se relève. On a perdu Clermont-Tonnerre. Le zouave Bève, de la 9e compagnie, reconnaît son corps, le premier, à la fin de la journée. Le commandant était tombé, raide mort, près d'un caporal qui allait agoniser toute la nuit. Il devait être enterré, le jour de Pâques, au cimetière d'Estrées-Saint-Denis.

*

La 38e division n'était pas la seule à s'être sacrifiée. Sans avoir sa réputation de troupe délite, la 62e avait perdu toutes ses unités. Les unités de Pellé n'étaient plus que des ombres. La 9e division de Gamelin, un ancien de l'état-major de Joffre, débarquée de nuit devant Guiscard, n'avait pas ses trains de combat. Le 4e régiment d'élite recruté à Auxerre s'était fait massacrer sans soutien et sans bandes de mitrailleuses.

La 10e division, entièrement recrutée en Brie, avait parcouru quinze heures de route en camions avant d'attaquer, avec 80 cartouches par homme. Des régiments de cette unité avaient marché trente kilomètres avant de trouver l'ennemi. Faute de mulets, les hommes tiraient les voiturettes de mitrailleuses à la bricole.

Pétain, avec quelque retard dû à ses inquiétudes pour le front de Champagne, avait chargé Fayolle, dès le 23 mars, d'un groupement de 17 divisions bien pourvues d'artillerie lourde et d'aviation, dans le but de défendre la route de Paris. On prévoyait déjà l'usure d'une division toutes les quarante-huit heures. Foch tempêtait : si l'on se préoccupait seulement de protéger la capitale, on laisserait les Anglais se replier sur les ports du Nord. Que pouvaient-ils faire d'autre en l'absence d'une aide massive des Français, au soir du 24 mars ?

Dans Paris bombardée chaque jour par la Bertha [1], le gouvernement Clemenceau s'inquiétait de la double avance allemande sur Noyon et Paris, de la rupture des deux armées britannique et française. Le 25 mars, Ludendorff était en mesure de forcer la victoire, et de réduire à néant quatre ans de résistance française. Si les alliés perdaient Amiens, ils n'avaient plus de liaison ferroviaire. Les Allemands pourraient liquider sans risques l'armée anglaise déjà accablée. Dès le 24 mars, à 14 heures, le quartier-maître général avait annoncé à Berlin la victoire par radio, présentant la rupture du front allié comme définitive.

Le 25 mars, les Allemands sont à Noyon. La brèche s'agrandit jusqu'à vingt kilomètres. Pétain, soutenu par Franchet d'Esperey, persiste à refuser de dégager ses armées de Champagne. Il accepte seulement d'expédier sur Amiens l'excellente Ire armée française de Debeney, qui vient de l'Est, à plusieurs jours du front.

Clemenceau et lord Milner décident alors de se rencontrer le 26 mars à Doullens. Ils chargent Foch de « coordonner l'action des armées alliées sur le front Ouest ». Le principe du commandement unique est posé. Pétain devra s'incliner. « Lorsque l'ennemi veut ouvrir un trou, dit Foch, on ne l'élargit pas, on le ferme. » Il impose sa volonté de défendre Amiens, et de restaurer l'unité du front, pendant que Ludendorff commet l'erreur, se sentant sûr de la victoire, de combattre en éventail les deux lièvres à la fois, et de lancer von Hutier exclusivement sur les Français.

Dans la nuit du 25 au 26 mars, Pétain donne enfin des ordres pour diligenter les divisions de réserve de Champagne, toutes proches. On s'arrange pour que l'artillerie divisionnaire parte la première, afin d'assurer la protection des troupes dès leur débarquement. Il faut sauver les 10e, 22e et 62e divisions françaises exténuées.

Les renforts d'artillerie et d'aviation ont rendu possible le miracle. Fayolle a reçu 1 344 pièces et 700 avions d'assaut. Le

1. Les Parisiens appelaient « grosse Bertha », du nom de Bertha Krupp, épouse de l'industriel, un tube installé par les Allemands dans la forêt de Saint-Gobain, capable d'atteindre des cibles à plus de cent kilomètres et dont les obus tombaient régulièrement dans l'axe des boulevards de Strasbourg et Saint-Michel. Aucun hôtelier ne pouvait plus louer une chambre sur cet axe.

groupe de chasse Ménard a reçu l'ordre de s'installer au sud de Compiègne, sur l'aérodrome de Plessis-Belleville. Les escadrilles de Féquant abandonnent enfin la Champagne pour atterrir sur le terrain de Beauvais. Une troisième formation attaque les concentrations allemandes dans les gares de Hirson et de Busigny.

« Cramponnez-vous sur le terrain, lance Pétain aux fantassins, les camarades arrivent ! »

La balance des forces tourne au profit des Français, pendant que les Anglais s'accrochent au terrain au nord de la Somme. Les trains crachent la fumée pour amener à pied d'œuvre les divisions de Champagne, de Lorraine et même celles des Vosges. Fayolle fait pousser les pièces de 75 au plus près des lignes. Des automitrailleuses Renault et Peugeot viennent aider les cuirassiers démontés de Boissieu qui se dépensent sur l'Arve, tenant la moindre ruine.

La plus petite rivière de Picardie, la Luce, la Divette, le Matz, est, comme la Scrape et l'Ancre, un enjeu meurtrier. Elles permettent de se retrancher pour retarder l'avance allemande, irrésistible, sur Amiens. « Il n'y a plus un mètre du sol de France à perdre », dit Foch, et la bataille se poursuit, acharnée, par des contre-attaques de détail, des réactions sauvages, des sauts de puce d'obstacle en obstacle. Triomphe du fantassin, cette fois dirigé au combat par des officiers qui ont abandonné les cagnas de l'arrière pour aller au feu. Ceux qui n'ont pas suivi le mouvement ont été remplacés sur-le-champ.

A quel prix ! La 12e division du général Penet ne compte plus que cinq bataillons. Les poilus de Compiègne, de Reims, de Soissons se battent presque sur leur sol, aidés par ceux du 106e de Chalons. Ils sont morts par milliers, comme à Verdun, dans une des plus coûteuses batailles de la guerre. La 133e division n'a presque plus de combattants. Disparus au combat, les Montluçonnais, les Roannais, les Bretons de Vannes et les Bourguignons de Mâcon. Le général Valentin, pour s'accrocher au terrain, a engagé des petits groupes de soldats anglais en déroute dans ses compagnies squelettiques et disparates.

Mais l'artillerie est arrivée. Le général Humbert a touché à lui seul, sur son front de l'Oise, 204 batteries de 75 et 132 de pièces lourdes. L'avance allemande est bloquée, le 31 mars 1918. Ludendorff vient d'échouer, alors qu'il tenait la victoire.

Le 5 avril au soir, après une dernière contre-attaque de Mangin rentré en grâce et mis à la tête du 9e corps, le feu tombait sur toute la ligne. Les 120 000 Parisiens qui avaient quitté la capitale bombardée pourraient rentrer chez eux. Paris était provisoirement sauvé.

*

Le canon allemand roulait désormais dans le Nord, précédant la masse des unités lancées à l'assaut des Flandres, des ports de la Manche. Une très forte poussée de sept divisions, annoncée par le feu d'enfer de 700 canons, avait dispersé deux divisions portugaises et entamé la ligne anglaise jusqu'à la Lys. On comptait déjà, le 9 avril 1918, 6 000 prisonniers anglais. Ludendorff voulait s'emparer à toute force de la ligne flamande des monts, pour disposer des observatoires et rendre la plaine intenable.

Haig demandait le secours immédiat des Français. Les unités de réserve si patiemment constituées par Pétain et Foch prendraient-elles le train sur la ligne unique du Paris-Beauvais-Abbeville-Calais pour tenir les Flandres ? Foch lui-même était réticent, Pétain hostile. Les poilus devaient-ils une fois encore se sacrifier pour sauver l'armée britannique ?

Le 11 avril, le Kaiser paradait dans Armentières conquise. Il voulait assister au spectacle de la déroute anglaise. Les Français expédiaient d'abord les 700 avions de Ménard et Féquant mais n'envoyaient sur place qu'un corps de cavalerie. Il franchissait sans murmurer deux cents kilomètres en soixante-dix heures, crevait ses chevaux pour monter aussitôt en ligne. Deux divisions d'infanterie devaient suivre, puis un détachement d'armée aux ordres du général de Mitry. Ces renforts n'empêchaient pas les alliés de perdre, le 25 avril, le mont Kemmel.

Les Français avaient résisté jusqu'au bout. Alors qu'ils combattaient encore, les poilus de la 28e, des alpins et des fantassins d'Annecy, de Bourgoin et de Vienne avaient subi le tir de l'artillerie française, qui croyait le mont occupé par les Allemands. Les deux divisions engagées avaient perdu plus de cinq mille des leurs. Ceux de la 39e, les Briards de Massenet, avaient vu leurs compagnies fondre au feu.

Fallait-il envoyer de nouveaux renforts dans les Flandres ? Les Allemands y avaient subi de lourdes pertes et les Anglais, héroïques, tenaient leurs positions. Le 30 avril, l'offensive s'essoufflait. Les renforts d'artillerie alliés avaient, une fois encore, permis de résister aux assauts furieux des unités de Ludendorff.

Les artilleurs n'étaient pas tous arrivés à temps : dans l'armée de Belfort, l'aspirant Jean Bernard, sorti d'une taupe de Saint-Louis, attendait au 47e d'artillerie de campagne l'heure du départ pour l'ouest du front [1]. A l'école de Fontainebleau, il avait appris toutes les finesses du tir au 75, et même sur des chiens attachés dans une tranchée pour permettre aux techniciens de mesurer l'efficacité des nouveaux obus à gaz. Les majors de sa promotion avaient choisi les batteries lourdes, car « l'esprit de sécurité l'emportait sur celui du patriotisme ou du sacrifice ». Les plus courageux, les crapouillots de tranchée. Il lui restait le 47e régiment d'artillerie à cheval, en garnison à Héricourt, dans la Haute-Saône, dont il était originaire.

Rattaché à la 14e division dite « des as » parce que ses quatre régiments levés à Besançon, Lons-le-Saunier et Belfort étaient initialement désignés par les couleurs d'un jeu de cartes, l'aspirant affecté à dix-neuf ans à une batterie de quatre pièces se contentait de diriger le tir en second d'un capitaine expérimenté. Le régiment avait perdu beaucoup d'artilleurs dans les campagnes précédentes et se reconstituait dans l'Est, apprenant à tirer, sur le front calme de Lorraine, à des canonniers américains. Les servants, agiles et adroits, constituaient des équipes « où la suppression de galons n'aurait en rien modifié les attitudes réciproques ». Jean Bernard y avait à peine subi l'épreuve du feu : pour un artilleur, un tir de contrebatterie.

Pétain avait désigné la 14e division pour partir vers l'ouest en renfort, dans la nuit du 29 au 30 mars. Chaque pièce était attelée à ses six chevaux et prenait ainsi la route, suivie de ses fourgons et chariots de parc. L'étape était de trente-cinq kilomètres.

Le déplacement de la division bouleversait toute la région et encombrait les routes. L'embarquement des régiments d'infanterie avait commencé en gare de Charmes, le 31 mars. A cette date, le gros de l'offensive Ludendorff sur la Picardie était passé. Les artilleurs attendaient quatre jours pour faire grimper les chevaux dans les wagons. Un seul train pour la batterie, un seul wagon de voyageurs pour les gradés. « Le reste des hommes se répartissait

1. Jean Alexandre Cardot, *Artilleurs de campagne. 1918.*

comme il pouvait. » On voulait arrêter un permissionnaire récalcitrant à Besançon, parce qu'il prétendait dormir en première classe.

Les cheminots du train restaient muets sur leur destination. « On est allé chercher des renforts jusqu'à la frontière suisse », disait l'un d'eux. On marchait plein ouest, sur Chaumont. On laissait passer les convois de permissionnaires. Sur instruction de Pétain, ils avaient la priorité, même sur les renforts. Il faut croire que l'état-major n'avait pas hâte d'engager ses réserves.

Le train reprenait sa marche « cahin-caha ». Il prenait de l'eau très souvent, et repartait « à une allure d'écrevisse ». Il faisait halte à Versailles-Chantiers, puis à Montfort-l'Amaury, enfin à Rantigny dans l'Oise, où l'on entendait le canon. L'artillerie de renfort tournait en rond. Les officiers assuraient qu'ils devaient organiser une deuxième ligne devant Paris, pour résister à la seconde offensive de Ludendorff.

Savaient-ils que l'attaque générale dans les Flandres avait commencé le 9 avril ? Le train repartait, à petites étapes. Trois semaines de voyage avant d'aboutir au pied du mont Kemmel, déjà aux mains des Allemands. Par Auchy-le-Château, Romercamp, Blangy-sur-Poix, Quevauvillers et Raincheval, les batteries à cheval avaient suivi péniblement la route du Nord, jusqu'au 27 avril.

Quand elles arrivaient sur le front britannique, le 8 mai, l'offensive allemande avait cessé depuis longtemps. Les artilleurs relevaient en fait des batteries usées qui avaient été renvoyées vers l'arrière : la 14e division prenait le secteur tenu par la 33e belge, épuisée par les combats. Ainsi, pendant les deux premières offensives de Ludendorff, cette division pourtant disponible n'avait jamais donné.

*

Le 5e régiment d'artillerie de campagne est envoyé plus vite en Belgique, au secours des Anglais. Les Lyonnais de la 78e batterie ont quitté les wagons en souffrance au Bourget pour passer la nuit à Paris. Ils ont bu dans les tavernes du boulevard Saint-Denis, avec des femmes « en jupe cloche » et des bourgeois en « trench-coat ». Ils ont dansé toute la nuit au son des trompettes de jazz du Princess'bar, ou des « tangos-exhibition » avec les entraîneuses. A l'aube, ils ont rejoint le convoi de renfort qui partait pour la Belgique [1]

Cette unite de choc, commandée jadis par Nivelle et équipée de canons de 75 de campagne, n'est pas affectée au front enfoncé de la Lys. Attribuée à la 133e division d'infanterie, celle de Passaga à Verdun, elle est commandée par le général Valentin, amputé du bras droit, sept brisques de blessures : un brave à quatre poils, un de ces nouveaux généraux toujours en première ligne et respectés des hommes. Depuis l'échec du Chemin des Dames, la division avait déjà été affectée au front belge, dans la Ire armée d'Anthoine. Mais elle en avait été retirée pour être envoyée en renfort sur l'Arve, pendant l'offensive de Picardie du 25 mars au 4 avril.

Après huit jours de repos seulement, le 11 avril, la batterie, dont les pièces étaient tirées désormais par quatre chevaux en raison des pertes, était retournée en Belgique, avancée dans la région de Bergues, et engagée devant Meteren, mais à partir du 16 avril seulement. Les Parisiens de la classe 17 et les jeunes Lyonnais manquaient d'eau et ménageaient les bouthéons, comptant les boîtes de singe dans les cagnas des dunes recouvertes de tôles ondulées. Les gourdes étaient remplies de bière achetée aux mercantis des estaminets bombardés des villages. Les obus allemands rompaient régulièrement les lignes téléphoniques reliant les batteries aux observatoires. Le souci des téléphonistes de la « cinquième pièce » était de réparer jour et nuit les fils rompus, pour pouvoir transmettre aux chefs de pièces les ordres de tir.

Sur la plage, les chevaux se faisaient tuer en se roulant dans le sable pour se soulager de la gale, et les hommes étaient visés par les mitrailleurs quand ils se jetaient dans la mer pour échapper à l'odeur sinistre des morts que les Allemands brûlaient à Mariakerke dans un crématoire improvisé. Les artilleurs étaient accablés par les tirs de représailles des batteries allemandes qui mettaient leurs pièces « en bombe ». Quand ils furent relevés par les Britanniques, ils apprirent, sans avoir vraiment connu le gros de l'offensive allemande des Flandres, qu'elle était terminée. Ils étaient assignés à

1. Voir le récit de Marcel E. Grancher, *Cinq de campagne*, Lyon, éditions Lugdunum, 1938.

un secteur calme, avant d'être retirés du front en mai et transportés dans la région de Montbéliard.

Si Pétain avait ainsi ménagé ses réserves, soutenant son allié avec parcimonie et tardivement, comptant sur Haig pour résister à l'attaque allemande, c'est qu'il prévoyait une autre offensive contre les Français, dirigée cette fois sur Paris. Sans doute les Allemands avaient-ils perdu 230 000 hommes du 21 mars au 30 avril, mais les alliés avaient subi des pertes beaucoup plus importantes : 250 000 dans l'armée anglaise, dont 72 000 prisonniers, et 92 000 Français, dont 18 000 s'étaient rendus à l'ennemi.

La proportion préoccupante des prisonniers au registre des « disparus » montrait, à l'évidence, une baisse du moral. En mai, Ludendorff, grâce aux renforts venus de l'Est et aux nouvelles levées de la classe 1919, pouvait encore aligner 206 divisions, contre 171 alliées. Sa réserve était estimée par les services de renseignements français à 75 ou 80 unités de bonnes troupes. Les Anglais n'avaient plus que 50 unités opérationnelles, et les réserves de Foch avaient fondu : une quarantaine de divisions dispersées sur le front.

On ne pouvait encore rapatrier les régiments envoyés dans les Flandres, parce que les observations s'accordaient à dénoncer de nouveaux préparatifs du prince Rupprecht de Bavière, avec des effectifs d'au moins quarante divisions qui suffiraient à fixer l'armée britannique et risquaient d'emporter la décision. Haig utilisait ses renforts pour reconstituer ses bataillons perdus. Quant aux Américains, leurs quatre divisions instruites s'habituaient aux combats dans les secteurs calmes de l'Est.

Les Français devaient donc rester présents sur la Lys, et plus encore dans la région de la Somme, entre Montdidier et Arras, où le feu mal éteint pouvait reprendre. 45 des 103 divisions françaises attendaient donc l'ennemi au nord de l'Oise. Si Ludendorff parvenait, par une attaque du Kronprinz de Prusse, à aligner 30 divisions et 1 150 batteries contre l'armée française, à attirer des renforts alliés vers le Sud, Rupprecht aurait les mains libres au Nord. L'obsession du quartier-maître général était encore d'abattre, en premier, les Anglais.

Les poilus de la VIe armée qui tenaient la ligne de l'Aisne pour le général Duchêne ignoraient qu'ils étaient aux premières loges dans les calculs allemands. Derrière eux, deux petites divisions de réserve, sur un terrain difficile où les renforts arrivaient à grand-peine.

Pétain savait pourtant, par une étude des renseignements remise le 14 mai, que les renforts allemands se succédaient en Champagne par trois itinéraires ferroviaires. Une division partie de Liège arrivait par Rethel en trois jours sur le front. Un corps d'armée parti de Bruxelles mettait seulement deux jours pour entrer en ligne autour de Vouziers. Par Mons, Namur et Carignan, il fallait compter vingt-quatre heures de plus. En un mois, les Allemands avaient eu tout loisir d'acheminer 38 divisions à pied d'œuvre. On pouvait s'attendre à une chaude affaire en Champagne, à partir du 20 mai.

*

Quel chemin parcouru depuis août 1914 ! Pour ceux de 19 ans qui montent au front en 1918, le « pantalon rouge » parti à vingt-cinq ans est un ancêtre. On écoute à la popote ses récits de Charleroi comme s'il parlait de la guerre de Crimée. Il a vieilli d'une génération en quatre ans, ses joues sont amaigries, des rides plissent ses yeux, à force de guetter de jour et de nuit. Le froid, le vent ont buriné son visage comme une pomme cuite. Il est voûté, à force d'avoir marché, penché dans les boyaux. Ses jambes le portent à peine, quand il part « en perm », ployant sous le barda. Personne ne sait plus comme lui démonter dans l'obscurité les mille pièces d'une mitrailleuse de Saint-Etienne. C'est, déjà, un ancien combattant qui montre aux bleus ses brisques et ses blessures. Ceux qui montent au front en mai 1918 n'auront pas comme lui le temps de vieillir en tranchée. Ils seront morts avant.

Ils quittent les gares en silence derrière un cordon de gendarmes, les jours où l'on craint des manifestations. On ne les laisse pas rencontrer les permissionnaires qui sortent de la gare par des portes spéciales, également encadrés. Le climat est à la méfiance, à la surveillance. Après l'offensive du 21 mars, les policiers arrêtent par dizaines dans Paris les titulaires de fausses permissions ou les retardataires cachés dans les garnis [1].

Certains parviennent à échapper longtemps aux rafles et aux

1. Voir les registres de la main courante du 2e commissariat, quartier des Halles. In Archives de la Préfecture de Police de Paris.

contrôles. Un fantassin du 94e régiment de Bar-le-Duc était en cavale depuis le 17 mars quand il a été reconduit à Paris, le 30 juin. Un fugitif du 97e de Chambéry réussirait à se cacher jusqu'à l'armistice, avec des faux papiers. Il avait quitté son corps en pleine bataille, le 28 mars. Un soldat de vingt ans, Fernand Guenouille, avait abandonné le 170e d'Epinal, au repos à Billy. Il ne voulait pas remonter en ligne. Un artilleur, déjà blessé à vingt ans, quittait l'hôpital de Coulommiers pour rejoindre son corps à Noisy-le-Sec. On s'était hâté de le déclarer bon pour le retour au front. Il avait alors changé d'identité et trouvé refuge dans un hôtel de passe.

La police arrêtait une approvisionneuse aux Halles, Augustine Bloch, accusée de recel de déserteurs. Un monde souterrain d'entraide aux fugitifs s'organisait dans ce quartier. Les prises étaient si nombreuses, surtout parmi les jeunes embarquant pour la première fois à la gare de l'Est, que l'on avait nuancé la terminologie juridique : à côté des déserteurs et des insoumis, on distinguait désormais le délit « d'absence illégale ». La place de Paris ne s'encombrait pas de procédure et acheminait, selon la gravité de la faute, les soldats vers leur corps ou dans les compagnies disciplinaires.

Les appelés grimpaient dans les trains sans protester, mais sans enthousiasme apparent, sans manifestations de soutien. D'autant que les menaces qui se précisaient contre la capitale constamment bombardée et en partie évacuée par les civils mettaient en sourdine la propagande pacifiste et les manifestations contre la guerre. Bon gré mal gré, les bleus étaient tenus de faire leur devoir, plus que jamais, même s'ils avaient au cœur un sentiment de révolte contre la « boucherie », de répulsion contre la guerre sans fin. L'ennemi était aux portes, et son canon frappait. C'était l'heure de la dernière bataille.

Quant aux soldats du front, les plus anciens étaient si habitués aux coups durs que l'angoisse d'une nouvelle offensive ne les effrayait nullement. André Léautey, artilleur au 44e du Mans, engagé volontaire, recruté tardivement pour cause de myopie et d'albumine [1] avait été heureux d'être pris comme pointeur sur pièce

1. Carnets d'André Léautey, matricule 3368 2 °C.S., communiqués sous forme de feuillets dactylographiés par sa famille.

de 90, puis comme téléphoniste. Il avait échappé à mille morts avant de se retrouver en congé de maladie à Paris en février 1918. Il avait été contrôlé lors d'une rafle de police à la sortie de Bobino, mais ses papiers étaient en règle. Ce candidat à l'Ecole des beaux-arts avait perdu, après trois ans de campagne très durs, l'enthousiasme de ses débuts. Il était déçu de ne pas avoir son congé de santé prolongé par le major.

De retour au central de l'artillerie divisionnaire, il posait de nouveau des lignes dans la neige et réparait les postes de TSF endommagés. La Champagne n'était pas visée par l'offensive Ludendorff de mars, et cependant les lignes autour de Brimont étaient malmenées par des bombardements fréquents, qui avaient fait croire à Pétain que les Allemands voulaient aussi attaquer dans cet axe. Le lieutenant du soldat Léautey avait eu le crâne arraché par un obus.

En avril, l'unité avait quitté la Champagne pour gagner les bords de Marne près d'Epernay. Les bombardements allemands se succédaient pendant tout le mois d'avril, comme si le front était menacé. En écoutant la radio, André apprenait que les Allemands attaquaient de nouveau sur la Somme vers Montdidier, et que les poilus s'étaient fait massacrer pour la conquête d'un bois qu'ils avaient dû évacuer peu après.

« Que de vies humaine sacrifiées ! » commentait l'engagé volontaire d'août 1914. Le 14 avril, il avait assisté à un conseil de guerre tenu dans le baraquement du foyer du soldat. Une avocate aux cheveux courts, très décolletée, assurait la défense d'un soldat accusé d'abandon de poste. « Pendant que les sentences sont en suspens, dit André, cette jeune personne fait des sourires et minaude, et n'a pas l'air de se rendre compte du tout que la vie du type est sur le feu. » Les autres avocats, des militaires, sont « encore plus piteux ». André enrage. Le soldat est condamné à mort. Un autre à vingt ans de travaux forcés pour le même motif mais avec circonstances atténuantes, le troisième, un major « vraiment trop débrouillard », écope de quinze ans de bagne. Ces sentences trop lourdes, André les qualifie de « pathétiques ».

Cela ne l'empêche pas de renouer les fils rompus sur le front, et de se glisser dans les boyaux. Il maudit la guerre et ses horreurs, mais continue sa tâche sans faiblir, comme s'il n'y avait rien d'autre à faire qu'à tenir et survivre jusqu'à la fin. Il est en position sur le front de Champagne quand éclatent les premiers coups de canon de l'offensive de la fin mai. Le bombardement est formidable : de 21 h 30 à 4 heures du matin, sans discontinuer. Toutes les lignes téléphoniques sont coupées, les batteries de 75 hachées, les artilleurs presque tous blessés ou tués. André Léautey a perdu la ligne. Son journal s'arrête au soir du lundi 27 mai.

*

Celui de Louis Masgelier n'est plus tenu régulièrement après le 16 avril 1918. Son fils s'est interrogé sur ce silence. « La pudeur, la lassitude, peut-être un certain dégoût, écrit-il, ont alors arrêté sa main. » Son camarade Arnaud avait été tué sous un hangar d'un éclat d'obus ricochant sur la route. Il n'avait pas reçu, en quatre ans de front, une seule blessure. Etait-il assez las de la boue des tranchées d'avril en Picardie, des morts et des blessés relevés chaque jour, de ceux qui restaient en place, du crâne ouvert d'un cadavre qui lui barrait la route, alors qu'il descendait de Ressons-sur-Matz ?

Il avait été enfin nommé caporal, le 16 avril. Cette promotion tant attendue ne l'émouvait plus. « Ma vie a-t-elle été influencée par cette nomination ? Non, bien peu », disait-il. Il devait être pourtant cité à l'ordre de la 62e division et ne passait pas pour un mauvais soldat puisqu'il finirait aspirant. Une seule offensive avait suffi pour lui apprendre à maudire la guerre.

En mai 1918, à vingt ans, il était déjà un ancien et nombre de ses camarades étaient morts. A sa division, la 62e, les pertes avaient été telles que les trains conduisaient les survivants dans un secteur calme de Saint-Dié, dans les Vosges. Mais combien d'autres unités entraient en ligne ? Les « bleuets », dans les blés de Champagne, n'étaient pas encore tous moissonnés. Il en restait assez sous les armes pour sauver Paris.

Les poilus n'avaient pas le choix. Ils devaient tenir les lignes et ouvrir l'œil. Au Chemin des Dames, ceux de la VIe armée montaient la garde. Le général Duchêne ne croyait pas à une offensive. Les Allemands avaient pris toutes les précautions pour dissimuler leur approche. Les divisions d'attaque de l'ennemi n'étaient à pied d'œuvre que la dernière nuit. Elles marchaient sans bruit sous la lune et s'abritaient le jour dans les creutes et les abris, les pattes d'épaulettes décousues et sans insignes. A peine avait-on repéré sur les routes quelques uniformes de la Garde « circulant par petits paquets ». Des interrogatoires de prisonniers signalaient que les soldats d'élite « étaient sans enthousiasme », mais que ces professionnels connaissaient bien le secteur, où ils avaient combattu un an auparavant.

Duchêne ne demandait pas de renforts. Les coloniaux de la 45ᵉ division gardaient Reims et des Anglais du 9ᵉ corps, décimé dans l'armée Goughh, cueillaient le muguet sur le plateau de Craonne, bien persuadés qu'ils ne couraient aucun danger dans ce secteur désormais des plus calmes. Pourtant Duchêne avait mis en place un dispositif pour faire sauter les ponts de l'Aisne à la première alerte. « Demain, peut-être, disait-il le 23 mai, la bataille sera sur nous. Que nos esprits soient tendus à la guerre ! »

Son artillerie avait arrosé les lignes allemandes pendant la journée du 26 mai. Une division d'infanterie, celle des Briards de la 39ᵉ toujours mobilisés dans les coups durs, était montée tout près des lignes par camions, suivie par les Vendéens de la Roche-sur-Yon, Ancenis et Fontenay (21ᵉ). Le chef de la VIᵉ armée disposait, renforts immédiats compris, d'effectifs inférieurs de moitié aux trente divisions allemandes qui attendaient l'heure de l'assaut.

Les ordres, en cas d'attaque, étaient de tenir éperdument sur la première ligne de tranchées, « sans tourner son regard vers l'arrière ». Chaque mitrailleuse devait tirer jusqu'à épuisement de ses bandes. Pas question d'organiser, comme le souhaitait Pétain, une deuxième position de résistance. Les poilus du Chemin des Dames étaient, une fois encore, promis au carnage.

Ils devaient subir un bombardement au gaz d'une ampleur considérable, rendu dangereux par l'emploi de l'ypérite, ou gaz moutarde, déjà expérimenté en 1917 et largement employé dans l'attaque du 21 mars[1]. Les obus à croix jaune tirés par les 77 et les 105 avaient des conséquences immédiates : les poilus surpris souffraient des yeux, vomissaient, leurs visages bouffis se couvraient de plaques. La terre contaminée donnait des œdèmes partout où la peau était en contact avec le gaz, notamment aux latrines.

1. Il s'agit du sulfure d'éthyle dichloré beaucoup plus toxique que le cyanure et le chlorure des obus à croix bleue. Voir l'étude d'Olivier Lepick, *La Grande Guerre chimique*, Paris, PUF, 1999.

Ce gaz avait des effets si nocifs que Ludendorff pouvait écrire : « Notre artillerie se repose maintenant sur les gaz pour produire ses effets. » Pendant dix minutes, l'éperon du Chemin des Dames était accablé par des obus à croix jaune qui dégageaient une nappe continue, s'infiltrant dans les tranchées et les entonnoirs. Les vêtements, les souliers des poilus du ravin sud de Juvigny étaient imprégnés de gaz moutarde. On répandrait du chlorure de chaux dans chaque trou d'obus pour permettre aux défenseurs de tenir.

L'attaque avait commencé aussitôt après les tirs meurtriers des *minenwerfer*, selon le scénario habituel des *stosstruppen*. A 7 heures du matin, Ludendorff pouvait s'enorgueillir de 45 000 prisonniers. La 8e division britannique n'avait plus que 2 000 hommes en état de tirer. On avait perdu les Chouans de la 21e division qui résistaient par petits paquets, jusqu'à épuisement. Les Bretons de la 61e ne comptaient plus que 600 fusils, et 500 la 22e des poilus de Brest, Vannes, Lorient et Quimper.

Duchêne avait perdu la maîtrise du combat. Il recevait par pigeons voyageurs des nouvelles des points de résistance : ainsi, à Pargny, au nord-ouest du Chemin des Dames, un commandant appelait au secours : « Sommes au contact à la grenade, les Boches nous débordent. » Œuilly, petit bourg de l'Aisne, est déjà encerclé. Les divisions sont jetées dans la bataille à l'aveuglette, sans qu'on puisse même leur indiquer un point de départ.

Les assaillants sont à trois ou quatre contre un. Ils descendent sur Soissons. Malgré l'obstination des bataillons de chasseurs à pied de Brienne, le général des Vallières doit évacuer Vexaillons. Des groupes encerclés résistent encore, sans espoir, dans la forêt de Pinon, au nord du moulin de Laffaux. Les survivants envoient un pigeon au général : « Tout le monde a fait son devoir, jusqu'à la dernière limite. Le bataillon a lutté pied à pied, pendant onze heures. Il ne reste que le quart de l'effectif et plus de munitions pour les mitrailleuses. »

*

Voilà les Allemands sur l'Aisne, qu'ils franchissent aisément sur des ponts de bateaux ou, ce qui est plus grave, sur les ponts restés intacts, en dépit des ordres de Duchêne. Les plis de l'état-major étaient arrivés trop tard. Seuls les ponts de l'ouest avaient pu être minés, sous le feu des mitrailleuses allemandes. Les poilus en retraite étaient donc talonnés par des *stosstruppen* qui n'avaient eu aucun mal à franchir l'Aisne et la Vesle. Les contre-attaques lancées sans appui d'artillerie avaient toutes échoué : les renforts étaient trop faibles.

Un témoignage permet de suivre l'intervention de ces troupes de choc, chargées de résorber la percée sur l'Aisne [1]. Pétain a envoyé la 13e division à trois bataillons de chasseurs à pied, de solides troupes de Langres, Brienne et Chaumont pour tenir Fismes, à l'ouest du môle de résistance de Reims, et la première division d'élite qui doit se cramponner à Soissons, l'autre pôle de résistance du front enfoncé.

Le mouvement commence à 9 h 30, « soupe mangée ». Il a du retard, car les camions se font attendre. Les fantassins partent les premiers, à 13 heures seulement, les chasseurs une heure plus tard. L'objectif est Romain, au nord de Fismes. Sur la route étroite défilent les survivants d'un corps anglais en retraite, emportant leurs blessés. Les officiers de la 13e division envoyés en éclaireurs dans le village le trouvent vide : les avions allemands mitraillent les derniers fuyards.

Les officiers peuvent encore téléphoner. Ils demandent que les soldats débarquent aussitôt en tenue de combat. Ils seront immédiatement en contact avec l'ennemi, sous la protection de quelques rares automitrailleuses. Franchet d'Esperey, responsable du front nord, exige que l'on reprenne les hauteurs de la Vesle. Impossible répondent les éclaireurs : les Allemands sont là. Ils mitraillent les chasseurs dès qu'ils sautent de leurs camions. L'artillerie, l'aviation ennemie attaquent sans répit les colonnes de renfort.

La 13e division est déjà coupée en deux. Des cavaliers essaient en vain de combler la brèche. 2 000 hommes sont tombés et les survivants n'ont plus de munitions. Aucun soutien d'artillerie. « En embarquant la division pour un trajet aussi court, écrivent Laure et Jacottet, on lui fit perdre trois quarts d'heure pour sa mise en mouvement, on la scinda en plusieurs morceaux, on la priva de son artillerie. Tous les liens tactiques furent rompus, et il fut impossible de les renouer au cours des journées suivantes. »

1. Voir *Revue militaire française*, 1926. Récit du lieutenant-colonel Laure et du commandant Jacottet.

On a utilisé une troupe d'élite, une fois de plus, pour faire face à l'incendie sans lui donner aucune chance de l'éteindre, dans l'affolement des états-majors. Franchet d'Esperey et Duchêne paieront cher cette imprudence, ou cette inconséquence. Le premier sera envoyé à Salonique, le deuxième passera devant une commission d'enquête.

Le secours vient plus tard, quand la 20e division attaque à son tour, cette fois avec un fort soutien d'artillerie. Les groupes de 105 et d'artillerie portée, les deux groupes lourds tirés par des chevaux et les trois régiments à tracteurs venaient de Champagne. Ils n'avaient pu survenir au premier feu [1]. Les avions allemands qui orientaient les tirs d'extermination de l'artillerie ne seraient attaqués qu'après l'arrivé du groupe Chabert de la Ferté-Milon et des chasseurs de Féquant venus de Beauvais. Alors seulement, quarante-huit heures après l'attaque, les forces commenceraient à s'équilibrer.

Le mouvement ascendant et descendant des renforts d'artillerie lourde le long des lignes était plus rapide chez les Allemands, parce qu'ils disposaient d'un réseau ferroviaire plus rassemblé, plus capillarisé. Les Français ne comptaient toujours que sur une seule ligne de communication nord-sud, lente et menacée. Les transversales d'ouest en est n'étaient pas plus rapides. On a vu que les convois passaient le plus souvent par Paris-Le Bourget. La centralisation du réseau rendait les communications lentes avec l'Alsace et la Lorraine.

De là pourtant partaient les divisions les plus reposées, que Pétain affectait en priorité au Chemin des Dames, ménageant jusqu'au bout le front de Champagne, où il craignait une extension de l'offensive. Encore moins faisait-il appel à Foch, entièrement préoccupé par l'opération du Kronprinz de Bavière, qui risquait d'être décisive. Il n'était pas possible de demander aux Britanniques plus qu'ils n'avaient donné : les divisions du 9e corps désormais en retraite à partir du plateau de Craonne.

Avec ses seuls moyens, Pétain n'avait pu empêcher les Alle-

1. Il faut en effet quatre jours pour transporter les batteries lourdes des fronts du Nord et de l'Est, et deux ou trois jours pour les faire venir de la Somme. Le mouvement programmé le 28 mai ne donnera ses effets que dans les premiers jours de juin.

mands de prendre Soissons, après des combats de rues acharnés, pires qu'à Noyon. Le général des Vallières y avait laissé la vie, tué à la sortie de Juvigny. On n'avait pas eu le courage de faire sauter le pont du chemin de fer, encombré de blessés et de soldats français exténués. La ville martyre, bombardée de jour et de nuit, réduite à un champ de ruines, servait de retranchement aux avant-gardes ennemies.

Pour empêcher la ruée sur la Marne, une ligne de résistance courant sur les bords de la petite rivière l'Ourcq pouvait être envisagée dans les calculs d'état-major, de La Ferté-Milon à Fère-en-Tardenois, par Oulchy-le-Château où le général Duchêne avait installé son QG.

Avec quelles troupes ? Seules des automitrailleuses et des cavaliers démontés couraient les routes de forêt. Des bribes de divisions étaient arrêtées à La Fère, encadrées par les officiers de cuirassiers du divisionnaire de la Tour. Le général Zende arrêtait les traînards et les fuyards, et leur rendait courage comme avant la bataille de la Marne. Mais les armes manquaient. Le commandant Jacottet a vécu la retraite de l'excellente 13e division. Les mitrailleurs jetaient leurs armes dès qu'ils n'avaient plus de bandes. Dans les meilleurs cas, ils les sabotaient, pour qu'elles ne servent pas à l'ennemi. Les tromblons de grenades étaient abandonnés au bord des routes, ainsi que les fusils-mitrailleurs. Les soldats ne conservaient symboliquement que leurs fusils à baïonnettes, même s'ils n'avaient plus de cartouches. Pour ne pas être arrêtés comme fuyards.

Les hommes en retraite n'étaient pas assez nombreux pour offrir une ligne de résistance. Les travailleurs de la territoriale abandonnaient sur ordre les tranchées fraîchement creusées pour prendre le Lebel et garder la voie de chemin de fer de Fismes à La Fère, par où les Allemands pouvaient surgir. L'ennemi ne manquait pas de faire sauter à coups de canon ce dernier verrou. Les Français venaient d'exposer 17 divisions sans protection aux coups de von Hutier. Plus d'obstacle avant la Marne. Avant Paris.

*

Le 28 mai, la situation semble désespérée et surprend Ludendorff, qui n'aurait pas cru la victoire aussi facile sur ce front qu'il fait immédiatement renforcer par 40 divisions nouvelles.

Une armée entière, la Ve du général Micheler, est alors dirigée vers Dormans, pour protéger le verrou de Reims. Le général, offensif de nature et de doctrine, a constaté avec colère, à son arrivée sur le front, que de nombreux bataillons reculaient sans combattre, dans un souci d'alignement. Les Allemands sont heureux de cette tactique, qui n'empêche pas l'avance de leurs groupes d'assaut dilués, impossibles à localiser pour l'artillerie, infiltrés de partout et attaquant les Français par-derrière en commandos silencieux d'hommes invisibles, le casque recouvert de feuillage, le visage masqué de suie.

Les poilus reculent parce qu'ils ont constamment l'impression d'être encerclés. Dans certaines divisions, ils se rendent aussi trop facilement, au point que Pétain fait savoir que les prisonniers « seront l'objet de poursuites à leur retour ». Les chefs exigent désormais qu'ils résistent jusqu'au bout par petites unités, autour de points de résistance, sans se soucier de l'alignement.

« Je n'admets qu'une manière de rétablir l'alignement, disait le major-général Anthoine, c'est la contre-attaque immédiate dans le flanc des éléments ennemis aventurés. »

Les généraux Micheler et Degoutte deviennent menaçants : les chefs aussi, promettent-ils, seront châtiés. Franchet d'Esperey donne les ordres les plus sévères pour tenir les ponts de la Marne : « Chaque officier responsable prendra ses dispositions pour faire sauter le pont dès que le premier Boche mettra le pied dessus. Au besoin, il se fera sauter avec. » Duchêne ajoute son grain de sel : « La nervosité fait voir du Boche partout. Il est honteux qu'une troupe, même faible, se replie devant ces infiltrations. » Il faut coller à l'ennemi « et chercher toutes les occasions de lui tuer du monde ». Pétain lui a donné les ordres les plus sévères : « Résistez où vous êtes. N'hésitez pas à employer la violence s'il était nécessaire. »

Les Français et les Anglais se rendaient en effet par milliers. Il fallait arrêter la débandade et obtenir de Foch la dixième armée de réserve et de Haig le mouvement des neuf divisions françaises en ligne dans les Flandres. Pétain se plaignait, en langage d'état-major, de l'insuffisance de ses disponibilités : « L'absence de volant, écrivait-il, m'empêchera de continuer le jeu de la noria. » Le « jeu » supposait une fois de plus le sacrifice de milliers de fantassins. Ils manquaient à la machine de guerre. « Debout, les héros de la Marne ! » lançait le général en chef.

Les héros étaient-ils morts, ou fatigués ? La seconde bataille de la Marne, déjà engagée, risquait de tourner à la catastrophe. Déjà la rivière était franchie à Jaulgonne sur deux *Schnellbrücken*, des passerelles métalliques jetées sur barques. La 3e division américaine gardait Château-Thierry, bientôt renforcée d'un corps français. La seconde division était en réserve. Les troupes « associées » du général Pershing étaient enfin arrivées sur le front.

Mais ni les Américains ni les chars n'étaient encore assez nombreux pour faire peur aux Allemands, Ludendorff commettait l'erreur de changer son axe offensif, attaquant sur Villers-Cotterêts, abandonnant pour l'heure la descente sur Paris. On expédiait à la hâte la 128e division [1] au débouché de la forêt pour dresser un premier obstacle, sous le commandement de Fayolle, dans des conditions très précaires. Mais il organisait bientôt, avec les renforts, une deuxième position de résistance qui permettrait à l'artillerie lourde enfin en batterie d'écraser de son tir les assaillants, après la prise de la première ligne.

Les coloniaux résistent avec acharnement sur le verrou de Reims, au fort de la Pompelle encerclé, défendu par des actions violentes, impitoyables, des corps à corps à l'arme blanche. Les zouaves et les tirailleurs sont une fois de plus présents sur la Marne. La division Marchand recule pied à pied, et tient la ligne malgré ses pertes.

La tête de pont de Jaulgonne est reprise. Duchêne s'enterre entre La Ferté-Milon et Château-Thierry. Il s'emporte contre les poilus en retraite qui ont jeté pelles et pioches dans les fossés. « Je n'admettrai pas, dit-il, sous prétexte de fatigue des troupes, que les chefs à tous les degrés n'imposent pas ce travail d'une importance capitale. » Des trous individuels, des tranchées, des positions !

A qui sont les villages environnés de fumées ? Les aviateurs multiplient les repérages, mais ils ont déjà changé de mains quand ils viennent au rapport. Troësnes, Mosloy, La Loge-aux-Bœufs sont

1. La 128e division, aux ordres de Segonne, était en réserve sur la Somme. Les soldats des régiments de Toul et de Tulle, des anciens de Verdun, étaient arrivés par chemin de fer à Villers-Cotterêts le 30 mai. Ils avaient été engagés dès le lendemain vers Corcy et Faverolles.

pris et repris à la grenade. Dans Château-Thierry, ville martyrisée par le canon, les mitrailleurs américains aident les coloniaux à tenir jusqu'au bout.

Les pertes allemandes sont lourdes. Ludendorff est prisonnier de sa victoire. Faute de voies ferrées en état de marche, il ne peut ravitailler ses troupes dans la boucle de la Marne. Une lettre d'un soldat de la 51e division de réserve affirme que « pauvre Michel » (du nom de l'opération allemande) n'a plus rien, alors que les Français regorgent de pain blanc, de vivres, de chocolat et même de cigarettes américaines. Un soldat du 32e régiment d'infanterie affirme qu'il ne reste plus que soixante-cinq hommes dans sa compagnie et qu'il n'a pas mangé chaud ni dormi depuis quatre jours. Les Français, dit-il, « se défendent comme des fous ».

Les nouvelles divisions d'assaut allemandes puisées dans les réserves n'ont plus la science du combat ni le moral des *stosstruppen*, elles se font décimer par l'artillerie. Il est devenu moins facile d'infiltrer les lignes françaises, depuis que les poilus tiennent de nouveau des tranchées.

Celles de la seconde position ont été réalisées par le service du travail du général Pagès : des milliers de coolies chinois, de Malgaches et d'Italiens ont ainsi creusé le sol à l'arrière immédiat du front, soumis à la stricte discipline militaire et au feu des canons lourds allemands. Ils ont aussi réparé les lignes de chemin de fer bombardées et construit de nouvelles voies pour l'acheminement des renforts et des munitions [1].

Ces travaux intensifs permettent à l'armée d'être ravitaillée, secourue et enterrée. L'offensive de Ludendorff fléchit sur Villers-Cotterêts. Duchêne se bat encore au sud de Château-Thierry, dont le général Marchand, de la 10e division d'infanterie coloniale, a fait sauter le pont.

Au sud de Bouresche, entre Lucy-le-Bocage et Belleau, à l'ouest de Château-Thierry, les Allemands ne parviennent pas à enlever

1. Pour la liaison nord-sud, il était urgent de doubler la ligne Amiens-Beauvais. La voie Abbeville-Eu-Abancourt devait être améliorée pour permettre le passage de 60 convois par jour. Une rocade a voie unique, de Longpré à Ganache, avait été doublée pour le passage de 487 trains, au prix du travail incessant des coolies et autres manœuvres. On avait quadruplé la ligne côtière de Boulogne à Abbeville.

une butte de trois cents mètres dite le Triangle qui commande la route de Meaux[1]. Duchêne, qui vient d'échapper de près à la capture aux alentours de Soissons, tient à ce que la position soit défendue. La 73e division levée dans le Jura, en Franche-Comté et dans la Côte-d'Or, se sacrifie.

Les poilus ont eu le temps de se retrancher, de transformer la colline en fortin. Les Allemands lancent attaque sur attaque, jusqu'à six fois dans la journée du 3 juin, mais leurs éléments avancés n'ont pas de soutien d'artillerie et ils se heurtent au feu des mitrailleuses. Le renfort de la seconde armée américaine permet aux montagnards de la 73e division d'enlever leurs blessés et d'enterrer leurs morts. Les *Marines* américains continuent le combat au bois Belleau qu'ils enlèvent au prix de 7 800 morts aux gardes prussiens du Kaiserin Elisabeth Regiment. La bataille faiblit alors sur la Marne. On attend la reprise en Picardie.

*

Les Parisiens n'attendaient pas l'offensive de von Hutier pour prendre le train. Les gares d'Orsay, des Invalides et de Montparnasse étaient submergées. On avait le sentiment d'une émigration en masse vers la Bretagne ou la vallée de la Loire, parce que les trains n'étaient pas assez nombreux. On les attendait onze heures, douze heures et les gens s'entassaient sur les quais[2]. D'après les renseignements de police, les Parisiens fuyaient moins par crainte de l'invasion qu'en raison des bombardements continuels par le canon et les avions.

Les Allemands pourtant ne poussaient plus au sud de la Marne, mais sur le front Montdidier-Noyon. Pétain s'était donné les moyens de les recevoir, en amenant à pied d'œuvre des divisions de l'Est et du Nord. De bonnes troupes, comme la 14e de Besançon et Belfort, au repos vers Beauvais, et descendue par camions sur Breteuil. Douze divisions reposées, prêtes au choc, soutenues par des petites unités très mobiles d'autocanons et d'automitrailleuses

1. Voir : *La 73e DI dans la bataille de la Marne*. http. Perso clubinternet fr/batmarn 2/73e di htm.

2. Rapports des commissaires divisionnaires des quartiers de Paris de 1914 à 1923. Archives de la Préfecture de Police.

de cavalerie, par les avions bombardiers des escadrilles Chabert et Bloch et par une artillerie lourde sérieuse capable de décimer les treize divisions de von Hutier alignées contre l'armée Humbert.

Sur trente kilomètres, les poilus subissaient le 9 juin un matraquage au gaz moutarde. Ils ne voyaient pas à dix mètres, tant la nappe des fumigènes était dense. Les gares étaient bombardées jusqu'à Compiègne par les tubes à longue portée.

Les Allemands devaient s'emparer des collines pour avancer tranquillement dans la plaine. Ils réussirent encore à s'infiltrer dans les massifs et à menacer la route Montdidier-Compiègne. Mais les Français se fortifiaient systématiquement sur la moindre butte, les fantassins retrouvaient la pelle et la pioche pour s'enterrer, les renforts arrivaient au front assez loin pour être reformés et engagés avec soutien d'artillerie.

Le centre est bousculé sur sept kilomètres dans la vallée du Matz. La 53e division donne des signes de fléchissement. Les Normands de Caen, Lisieux, Falaise, Evreux et Le Havre déjà matraqués dans la bataille de Picardie de mars à juin reculent sous prétexte d'alignement. Ils sont aussitôt renvoyés vers l'avant par le général Cadoudal.

Le 10 juin, les poilus contre-attaquent : cinq divisions menées par Mangin qui utilise les chars lourds et les nouveaux Renault dans les bataillons « d'artillerie d'assaut ». Les fantassins montent à l'attaque accompagnés, précédés d'engins qui broient les réseaux de barbelés et détruisent les nids de mitrailleuses.

Ils sont vite déçus : les canons allemands de 77 détruisent 73 chars lourds sur 163 engagés. A peine les mastodontes permettent-ils aux poilus de s'emparer d'un village sans trop de pertes. Ils sont repoussés partout ailleurs par les barrages d'artillerie.

Mais la contre-attaque a déconcerté Ludendorff qui a perdu 400 000 hommes depuis le 21 mars. Sans doute a-t-il fait la preuve qu'il pouvait percer facilement les lignes alliées, mais il n'a pas eu les moyens d'exploiter sa victoire, faute de logistique. Les troupes lui ont manqué, moins encore, il est vrai, que les camions et les lignes de chemin de fer.

Les poilus, à rude école, ont appris à se défendre sur le terrain contre une offensive de grand style, à résister aux techniques d'infiltration en multipliant les coups de main, en ancrant leur résistance sur des points faciles à défendre, en améliorant leurs liaisons.

Les artilleurs ont reçu des consignes de mobilité, poussant leurs pièces au plus près grâce à la motorisation, privilégiant la communication avec l'infanterie.

Ils ont aussi appris à résister dans des groupes disparates, formés de soldats venus d'unités, voire d'armes différentes, sans souci de s'aligner en dominos de divisions. Les Anglais rescapés du plateau de Craonne ont combattu aux côtés des cavaliers français démontés, et la fraternité sur le terrain s'est affirmée, même avec les premières unités américaines de la 3e division, notamment dans les ruines de Château-Thierry.

Le combattant français a le sentiment de n'être plus seul dans la bataille. Il a désormais la preuve que les alliés sont là, et mènent le même combat. Les coloniaux de la division Marchand se sont battus au coude à coude avec les unités américaines. Les autocanons britanniques figuraient dans l'attaque de chars de Mangin. Dans les airs, les chasseurs du Royal Flying Corps relayaient les Spads de Ménard. Les poilus goûtaient au tabac blond et les Américains au vin rouge, malgré les consignes de Pershing. Les prisonniers allemands de la Garde les accusaient même d'en avoir abusé, avant l'attaque du bois Belleau.

Quand Ludendorff donne l'ordre d'interrompre la bataille du Matz, le 12 juin 1918, Paris est sauvé. Il ne reste plus qu'à vaincre.

*

C'est aussi ce que pense Ludendorff, inquiet du renforcement de l'armée américaine qui débarque 100 000 hommes en France tous les mois depuis la fin de mars. 42 divisions sont déjà constituées et attendent d'entrer en ligne. Certaines ont combattu sur la Marne, les autres tiennent des secteurs dans l'Est.

Une offensive de paix ne serait pas inutile, si elle minait le moral des troupes alliées et alimentait la presse pacifiste française, en partie payée sur fonds allemands. Lord Balfour avait fait savoir que le cabinet « ne fermerait la porte à aucune démarche de paix, formulée sur des bases solides ». Le prince Rupprecht de Bavière avait écrit le 1er juin à Berlin que le succès de l'offensive ne pouvait être décisif et qu'il était préférable de négocier en position de force. Le colonel von Haeften, délégué permanent de Hindenburg auprès du chancelier, le mettait en garde contre les succès militaires qui ne pouvaient apporter la paix sans « une victoire politique remportée derrière le dos de l'ennemi ».

Le secrétaire d'Etat Külhmann, soucieux d'assurer à l'Allemagne son espace économique à l'Est, saisissait la balle au bond. Il chargeait le prince Hatzfeldt-Wildenburg d'approcher les délégués britanniques lors d'une rencontre internationale pour les échanges de prisonniers de guerre à La Haye. Il offrait une paix de compromis sur la base d'un retour aux frontières de 1914 avec la libération de la Belgique. Kühlmann déclarait au Reichstag le 24 juin 1918 qu'il ne voulait pas d'une guerre de trente ans qui ruinerait l'Europe. Il était temps de traiter.

Hindenburg reprochait aussitôt au secrétaire d'Etat de miner le moral des soldats à la veille de l'offensive finale. Le 2 juillet, à son quartier général de Spa, il imposait au chancelier Hertling une déclaration fracassante sur la vassalisation de la Belgique, pour couper court à toute négociation. « Notre mariage est rompu », disait alors le Kaiser à Külhmann, contraint de démissionner. L'état-major restait le maître du dernier quart d'heure.

Les préparatifs d'un nouveau coup de boutoir se précisaient. Ludendorff voulait porter un coup décisif à l'armée française sur Reims, avant d'anéantir les Britanniques dans les Flandres. On observait, en dépit de la discrétion des Allemands qui masquaient leurs mouvements de troupes, certaines concentrations en face du front de Champagne, tenu par la IVe armée de Gouraud, que Pétain renforçait. Trois divisions américaines étaient chargées de garder la Marne. Les jeunes recrues à peine formées renforçaient les divisions françaises épuisées, comme la 125e de Pellé, qui avait perdu 5 000 hommes.

Les Français s'impatientaient. L'attaque allemande tardait. Pour prendre les devants, Foch avait prévu une attaque de la Xe armée de Mangin entre l'Aisne et l'Ourcq, sur Fère-en-Tardenois, pour résorber la poche allemande. Les poilus n'eurent pas le temps de monter en camions pour l'assaut programmé le 18 juillet. Le 15, Ludendorff lançait sa dernière offensive, avec un feu d'enfer de 1 654 batteries pendant quatre heures, sur le front de Champagne.

Les coloniaux de Pellé et les Italiens du corps d'Albricci[1]

1. Le général Albricci avait débarqué en France au mois d'avril avec deux divisions d'élite qui devaient être couplées avec la 120e division de Mordacq, des soldats de la Loire et de la Haute-Loire.

devaient être les victimes et les héros de la journée du 16, combattant dans un amalgame complet. Ils se feraient tuer par milliers dans la vallée de l'Ardre, au sud-ouest de Reims. Le 1er régiment de marche des tirailleurs algériens avait été anéanti. Ceux de la 10e division coloniale étaient morts à leur poste, obéissant aux ordres de tenir à tout prix. Dans la mêlée, des groupes de poilus et de chasseurs, français et italiens, se constituaient spontanément.

Les Sénégalais du corps Pellé étaient aussi aux premières loges, ainsi que les poilus de Gouraud, qui devaient abandonner le fort de la Pompelle, mais lançaient sans arrêt des contre-attaques pour épuiser l'ennemi. Les chasseurs polonais devaient combattre aux côtés des tirailleurs marocains et algériens et des poilus français dans la IVe armée qui s'accrochait au terrain, particulièrement la 9e division de Gamelin, des biffins venus des pays de la Loire qui avaient participé à la seconde bataille de l'Aisne en avril, et s'étaient fait tuer au corps à corps dans les rues de Noyon. Au repos dans l'Est en avril, ces soldats avaient été engagés autour de Tincourt, avec les poilus de la 71e division, un agrégat de Lyonnais et de gens de l'Est, maintes fois reconstitué, après leur épuisement dans la bataille des Flandres, avec des jeunes de la classe 17, puis de la classe 18.

La 42e division Rainbow de la National Guard avait pris position à l'est du front de Reims, pendant que la division américaine dite de la Marne (la 3e) et la Keystone de Pennsylvanie s'alignaient dans les tranchées devant Château-Thierry. Les poilus avaient de plus en plus l'assurance qu'ils menaient un combat international, qu'ils n'étaient plus seuls sacrifiés sur le front. Des Italiens, des Polonais, des Américains étaient morts devant Reims pour défendre Paris, même si les biffins des quatre armées Gouraud, Berthelot, Mitry et Degoutte avaient fourni l'essentiel de l'effort. La 63e division de Clermont-Ferrand et Lyon, aux ordres d'Ecochard, n'existait plus. On devrait la reconstituer, le 6 août, avec trois régiments de volontaires polonais [1]. La 43e d'Epinal et Lyon, engagée successivement sur la Vesle et à Mesnil-les-Hurlus, avait perdu l'essentiel de son effectif.

Les Allemands avaient de nouveau franchi la Marne, et s'étaient avancés jusqu'à Pourcy. Le général Piarron de Mondésir, avec son

1. Voir AFGG, t. X, 2e vol., p. 483.

corps franco-américain, était chargé de les déloger, grâce au soutien d'une artillerie puissante. Les Briards de la 39e étaient une fois encore de service. Ils avaient livré en avril la bataille des Flandres au nord du mont Kemmel, avec les Britanniques. On avait dû les retirer du front le 6 mai en raison des pertes très élevées. Ils étaient au repos dans la forêt de Villers-Cotterêts et ils avaient reçu le renfort de la jeune classe quand on les avait lancés le 26 mai dans la bataille de Soissons.

Au mois de juin, ces compagnies épuisées avaient été ramenées dans la région parisienne. Leurs cadres entraînaient les unités américaines au combat. Ils tenaient le front au sud de Château-Thierry depuis le 22 juin, juste à temps pour subir de plein fouet l'offensive allemande.

La bonne entente de ces poilus avec les *doughboys* les avait fait choisir pour combattre ensemble sur la Marne où les obus français précipitaient dans la rivière les groupes avancés sur les passerelles allemandes. La rivière charriait les chevaux morts encore attelés aux voitures, les cadavres de *feldgrau* mêlés aux milliers de poissons tués par les explosions dont les ventres blancs affleuraient dans le courant[1]. « C'est un enfer que de traverser ces ponts », pouvait-on lire sur un message allemand de pigeon voyageur.

La tactique de Gouraud, application de la doctrine du champ de bataille d'armée, avait réussi. Les poilus avaient abandonné les premières lignes, s'enterrant dans des réduits hérissés de mitrailleuses. Ils avaient laissé le champ libre à l'artillerie qui avait tiré dru sur les Allemands aventurés sur le terrain vide. Gouraud faisait cracher les canons de 75 amenés derrière la seconde position en tir tendu sur les assaillants, « au lapin » disaient les pointeurs. Leur aviation devenue, en raison des pertes et de la rareté de l'essence, très inférieure à celle des alliés n'avait pu empêcher les chasseurs français d'incendier les *Drachen* et d'abattre les avions d'observation. Le 17 juillet 1918, l'offensive, après deux jours, s'essoufflait déjà. Il était temps : sur les premières lignes du front de Champagne, les poilus étaient à bout de résistance.

*

1. Voir Piarron de Mondésir, *Souvenirs et pages de guerre*, Paris, Berger-Levrault, s.d.

Mais les réserves que Foch avait obstinément maintenues en dehors de la bataille pouvaient donner. Toutes les unités de la Xe armée, commandées par Mangin qui a établi son poste d'observation de dix-huit mètres de haut dans la forêt de Villers-Cotterêts doivent se succéder « par pans successifs, a ordonné Foch, dans un enchaînement d'actions ininterrompues ».

Les troupes ont passé la nuit bien cachées dans les bois, 18 divisions, dont 2 anglaises et 3 américaines. Les poilus de la 48e, des gens d'Epinal groupés avec le régiment marocain et le 2e mixte de tirailleurs et de zouaves ont vu passer la veille un convoi sans fin d'artillerie américaine et débarquer des camions les 345 petits chars Renault. « Ce fut l'étonnement, dit le fantassin Bidali, de voir ces petits engins prendre la route. Pour aller où ? »

Personne ne le sait, mais qui peut trouver le sommeil dans la nuit chaude où les hommes sont allongés sous la tente, sans parler, sans fumer ? Les zouaves ont marché pendant quatre nuits pour gagner la position. Ils ont enlevé, le 15 juillet, une ferme sur le parcours pour y installer un observatoire.

Le tir d'artillerie a commencé à 4 h 35. Les fantassins d'Epinal, épuisés, se sont endormis sur les bords de la route sans dresser leur tente.

« Réveille-toi, dit Mangin à l'un d'eux. Tu ne sais pas ce que tu manques. C'est demain que nous f... les Boches à la porte. »

A la 1re division, les soldats du 233e d'Arras, reformé à Cognac, ont abusé du vin rouge de l'intendance avant d'embarquer[1]. « Les moins soûls font taire les autres en les aidant à se hisser dans le fourgon funéraire. Pour une fois les élèves macchabées ne veulent pas se rendre au cimetière. »

Passe en voiture de tourisme le général Grégoire, chef de la division :

« Que voulez-vous que je fasse de ces ivrognes ? » dit-il au capitaine du bataillon.

Celui-ci hausse les épaules. « Il sait bien que lorsqu'il aura besoin de ses poilus, ils seront dessoûlés. »

Débarqués dans la forêt, ils dressent leur tente vers minuit et

1. *Le Mutilé du centre*. Articles de Francisque Devos : « Sous le casque », parus sous forme de feuilleton.

sont réveillés par un bombardement. Ils se lèvent et courent pour se cacher, par réflexe.

« Il ne faut pas vous en faire, les gars, leur dit un artilleur, c'est nous qui tirons et je vous assure que les Boches prennent quelque chose. »

A 8 heures, ils sortent de la forêt, « le barda sur le cul ». Le centre allemand est déjà enfoncé par les troupes d'assaut. Paul Viet, du 23e régiment de Bourg, était de cette attaque sur Oulchy-le-Château [1]. Il venait du mont Kemmel et sa section marchait de nuit sur une route, le long du chemin de fer Villers-Cotterêts-La Ferté-Milon. Il prenait bientôt à travers un champ de blé pour gagner le moulin de Neauvine, tout proche de la ligne allemande. Les obus du tir de barrage pleuvaient : sur vingt-six hommes, la section avait vingt et un tués, trois blessés graves qu'il faudrait amputer. Paul Viet venait de perdre d'un coup tous ses camarades. Il rejoignait une autre section, également décimée, pour s'abriter dans les ruines de l'église dévastée d'Ancienville.

A la 48e division, le fantassin Bidali, engagé dans le premier assaut, voit arriver des Américains. « Des bleus ! », se dit-il. Il se trompe. Les fusiliers qui avancent par bonds sont des marines rescapés du bois Belleau. Un officier vient à lui et lui demande poliment : « Monsieur, les Boches ? » Bidali fait un geste. Les marines se précipitent. Aussitôt les Français attaquent, avec les Américains et les chars Renault.

Pourtant la 48e division est éprouvée. Dans la nuit du 16 au 17, au cœur de la vallée de Savières, un bataillon de tirailleurs s'est empêtré dans les branches brisées des chemins. Le gaz des obus à croix jaune s'infiltre sous les masques des poilus bousculés dans l'action. Un bataillon entier a dû être relevé. Un autre a perdu la moitié de ses effectifs. Les zouaves ont traversé le marécage de Savières avec de la boue jusqu'à mi-corps. Les obus toxiques ont réduit les effectifs du premier régiment.

Les survivants ont attaqué derrière un feu roulant, parcourant cent mètres en trois minutes, pour se jeter sur l'ennemi, appuyés par des chars lourds [2]. L'assaut a surpris en pleine relève deux

1. Cf. Club Internet. Fr/ batman 2/23 eri oc htm.

2. Douze Schneider et Saint-Chamond affectés à la division. Ils ne sont pas utilisés pour ouvrir la voie à l'infanterie, étant trop vulnérables, mais pour la soutenir de leur tir en la suivant.

divisions allemandes. Les zouaves se faufilent dans les blés très hauts sans être repérés avant de se jeter sur les tranchées à peine aménagées. A 8 h 50, la première ligne est enlevée, la seconde abordée. Une batterie est prise à la baïonnette, on compte plus de trois cents prisonniers.

Les mortiers Stokes, les canons légers de douze matraquent les renforts allemands. Bien soutenue par l'artillerie, l'infanterie d'assaut a enfoncé le centre ennemi sans trop de pertes. La Xe armée a été soutenue dans son mouvement par la Ve de Degoutte, qui aligne de l'Ourcq à la Marne 9 divisions dont 3 américaines, 1 000 canons, 350 avions, 147 chars. Les armées Gouraud, Berthelot et Mitry sont en branle, pour fixer les divisions allemandes sur leurs lignes.

A son quartier général de Mons, la mort dans l'âme, Ludendorff décide d'annuler provisoirement son attaque dans les Flandres pour envoyer l'armée von Eben au secours sur la Marne. Les alliés ont progressé de dix kilomètres sur un front de cinquante. Degoutte a repris Château-Thierry, dans la nuit du 27 au 28 juillet, les Allemands évacuent Fère-en-Tardenois. Les généraux français peuvent envoyer à Paris les trois cents canons allemands, trophées de la victoire.

*

Il y avait, dans cette victoire, de la gloire pour tous les poilus, anciens et nouveaux, coloniaux, joyeux, ou biffins de la dernière classe. On évacue déjà vers l'Alsace les héros du 233e de Lille qui a perdu plus d'un tiers des siens. « C'est à Plessier sur le Plateau, chantent-ils, qu'on a laissé la peau. »

L'infanterie coloniale du Maroc doit être de nouveau recomplétée. Une fois de plus, ses officiers sont morts à l'assaut. Le capitaine Van Vollenhoven a été tué sur la route de Château-Thierry à Soissons. Les Français n'étaient pas les seuls à avoir payé la victoire au prix du sang : 20 000 Anglais et plus de 10 000 Américains manquaient à l'appel.

Le soldat Bidali, du 48e régiment d'infanterie de Guingamp, était de la danse[1]. Son régiment attaquait les hauteurs fortifiées du

1. Voir « Sous le casque », *op. cit.*

Grand-Rozoy, sur la route de Soissons à Château-Thierry, en direction de Fère-en-Tardenois, pour résorber la poche allemande de la Marne. Les fantassins du 233e d'Arras avaient déjà libéré Le Plessier-Huleu avec toutes les unités de la 1re division de la Xe armée de Mangin. Les gars du Nord étaient mélangés avec des poilus venus de Perpignan, les anciens du 53e affectés au 233e en mars 1917, quand le régiment avait été décimé. Ils étaient alors trois cents. Il n'en restait plus qu'une quinzaine. La plupart étaient morts en avril à Craonne. Les autres avaient laissé leur peau en Belgique, pendant la retraite de Sermoise.

L'agent de liaison Blézel, de Saint-Omer, apportait les ordres au sergent Wafflard, du Nord, qui commandait la compagnie d'engins Stokes. Il fallait tirer sur un blockhaus qui gênait la progression en face de Blanzy. Des Bretons, des Sarthois combattaient aux côtés des Lillois. Ils avaient traversé le grand marécage de Longpont « tout plein de macchabées », avant de s'engager derrière la division marocaine, sous le feu des Allemands qui tiraient du village de Corcy.

Pas d'attaque. Les fantassins s'abritaient dans une dépression du terrain, attendant leur tour de valse. L'artillerie devait d'abord détruire les obstacles : ordre du commandement. Les fantassins étaient devenus trop précieux pour qu'on les fasse tuer inutilement dans les réseaux non détruits de barbelés. On attendait l'attaque des chars.

Les poilus rendaient visite aux tankistes qui nettoyaient leurs engins protégés par des toiles camouflées. Chaque tourelle alignait un tube de 75 et deux de 37. « Que de vies de poilus sauvées avec nos tanks, dit un mécano, mais les gros, ce n'est pas bien le filon, on est vite repérés et on est descendus, tandis qu'avec les petits on reste moins en place et les Boches n'ont pas si beau jeu. »

Le régiment progresse le lendemain sur le village de Blanzy, par colonnes d'escouades. Les nids de mitrailleuses sont d'abord attaqués au mortier, quand ils ont résisté au canon des chars. On braque les « tuyaux de poêle » sur trépieds des engins Stokes. Un régiment d'artillerie prend position en renfort, dans un tournoiement de chevaux au galop.

« Foutez-moi le camp, dit un lieutenant aux fantassins, il nous faut la place !

— Il y en a ben de la place, en avant, grogne un caporal, dans sa haine des “artiflots”. »

Les tanks débouchent, et les avions de bombardement. Les Allemands se retranchent dans Blanzy, font donner les tubes de 77 qui accablent aussi les *feldgrau*, pour arrêter à toute force, même en prenant le risque de tuer des fantassins allemands, l’attaque des Français. Le village est encerclé, assailli par les grenadiers. Les mitrailleuses crachent encore. Une ferme résiste. Un Schneider en défonce les murs.

L’agent de liaison Blézel apporte les ordres : se regrouper devant le village occupé. Les fantassins voient refluer les tirailleurs du 4e mixte. Beaucoup de capotes kaki dans la plaine. La moitié de l’effectif. On emporte les blessés au poste de secours. Ceux du 48e régiment avancent en ordre, mais par petits groupes, dans un champ de topinambours, se gardant des obus de 105 dans un bois. Alerte aux gaz ! Les hommes prennent le masque. Le lieutenant porte-drapeau Brouillard, de Lille, est tué par un éclat. Deux « musicos » l’emmènent dans une civière. Partout des cris de blessés.

Le 19 juillet, attaque du village de Saint-Remy-Blanzy. Les hommes n’ont pas mangé depuis le 17. Des miettes de biscuit et du chocolat. Les roulantes ne suivent pas. Les poilus fouillent les sacs des Allemands morts pour récolter les pains noirs d’une livre, qu’ils trouvent détestables et moisis.

« Nom de Dieu ! crie un fantassin. Ça finira bien un jour, cette boucherie, le bétail fera peut-être bien la grève, il est vrai que nous sommes si avachis ! »

La position allemande est enlevée. Les poilus sont surpris par les feuillées de l’ennemi : une grande planche sert à poser les pieds ; à quatre-vingts centimètres du sol, une longue perche pour appuyer les reins. « Aucun feuillage ne cache la vue de ces feuillées. » Quelle indécence ! « On pose en famille ! »

L’attaque du village de Plessier-Huleu, le 20 juillet, obtient d’abord des résultats rapides, mais les renforts allemands surgissent. Les poilus se mettent « immédiatement et sans ordre en position de tir », ils arrosent les assaillants de quarante obus Stokes. Des corvées partent aussitôt pour réapprovisisonner les pièces en munitions. Les chars s’avancent lourdement, le village est pris aux moindres frais. Rien dans les caves, les Allemands ont tout pillé.

Mais les roulantes arrivent enfin. « Chacun se tape la cloche comme des gars qui n'ont pas mangé depuis quatre jours. »

Le lendemain, nouveau départ à l'assaut d'une ferme fortifiée. Un poilu perd la tête : il veut « fuir ces lieux de tuerie ». Il jette son sac et son équipement à terre.

« Tu deviens fou, lui dit son voisin. Et les copains ?

— Les copains je m'en fous, je ne veux pas mourir ! »

L'adjudant hurle : « La troisième pièce, suivez-moi ! » Le soldat défaillant boit un verre de gnôle et repart. « La force de l'esclavage, dit-il, a repris le dessus. »

Un avion allemand s'est écrasé dans les pommiers, abattu d'un coup de fusil par un poilu du 1er régiment. Il bombardait les fantassins à la grenade. Ils veulent tuer le pilote. Un capitaine le sauve de justesse.

Le 26, quand le régiment est relevé par le 105e de Riom, il a perdu un tiers de son effectif et gagné la fourragère dans le « charnier de Plessier-Huleu ». Sur la route de Longpont défilaient les compagnies relevées, chantant « la vieille chanson du Nord », *Le Pt'it Quinquin*. « En peu de temps, ils sont redevenus des hommes », commente le servant d'engin Stokes. Ils ont échappé à la mort. Ils partent pour l'Alsace, « le rêve de tous les poilus », celui des secteurs calmes et des nuits étoilées.

*

Les Allemands avaient résisté jusqu'au bout de leurs forces au Grand-Rozoy. Ils n'évacuaient la position que le 28 juillet. La compagnie du soldat Bidali avait rampé longtemps dans la plaine. Pour éviter les éclats, les soldats s'abritaient derrière leur sac. Ils avançaient plus vite la nuit malgré les illuminations des fusées éclairantes, et mettaient la baïonnette au canon pour les attaques de jour, uniquement « pour reprendre leur assurance ». Les biffins avançaient en petites colonnes quand Bidali fut touché à la jambe droite, jeté dans un trou d'obus. Il attendit longtemps avant d'être secouru dans son entonnoir. Deux prisonniers allemands le tirèrent de là. « Le 23 juillet, note-t-il, pour la première fois, je serrais la main à des Allemands. »

Plus au sud, au 23e régiment de Bourg-en-Bresse, le soldat Paul Viet participait à l'attaque d'Oulchy-le-Château. Les poilus avançaient sans connaître la position des lignes allemandes, le long de la voie ferrée. Le 23 juillet, ils perdaient du monde en raison des tirs de mitrailleuses. La progression était difficile. L'attaque reprenait le 24, puis le 25 juillet, le long d'une falaise dominant la ville. Elle devait être nettoyée rue par rue, à la grenade. Les Allemands étaient cachés dans les caves, et jusque dans l'église. L'un d'eux, un observateur, était capturé dans le clocher. Dans une maison abandonnée, une femme accouchait, aidée seulement par son père, un homme de soixante ans. Sur la place du bourg, les Allemands avaient dû abandonner leurs blessés et leurs morts.

La résistance est encore plus vive à Fère-en-Tardenois. Le franchissement de l'Ourcq est difficile, car les Allemands s'accrochent aux petits bois, aux villages, aux fermes de la vallée. L'adjoint du colonel Colin, de la 62e division, est témoin de l'agacement de Mangin, qui estime que les poilus ne vont pas assez vite. Il en fait reproche à un commandant :

« Si vous m'en donnez l'ordre, aurait répliqué ce dernier, j'attaquerai de nouveau cette nuit. Seulement j'attaquerai tout seul. Je ne veux pas faire tuer mes hommes pour une mission impossible[1]. »

Le 30 juillet, Fère tombe aux mains des Français, maison par maison, cave par cave. Les poilus s'y cachent, car les Allemands restent à proximité, mitrailleuses braquées au « bois ovale » et à la « ferme Cayenne ». La ville désertée par ses habitants est fortement bombardée. Les maisons brûlent. Il faut évacuer. Les assauts contre les tranchées allemandes se succèdent, sans résultats. Les Français insistent, et finissent par emporter la position, le 2 août, parce que l'armée allemande du secteur est en retraite.

Ludendorff vient d'abandonner la Marne. Dans l'après-midi du 20 juillet, la 39e division française avait reçu l'ordre de traverser la rivière sur des ponts fixes en aval de Château-Thierry. Le 21, elle entrait dans la ville abandonnée par l'ennemi qui n'avait pas eu le temps d'y mettre le feu et laissait intact, dans le bois du Barbillon, un dépôt de munitions. La retraite allemande était si rapide que la division française progressait de vingt-quatre kilomètres dans la journée. Les Allemands se retiraient en bon ordre sur la Vesle. La bataille de la Marne était gagnée.

1. Cité par Robert Trocmé, *La 62e division*, in http. Perso. Club internet fr/ bat Marn 2/62e dirt htm.

Elle devait se prolonger, le 8 août, par une attaque britannique spectaculaire sur un front de dix-huit kilomètres entre Morlancourt et la route d'Amiens à Roye. Les Australiens, les Néo-Zélandais, les Canadiens attaquaient avec les nouveaux chars Mark V. Ludendorff croyait les Britanniques à bout de souffle. 7 divisions allemandes, bousculées, battaient en retraite. Elles avaient devant elles 14 divisions et 456 chars.

Les Français attaquaient à leur tour : les 7 divisions de l'armée Debeney le long de l'Arve, avec 90 chars légers Renault. Ils poussaient sur la route Amiens-Roye. La IIIe armée française de Humbert progressait au sud de Montdidier pour rejoindre la première armée à Roye. « Il faut aller vite et marcher fort », ordonnait Foch. Les Allemands reculaient jusqu'à l'ancienne ligne Siegfried. Ils avaient dû renoncer au bénéfice de leurs offensives répétées.

Les succès étaient oubliés, la victoire perdue. Ludendorff devait écrire plus tard que ce 8 août avait été « le jour de deuil de l'armée allemande ». Le 14 août, au conseil de la Couronne où figurait l'empereur d'Autriche, le quartier-maître général, qui avait offert sa démission, affirmait « qu'il n'y avait plus d'espoir de briser par des actions militaires la volonté de l'Entente ». Il se voyait confier la tâche de « paralyser les alliés par une défense stratégique ». Guillaume II se réservait de « guetter le moment favorable pour s'entendre avec l'ennemi ». Dans leur esprit, la guerre était finie, le 14 août 1918.

Pendant trois mois encore, jusqu'au 11 novembre, les hommes devraient mourir par dizaines de milliers avant d'entendre sonner le cessez-le-feu, parce que ni les civils ni les militaires ne voulaient accepter de reconnaître la défaite en Allemagne.

LA GUERRE DE TRENTE ANS

Allemagne, France, Italie, Belgique, Serbie, Autriche-Hongrie, Russie, Grande-Bretagne, Etats-Unis, Chine, Japon, tels sont les principaux protagonistes de la guerre de trente ans commencée après Sarajevo en août 1914, terminée à Berlin en mai 1945. Les Américains franchissent alors le Rhin pour les raisons mêmes qui les poussaient à intervenir dans le conflit européen en 1917. Ils n'acceptent pas une suprématie mondiale assurée par une Europe allemande. Ils sont une fois encore solidaires des intérêts britanniques, décidés à porter un coup d'arrêt. Ils ne s'engagent pas au nom des droits de l'homme en 1939 quand ceux-ci sont manifestement bafoués. Ils n'interviennent qu'au moment où ils jugent que leurs intérêts mondiaux sont en jeu.

Ils arrivent toujours tard en Europe, en 1942 seulement, comme jadis en 1917, après trois ans de guerre. Mais ils dominent la fin des deux conflits par le nombre des soldats mobilisés, la puissance de l'industrie et des investissements de guerre, la capacité affirmée déjà en 1918 mais confirmée puissamment en 1945 de prendre en charge la gestion du monde, et sa protection contre la révolution bolchevique de 1917, accouchant en 1945 de l'hypernationalisme impérialiste stalinien.

Engagement idéologique ? Sans doute, respect du droit international à créer, de la liberté à imposer, de toutes les libertés, de penser, de publier, de voter et aussi d'entreprendre. Un engagement dans une politique de paix mondiale garantissant la libre circulation des hommes, des biens, de l'argent. Avec le souci, en 1945, mais déjà en 1918, de réparer les crimes de guerre, d'opposer le droit à la force et à la violence et de punir les coupables au nom des droits de l'homme.

Les banquiers puritains du Nord-Est qui décident de la politique américaine, mais aussi les descendants de Jefferson le juriste virginien autodidacte, le premier à concevoir une sorte d'Empire mondial du droit initié par les Etats-Unis ne partagent pas la méfiance des nations catholiques européennes à l'égard de l'argent. Ils croient au dollar civilisateur, à la vertu de l'investissement productif, celui qui offre la paix par le travail et le profit. *In God we trust.*

A la fin de chacune des deux guerres, leur réaction est identique. Wilson-le-juste s'embarque sur le *George Washington* pour régler en personne les affaires continentales et mettre à jamais l'Europe à l'abri des conflits grâce à l'instauration de la Société des Nations. Il pense que la paix dépend du développement économique et de la multiplication des échanges. La constitution de petites nations indépendantes, la disparition des grands Empires, la démocratisation de l'Allemagne lui paraissent les conditions nécessaires, mais non suffisantes, de la pacification du continent.

Mais un milliardaire américain débarque très vite en Russie pour aider Lénine à vaincre la famine et développer la NEP. Il pense que le dollar aura raison du communisme, que la révolution ne durera pas.

Il faut, en complément, redresser l'économie européenne, pour la mettre à l'abri du bolchevisme, et faire de l'Europe un partenaire convenable pour l'économie américaine. Dans cette optique, redresser au plus tôt la machine allemande, la reconvertir à la production civile. Prendre le relais de la Grande-Bretagne, handicapée par les pertes immenses de sa marine marchande et par la disparition de ses réserves en or et en capitaux. Vrais vainqueurs de la première guerre pour l'activité industrielle et minière, le commerce, la finance, les Américains font rouler leur or dans le Pacifique, dominent l'Atlantique, investissent déjà massivement dans le pétrole du golfe Persique, dédaignant la Méditerranée européenne et fermée.

Ils souhaitent une Allemagne bornée, limitée, transparente, mais ouverte au capital productif. Ils ont besoin de sa stabilité financière pour accumuler les placements dans les industries allemandes de pointe, automobile, électricité, aviation commerciale, chimie, et développer leurs exportations. S'ils se retirent de la paix de Versailles, dont le traité est refusé par le Sénat en majorité républicain isolationniste, ils restent présents, et même vigilants, dans les conférences de règlement de la dette de guerre allemande, et interviennent pour son extinction. En 1924 l'Américain Dawes préside le comité d'experts qui permet à l'Allemagne (contre l'acceptation d'une créance de 7,5 milliards échelonnée et réduite) de recueillir 30 milliards de marks-or de capitaux étrangers, aux deux tiers américains, mais aussi anglais et hollandais, pour sa modernisation industrielle. Un nouveau plan, présidé par l'Américain Young, président de la General Electrics, réduisait encore de 17 % la dette, échelonnée sur cinquante-neuf ans. Les Américains protègent ainsi leurs placements importants en Allemagne, et notamment des investissements industriels dont le rapport ne cessera jamais sous Hitler comme l'a démontré l'historien américain John Loftus[1].

En 1919, le président Wilson ne cesse d'intervenir pendant les négociations de Versailles pour la liberté des mers et la libération des échanges. Les Anglo-Saxons détruisent immédiatement la flotte des sous-marins ennemis, et applaudissent au sabordage géant de Scapa Flow. Ils se soucient de développer aux dépens des Allemands la liberté de navigation sur les grands fleuves européens : ainsi la liberté est-elle établie sur le Rhin en 1919, étendue aux pays non riverains. De même la Convention internationale du Danube autorisait les Etats non riverains, particulièrement la Grande-Bretagne, à constituer des compagnies de navigation capables de disputer aux Allemands leur suprématie commerciale dans les Balkans. La paix américaine et britannique établit le principe absolu de concurrence.

Les Français de 1918, au moment où la guerre devrait se terminer par une « victoire », sont les plus handicapés des Européens après quatre ans de conflit. Ils ont perdu, comme les Britanniques, leur matelas capitaliste et se battent à crédit. Les sous-marins ont coulé une partie de leur flotte marchande. En France, le parc de locomotives et de wagons a fondu, le matériel est hors d'usage, les gares des régions du Nord et de l'Est anéanties. Les pertes démographiques sont comparativement plus sensibles que celles des Allemands et surtout l'outillage industriel dans les régions envahies a été systématiquement détruit par les combats ou saboté par l'armée

1. John Loftus, *Belarud Secret, the nazi Connection in America*, Knopf, 1982. Un aspect peu connu du grand public.

de Ludendorff en retraite. Les Français n'ont pas les moyens de se chauffer, de se nourrir et de travailler sans aide extérieure.

Pour eux comme pour les Italiens, la victoire doit être une réparation immédiate. A plus long terme, elle doit rendre impossible la reconstitution outre-Rhin d'une puissance économique capable de soutenir une nouvelle guerre mondiale. La récupération de l'Alsace et de la Lorraine, provinces minières et industrielles, est certes une consolation. Mais les dirigeants estiment indispensable de disposer du charbon de la Sarre, de contrôler la Ruhr, et de séparer de l'Allemagne de l'est le bassin houiller de Haute-Silésie. Ils comptent en outre faire main basse sur les brevets allemands de l'industrie chimique, au titre des réparations. Ils envisagent une paix de récupération et d'enfermement du géant allemand dans un filet protecteur qui l'empêche de redevenir le Gulliver monstrueux de 1914, capable de nourrir la guerre sur deux fronts sans s'essouffler. Ils établissent ainsi, sans que l'opinion s'en rende compte, abusée par une propagande antiallemande, une nouvelle configuration impérialiste en Europe. Pour les Français, la définition des buts de guerre, réparations et sécurité, implique l'abaissement économique sensible de l'Allemagne, en quelque sorte sa réduction, au nom de l'équilibre européen.

*

De la sorte, la définition des buts de guerre et la recherche acharnée de positions clés pour le règlement de la paix domine la stratégie des alliés, mais aussi celle des Allemands, dans les dernières semaines de la guerre.

La poursuite des opérations, pour les semaines qui précèdent l'armistice du 11 novembre, fait apparaître clairement les buts de guerre des adversaires et ceux, divergents, des alliés. Si la guerre, selon le philosophe Alain, « naît des passions », elle se termine par la confrontation des raisons d'Etat, qui exigent des *tommies*, des *doughboys*, des *Michel* [1] et des *poilus* d'ultimes sacrifices, dont ils ignorent la finalité, qui ne sont plus dans la logique de la « patrie en danger », celle d'août 1914, mais déjà de la « guerre qui rapporte », celle des « buts de guerre ».

1. Michel était le nom de code de l'offensive Ludendorff en France en mars 1918. Les soldats allemands s'appelaient ainsi familièrement les Michel.

Foch, soucieux de maintenir l'entente essentielle avec l'armée de Haig, tranche d'abord en faveur des buts de guerre britanniques qui exigent la libération immédiate de la Belgique pour détruire les bases sous-marines et reconstituer le matériel portuaire indispensable à la reprise du commerce. Le généralissime élude en effet l'opération que le général américain Pershing méditait avec Pétain vers la Lorraine et Metz, à partir de Saint-Mihiel. Pour Washington, la libération rapide de la Belgique était souhaitable, mais non primordiale. Il convenait d'abord de franchir le Rhin et d'imposer aux Allemands la fin de l'Empire des Hohenzollern, l'avènement de la démocratie transparente, favorable aux investissements et au commerce libres.

Les Américains, dit Foch, auront tout loisir de réduire, avec l'aide des Français, la « hernie » de Saint-Mihiel, mais ils devront reconvertir leurs seize divisions en direction de la vallée de la Meuse à Mézières, pour prendre à revers les armées allemandes de Belgique, et soutenir l'offensive de Haig dans les Flandres. Lloyd George est satisfait : le corps expéditionnaire britannique est plus attaché à la libération de la Belgique qu'à l'occupation de l'Allemagne. C'est le « but de guerre » constant de la Grande-Bretagne depuis le début des hostilités. Pershing et Pétain, qui rêvaient d'être les arbitres de la paix en visant le cœur rhénan de l'Allemagne, suivant les espoirs exprimés par les « comités du Rhin français », devront patienter.

Les Allemands n'ont qu'une chance : privilégier l'Amérique comme interlocuteur pour assurer un règlement qui préserve l'essentiel, leur capacité de reconstruction industrielle et commerciale. Ils ont multiplié en vain les démarches de paix. Il leur reste à tenir fermement, pour obliger leur principal adversaire à une négociation. Ils verrouillent le front de l'Ouest et si les Américains remportent une victoire à Saint-Mihiel, ils se font décimer dans l'Argonne où leurs unités, trop nombreuses, pataugent et évacuent difficilement leurs blessés.

Les Douglas MacArthur[1] et les George Patton ne parviennent pas à y emporter la décision, malgré l'aide des trente escadrilles du colonel Mitchell. Les Américains s'emparent avec difficulté, au prix de lourdes pertes, des bois de l'Argonne mais sont arrêtés

1. Douglas MacArthur est alors général de brigade, commandant de la Rainbow Division. George Patton est chef d'état-major des chars.

sur la ligne Brunehilde-Kriemhilde. Les Allemands emploient les moyens nécessaires pour immobiliser d'abord, en priorité, l'offensive de Pershing. C'est lui qu'il faut frapper. C'est avec « le Bouddha de Washington », comme dit Clemenceau en parlant de Wilson, qu'il faut discuter.

Il est naturellement bon d'humilier les Français, pour qu'ils ne puissent se flatter d'avoir remporté la victoire. Ils ne sont pas plus heureux que les Américains dans l'Argonne, sur le front du Moulin de Laffaux. Ils piétinent en Champagne dans le massif de Moronvilliers. Les Anglais, perdant des milliers d'hommes, ont libéré Saint-Quentin et Armentières, mais ne peuvent prendre Douai. Ludendorff remplit son contrat : il recule pied à pied, pour donner le temps aux responsables politiques de négocier, et d'abord avec les Américains, déjà conscients de leur situation peu satisfaisante dans la phase ultime de la bataille.

Ces derniers combats destinés de part et d'autre à prendre des positions favorables pour la discussion de la paix, sont parmi les plus meurtriers de la guerre, ils sont implacables. Avec des bataillons réduits à 120 hommes, des divisions de 6 bataillons, Ludendorff multiplie les pièges, les contre-attaques partielles, les bombardements de troupes en marche. Les Allemands intensifient les destructions de voies de communication, le sabotage des mines, des usines, des moyens de production. Ludendorff laisse derrière lui table rase.

Au 1er octobre, Pétain a perdu 270 000 hommes depuis le 8 août, beaucoup plus que Nivelle au Chemin des Dames. Les jeunes de la classe 1918 comptent leurs survivants. Plus que jamais les poilus meurent encore à l'assaut des pitons, des mamelons de la montagne de Reims ou des creutes de la ligne de l'Aisne.

Quand l'armée du général Franchet d'Esperey, forte de 400 000 hommes, a percé le front bulgare le 18 septembre au Dobropolié [1], obligeant l'ennemi à signer l'armistice dès le 29 septembre, quand le colonel Lauwrence fonce avec ses cavaliers arabes sur Damas et qu'Allenby fait mouvement avec 450 000 hommes sur Naplouse, le colonel Colin s'empêtre avec la 62e division dans les ravins et les creutes entre la Vesle et l'Aisne, progressant au prix de pertes

1. La victoire était due au courage des Serbes de la division Choumadia, aux Sénégalais et aux Marocains de la 17e coloniale, aux Français de la 122e division, levées dans la Dordogne, en Bretagne, à Vannes et à Lorient.

quotidiennes lourdes. Il combat constamment en liaison avec la brigade italienne de Brescia et les unités américaines. Il est même, pour un temps, placé sous le commandement d'un général de corps d'armée américain.

La progression est rendue difficile par l'acharnement des troupes de la Garde prussienne à se retrancher derrière le moindre obstacle, bien protégées par l'artillerie. Le 338e régiment de Louis Masgelier est constamment en bataille, jusqu'à l'épuisement. Parti le 8 septembre du plateau au nord de Fismes, il n'atteint pas l'Aisne le 1er octobre, et se bat avec ardeur autour du petit bourg de Glennes, ne pouvant trouver de repos dans les grottes arrosées systématiquement de gaz moutarde par l'ennemi en retraite.

Par infiltration, les Allemands lancent de fréquentes contre-attaques appuyées par des bombardements au gaz. Le colonel du 279e régiment, Boisselet, rendu aveugle, doit être évacué. Colin demande en vain la relève de ses unités. Rattaché à la Ve armée de Berthelot, il doit sans cesse lancer de nouvelles opérations, toutes malheureuses. Quand Guillaumat remplace Berthelot au début d'octobre, le général projette de franchir immédiatement le canal latéral à l'Aisne. Mais les mitrailleuses allemandes veillent et le colonel Colin montre le danger d'une opération sans préparation.

Un petit groupe de seize hommes réussit à franchir le canal dans le brouillard matinal, sur un radeau improvisé. Le sous-lieutenant Gabel les commande. Dès qu'ils sont repérés, ils subissent un violent bombardement d'artillerie et sont cernés par les Allemands. Gabel refuse de se rendre. Ses hommes et lui-même sont hachés par la mitraille. Les survivants sont faits prisonniers. Un seul s'échappe en traversant le canal à la nage. Le 6 octobre, quand le colonel Colin apprend que l'Allemagne « fait des propositions de paix », il compte ses pertes : 239 hommes au 338e, 436 au 307e, et 724 au malheureux 279e régiment recruté dans la région de Decize, celui qui a le plus donné. Et les poilus n'ont toujours pas réussi à franchir l'Aisne.

*

Les Allemands aussi ont fait le compte de leurs pertes[1]. Le

1. Du 21 mars au 1er août, Ludendorff a enregistré 126 000 tués, 101 000 prisonniers ou disparus, 760 000 blessés. Il n'a reçu en renfort que 60 000 hommes, et 150 000 prisonniers repris aux Russes. Il compte

28 septembre, Hindenburg et Ludendorff ont prévenu leur gouvernement qu'il devait demander la paix sur l'heure. Les seigneurs de la guerre suggèrent qu'un cabinet issu de la majorité parlementaire soit nommé, pour que les alliés n'aient aucune raison de contester la légitimité des instances politiques allemandes. Ce souci indique suffisamment que l'état-major est le premier convaincu qu'il faut traiter avec les Américains en priorité et leur offrir les concessions politiques auxquelles ils tiennent par-dessus tout.

Hintze, le ministre des Affaires étrangères, exige un délai. Le chancelier Hertling démissionne immédiatement et Guillaume II consent à demander l'armistice, mais après la nomination d'un cabinet responsable. Ce scrupule tardif d'un autocrate prussien peut surprendre. Max de Bade, pressenti, ne s'y trompe pas. Ce prince de sang royal est en effet l'époux d'une Anglaise. On pense qu'il sera bien vu de Wilson, parce qu'il a désapprouvé en 1917 la politique de guerre sous-marine à outrance, cause immédiate de l'entrée en guerre des Etats-Unis.

Il refuse d'abord, puis se laisse convaincre. Le temps passe. Max de Bade cherche à former son gouvernement. Pendant la nuit du 1er au 2 octobre, Ludendorff, très alarmiste, avertit le ministre Hintze « qu'une percée peut intervenir à tout moment » sur le front de Saint-Quentin. Il télégraphie deux fois dans la nuit, implorant, désemparé : « Je veux sauver mon armée », se lamente-t-il. Il veut en fait négocier un armistice convenable, parce qu'il tient ses troupes encore bien en main.

Le 2 octobre, Max de Bade, de nouveau pris de scrupules, et saisissant le mécanisme de l'état-major, refuse de signer la demande d'armistice, « aveu de défaite ». Que les militaires prennent donc leurs responsabilités ! Qu'ils assument jusqu'au bout leur dictature de guerre ! Hindenburg vient en personne au Reichstag, pour calmer l'émotion des députés, persuadés que le front va s'effondrer. L'armée de Douai résiste, dit-il, la ligne Hermann tient, il peut attendre quelques jours, le temps que les civils se décident.

Le 3 octobre, au conseil de la Couronne, Max de Bade persiste.

sur 300 000 recrues de la classe 1920, âgés seulement de dix-huit ans. En août et septembre, il a perdu 200 000 hommes par mois, remplacés par 110 000 hommes seulement. Il n'a plus les moyens matériels de continuer la guerre.

L'empereur, excédé, le gourmande : « Tu n'es pas là pour faire des difficultés au haut commandement ! » Le chancelier exige que l'on convoque le Reichstag, pour avoir son aval. Hindenburg proteste. Il ne veut pas d'une discussion parlementaire. Il refuse aussi d'admettre par écrit la possibilité d'un « effondrement », il veut bien négocier avec les Américains, mais non pas rendre leurs provinces aux Français, encore moins la Haute-Silésie aux Polonais. Si l'on veut lui imposer une « paix de déshonneur », il résistera « jusqu'au dernier homme ». On n'abandonne pas le sol ni le drapeau, et encore moins l'armée.

S'il veut l'armistice, c'est seulement, affirme-t-il désormais, pour éviter « des pertes inutiles ». Max de Bade finalement se résigne : la note signée de sa main part pour l'ambassade allemande de Berne le 4 octobre à 1 h 45 du matin. Le pouvoir civil a cédé.

Mais il croit encore obtenir de Wilson, à qui il a adressé sa demande, des conditions favorables. Ludendorff renforce ses défenses, pour aider à la négociation. Il organise la ligne Hermann dans le nord, inonde les abords de Douai, aménage la position Hunding au-dessus de l'Aisne, verrouille le débouché de l'Argonne pour priver Pershing de tout espoir d'offensive.

Pendant que les troupes alliées s'exténuent, Wilson étudie seul, sans consulter ses associés européens, la note allemande, du 4 au 8 octobre. Il répond, le 8, à Max de Bade par un questionnaire. Il veut savoir à qui il a affaire, à l'ancien ou à un nouveau régime ? Il exige une réponse politique, avant toute autre considération. Il demande, comme gage de bonne foi, l'évacuation immédiate des territoires occupés. Il n'évoque pas l'Alsace et la Lorraine.

Ludendorff, convoqué par le gouvernement Max de Bade le 9 octobre, estime que trois mois sont nécessaires pour opérer ce mouvement. La réponse allemande à Wilson du 12 octobre est donc dilatoire. Le chancelier accepte l'évacuation, mais sans préciser de date. Il affirme qu'il parle « au nom du gouvernement et du peuple allemand », qu'il est le chef d'une formation représentative des forces politiques allemandes, où figurent le catholique Erzberger et le socialiste Scheidemann.

Le gouvernement français est divisé sur la question de l'armistice. Le ministre poincariste Leygues affirme qu'il « couperait le jarret à nos troupes ». Clemenceau, qui veut éviter les morts inutiles, parle de démissionner mais adresse aussitôt un message à

Wilson pour exiger la consultation des experts militaires, Foch en premier, seuls habilités à répondre à une demande d'armistice.

Wilson poursuit, dans sa note du 14 octobre, son objectif politique. Il exige l'abolition du régime impérial, « condition préalable de la paix ». L'armée allemande sera soumise aux clauses imposées par les militaires. « C'est l'effondrement de ma maison », commente l'empereur. Ludendorff, convoqué le 17 octobre, parle encore de résistance, de levées nouvelles, d'incorporation des travailleurs. Le gouvernement ne croit pas à la possibilité d'une levée en masse. Le 20 octobre, il accepte dans son principe la note de Wilson. Les négociations traînent depuis deux semaines et l'on se bat furieusement sur le front.

Foch change son fusil d'épaule, et devient subitement attentif à la proposition de Pétain d'une offensive franco-américaine en Lorraine, au lieu de se contenter d'une attaque sur la Meuse pour libérer la Belgique avec les armées française, belge et britannique. Puisque les Allemands veulent négocier directement avec Washington, il faut les contraindre à reconnaître une victoire française, associée à une présence américaine. L'objectif, conforme aux buts de guerre français, est la Sarre et le Rhin. Les alliés, à l'exemple de Wilson, affirment aussi leur volonté de terminer la guerre selon leurs vues, en se saisissant de gages pour la négociation. L'offensive de Lorraine est mise en place pour le 14 novembre.

La note de Wilson du 23 octobre est de la plus grande fermeté. L'armistice sera tel qu'il empêchera la reprise des hostilités. Si le régime allemand ne change pas, les alliés exigeront la capitulation complète de son armée. Il veut aller, s'il le faut, jusqu'à Berlin, comme Eisenhower en 1945, détruire radicalement le militarisme prussien et l'impérialisme de caste, comme plus tard Roosevelt le nazisme.

Hindenburg à la fois défenseur des valeurs militaires et des intérêts de l'Empire proclame que cette proposition est inacceptable. Max de Bade menace de se retirer. Ludendorff se sacrifie et démissionne seul, alors que le Maréchal reste en place. Sa présence est encore nécessaire, tant qu'un Allemand reste sous les armes. On vient d'apprendre que l'empereur d'Autriche était sur le point de signer l'armistice. L'Allemagne n'a plus d'alliés, plus de quartier-maître général. Les troupes allemandes reculent sur tous les fronts.

Est-ce la fin ? Pas encore : les généraux alliés ne sont pas d'accord sur les clauses du désarmement. Doit-il être total, comme l'exigent Pétain et Pershing ? Ou partiel, comme l'admettent Foch et Haig ? Occupera-t-on la rive gauche du Rhin en délimitant des têtes de pont et une zone démilitarisée sur la rive droite selon la thèse de Foch ? On en discute longuement et les conditions adressées aux Allemands sont le résultat de cette négociation préalable dont les clauses engagent déjà les négociations futures de la paix.

La réponse des alliés parvient à Berlin le 6 novembre, trois jours après la signature de l'armistice par l'Autriche. L'Allemagne entre en révolution par la mutinerie des équipages de la flotte, à Kiel. Les plénipotentiaires allemands, des militaires obscurs[1], ont ordre de tout accepter, sauf le désarmement général et la capitulation de l'armée, sous la responsabilité politique et civile d'Erzberger, qui portera seul le poids de la défaite. Puisque la révolution est en passe de l'emporter, le jeu des négociateurs allemands est d'avertir les alliés qu'ils ne peuvent réduire le bolchevisme sans leur aide. Les soldats américains accepteront-ils de monter la garde aux frontières de l'Ukraine ? Faut-il retirer si vite les soldats allemands de l'Est ? Utiliser cette peur est une autre manière de jouer la carte Wilson.

L'argument des Allemands est d'obtenir les moyens de réduire le bolchevisme dans leur propre pays : ils demandent des armes et des locomotives. Le 7 novembre, ils ont franchi la ligne à Haudroy, près de la Capelle. Le 9, un courrier venu de Compiègne est arrivé à Berlin, dans une ville en proie aux manifestations spartakistes et aux grèves révolutionnaires. Toutes les cités rhénanes arborent le drapeau rouge, comme Munich et Hanovre. Les sociaux-démocrates ont envoyé un ultimatum au Kaiser pour qu'il abdique.

Max de Bade, avant d'abandonner le pouvoir au socialiste Ebert, annonce, sans l'avoir consulté, le renoncement au trône de l'empereur. Guillaume II part, le 9, pour son long exil en Hollande. Le dimanche 10 novembre, le gouvernement allemand approuve les clauses du maréchal Foch. Les plénipotentiaires ont obtenu un allongement des délais, une réduction des demandes de livraison

1. Un ancien attaché militaire à Paris, le général von Winterfeldt, un diplomate, le comte Obendorff, un capitaine de vaisseau, Vanselow. Hindenburg n'a pas voulu mêler les généraux du front à la négociation.

de mitrailleuses et de camions, pour permettre de lutter contre les bolchevistes.

L'armistice est signé dans le wagon de Foch à Rethondes, le lundi 11 novembre à 5 h 10 du matin. Il doit entrer en vigueur le jour même, à 11 heures, sur toute la ligne du front. La guerre est finie.

*

Quand les quatre reçoivent la capitulation de l'armée allemande à Berlin, le 8 mai 1945, il n'y a pratiquement plus un soldat allemand pour résister. Le but immédiat des alliés et associés est d'écraser radicalement l'Etat allemand nazi, non de le reconstituer sous une autre forme.

Pendant la négociation de l'armistice de 1918, considéré du point de vue militaire allemand comme une trêve permettant de négocier la paix et non comme une capitulation, les combats se poursuivent jusqu'au dernier moment, alors que les officiers français du front n'ignorent pas qu'une négociation est en cours. Signer l'armistice n'est pas détruire l'Allemagne, mais contraindre son armée à reconnaître sa défaite en rentrant chez elle pour y être démobilisée. La responsabilité de la guerre est imputée par Wilson à l'empereur et à l'état-major, pas aux puissances économiques et sociales, encore moins, naturellement, au « peuple allemand » que Wilson et Lloyd George entendent ménager et détourner du bolchevisme. Au prix d'un changement de régime et d'une amputation de territoires, l'Allemagne reste intacte.

L'armistice a été obtenu au prix d'une pression constante et sanglante exercée sur le front. Il n'est pas question, pour Foch, le 9 novembre 1918, de relâcher l'effort, alors qu'il doit saisir des gages ou des points de départ solides pour contraindre les Allemands à signer et à exécuter leurs engagements.

De nouveaux sacrifices sont donc imposés à la troupe, pour franchir la Meuse et constituer une tête de pont capable de pousser vers le Rhin. Ces derniers combats ne sont pas seulement destinés à prouver au monde que l'Allemagne est vaincue, mais à la vaincre réellement, à l'empêcher de résister encore, malgré la signature de l'armistice. On signe quand les territoires français et belge ne sont pas encore libérés. On négocie le retrait d'une armée qui occupe le territoire allié.

Dans l'après-midi du 9 novembre, Foch avait lancé un ordre au 14e corps de franchir le fieuve entre Sedan et Mézières, pour impressionner l'état-major allemand et le contraindre à signer. Pour l'empêcher de reconstituer une nouvelle ligne de défense, et faire traîner ainsi la conclusion du drame, dans le sens le plus favorable aux intérêts allemands.

Qui tenait en effet la Meuse pouvait percer, par la Belgique wallonne, vers le Rhin. Foch retrouvait devant lui la vieille frontière de la Neustrie, celle des quatre fleuves, l'Escaut, la Meuse, la Saône et le Rhône, issue du partage de l'empire de Charlemagne. Cette ligne, les Allemands devaient la tenir à tout prix pour éviter l'invasion. Les lignes Hermann, Hunding et Brunehilde une fois percées, la position de repli ultime était celle de la Meuse à l'Escaut.

Suivre le cours du fleuve mérovingien, c'était pénétrer en terre germanique, menacer Spa, où se tenait l'état-major allemand, et de là foncer sur le Rhin. Cette voie était infiniment plus sûre que la Lorraine gardée par les places fortes de Metz et Strasbourg. Le calcul de Foch était juste : une tête de pont sur la Meuse signifiait pour les Allemands le commencement de la fin.

Sur le terrain, cet objectif entraîne des combats tardifs, mais acharnés. Le colonel Colin, de la 62e division d'infanterie, n'a pas cessé d'attaquer en octobre la position Hunding et ses troupes sont exténuées. En quatre jours, sa division a marché sac au dos sur cent kilomètres. Elle a attaqué les mitrailleuses sous béton, franchi les réseaux de barbelés, essuyé les tirs nourris des 105, avançant à marche forcée sur la Meuse. Le 29 octobre, elle a repoussé une contre-attaque allemande.

Les pertes sont lourdes et le général s'inquiète de la succession des « petites attaques ratées » sur le front français, alors que l'on annonce la révolution à Vienne et la capitulation turque. On lance de nouveau les hommes à l'assaut sans préparation. Les Français seront-ils les seuls à être tenus interminablement en respect par l'ennemi ? L'artillerie arrive à la rescousse, le 9 novembre, et la position est enfin tournée, la poursuite engagée.

Les charrettes et les automobiles ont de la boue jusqu'aux essieux. Colin saute sur un cheval pour avancer plus vite, se garde néanmoins des mines placées par les Allemands sur les routes, des obus enterrés deux par deux que le génie doit désamorcer. Les poilus du 338e secourent de leur mieux des colonnes de villageois que les Allemands avaient entraînés vers l'arrière de leurs positions, et qui rentrent chez eux sous la pluie, sans aucune provision.

Le régiment se bat encore le 9 novembre, autour de Marlemont, toujours sur la route de la Meuse. Les villages sont truffés de nids de mitrailleuses et doivent être enlevés de vive force. Un obus tombe sur un ravin où sont embusqués des Creusois du 338e : quarante-cinq morts d'un seul tir de 105. L'accueil fait aux poilus dans les bourgs libérés devient, il est vrai, du délire quand ils approchent du fleuve.

Le 9 novembre, Colin tient de son général que les plénipotentiaires allemands ont franchi les lignes « du côté de Fumay ». Mais les obus pleuvent encore le dimanche 10, alors que la nouvelle de « l'abdication de Guillaume » est connue par la TSF dans les rangs. Ce jour-là, au 307e régiment d'Angoulême, le caporal Cossat est tué dans la forêt des Ardennes, à Sécheval.

C'est le dernier mort de la division qui poursuit son avance vers la Meuse, le lundi 11 novembre. A 8 h 30, le colonel, qui vient de monter à cheval, reçoit l'ordre du général de stopper. « Je le mets dans ma poche, dit-il, sans le communiquer à personne, bien résolu à ne pas arrêter mon régiment d'avant-garde avant qu'il ait atteint la Meuse. » Il découvre le fleuve un quart d'heure avant la fin des combats. On enterre alors solennellement un soldat tué près d'Arreux. La population civile suit le cortège avec des fleurs. Ils étaient enthousiastes, les Ardennais accueillant les soldats de la 163e division qui atteignaient les premiers les villages de la Meuse. Les drapeaux étaient aux fenêtres, les femmes embrassaient les poilus. Couverts de fleurs, ils attendaient la fin des combats.

Ils reprenaient aussitôt l'opération projetée sur le fleuve : la IVe armée de Gouraud avait dû y consacrer deux corps d'armée, dont les trois régiments de la 163e division, avec le 244e d'artillerie de campagne et le soutien d'une batterie lourde. Le général commandant la 163e, Boichut, savait que la Garde prussienne avait pris position sur les bords de la Meuse, avec une artillerie puissante. Les rives avaient été aménagées pour permettre les tirs de mitrailleuses. Les haies, les talus, les murs avaient été rasés à Vrigne comme à Nouvion.

Les soldats de la division n'ont pas la réputation d'une troupe d'élite : des Méridionaux constamment décriés, accusés de lâcheté et de mollesse. Le 53e régiment venait de Perpignan. Le 142e de Mende, dans la Lozère. Le 415e faisait partie de cette nouvelle ligne de régiments créés en mars 1915. Il était essentiellement nourri de Provençaux et de Marseillais. Il s'était battu aux lieux les plus atroces de la Somme, de Verdun et de Champagne. Ces poilus, jeunes et anciens, étaient épuisés. Ils attendaient la fin des combats.

Le général Boichut, un artilleur polytechnicien était stupéfait de l'ordre de Foch. Il s'en ouvrait à son supérieur, Marjoulet, commandant le 14e corps [1].

— Les troupes sont fatiguées, dit Boichut. Elles s'attendent à un repos qui leur est indispensable.

— Il faut passer.

— L'obstacle est considérable. Je l'ai reconnu. Ponts et passerelles sont impraticables, sinon détruits. Les équipages de ponts sont sur l'Aisne et nous n'avons aucun moyen de franchissement.

— Il faut passer, il le faut, à tout prix. L'ennemi hésite à signer l'armistice. Il se croit à l'abri derrière la Meuse. Il faut frapper son moral par un acte d'audace. Passez comme vous pourrez : au besoin sur les voitures de nos convois, mises en travers du fleuve. Il faut passer... Question de moral.

— Question de moral, répond Boichut, dans ce domaine, rien n'est impossible. On passera.

*

Les ordres donnés à tous les généraux sont équivalents : Humbert ordonne à sa IIIe armée, pour le 11 novembre, de « rejeter vigoureusement l'ennemi de l'autre côté de la Meuse ». La Xe de Mangin est chargée « de rompre le front ennemi en direction de Sarreguemines ». Il est essentiel de franchir la ligne des fleuves si l'on veut obtenir des Allemands le respect des conditions de l'armistice. Nul ne peut prévoir les réactions de l'ennemi.

Boichut explique à ses officiers que le sacrifice demandé est essentiel pour terminer la guerre, assurer et contrôler la défaite de

1. Voir l'intéressante recherche de Gérald Dardart : *Vrigne-Meuse, le dernier assaut de la der des der, 10 et 11 novembre 1918*, Nouzonville, Ardenne, La Cerise-aux-Loups éditeur, 1999. Nous suivons ici son récit des événements de Vrigne-Meuse, du 9 au 11 novembre.

l'Allemagne. Il se fait l'interprète des ordres de l'état-major. Quand on dit aux poilus qu'il s'agit du dernier coup d'audace, pour obtenir la paix une fois pour toutes, ils se relèvent et marchent, quelle que soit leur fatigue, surtout les Méridionaux qui ont à cœur de rappeler qu'ils n'ont jamais été des lâches. Les voilà prêts à tenter l'impossible.

Les soldats du génie donnent l'exemple. Avec des tonneaux, et des sacs Habert [1], des radeaux sont jetés dans l'eau glacée du fleuve et dans celle du canal. La Meuse à cet endroit est large de 70 mètres et son courant est fort. Par –26°C, à 3 heures du matin, le sous-lieutenant Castex et quatre hommes placent deux filins en amont et en aval du pont de Nouvion pour que les hommes puissent s'y accrocher dans le brouillard, et échapper au courant. Une passerelle est établie sur le pont de chemin de fer de Flize.

Dans la nuit du 9 au 10 novembre, les groupes de fantassins s'avancent sous une pluie glacée. Le 415e régiment établit une tête de pont qu'il doit à tout prix tenir, pour permettre le passage de la division tout entière. Il faut une heure et demie à chaque compagnie pour franchir le fleuve. Un lieutenant tombe à l'eau, avec quelques poilus. On les repêche aussitôt, transis de froid. Les Allemands sont d'abord surpris et se rendent sans combat. A 7 h 30, tout le régiment est passé : c'est un exploit.

En face de Nouvion, les deux autres régiments de la division se sont heurtés à des tirs de mitrailleuses et ne peuvent s'emparer de Vrigne-sur-Meuse. La position du 415e, quand le jour se lève, est donc aventurée. Il découvre qu'il a contre lui les troupes d'élite de la Garde surnommés les « hannetons » (*Maikäfer*). Les Allemands sont décidés à tenir le fleuve coûte que coûte. La dernière bataille de la guerre s'annonce sanglante.

Les sept cents poilus du 415e sont rapidement encerclés, dès le 10 novembre dans la matinée, et tenus en respect par les mitrailleurs de la Garde prussienne. Aucun renfort ne peut les rejoindre. La compagnie Bernard charge courageusement les Allemands à la baïonnette mais cède sous le nombre et la densité des tirs de mitrailleuses.

Le seul secours est celui de l'artillerie : 72 pièces de 75 et 15 canons de 155 qui multiplient les tirs d'interdiction, les barrages.

1. Radeaux portatifs utilisés par le génie.

Mais les compagnies tiennent un front trop vaste pour pouvoir s'y cramponner. Le lieutenant Bernard donne l'alerte : « Je suis tourné, dit-il, il ne me reste que l'effectif d'une section. Les autres sont tués, blessés, ou pris. Plus de mitrailleuses. Je ne puis tenir longtemps où je suis. » Il se bat au corps à corps, perdant ses hommes dans des combats furieux. Les autres sections reculent, dans une contre-attaque générale de l'ennemi engagée dans l'après-midi.

L'artillerie française réagit de nouveau, vivement. Les poilus résistent dans les ruines de la gare de Vrigne-sur-Meuse et sur la voie ferrée. La bataille cesse vers 17 heures, à la nuit tombée, pour reprendre à l'aube du 11 novembre, férocement. L'ordre de Gouraud, commandant de la IVe armée, est en effet de tenir la tête de pont, quelles que soient les pertes. Les six bataillons réduits à cent cinquante hommes reçoivent des munitions grâce à des ravitailleurs qui ont réussi à franchir le fleuve de nuit avec de lourdes caisses.

L'artillerie française n'a pas cessé son tir, elle a criblé les positions ennemies à la cadence d'un coup par minute, toute la nuit, la dernière nuit de guerre. Les sapeurs ont réussi à faire passer des canons sur l'autre rive. Le combat va-t-il reprendre, à l'aube du 11 novembre ?

A 5 h 15, un télégramme de Foch annonce la fin des combats pour 11 heures. Boichut transmet à 7 h 15 en précisant : « Il faut prévenir les troupes, mais en leur disant d'être sur leurs gardes, même après 11 heures, les troupes ennemies qui sont devant nous pouvant ne pas être prévenues à temps, surtout certains tirailleurs ». Le colonel Petitdemange précise : « Les hommes mettront leur mouchoir au bout de leur fusil et agiteront leurs panneaux de jalonnement en criant en chœur et de toutes leurs forces : vive la France ! et chanteront *La Marseillaise*. On ne fraternisera pas avec l'ennemi. »

Les coureurs portant la nouvelle dans les lignes tombent sous les balles ennemies. Le village de Dom-le-Mesnil, où se terrent les survivants du 415e, est violemment bombardé. Douze soldats vont mourir : parmi eux, Auguste Joseph Trébuchon, natif de la Lozère, tué par balle un quart d'heure avant la sonnerie de la fin des combats, lancée par le clairon Delalucque. Les soldats morts le 11 novembre seront, sur ordre, déclarés décédés le 10, pour ne pas désespérer les familles. La bataille de la Meuse a coûté la vie à 91 poilus.

A 11 heures, les bugles de la Garde, qui ne compte plus qu'une centaine de combattants, sonnent dans les rangs de l'ennemi. Secteur par secteur, sur toute la ligne du feu, les hommes sortent de leurs trous et s'observent, immobiles. Ils se dévisagent, pétrifiés, silencieux, sans voix. Certains Français chantent *La Marseillaise*. Les fraternisations sont nombreuses, mais les officiers interviennent de part et d'autre. Pour les Allemands, il est temps de rentrer au pays.

*

Mais en ordre, pour ne pas donner l'impression d'une déroute. L'armistice est signé, la paix reste à négocier, et la résistance allemande est un atout : elle permettra d'empêcher la « paix de victoire » et de donner aux alliés l'assurance que les Allemands ont les moyens de liquider eux-mêmes le bolchevisme, à condition qu'on les laisse faire.

Les *feldgrau* ont vécu dans l'angoisse, le désespoir ou la torpeur les dernières heures de la guerre. Ludwig Renn a gardé le souvenir d'un cauchemar. Chargé d'emmener au front les dernières recrues âgées de dix-huit ans, il n'a pu les convaincre de lutter avec le courage des vieilles troupes, celles qui retardaient, d'un bout à l'autre du front, l'avance de l'ennemi par de continuelles contre-attaques. Les jeunes soldats grognaient et menaçaient de déserter.

« Si l'on m'envoie au front, disaient-ils, je dirai simplement que je ne marche pas. »

Ils ont marché cependant, par résignation, par soumission. Ils se sont souvent rendus au premier feu, à l'indignation des officiers tempêtant contre cette « racaille ». En Belgique, les sentinelles fraternisaient avec la population.

Le dernier départ au front, dans les premiers jours de novembre, avait été pénible. Les colonnes rencontraient des convois d'artillerie galopant vers l'arrière, abandonnant les positions. Pourquoi marcher encore vers des lignes qu'il n'était plus question de tenir ? A quel jeu cruel étaient donc soumis les adolescents de la dernière classe ?

Pas de vivres : les convois étaient arrêtés à l'arrière. On traquait les porcs et les volailles dans les fermes. Les obus français commençaient à faire des vides dans les rangs, quand on approchait du front. Vaille que vaille, les bleus creusaient leurs trous, pour ne pas mourir. Certains voulaient se rendre à l'ennemi, pour en finir : « Les hommes, expliquent Renn, disent que demain, à midi, il y aura l'armistice, que ce soir à 8 heures la position que nous occupons sera évacuée et qu'il n'y a donc pas de raison pour se faire encore estropier. J'ai rabroué la bande de belle façon. »

Mais les aboiements du feldwebel sont sans effet. Les hommes n'ont plus d'officiers, ils sont tous morts. Chacun songe à survivre, et mange des pommes de terre de semence crues déterrées dans les champs. Les détenus militaires, libérés par les feldgendarmes, ont pillé les trains de ravitaillement à l'étape. La boulangerie de campagne est aux mains des mutins. La troupe se nourrit en fabriquant du pain immangeable avec des sacs de farine.

On raconte dans les rangs qu'à Bruxelles les soldats arrachent les pattes d'épaule des officiers et leur crachent au visage. Est-ce la révolution ? Non, la compagnie de Renn est hostile « aux bandes de l'arrière » et se jure de faire justice. Le commandant réunit les officiers pour leur annoncer la fuite de l'empereur. Ils doivent faire élire dans chaque compagnie « trois hommes de confiance ». Des soviets ? On désigne des soldats confirmés, capables « d'affermir davantage la bonne entente entre les officiers et la troupe ».

Et la marche reprend, harassante, sous la pluie, dans la boue, la longue marche vers le *Vaterland.* Des mitrailleuses abandonnées sous le porche des églises, des pièces de 77 dans les cimetières. Inutile de s'encombrer des armes lourdes proscrites par l'armistice. On traverse au pas la Belgique flamande, puis la wallonne.

Renn est à l'arrière-garde de l'armée. Il ne prend un peu de repos qu'à Liège. Il passe la Meuse sur un pont intact, alors que les Français et les Britanniques boivent déjà de la bière dans les tavernes avec les soldats belges. Son bataillon serpente des heures, accablé de fatigue, avant de gagner péniblement les hauteurs de l'autre rive. Mais les hommes restent casqués, le fusil à l'épaule.

Quand ils passent enfin la frontière allemande, quelques-uns se mettent à chanter pour la dernière fois une scie de tranchée : « Le train dont va la guerre n'est pas un train d'enfer – Pour essuyer tes pleurs, prends du papier de verre. » Les régiments, les divisions se mêlent sur la route trop étroite, précédés par leurs généraux en voiture. Les soldats protestent : les aviateurs goguenards, qui ont abandonné leurs appareils, se prélassent dans des limousines, tous feux allumés.

La colonne de Renn doit faire place aux officiers et aux longues files d'artilleurs à cheval qui font claquer leur fouet. Les soldats les injurient : ces canons lourds tiennent toute la place. Il faut avancer en file indienne dans la boue des fossés. Certains officiers de l'artillerie impériale ne peuvent se résoudre à abandonner leurs armes à l'ennemi. Ils ont hâte de les cacher dans leurs casernes.

A l'approche de la nuit, la colonne épuisée pénètre enfin dans Aix-la-Chapelle, la première ville allemande. Toutes les maisons sont pavoisées aux couleurs impériales. Un colonel arrête la colonne, demande aux officiers de faire rectifier la tenue des hommes. La musique prend place en tête. Les fifres et les tambours plats de Prusse réveillent les habitants qui se précipitent aux fenêtres. Ils descendent dans la rue pour suivre le défilé. Les soldats redressent le torse, prennent la cadence.

Il s'agit de montrer aux civils qu'avec l'armée l'ordre est de retour en Allemagne. Que les drapeaux rouges disparaissent, les héros des tranchées ne les supportent pas. Si fatigués soient-ils, les hommes qui défilent dans les rues d'Aix-la-Chapelle ne sont pas des vaincus. Ils rentrent simplement du front, abreuvés de café chaud et de vivats. Quand les survivants de la Garde prussienne défilent à Berlin dans Unter den Linden, ils sont acclamés comme des vainqueurs. On attend avec impatience leurs mitrailleuses pour fusiller les spartakistes.

*

Les poursuivants de l'armée vaincue étaient eux-mêmes exténués, raréfiés par quatre ans de massacres. Pour l'armée française, l'année 1918 était des plus coûteuses : 250 000 morts, contre 145 000 en 1917. Les batailles de Foch, de juillet à novembre, étaient responsables de 531 000 morts, blessés et disparus.

La puissance du feu et la mobilité des combats étaient sans doute les causes de ces chiffres élevés, qui frappaient particulièrement les jeunes classes. Comme en 1914, les poilus étaient morts sur les routes, en gagnant le front, dans les mouvements incessants des unités qui n'avaient pas le temps de creuser des abris et devaient se jeter dans les trous d'obus.

Les marches de retraite et de contre-attaque empêchaient les secours aux blessés, qui mouraient abandonnés sur les lieux des combats, faute de brancardiers et d'ambulances. Les équipes sanitaires se déplaçaient avec la troupe, mangeant froid et couchant en plein air. L'épidémie mortelle de grippe espagnôle – que certains, faute d'informations, prenaient pour du choléra – frappait tous les régiments, détruisant l'équivalent de deux divisions, et ajoutait les malades aux blessés.

Le feu des canons et des mitrailleuses était d'une année à l'autre devenu plus meurtrier : 30 000 pièces sur les deux lignes, 130 000 mitrailleuses dans le camp allié, et trois mille chars. Pendant l'offensive de Foch, les canons tiraient 276 000 obus de 75 par jour, 54 000 de 155 et 3 900 de 220. Jamais la logistique n'avait été à plus rude épreuve, nourrissant un feu d'enfer sur les lignes. Les armes rapprochées du fantassin, crapouillots et *minenwerfer* et surtout les grenades étaient d'une redoutable efficacité, plus que les obus à gaz et les lance-flammes qui cependant multipliaient les victimes inguérissables, atteintes de brûlures et de lésions organiques.

Plus d'un million d'invalides regagneraient leurs familles, inaptes désormais à la vie normale. Les « gueules cassées » étaient les plus impressionnants. Ils symbolisaient, par les blessures atroces de la face, toute l'horreur de la guerre industrielle, qui transformait les hommes en monstres. Les prothèses, les voiturettes, les béquilles, les longues files d'aveugles de guerre peuplaient le décor du retour à la vie civile. De source officielle, 1 397 000 Français avaient trouvé la mort au front, dont 35 300 indigènes d'Afrique du Nord et 36 200 des colonies.

Mais les unités coloniales ou étrangères avaient consenti des efforts sans commune mesure avec leurs effectifs, ayant été constamment engagées dans les offensives les plus dures. L'unité la plus décorée de France, titulaire de la double fourragère de la Légion d'honneur et de la croix de guerre était le régiment d'infanterie coloniale du Maroc, avec dix citations, ainsi que le régiment de marche de la Légion étrangère (neuf citations). Quatre régiments de zouaves basés en Afrique du Nord, trois de tirailleurs et un mixte de zouaves et de tirailleurs avaient eu les honneurs de la fourragère rouge, avec le bataillon des fusiliers marins de Dixmude et cinq de chasseurs à pieds. Quatre régiments d'infanterie métropolitaine seulement, ceux de Langres, Toul, Bourg et Fontainebleau avaient été jugés dignes d'une telle récompense, avec le 43e d'infanterie coloniale. Une élite de l'armée s'était dégagée de la masse des divisions ordinaires au combat, venue très largement de l'outremer. Elle avait payé le prix le plus fort.

Plusieurs classes d'âge avaient disparu, ou étaient réduites à l'état d'invalides. Per Jakez Hélias racontait que les poilus bretons, pour garder le prix du billet de train, rentraient chez eux à pied. La pénurie d'hommes était telle dans les fermes qu'ils étaient reçus à bras ouverts, invités plusieurs jours à partager les repas familiaux, avec les jeunes filles de la maison, et lâchés à regret. La fécondité française, déjà faible avant la guerre, était amputée de sa jeunesse.

Les pertes allemandes étaient plus fortes, mais inférieures aux pertes françaises, au regard du total de la population : 1 950 000 morts, sans compter les mutilés et les disparus. La grande Allemagne du Kaiser avait sacrifié ses adolescents dans une guerre inexpiable, où Ludendorff avait fini par lever la classe des dix-huit ans. Les Allemands étaient morts sur tous les fronts, de Russie en Orient, de France en Italie. Jusqu'au dernier moment la discipline prussienne avait maintenu le silence dans les rangs et l'obéissance aux ordres, en dépit de la lassitude. Le soldat allemand s'était révélé aussi efficace dans la retraite que dans l'offensive, et les *stosstruppen* décimées s'étaient unies aux vieilles troupes encore valides des régiments d'élite de l'ancienne Prusse, de la garde du Kaiser, pour retarder l'avance alliée, comme l'avait exigé l'état-major.

Non seulement les soldats n'étaient pas déshonorés par une capitulation en rase campagne, mais ils étaient attendus au pays pour rendre un dernier service. Quand le régime s'était écroulé, leur retour avait été salué comme une délivrance par tous ceux qui redoutaient l'extension de la révolution bolchevique, à commencer par les militants sociaux-démocrates et par les députés du Centre catholique. Les bourgeois décoraient leurs maisons de banderoles célébrant « les héros du front ». Ils rentraient dans les villes de garnison dans une ambiance de fête. Comment Wilson pourrait-il expliquer à la nouvelle Allemagne restée douloureusement patriote que le militarisme était un péché ?

Il serait difficile aux alliés de désarmer les Allemands du front de l'Est. Pendant les négociations du Conseil de la paix à Paris, ils se hâtaient d'expédier à Dantzig les deux divisions polonaises du général Haller pour tenter de rendre inutile la présence armée des *feldgrau* sur la ligne de résistance au bolchevisme. Dans cet esprit, Wilson accepterait le principe d'une occupation de l'Allemagne rhénane, qui permettrait aux troupes alliées de secourir la population et de prévenir la révolution.

Les troupes allemandes avaient abandonné l'Ukraine et les territoires russes, mais des corps francs étaient longtemps tolérés par les alliés qui avaient limité, au traité de Versailles, à 100 000 hommes les effectifs de l'armée allemande. Le mémoire du général Groener, chef de l'état-major général allemand, faisait encore état, le 17 juin 1919, quelques jours avant la signature du traité, d'une force opérationnelle de 389 000 hommes. L'armistice n'avait pas limité immédiatement les effectifs de l'armée allemande. Il avait désarmé et consigné la marine, mais établi à 5 000 canons seulement et à 25 000 mitrailleuses et 5 000 camions le chiffre des livraisons nécessaires. Les Allemands gardaient donc un armement suffisant pour combattre les bolcheviks à l'intérieur comme à l'extérieur.

Comment pouvaient-ils se présenter comme les champions de la contre-révolution dans l'Est alors qu'ils avaient constamment aidé les bolcheviks en Russie ? Le 8 août 1918 encore, ils avaient volé à leur secours. Les blancs avaient alors pris Kazan. Les Tchèques libérés des camps russes et réarmés tenaient la Sibérie occidentale, les Japonais avaient débarqué à Vladivostok. Les Anglo-Américains étaient à Arkhangelsk, les Roumains entraient en Bessarabie. Tous combattaient les bolcheviks. Le financier allemand Helfferich était d'avis de les laisser faire, de favoriser la contre-révolution en Russie, mais l'état-major avait encore volé au secours de Lénine. Il avait permis à Trotski, allié objectif, de reprendre Kazan, le 10 septembre.

Après la chute du régime impérial, les nouveaux dirigeants socialistes allemands combattaient de toutes leurs forces le bolchevisme à l'intérieur. Les alliés les laissaient recruter des volontaires dans des corps francs surarmés, organisés à partir de janvier 1919 par le général Marecker sous le nom de *Freiwilliger Landes-*

jägerkorps[1]. Ils contribuaient à écraser la révolution spartakiste à Berlin.

Noske recrutait d'autres formations pour réprimer les mouvements révolutionnaires de Brême, Hambourg et de nouveau à Berlin, lors de la « semaine sanglante » du 6 au 13 mars 1919. Les volontaires, montés sur des camions, tiraient à la mitrailleuse sur les manifestants encouragés et dirigés par le ministre social-démocrate de la Guerre, Noske. Ils balayaient à Munich le gouvernement insurrectionnel, la République autonome de Kurt Eisner, et rétablissaient l'ordre en Saxe au mois de mai, pendant que les alliés négociaient la paix à Paris.

Nul n'estimait alors nécessaire de désarmer complètement l'Allemagne. Lloyd George avait imposé au traité de paix le chiffre maximum de 100 000 soldats, non comprises les forces de police. Foch aurait accepté plus. On laisserait longtemps les corps francs combattre les bolcheviks en Lettonie. Le comte Rüdiger von der Goltz avait levé nombre d'officiers de l'armée dans ses unités de la Baltique. Il avait pris Riga en mai 1919. Son rappel avait été enfin ordonné en juillet, sous la pression des alliés, mais il s'était replié seulement en décembre vers la Prusse-Orientale. Le défilé de son corps franc, feuilles de chêne au casque, sous la porte de Brandebourg, avait enthousiasmé les Berlinois.

*

Avant-première du défilé des troupes allemandes dans la Rhénanie remilitarisée de 1936, véritable reprise de la guerre de trente ans. Les Allemands utilisent encore la portée symbolique du défilé militaire, tout comme les Français. Le défilé de la victoire en 1919, sous l'Arc de triomphe, contribuait à effacer la honte de l'entrée de l'armée allemande, prussienne et bavaroise, dans Paris en 1871. Le défilé des *feldgrau* dans Unter den Linden en 1918 était destiné à montrer l'armée intacte, invaincue, celle de l'honneur allemand. Les communistes sauraient utiliser cette manifestation visible du vieux fond patriotique en instaurant après 1949 à Berlin-Est la relève de la garde au pas de l'oie. Les monuments aux morts de style stalinien arboraient des bas-reliefs montrant la libération de

1. Corps volontaire des chasseurs territoriaux.

l'Allemagne de 1945 par les Soviétiques, qui portaient dans leurs bras les enfants allemands.

Le défilé de 1936 dans la Rhénanie réoccupée était celui de la victoire abolie des alliés, comme si la trêve imposée de 1918 était lettre morte, comme si les deux millions de morts de la première guerre étaient oubliés, et le rêve de grandeur retrouvé. Un défilé réduit au contingent symbolique de quatre bataillons, qui affichaient les couleurs noir blanc et rouge de la revanche, mais renforcées par le drapeau du sang à croix gammée, arboré par des dizaines de milliers de SA et d'autres membres des associations paramilitaires. L'Allemagne venait de faire savoir au monde que le diktat de Versailles était, par la force, biffé de la carte.

Une victoire pour l'image, presque virtuelle, obtenue sans effort, sans une goutte de sang, sur le peuple français présenté par la propagande nazie comme décadent, enjuivé, négrifié, incapable de volonté politique, tout juste bon à se complaire aux pièces pacifistes de Jean Giraudoux ou aux représentations de *La Vie parisienne* d'Offenbach. Cette démocratie impuissante, investie par les communistes, gangrenée par le parlementarisme radical-socialiste, avait prouvé en 1936 qu'elle était incapable de résister aux irrésistibles pulsions de la grande Allemagne. Les nazis venaient en fait de sortir de l'écurie et de remettre en selle le cheval fou du pangermanisme.

Par l'orchestration du défilé de la Wehrmacht, marquant la victoire de la bonne et vieille Allemagne sur le diktat, la propagande du docteur Goebbels faisait oublier la cause essentielle de l'investissement légal de la République de Weimar par Hitler : leur victoire électorale contre le parti communiste et la social-démocratie.

Elle passait aussi sous silence le réarmement clandestin de la Reichswehr, le justifiait implicitement puisqu'il avait eu pour résultat, en trompant les alliés, de réaffirmer la puissance allemande. Hitler assumait ainsi, et récupérait, toute la politique des réformateurs de résistance à la prussienne, particulièrement l'accord conclu avec les bolcheviks pour faire l'essai des nouveaux matériels en URSS, qui permettait d'offrir à Hitler, en cadeau de noces de « l'ancienne et de la nouvelle Allemagne », une Reichswehr reconstituée par les soins attentifs des généraux de Weimar.

Tous les effets du diktat avaient en fait été biffés à l'ouest bien avant l'arrivée de Hitler au pouvoir.

Les accords militaires n'étaient pas seuls à avoir rapproché Weimar de Moscou : ministre des Affaires étrangères en 1922, Walter Rathenau, directeur et propriétaire du gigantesque trust de l'Allgemeine Elektrizität Gesellschaft (AEG) assassiné par les nationalistes sous le prétexte de sa politique trop favorable aux alliés à l'Ouest, avait pris la responsabilité de négocier avec Lénine les accords de Rapallo pour favoriser les exportations allemandes en URSS pendant que le général von Seeckt méditait un accord militaire : la haine commune de la Pologne rapprochait déjà les deux gouvernements.

Le comte de Brockdorff-Ranzau, auteur des premiers contacts entre les bolcheviks en exil et le gouvernement allemand pendant la guerre, envoyé par Ebert à Paris pour tenter d'atténuer les clauses du traité de Versailles en 1919, était alors ambassadeur à Moscou et dirigeait plus que jamais l'Ostpolitik. Il avait l'oreille de Lénine, même s'il considérait au fond de lui-même les bolchevistes comme un « gang de criminels », utilisables contre les Français, mais peu fiables comme alliés. Plus que jamais il voulait faire peur à l'Ouest, sans conclure aucune alliance, en évitant toute aventure. Grâce aux accords de Rapallo, réduits à des échanges économiques et à des avantages militaires, on pourrait amener les Britanniques à accepter le réarmement allemand, l'un des objectifs de la politique de Weimar.

Dans ce rapprochement, Lénine puis Staline ne voyaient qu'un moyen de diviser Français et Britanniques et de modérer les appétits polonais, mais aussi de conclure avec les firmes allemandes de fructueuses affaires, qui devaient, il est vrai, s'avérer plus tard décevantes. La puissante compagnie métallurgique Rusgertorg s'était installée pour un temps seulement en territoire soviétique, et la Hamburg Amerika Linie avait fait relâche dans les ports rouges sans pouvoir y prospérer. Mais, en 1928, l'URSS ferait un tiers de son commerce extérieur avec l'Allemagne, et, depuis 1921, les Allemands étaient autorisés à construire le matériel militaire prohibé en URSS et à réaliser tous les essais possibles.

Après la conclusion des accords de Locarno considérés à Moscou comme une « machine de guerre » contre l'URSS, les soviets avaient obtenu de la Wilhelmtrasse un accord de neutralité, signé en 1926 : il était convenu que les Allemands s'opposeraient à tout droit de passage des armées alliées vers l'Est et ne s'associeraient pas à un blocus économique de la patrie du bolchevisme. Plus que jamais les techniciens militaires allemands étaient reçus au pays de Staline.

La continuité dans l'action militaire et diplomatique de la République de Weimar et du IIIe Reich à ses débuts est manifeste. Hitler n'avait qu'à poursuivre une politique de rectification du traité déjà presque achevée. Dès le 7 décembre 1925, dans une lettre à l'ex-Kronprinz de Prusse [1], Stresemann avait indiqué avec précision les futurs développements de la diplomatie. Pour rajeunir son équipement, l'Allemagne avait besoin de capitaux et donc de rassurer les milieux financiers internationaux. Les accords de Locarno y pourvoieraient. L'Allemagne reconnaîtrait les frontières avec la France et la Belgique, mais garderait les mains libres à l'Est. Ce « sacrifice » n'avait, disait-il, qu'une portée morale car l'Allemagne était hors d'état, *à ce moment*, de tenter une guerre de revanche. Briand avait accepté ce système de sécurité incomplet dans l'espoir d'obtenir pour la France la garantie britannique, que Chamberlain refusait d'étendre aux frontières de la Pologne et de la Tchécoslovaquie.

Après ce premier succès, qui rendait possible la « rationalisation » des grandes entreprises, grâce à l'afflux des capitaux anglo-saxons Stresemann demandait immédiatement à Briand, lors de l'entrevue de Thoiry en septembre 1926, la suppression de la mission militaire instaurée après Versailles et chargée de contrôler le désarmement allemand et la restitution de la Sarre. En juillet 1928, il allait plus loin, arguant du « droit moral » de l'Allemagne à obtenir l'évacuation anticipée des territoires rhénans après l'adoption du plan Young.

Stresemann, de voyage à Paris lors de la négociation Briand-Kellog sur le désarmement, avait obtenu une promesse de Poincaré. Le retrait des troupes françaises était effectif dès juin 1930. Le 20 juillet 1930, le président Hindenburg portait un coup fatal à la politique pacifiste de Briand (pas du tout partagée par Stresemann) quand il déclarait que l'Allemagne aurait le droit de réarmer, si la limitation générale des armements n'était pas obtenue. Il ajoutait que le statut de démilitarisation de la Rhénanie serait bientôt unila-

1. Evoquée par Pierre Renouvin, *Histoire des relations internationales*, Paris, Hachette, 1957, p. 228.

téralement abrogé. Briand, peu de temps avant de mourir, dénonçait à Genève les « cris de haine » qui montaient en Allemagne.

Hindenburg avait parlé... et non Hitler. Devenu chancelier en 1933, le chef nazi n'aurait qu'à coiffer les appareils de l'Etat de « laquais » nazis comme Keitel pour les utiliser au plus juste. L'épuration du haut commandement les rendrait dociles. Les robots galonnés de l'état-major étaient en parfait état de marche.

L'activisme nazi permettait de passer, par étapes successives à la réalisation d'un programme de révision non pas seulement des clauses occidentales mais de toute l'Europe de Versailles assuré par le seul concours de la puissance industrielle et militaire allemande. La réponse nulle des « démocraties » aux coups de bluff permettait au dictateur d'accumuler les succès. Il devait en effet asseoir à peu de frais sa popularité par l'anéantissement progressif, dans l'Europe centrale et danubienne des clauses des traités de paix, jusqu'à la conférence du Belvédère à Vienne, où il redresserait seul, après Munich, et dans la soumission totale des nations de l'Atlantique, la carte des Balkans, rectifiant les traités de Neuilly et de Trianon. Revanche diplomatique, encore non sanglante, mais soutenue par un effort de réarmement clandestin entrepris aux lendemains mêmes de la paix, avec la complicité de l'URSS et des pays neutres, volontiers donneurs de leçons pacifistes, la Suisse et la Suède.

Il avait parfaitement prouvé aux Allemands les plus sceptiques, aux généraux les plus réticents, aux ambassadeurs les plus timorés, que les puissances démocratiques étaient à ce point affaiblies, saignées par la guerre, qu'elles seraient incapables de s'opposer au retour de l'Allemagne, par une série de bluffs heureux, comme puissance dominante en Europe et de réaliser sans trop de pertes les objectifs de développement des pangermanistes de 1913.

Il était loin, le temps de Rapallo. L'Allemagne n'avait plus besoin de se cacher pour réarmer. La « volonté nationale » assurée par la dictature appuyée sur les équipes de la Gestapo éliminait toutes les oppositions intérieures qui pouvaient encore se manifester au Reichstag de 1917 en pleine guerre, sous le règne de Guillaume II. Aucune opposition n'était désormais possible, sinon par le complot.

Dans l'autocratie hitlérienne, le rêve de guerre totale redevenait une réalité, sans que le souvenir des deux millions de morts de la première pût devenir un argument suffisant de rejet pour la nation. La sacralisation des héros tombés au champ d'honneur, associés aux nazis victimes d'attentats veillait à l'entretien du moral guerrier. Les industriels ne songeaient nullement à combattre la reconversion vers la fabrication militaire que leur imposait l'Etat. Ils en attendaient des profits immédiats, non négligeables dans les années de crise.

Dès mai 1933, Hitler avait exigé l'égalité des droits dans les armements. Le 14 octobre, il avait claqué la porte de la conférence du désarmement et de la SDN. Deux mois après le triomphal plébiscite sarrois, le 10 mars 1935, Göring avait déclaré que l'Allemagne reconstituait son aviation de guerre. Le 16 mars, Hitler annonçait le rétablissement du service militaire obligatoire et la formation de 36 divisions (contre 30 françaises). Aucune riposte à Londres ou à Paris. Pas la moindre sanction imaginée à Genève. L'Allemagne pouvait réarmer au grand jour, et engager dans les armes techniques les jeunes gens formés à la discipline de fer national-socialiste.

Déjà en 1918 le lieutenant Jünger[1] expliquait que l'Allemagne saurait trouver en son sein, si elle conservait « un fond d'inaltérable énergie », les réformateurs comparables aux Stein, Blücher, Gneisenau et Hardenberg qui avaient redressé la Prusse en 1813. La supériorité d'une nation ne tenait pas à sa démographie mais à sa valeur. « Notre peuple, disait-il, n'abandonnera jamais cette conviction qu'un monde où nous ne serions pas les premiers serait un monde mal ordonné. »

Le ralliement à Hitler de la caste militaire (malgré les réticences de certains, dues au côté plébéien, cynique et « amateur » du nazisme) et du corps diplomatique, la reconversion aisée de l'industrie et l'appui des milieux d'affaires avaient permis cette guerre de revanche de 1939 qui évitait, du moins à ses débuts, les erreurs du passé, en éliminant un front sur deux par l'alliance germano-soviétique, parfaitement conforme à la politique de l'état-major de Ludendorff en 1917-1918.

La double intervention en Pologne rendait les démocraties de l'Ouest impuissantes et finalement résignées. Elles n'avaient rien vraiment tenté pour empêcher ce nouveau partage de la Pologne

1. Ernst Jünger, *Le Boqueteau 125*, *op. cit.*

qui présentait pourtant le risque majeur de laisser en contact direct les empires hitlérien et stalinien, et de rendre inévitable la guerre à l'Est. Il est vrai que les Allemands avaient si peu de considération pour l'Armée rouge décapitée par la purge stalinienne de 1936 qu'ils envisageaient cette idée sans effroi.

Une erreur de calcul, pourtant, dans le système de guerre nazi : il pouvait faire face à la paix armée, par une conjonction habile de la propagande, de la diplomatie et de la menace militaire, mais il était encore plus impropre à conduire à son terme une guerre mondiale que ne l'avaient été les armées du Kaiser. La guerre risquait de n'être pas l'aboutissement logique du système, mais sa condamnation, au prix, il est vrai, de soixante millions de morts civils et militaires dans le monde.

Ainsi la seconde guerre n'est-elle pas à ses débuts la répétition de la première, mais sa parodie, une sorte de guerre virtuelle, sans adversaires autres que des îlots courageux, voire héroïques de résistance. La Finlande du maréchal Mannerheim avait résisté plus efficacement à l'Armée rouge que la Pologne à l'Allemagne. La Norvège, en raison de la présence sur son sol d'un corps expéditionnaire franco-britannique, avait été seulement un peu plus difficile à vaincre que la Hollande et le Danemark où s'étaient promenés les chars de Guderian après une capitulation sans combat. La Belgique neutre avait offert un large boulevard aux forces d'invasion qui contournaient tranquillement la ligne Maginot en perçant à Sedan. Où étaient les Français de 1914 ?

Le rappel des morts de la précédente guerre est ici insuffisant pour expliquer leur défaite, car les Allemands avaient eu des pertes élevées et cependant ils étaient repartis au combat d'un cœur léger, parce que, après des mois de *Sitzkrieg* entre les lignes (guerre assise) ils jugeaient en 1940 les Anglais absents et les Français anesthésiés.

Les généraux comptaient sur le déluge conjugué des chars et des stukas pour provoquer la surprise, et à court terme la capitulation. Hitler n'avait pas devant lui Clemenceau et Lloyd George, mais Chamberlain et Daladier ; pas Joffre, mais le valétudinaire Gamelin. Les quelque cent mille morts français au combat de mai-juin 1940 avaient pu être héroïques, ils étaient noyés dans la marée des deux millions de prisonniers et les Britanniques s'étaient retirés sans attendre, ménageant à l'extrême leurs forces[1] et réussissant à rembarquer à Dunkerque grâce en particulier au sacrifice de l'armée française du général Prioux et à l'héroïsme des pilotes français qui devaient soutenir de leurs interventions incessantes les efforts des aviateurs de la RAF et abattre seuls plus de huit cents avions ennemis.

Intoxiqués par la propagande allemande, par le pacifisme d'un autre âge et désorientés par le pacte germano-soviétique, inquiets de leur quasi-solitude contre la puissante armée allemande, les Français n'avaient pas eu le réveil de la Marne mais seulement sa triste parodie, avec la venue au pouvoir des deux survivants de 1914, le généralissime Weygand et le ministre Pétain. Qui pouvait encore penser à un Verdun ? En arrêtant ses chars à portée de Dunkerque, Hitler s'était flatté de l'illusion de gagner l'Angleterre à la paix. L'attentisme anglais et les menées souterraines de lord Halifax et des apaiseurs l'encourageaient-ils dans cette voie ? La nouvelle bataille de la Marne se livrerait pourtant en avion, au-dessus de l'Angleterre, pendant l'été de 1940. Hitler n'avait pas prévu Churchill.

Maître de l'Europe sans perdre une seule division, il n'aurait que des frais d'essence pour s'emparer des Balkans, jusqu'à enlever la Grèce aux Anglais, au prix de pertes il est vrai un peu plus élevées, surtout dans les rangs des soldats grecs. Il avait gagné son pari. Les Soviétiques laissaient faire, les Etats-Unis, pris par le puissant courant isolationniste et pro-allemand, et peut-être aussi par le poids des investissements gelés en Allemagne depuis les années 20 et 30, n'intervenaient pas[2]. Les Anglais se retiraient sur leur île sans armements.

La guerre virtuelle, grâce à la supériorité du matériel et à l'entraînement intensif d'un petit nombre d'unités modernes, avait confirmé les prédictions de Jünger vingt ans plus tôt : la victoire n'était pas une affaire de supériorité démographique ni même industrielle, mais de résolution, de préparation, de réunion de tous les moyens en une seule main.

Aux lourdes armées du Kaiser, on avait substitué les armes techniciennes et psychologiques de la *Blitzkrieg*, on avait prouvé que

1. En mai-juin 1940 : pertes de l'armée britannique (air, terre, mer) : 4 538 morts, disparus : 10295, RAF 1 526 morts et 931 appareils perdus.

2. Comme l'a montré John Loftus, *Belarud Secret*, *op. cit.*, les investissements en Allemagne, de la Chase Manhattan Bank en particulier, resteraient productifs jusqu'en 1945 au moins.

le génie allemand pouvait, sans efforts, s'emparer d'un continent. Ainsi la seconde guerre n'était nullement la reprise de la première, mais, en 1940, la rectification de ses erreurs mûrement préparée par vingt ans d'investissements continus, seulement confirmés et amplifiés par le nazisme.

*

L'Allemagne privée de colonies avait pu s'ouvrir largement les portes d'un vaste marché européen pour nourrir la guerre autrement que par les ressources de l'autarcie, qui lui avaient cependant permis de mettre au point une machine efficace de combat, avec la prédation délibérée de la fortune juive d'Autriche et d'Allemagne. Les maîtres de l'économie allemande ne comptaient pas pour l'heure sur les débouchés commerciaux, puisque l'industrie s'était largement reconvertie vers la guerre, mais sur le droit de conquête pour développer les fabrications militaires sur une grande échelle.

On avait hésité à diviser l'Allemagne en Etats séparés lors de la victoire de 1918. Hitler avait immédiatement rattaché au Reich l'Alsace et la Lorraine, bien qu'il n'en eût pas été question dans les conditions d'armistice de juin 1940 et défini trois espaces français : la zone interdite, industrielle et minière du Nord et du Nord-Est rattachée à la Belgique, mise elle-même en coupe réglée, la zone occupée au nord de la Loire, la zone dite libre du gouvernement de Vichy.

On avait trouvé trop lourdes les réparations demandées à l'Allemagne pour les pays envahis de 1914 : Hitler exigeait de Vichy une indemnité d'occupation non négociable de quatre cents millions de francs par jour. La France n'avait pas la liberté de ses échanges. Ses navires marchands ne pourraient naviguer sans autorisation. Elle devrait assurer le transport en transit des marchandises entre l'Allemagne et l'Italie, empêcher tout transfert de valeurs des zones occupées vers la zone libre et l'étranger. Elle était responsable de la mise en sécurité des objets de valeur destinés à l'Allemagne, par exemple des biens juifs confisqués. Les occupants avaient toute latitude d'acheter en France les propriétés industrielles ou commerciales et de s'approprier la plus grande partie de l'économie. Le commerce extérieur, entièrement tourné vers l'Allemagne, était de nature coloniale. Le général von Stülpnagel, commandant militaire, pouvait passer directement commande aux industries et réquisitionner les produits agricoles, ainsi que la main-d'œuvre.

L'Allemagne de Hitler appliquait dès 1940 avec une rigueur considérablement accrue le plan d'oppression économique déjà organisé pendant la première guerre par le gouvernement wilhelminien dans les pays occupés. Il n'était pas question de coopération, même avec les régimes collaborateurs, mais d'exploitation. Le comité directeur de la politique commerciale à Berlin planifiait les livraisons et les fabrications de guerre de l'Europe occupée dès 1940 : du pétrole roumain comme du beurre hollandais ou danois, du fer français comme du charbon belge. Quant aux Polonais, ils étaient douze millions à subir un régime d'asservissement qui considérait les Juifs et les Tziganes comme des non-humains.

Le traité de Versailles avait réduit à 100 000 hommes l'armée allemande. Hitler concédait, sans avions ni armes lourdes, le même chiffre aux Français qui conservaient leur « empire » colonial et leur flotte de guerre désarmée. L'armée allemande s'appropriait les canons et les chars, les munitions et les camions, comme elle avait déjà dépouillé les parcs tchèques et polonais. Les usines de guerre tournaient partout pour la Wehrmacht, et d'abord Renault et Citroën. L'armistice imposé par Hitler était pour les Français (les seuls qui eussent signé un accord militaire évitant la capitulation) une totale régression. Ils n'avaient plus qu'un Etat fantoche, dominé par l'occupant. Dernière humiliation : les anciens combattants de Verdun n'avaient d'espoir qu'en Pétain pour tirer le pays du chaos, alors que le chef de l'Etat français offrait à Montoire sa « collaboration » à Hitler, dont le dictateur n'avait que faire puisqu'il avait déjà tout pris. Le long hiver de la honte glaçait le pays victorieux en 1918, à genoux en 1940, et le lançait dans la période la plus funeste de son histoire.

Qui entendait la voix du général de Gaulle à Londres le 10 juillet 1940, quand les députés et les sénateurs se suicidaient à Vichy dans un vote favorable au futur Etat français malgré l'opposition courageuse de quatre-vingts d'entre eux ? Pas un ne croyait alors que l'Angleterre pouvait échapper à la défaite. On accusait au contraire de félonie les Anglais destructeurs de la flotte française désarmée de Mers el-Kébir. Combien de Français protestaient contre les lois antisémites promulguées en octobre, et dès juillet pour les étrangers, par le régime de Vichy ? Combien d'anciens de

1914-1918 estimaient possibles la résistance et la reconstruction nationales ? Ils étaient une poignée, mais nul ne pouvait les entendre.

Après sa défaite, la France subissait la suprême humiliation de voir Nice, la Corse et la Savoie occupées par les troupes italiennes, après le « coup de poignard dans le dos » de Mussolini qui avait déclaré la guerre aux Français déjà vaincus, pour participer à la curée, bien que ses troupes eussent été rejetées avec fracas par l'armée des Alpes et notamment à Briançon et à Menton.

Le pays de Clemenceau, de Joffre et de Foch était mis à l'encan sous le regard et avec le concours de Pétain, dernier survivant du grand drame. Sa police opérait des arrestations de militants communistes, alors que les Allemands, encore alliés des Soviétiques, n'en exigeaient pas tant. Elle assurait l'éviction des Français juifs des emplois d'Etat et des professions de l'information, l'élimination des professeurs et des étudiants juifs, sans aucune pression précise de l'occupant. Elle jetait les bases d'une guerre civile en France, sous l'œil narquois des nazis. Le prestige du dernier maréchal de la Grande Guerre, du sauveur de Paris en 1918 se trouvait compromis, entaché, bientôt oublié par une politique à la fois répressive et servile, parfaitement admise par une grande partie du patronat français et des banques, dont le rôle pendant l'occupation a été soigneusement occulté, aussi bien que celui des capitaux d'outre-Atlantique investis en Europe.

*

Il revenait au gaullisme de reprendre le flambeau de l'Arc de triomphe pour engager le marathon de l'honneur retrouvé. Au départ, le 11 novembre 1940, toute manifestation à Paris était interdite par l'occupant. Pourquoi les Français célébreraient-ils une victoire sur l'Allemagne, alors que Hitler avait signé l'armistice dans le wagon de Rethondes pour effacer l'humiliation du 11 novembre 1918 ? Seuls les Allemands pouvaient défiler désormais sur les Champs-Elysées.

Un général virtuel, parlant de Londres à la BBC, surnommé par les Anglais le « général micro », prétendait incarner la revanche. Les jeunes lycéens qui manifestaient, deux gaules sur l'épaule, et traçaient sur les murs la croix de Lorraine à la craie bravaient l'interdit et indiquaient les limites du renoncement.

Ils étaient virtuellement les fragiles héritiers des poilus de Verdun, de ceux qui disaient : ils ne passeront pas ! Quelques salves de mitraillette avaient eu raison d'eux. Mais ils avaient établi le lien moral entre la France résistante de Verdun et le groupe insurgé de Londres. De Gaulle ne s'y était pas trompé. « L'opinion, écrit-il, était à la passivité. » Pourtant « la manifestation des étudiants de Paris [...] donnait une note émouvante et réconfortante [1]. »

Le souvenir de 1918 existe-t-il seulement à Londres ou dans les rues de Paris ? Il anime aussi les premiers groupes de résistants, les officiers de l'armée comme Henri Fresnay qui cherche des compagnons parmi les galonnés débarquant d'Afrique dans le port de Marseille, ceux qui pensent encore que Pétain ruse, et prépare en secret le redressement, ceux qui suivent Weygand, organisant des caches d'armes en Algérie avant d'être évincé par Vichy, ceux qui s'engagent dans les Forces françaises libres qui suivront contre les troupes de Pétain les Anglais en Syrie.

Des deux capitales britanniques, Londres brûlait sous les bombes, mais Le Caire regroupait l'Empire. Churchill y ralliait l'armée des Indes, armait les Egyptiens et les Arabes, renforçait Malte et l'escadre d'Alexandrie, protégeait Suez qui n'était pas, comme en 1914, menacée par les Turcs désormais neutres, mais par les Italiens renforcés d'une unité blindée allemande, l'Afrika Korps de Rommel. Les Allemands reprenaient donc la route d'Orient, celle qu'ils avaient jadis ouverte vers Bagdad, par un itinéraire à travers les sables de Libye. Ils ne pouvaient faire l'économie d'un élargissement coûteux et aléatoire de la guerre sur un autre continent. S'il voulait venir à bout de la résistance anglaise, Hitler savait qu'il devait couper la route des Indes, et rendre mondiale la guerre européenne.

Churchill, le responsable du sanglant échec des Dardanelles en 1915, était fidèle à la pensée de lord Milner, quand il affirmait en mars 1918, au plus fort de l'offensive de Ludendorff en Picardie, que la victoire ne pouvait venir que de l'union des peuples de la mer. Les Britanniques se trouvaient enfin confrontés à la nécessité

1. Charles de Gaulle. *Mémoires de Guerre. L'Appel*, Paris, Plon, p. 140.

de se défendre contre l'hégémonisme allemand, non sur le continent, mais sur les océans. Churchill envisageait, en cas d'invasion de l'Angleterre, de continuer la lutte au Canada. Le « réaliste » qui avait coulé la flotte de Mers el-Kébir sous le nez du général de Gaulle, rendu impuissante l'escadre française réfugiée à Alexandrie, tenu la base de Malte malgré les raids de la Luftwaffe, imposé à Franco le respect de Gibraltar était déjà fort du ralliement des Dominions, du Canada héroïquement présent aux batailles de la Grande Guerre, des Anzacs sacrifiés de Gallipoli et même du renfort sud-africain du général Smuts, qui avait réussi à imposer aux Boers pro-allemands une participation à la guerre. Mais les armées étaient longues à lever, les chars et les navires manquaient, les *spitfire* sortaient des chaînes trop peu nombreux. Churchill avait gagné la bataille d'Angleterre en épuisant la Royal Air Force.

Que risquait Hitler ? L'Angleterre était seule, et mal armée. A l'ambassade américaine à Londres occupée par Joseph Kennedy, l'Intelligence Service soupçonnait l'existence d'un réseau d'espionnage nazi. La flotte anglaise pouvait encore faire impression, mais les sous-marins et les avions torpilleurs pouvaient la réduire. Les batteries lourdes du Pas-de-Calais prenaient le détroit sous leur feu. La côte belge, les ports français regorgeaient de bases de U-Boot. De nouveau la « guerre sous-marine à outrance », qui avait provoqué » en 1917 l'entrée en guerre des Etats-Unis, était à l'ordre du jour à Berlin.

Il était loin le rêve d'une entente « entre Germains » souhaitée par l'auteur de *Mein Kampf.* « L'Angleterre, comme Carthage, devait être détruite », dirait chaque jour au poste allemand de Radio-Paris le journaliste Jean-Herold Paquis. Elle devenait l'obstacle à l'ambition d'une hégémonie allemande en Europe, à la paix continentale souhaitée par le Führer.

L'amiral Dönitz forçait la fabrication des escadres, en prévision de la bataille de l'Atlantique. Déjà les chiens de la mer coulaient les bateaux neutres, ceux qui ravitaillaient l'Angleterre. Quel parti prendrait l'Amérique ? Sans son appui, Churchill ne pouvait tenir les mers.

*

Le gouverneur démocrate du New Jersey, Thomas Andrew Wilson, fils d'un ministre presbytérien, avait été réélu en 1916 sur le thème de la paix. « *He kept us out of war* » était son slogan majeur. Un an plus tard, il entrait dans le conflit. L'Amérique était alors aux côtés du Japon, qui avait déclaré la guerre à l'Allemagne dès août 1914 pour faire main masse sur ses colonies du Pacifique et sur sa base de Kiao-tchéou. En 1915, le Japon avait présenté à Pékin les « Vingt et une demandes », un véritable programme de protectorat.

En novembre 1940, quel que fût son désir de lutter contre le fascisme, Franklin Delano Roosevelt devait être réélu pour la troisième fois en restant fidèle au programme de neutralité que défendait aussi son adversaire républicain, isolationniste. Ce harvardien snob de très ancienne origine hollandaise, protestante et libérale, savait que plus un Américain ne pensait qu'il avait été bon d'envoyer les *doughboys* en Europe en 1917.

Une commission créée par le sénateur Nye avait passé au crible les profits des marchands d'armes de la Première Guerre mondiale. Nye avait établi que les banquiers américains, Morgan le premier, avaient poussé Wilson à la guerre pour s'assurer du remboursement des emprunts par les alliés. Wilson avait lancé en Europe deux millions d'hommes sans résultats autres que des investissements importants opérés par la finance américaine dans l'industrie allemande affamée de capitaux dans les années 20.

Nombreux étaient les Américains germanophiles et même les admirateurs de Hitler, comme le célèbre aviateur Lindbergh, vainqueur de l'Atlantique sur le *Spirit of Saint Louis*, ou l'ambassadeur Joseph Kennedy à Londres, favorable aux *apaiseurs* anglais [1]. Les

1. Le duc de Windsor a abdiqué en restant Altesse royale et major-général de l'Armée. Habité par un vif ressentiment, il visita, avec son épouse, en octobre 1937, Hitler à Bertchesgaden, le saluant à l'hitlérienne, comme dans d'autres manifestations nazis. Multipliant les tournées d'inspection sur le front français l'hiver 1939-1940, il transmit ses minutieux relevés à l'Armée britannique et à son fidèle ami et mentor, Charles Bedaux, nazi reconnu et redouté, milliardaire franco-américain, et qui les a remis directement à Adolf Hitler. L'offensive éclair dans les Ardennes, maillon faible du dispositif français, repéré et souligné par le duc de Windsor dans ses rapports, trouve ici une de ses explications.

Le duc de Windsor, très hostile à son frère le roi George VI, était mu par la volonté de jouer le rôle de prince d'une paix de compromis pour une

Européens étaient retournés à leurs querelles et ils n'avaient pas payé leurs dettes de guerre. Qu'ils s'arrangent avec Hitler.

Les persécutions antisémites auxquelles la communauté juive de New York était naturellement ultrasensible n'avaient pas suscité une politique de fermeté du gouvernement de Washington. Les Juifs allemands, soumis à une amende colossale d'un milliard de marks, ne pouvaient quitter le pays. Göring préparait une expropriation totale de leurs biens après la *Reichskristallnacht* du 9 au 10 novembre 1938. La synagogue de Berlin avait été incendiée. 20 000 personnes peuplaient déjà les camps de concentration de Buchenwald et de Sachsenhausen.

En 1939, un Office central nazi de l'émigration juive décidait de monnayer leur départ. 80 000 étaient autorisés à quitter le Reich. Que faire des réfugiés ? Que déciderait Roosevelt, auteur d'un discours prononcé à Chicago le 5 octobre 1937 où il avait dénoncé « l'épidémie » qui justifiait la « mise en quarantaine » des 10 % de fauteurs de guerre du monde ? Il visait alors surtout les Japonais, qui avaient envahi la Chine et quitté la SDN.

Les pays européens avaient accueilli un certain nombre de ces Juifs allemands. Mais à la conférence d'Evian de juillet 1938, réunie à l'instigation de Roosevelt, la plupart des Etats avaient refusé l'immigration. Les Etats-Unis opposaient la loi des quotas à tout débarquement de réfugiés, malgré les efforts des associations privées comme l'American Jewish Joint Distribution Committee.

Un paquebot de la Hamburg Amerika Linie, le *Saint Louis*, avait tenté en vain de débarquer 930 Allemands juifs à Cuba. Les gardes-

Angleterre aux abois, après la défaite de la France, dans une Europe menacée par le bolchevisme et à un moment crucial où Churchill restait fragile.

Rudolf Hess visita, secrètement, le duc au Portugal en juillet 1940 pour le presser de gagner un autre pays neutre où il pourrait jouer un rôle d'intermédiaire majeur avec l'oligarchie britannique, soucieuse d'une politique « d'apaisement ».

L'intransigeance de Churchill, lucide sur ces opérations souterraines, lui intimera l'ordre de rejoindre *immédiatement* son nouveau poste aux Bahamas.

Se reporter à Martin Allen, *Le roi qui a trahi*, Plon, 2000. Ce livre, traduction d'une œuvre britannique a fait l'objet de polémiques en Angleterre, des documents ayant disparu sur ordre de Blunt, attaché à la famille royale et chargé en 1945 de récupérer, en Allemagne, la correspondance secrète du duc de Windsor et de son cousin nazi, Philippe de Hesse.

côtes américains avaient écarté le navire des rivages de Floride, veillant à ce qu'aucun passager ne puisse s'échapper à la nage. « C'est un spectacle honteux, commentait cyniquement Hitler, de voir aujourd'hui le monde tout entier de la démocratie déborder de pitié au sujet des malheureuses populations juives tourmentées, mais demeurer insensible et plein de dureté au sujet du devoir qu'il aurait alors de leur venir en aide[1]. »

Pas davantage Roosevelt ne pouvait avant son élection voler au secours des Franco-Britanniques. Le souhaitait-il ? L'opinion américaine se renfrognait dans l'isolationnisme bougon, aveugle, obstiné, même si elle n'était pas favorable aux thèses du germanisme développées par la propagande nazie dans certains médias américains. Hitler pouvait faire torpiller les bateaux neutres, le président américain restait de marbre. Les Prien, les Kretschmer, les Schepke, les « as » sous-mariniers allemands pouvaient couler en 1940 quatre millions de tonnes de navires, les Etats-Unis n'intervenaient pas.

Pourtant une grande émotion s'était emparée de la presse quand soixante-dix-sept enfants anglais étaient morts en mer le 2 septembre, embarqués sur le *City of Benares*. Pour céder cinquante vieux destroyers à Churchill, Roosevelt avait d'abord dû faire réformer ces unités par la Marine, et les avait échangées aux Anglais contre des bases à Terre-Neuve et dans les Bermudes. Neutralité d'abord.

*

Les Américains avaient approuvé les lois de neutralité de 1935, 1936 et 1937, obligeant de jeter l'embargo sur les armes de guerre en cas de conflit. « Nous ne sommes pas isolationnistes, disait alors Roosevelt, sauf dans la stricte mesure où nous cherchons à nous isoler complètement de la guerre ».

Il n'était naturellement pas question d'intervenir dans la guerre européenne en 1939 et 1940. Roosevelt avait répondu par une lettre glacée aux objurgations réitérées de Paul Reynaud. Tout juste avait-il écrit à plusieurs reprises à Hitler pour le mettre en garde dans les crises qui avaient précédé la guerre. Pourtant il avait auto-

1. Grâce aux efforts du Joint Committee, les réfugiés avaient été débarqués à Anvers pour être pris en charge, par petits paquets, dans les différents pays de l'Europe du Nord-Ouest.

risé finalement les Européens à acheter des avions américains, à condition qu'ils paient comptant, *cash and carry.*

Seul le danger japonais dans le Pacifique obligeait Roosevelt à réarmer. L'armée américaine de 1939 ne comptait que 190 000 hommes dont 50 000 au-delà des mers. En septembre 1939, le Selective Service and Training Act avait permis d'appeler 800 000 jeunes gens. On tournait la loi de neutralité pour envoyer des armes aux Chinois à partir de 1937. On s'inquiétait de la puissance d'une marine de guerre japonaise évaluée à 289 unités. Mais, en 1938, un sondage Gallup révélait que 95 % des Américains étaient hostiles à la guerre et 66 % favorables à l'embargo.

L'ouverture d'un nouveau champ de bataille en France avait cependant retourné l'opinion américaine. Roosevelt avait pu vendre des avions aux alliés et faire voter des crédits militaires d'un milliard et demi de dollars, bien que l'entrée des Etats-Unis dans le conflit restât, disait-il, « impensable ». Pourtant, le 11 juin 1940, la majorité des Américains pensait que la guerre était « fatale ». Le 29 décembre 1940, après les élections, Roosevelt déclarait enfin à son pays, « au coin du feu », qu'il fallait « aider l'Angleterre ».

Il faudrait attendre plusieurs mois encore avant que la loi prêt-bail du 11 mars 1941 fût promulguée. Les Anglais resteraient seuls à conduire la guerre pendant tout l'hiver, comme les Français avaient été presque seuls à contenir la ruée allemande de mai 1940. Mais la définition du Victory Program, portant 150 milliards de crédits, la construction d'une Two Oceans Navy, la création de la première aviation du monde et la mobilisation de huit millions d'hommes, devaient lancer le pays, après Pearl Harbor, dans une deuxième guerre mondiale qui serait longtemps livrée dans le Pacifique. Le débarquement américain en Afrique du Nord, en Sicile et en Italie ne portait que sur un nombre réduit d'unités. L'engagement décisif serait celui des débarquements de 1944.

Il reste que la machine était en place dès le 11 mars 1941, lors du vote de la loi prêt-bail qui permettrait d'armer le monde entier à crédit, dès avant Pearl Harbor, pendant cet été où Hitler décidait d'attaquer l'URSS.

Pourquoi cette décision, qui faisait rentrer l'Allemagne dans la mauvaise conjonction stratégique de l'été 1941, encerclée d'ennemis à l'ouest et à l'est ? Hitler avait toujours songé, depuis *Mein Kampf*, à la définition d'un espace vital pour les Allemands à l'Est, ainsi qu'à l'élimination du communisme. Les officiers supérieurs n'osaient pas s'opposer à ses desseins : la victoire rapide contre la puissante armée française à l'Ouest, l'incapacité de l'Armée rouge à réduire rapidement la petite Finlande, donnaient à penser que la *Blitzkrieg* pouvait permettre d'abattre rapidement l'ennemi, chargé par une vingtaine de divisions blindées et trois mille avions. L'impuissance de l'Angleterre, non secondée encore par l'Amériquc, sc prêtait à une intervention rapide. Hitler y songeait depuis l'été de 1940.

Il n'était pas question pour lui d'apparaître en libérateur des peuples asservis par le communisme. S'il recommandait de détruire les cadres du parti, il ne songeait qu'à l'exploitation d'une terre serve, entièrement dominée par l'économie allemande. Il ne se ménagerait pas d'alliés, pas de partenaires en URSS. Tout juste consentirait-il, après les premières défaites, à consacrer à des tâches subalternes les engagés volontaires des Républiques non russes. Il emploirait à des besognes serviles les millions de prisonniers sous-alimentés, et les déportés du travail. Il se servirait des camps d'extermination de Pologne pour faire mourir les six millions de victimes de sa politique raciale.

Il n'aurait même pas l'hypocrisie de constituer en URSS, comme Ludendorff en 1918, des Etats satellites d'apparence autonomes. La machine de guerre allemande laminait le pays, dressant partout derrière elle des partisans à qui le terrorisme stalinien ne laissait pas le choix de l'engagement. Plus de huit millions d'hommes et de femmes devaient résister ou périr.

La double victoire de l'Armée rouge, devant Moscou en décembre 1941, à Stalingrad l'année suivante, entraînerait l'Allemagne dans une sanglante hécatombe dont elle sortirait sous les décombres. Les restes de Hitler suicidé seraient réduits en cendres par les SS dans un bunker de béton noirci, sous la chancellerie du Reich, en avril 1945. Les Russes plantant le drapeau rouge au sommet des ruines du Reichstag, les Américains dynamitant les décombres de la chancellerie encore décorée de l'aigle noir sont les deux actes symboliques de la fin d'une guerre de trente ans. Foch, en 1918, croyait avoir tout juste les moyens de s'installer sur le Rhin, devant une armée allemande encore en ordre. Le maréchal britannique Douglas Haig avait à grand-peine libéré Anvers, Bruxelles et Liège.

Eisenhower et Joukov étaient, les premiers, allés jusqu'à Berlin et les représentants des trois grands se rencontraient en juillet 1945 à

Potsdam, au Cecilienhof, non loin du tombeau du grand Frédéric que des mains pieuses avaient dérobé à la furie iconoclaste des vainqueurs. Que la dépouille du roi de Prusse échappât au moins au naufrage, quand tout avait sombré corps et biens, quand les Cosaques à cheval parcouraient les rues en ruine de la capitale des trois Reich.

*

La France avait attendu quatre ans sa libération. Ses prisonniers employés aux travaux agricoles, ses déportés, ses ouvriers recrutés dans le honteux Service du travail obligatoire, levés comme des conscrits et poursuivis pour insoumission par les gendarmes (641 500 de juin 1942 à juillet 1944) avaient nourri par force la machine de guerre allemande, avec l'accord complet de Vichy. La fiction de l'Etat vichyste indépendant avait disparu après le 8 novembre 1942, date du débarquement anglo-américain en Afrique du Nord. Les Allemands n'avaient plus lâché la France avant sa libération par les armées alliées. Le pays ne disposait plus de la moindre souveraineté, au point qu'Eisenhower voulait le faire administrer par des officiers alliés spéciaux. Une occupation de quatre ans qui avait ressemblé à une annexion.

A son retour, de Gaulle, avec maestria, et contre la volonté anglo-saxonne, avait rétabli l'Etat et mobilisé, péniblement il est vrai, assez de troupes pour alimenter le front d'une armée et d'une division blindée affectée à une unité américaine, celle du général Leclerc, qui avait libéré Paris. Ce retour précipité avait permis aux Français d'être présents à la capitulation de Reims et de Berlin, et d'occuper ensuite l'Allemagne. Mais Staline s'était opposé à ce qu'un Français fût admis à Yalta, puis à Potsdam. Oubliée, la Grande France de 1918. Elle avait été balayée par la seconde guerre, réduite au statut de puissance secondaire, heureuse de s'intégrer, avec l'Allemagne croupion de Bonn, à la petite Europe des six. Quelle chute pour ces deux puissances, qui jadis dominaient le monde et l'Europe par le rayonnement de leur civilisation.

Deux guerres mondiales semblaient avoir eu raison, pour toujours, de l'indépendance de l'Europe. En 1918, les charges de la guerre avaient réduit la France et l'Angleterre à restreindre au plus juste leurs ambitions mondiales. L'Europe de la SDN, abandonnée par l'Amérique, guettée comme une proie par l'URSS et ses partis frères, avait sécrété le fascisme et l'hitlérisme pour répondre à la crise et au communisme, et les empires coloniaux étaient secoués par les convulsions révolutionnaires en Asie, en Inde et jusqu'en Afrique du Nord. L'Europe de 1945 ne parviendrait pas à rétablir ses positions mondiales : l'Empire français était voué à la destruction et l'Angleterre perdrait les Indes. Le Pacifique, après la défaite du Japon, deviendrait un océan américain.

Il reste que le conflit cinquantenaire de la guerre froide, conséquence de Yalta et de Potsdam permettait à deux nouvelles puissances d'affleurer : la Chine de Mao Zedong, capable de tenir tête aux Etats-Unis dans les deux grands conflits du Sud-Est asiatique, et l'Europe miraculée des trente glorieuses, qui découvrait dans le neutralisme une voie nouvelle d'influence. Adenauer et de Gaulle feraient le voyage de Moscou, avant Willy Brandt. Les deux Allemagne créées en 1949 par les « blocs » antagonistes étaient chacune réarmée, même si elles ne retrouvaient pas leur souveraineté. Les officiers de la RFA pouvaient admirer dans le hall de l'école militaire de Hambourg les drapeaux à croix noire sauvés à Tannenberg lors de l'avance des Soviétiques.

Le retour gaulliste de 1958 avait donné à penser aux Français, premières victimes des deux guerres, qu'ils pouvaient devenir la quatrième puissance économique mondiale en gardant leur indépendance. La France avait-elle, en 1945 comme en 1918 une sorte de droit d'exception à la reconnaissance du monde ? N'avait-elle pas été, par l'invasion de 1914 et les morts de la première guerre, la première victime de l'impérialisme européen qu'elle avait, disait-on aussitôt, contribué à déchaîner ? N'avait-elle pas été presque la seule, avant l'Angleterre héroïque de Churchill et la Pologne abandonnée, à résister au déferlement des chars ? A quoi pouvait-elle prétendre, disait en 1945 Staline, puisqu'elle avait été vaincue ?

La contestation allemande des responsabilités de la guerre inscrite dans le traité de Versailles s'affirmait dans les années 20, et dans le but bien établi d'abolir les clauses de Versailles, contre le pays victime, volontiers dénoncé à tout le moins comme complice de l'affrontement impérialiste. L'élimination pysique de l'espace France en 1945 rendait ses efforts de guerre négligeables par les deux puissances dominantes, au point de faire oublier le double sacrifice d'un pays qui avait voulu affirmer, à deux reprises, son indépendance, dans un continent que cherchait à dominer un impérialisme incomparablement plus puissant. La revendication gaulliste d'une exception française visait à rétablir l'équilibre. Elle ne cesserait d'être combattue, dénoncée comme une résurgence du vieil impérialisme, en particulier dans sa politique d'armement atomique. Mais cette contestation ne pouvait éliminer le fait que les Français avaient bien été les premiers, quelles que fussent les motivations de leurs dirigeants, à être sacrifiés presque seuls au début des deux guerres cruelles jusqu'à lancer leurs forces vives dans la fournaise, sans pouvoir jamais retrouver leur jeunesse disparue.

L'Allemagne de Bonn et le Japon, puissances vaincues et moralement condamnées en 1945, avaient fait la preuve, par leur redressement encore plus spectaculaire, et plus rapide que celui de la France, bien qu'elles fussent alors tenues au désarmement presque total (limitation qui devait servir paradoxalement leur nouvelle expansion), que le puissance n'était plus militaire et ne dépendait en rien du territoire. Elles accepteraient la responsabilité de l'agression, jusqu'à l'étendre, comme le professeur Fischer, aux prémices de la première guerre. Elles tiraient profit de ce *mea culpa*, jusqu'à prétendre subir et non pas rechercher, au temp de la guerre froide, un réarmement partiel que leur imposait l'Amérique. La flotte japonaise était intégrée à la défense du Pacifique, et la croix noire de Prusse, légèrement modifiée, se retrouvait sur les empennages des avions de l'armée de Bonn.

Rien ne s'opposait à la reconnaissance par les Allemands des sacrifices communs subis pendant la première guerre. Le passé n'était-il pas aboli par la nouvelle configuration des forces, et par la lutte nécessaire contre l'Est surarmé ? On pouvait s'embrasser en frères ennemis à Verdun. La notion de frontière, de territoire, de pré carré semblait définitivement dépassée.

Aussi Helmut Kohl avait-il accepté facilement de reconnaître, après Brandt, la ligne Oder-Neisse comme frontière de l'Allemagne, pourvu qu'il pût, après la chute du mur et l'éclatement de l'URSS, réaliser la réunification allemande. Premier pas vers la reconnaissance de la souveraineté complète du nouvel Etat qui reconstruisait, sur les bords de la Spree, une chancellerie monumentale de verre et de béton, transparente comme la coupole du Reichstag, ouverte au monde et à la démocratie.

Un bâtiment futuriste, un gigantesque navire amarré sur un terrain vague, comme s'il attendait l'appareillage. Relié au monde par l'électronique, plus qu'à la ville de Berlin, rejoint par les innombrables avions qui font de la capitale allemande la deuxième du monde pour les consultations diplomatiques. Du bureau de verre du chancelier, par une large baie ovale, on peut voir d'en haut la coupole transparente montée sur les lourdes murailles de l'ancien Reichstag. On prend grand soin de dégager le symbole : le pouvoir est sous le regard des députés, eux-mêmes visibles en séance de l'extérieur. Les immenses piliers de béton montent au ciel, sur la route de New York à Moscou. Un centre symbolique, dominant le champ des larmes, le futur monument à la Shoah, référence permanente du passé honni, du crime impunissable.

Dans ce monde du troisième millénaire où pousse sur l'Eurasie, en son centre nerveux, la capitale allemande, à quoi bon s'encombrer de trop lointaines références historiques ? De Gaulle et Adenauer, Giscard d'Estaing et Schmidt, Mitterrand et Kohl s'étaient volontiers livrés à la réconciliation commémorative des Français et des Allemands, par exemple à Verdun, dans le lamento d'une élégie aux morts inutiles de la Grande Guerre. Le chancelier Schröder, le 11 novembre 1998, n'a pas eu de ces délicatesses. Pourquoi, disait-il, célébrer une guerre perdue, de surcroît oubliée ? Il acceptait la repentance pour l'Holocauste, de nature à servir les intérêts moraux de son pays dans le monde, mais non la référence à Verdun, tout juste bonne à culpabiliser sans profit les Allemands, voire à rappeler aux pays européens leurs divergences mortelles.

A quoi bon réveiller les fantômes des impérialistes du sol, de la conquête des terres, alors que la vraie puissance ne dépend plus que de la mobilisation financière et des avancées de la technique, dans le redéploiement de l'économie-monde ? Le rappel des luttes européennes du passé n'est-il pas un archaïsme ? Sont-ils décidément voués à l'oubli, les pantalons rouges de la Marne, les mutins du Chemin des Dames, les sacrifiés du Mort Homme ? Les derniers survivants forment, à la fin du millénaire, à peine un bataillon de centenaires. Ils attendent la mort que leurs camarades ont reçue à vingt ans. Ils n'ont aucune haine pour les ennemis d'hier, frères de misère et de malheur. En ont-ils jamais eu ?

Mais ils n'ont toujours pas admis que la boucherie dont ils étaient les victimes débouche que sur une nouvelle hécatombe, infiniment plus grave, puisqu'elle touchait massivement les populations civiles[1]. Les morts de la Marne, des Flandres, de la Somme, de Verdun et du Chemin des Dames croyaient à la der des der. Il ne faisait pour eux aucun doute que l'agression de Hitler était la reprise du combat qui avait fait d'eux de la « chair à canons ». « La drôle de guerre » : le poilu de 1940 avait très souvent le sentiment qu'il était livré en avant-garde à une boucherie. Il s'est battu courageusement, mais avec la conviction qu'il était « trahi ».

Leur guerre n'était que l'ébauche d'une guerre totale. Après vingt ans de conflits où le retrait de l'Amérique et la révolution communiste avaient jeté la vieille Europe, l'Allemagne et la France découvraient qu'elles n'étaient plus un couple mais des nations réduites à leur plus simple dénominateur par une bourrasque de l'Histoire qui avait laissé sur le terrain, ou dispersé dans la fumée des crématoires plus de soixante millions de victimes. En allant jusqu'au bout de sa volonté de domination, l'Allemagne hitlérienne dépassait certes de beaucoup les limites du vieil impérialisme wilhelminien. Il reste que les indicibles horreurs des Juifs martyrisés, des villes bombardées, anéanties, atomisées avaient pris naissance dans cet attentat de Sarajevo, pendant l'été de 1914, qui avait répandu dans le monde la pratique de la violation des personnes, du mépris de la vie, de la violence considérée comme le moyen normal, acceptable par tous, de domination des peuples.

Ni les responsables allemands, ni les français n'ont jamais demandé pardon à ceux qu'ils ont fait mourir par milllions de l'hécatombe dans laquelle ils les ont entraînés. Ils ont prôné la réconciliation dans l'oubli, ou dans le souvenir ému, comme s'il n'y avait pas de coupables à cette guerre de trente ans, comme s'il était vain d'en rechercher, comme si les mécanismes de l'Histoire avaient fait tout le mal. Les derniers survivants de la guerre civile trentenaire sont encore là pour témoigner que l'Histoire est une affaire d'hommes. Que Français et Allemands la prennent enfin à bras-le-corps, sans arrière-pensée sans ménager les responsables, ayant au fond vidé leur querelle, sans indulgence mais aussi sans colère particulière pour les vieilles bandes coiffées de casques à pointe qui franchissaient la fron-

1. Morts à la guerre : au 1 400 000 de 1914-1918, s'ajoutent les 210 671 morts au combat de 1939-1945. Morts civils en 1939-1945 : 330 000 (dont 182 000 déportés). La France saignée : aux deux guerres.

tière belge, en août 1914, ouvrant ainsi, sans le savoir, les digues au fleuve de sang.

Quant à ceux de Verdun que l'on est soudainement pressé d'oublier, ils ont donné sans le savoir une leçon au monde d'aujourd'hui : leur courage imprévisible, leur acharnement à survivre ont pu avoir raison paradoxalement de la guerre industrielle, celle qui les considérait comme un matériel parmi d'autres, celle dont les critères et les objectifs étaient partagés par leur propre état-major, au nom du droit. Ils ont appris à mourir pour rester simplement des hommes.

BIBLIOGRAPHIE

I. Témoignages et mémoires

1. Mémoires de responsables politiques

Bethmann-Hollweg T., *Betrachtungen zum Weltkriege*, Berlin, 1921.
Caillaux Joseph, *Mes Mémoires*, Paris, Plon, 1947.
Churchill Winston, *The World Crisis. 1911-1918*, Londres, 1943.
Clemenceau Georges, *Grandeurs et Misères d'une victoire*, Paris, Plon, 1930.
Ferry Abel, *Carnets secrets, 1914-1918*, Paris, Grasset, 1957.
Gaulle Charles de, *Mémoires de guerre*, Paris, Plon, 1959.
Lloyd George, David, *Mémoires de guerre 1, Paris, 1934-1935, 4 vol.*
Loucheur Louis, *Carnets secrets*, Bruxelles, Brepols, 1962.
Poincaré Raymond, *Au service de la France*, Paris, Plon, 1926-1933, 11 vol. Le dernier volume a été publié par Jacques Bariéty et Pierre Miquel.
Ribot Alexandre, *Journal et correspondances inédites. 1914-1922*, Paris, Plon, 1936.
Tardieu André, *Avec Foch. Août-novembre 1914*, Paris, Flammarion, 1939.

2. Mémoires de militaires

Général Colin, Henri, *La Guerre de mouvement. 1918*, Paris, Payot, 1935.
—, *La Division de fer. 1914-1918*, Paris, Payot, 1930.
Général Debeney, *La Guerre et les hommes. Reflexions d'après-guerre*, Paris, Plon, 1937.
Général Détrie, Paul, *Lettres du front à sa femme*, Imprimerie d'Echirolles Point Com., novembre 1995. Par un capitaine au 117e RI du Mans.
Maréchal Falkenhayn, *Le Commandement suprême dans l'armée allemande*, Paris, 1920.
Maréchal Fayolle, *Carnets secrets de la Grande Guerre*, Paris, Plon, 1964. Préface d'Henri Contamine.

Maréchal Foch, Ferdinand, *Mémoires*, Paris, Plon, 1931, 2 vol.
Maréchal Franchet d'Esperey, « Les armées alliées en Orient », *Revue des Deux Mondes*, sept. 1938.
Maréchal Gallieni, *Mémoires. Août-sept. 1914*, Paris, Payot, 1926.
Général Gallwitz, Max von, *Erleben im Westen. 1916-1918*, Berlin, 1932.
Général Gamelin, *Manœuvre et victoire de la Marne*, Paris, 1954.
Général de Gaulle, Charles, *La France et son armée*, Paris, Plon, 1938.
—, *Lettres, notes et carnets*, t. 1, Paris, Plon, 1981.
Amiral Guépratte, *L'Expédition des Dardanelles*, Paris, Payot, 1935.
Maréchal Haig, Douglas, *Carnets secrets*, Paris, Presses de la Cité, 1964.
Général von Hausen, *Souvenirs de la campagne de la Marne*, Paris, Payot. 1922.
Maréchal von Hindenburg, *Ma vie*, Lavauzelle, 1921.
Maréchal von Hötzendorf Conrad, *Auftrag und Erfüllung. 1906-1918*, Vienne, 1955.
Général Humbert, « Le départ des saint-cyriens en 1914 », in *Souvenir français*, n° 356, 1979.
Amiral Jellicoe, *La Grand Fleet*, Paris, Payot, 1924.
Maréchal Joffre, Joseph, Jacques, Césaire, *Mémoires*, Plon, 1932, 2 vol.
Maréchal Juin, Alphonse, *La Brigade marocaine à la bataille de la Marne*, Paris, Librairie polytechnique Béranger, 1964.
Général von Kluck, *La Marche sur Paris*, Paris, Payot, 1922.
Kronprinz de Prusse, *Mémoires*, Paris, Payot, 1923.
Général Lanrezac, *Le Plan de campagne français et le premier mois de la guerre*, Paris, 1929.
Général Ludendorff, Eric, *Souvenirs de guerre*, Paris, Payot, 1920.
Général Mangin, Charles, *Comment finit la guerre*, Paris, Plon, 1920.
Général Messimy, Adolphe (ministre de la guerre en 1914), *Mes souvenirs*, Paris, Plon, 1937.
Général Mordacq, *La Vérité sur l'armistice*, Paris, Plon, 1929.
Général Pershing, *Mes souvenirs de guerre*, Paris, Plon, 1931, 2 vol.
Maréchal Pétain, Philippe, *La bataille de Verdun*, Paris, Payot, 1931.
Général Piarron de Mondésir, *Souvenirs et pages de guerre. 1914-1919*, Paris, Berger Levrault, s.d.
Général Robertson, *Conduite générale de la guerre*, Paris, 1929.
Colonel Rommel, *Infanterie greift an*, Potsdam, 1937.
Rupprecht, prince de Bavière, *Mein Kriegstagebuch*, Munich, 1929, 2 vol.
Général Sarrail, *Mon commandement en Orient*, Paris, Flammarion, 1920.
Amiral Scheer, *La Flotte allemande de haute mer pendant la Guerre mondiale*, Paris, Payot, 1930.
Amiral von Tirpitz, *Mémoires*, Paris, Payot, 1925.
Général Weygand, Maxime, *Mémoires*, Paris, Flammarion, 1950, 2 vol.

3. Témoignages de soldats

Alain, *Souvenirs de guerre*, Paris, Hartmann, 1952.

Baconnier Gérard, Minet André, Soler Louis, *La Plume au fusil*, *Les poilus du Midi à travers leur correspondance*, Toulouse, Privat, 1985.

Barbusse Henri, *Le Feu.* Suivi de *Carnet de guerre*, Paris, Flammarion, rééd. 1965.

Barthas Louis, tonnelier, *Carnets de guerre*, Paris, Maspero, 1979.

Bloch Marc, « Souvenirs de guerre », in *Cahiers des Annales*, 26, 1969.

—, *L'Etrange Défaite*, Paris, Franc-Tireur, 1946.

Bouvereau Henri, *Devant la mort*, Coulommiers, Librairie Brouillet, 1919.

Bridoux André, *Souvenirs du temps des morts*, Paris, Albin Michel, 1930.

Cabaret Léon, *Ce que nos yeux ont vu. Récits d'un combattant de la Grande Guerre*, Le Mans, 1940.

Cardot Jacques Alexandre, *Artilleurs de campagne*, Paris, La Pensée universelle, 1987.

Chambrun René de, *Général sorti du rang*, Paris, Atelier Marcel Jullian, 1980.

Corneloup Joannis, *Souvenirs d'un aérostier de la Grande Guerre*, Paris, Pensée universelle, 1975.

Donati Louis, *Notes de campagne d'un artilleur en 1914 et 1915*, aimablement communiquées par son fils Ph. Donati.

Dorgelès Roland, *Les Croix de bois*, Paris, Albin Michel, 1919.

Ducasse André, *La Guerre racontée par les combattants*, Paris, 1932.

Ducasse André, Meyer Jacques, Perreux Gabriel, *Vie et mort des Français. 1914-1918*, Paris, Hachette, 1959 (quatre normaliens au front).

Fischer Maurice, *La 66e division à la bataille d'Amiens*.

Galtier-Boissière, *La Fleur au fusil*, Paris, Baudinière, s.d.

Genevoix Maurice, *Ceux de 14*, Paris, Omnibus, 1998.

Gillet Louis, *Un type d'officier français, Louis de Clermont-Tonnerre, commandant de zouaves*, Paris, Perrin, 1919.

Grancher Marcel-E., *Cinq de la Campagne*, Lyon, éditions Lugdunum, 1937.

Grenadou Ephraïm, Prévot Alain, *Grenadou, paysan français*, Paris, Le Seuil, 1966.

Guéhenno Jean, *La Mort des autres*, Paris, Grasset, 1958.

Jünger Ernst, *Le Boqueteau 125*, Paris, Payot, 1932.

—, *Orages d'acier*, Paris, Christian Bourgois, 1961.

Kahn, André et Jean-François, *Journal de guerre d'un Juif patriote. 1914-1918*, Paris, Simoën, 1978.

Lanoux Armand, *Adieu la vie, adieu l'amour !* Edition de la correspondance de Dorgelès, Paris, Albin Michel, 1960.

Léautey, André Paul Alexis, *Souvenirs dactylographiés d'un téléphoniste du front.*

Létoquart Paul, *14-18.* La Grande Guerre. Le vécu du soldat René. Lettres quotidiennes à sa mère, collection GEP Témoignages, 1990. Exemplaire dactylographié.

Liddle Hart, capitaine, *La Guerre mondiale racontée par un Anglais*, Paris, Payot, 1932.

Masgelier Louis, *Carnets d'un Creusois dans la Grande Guerre. 1916-1918.* Présentés par Jacques Roussillat, éditions de la Veytizou, 1996.

Maurois André, *Les Silences du colonel Bramble. Par un interprète de la 9e division écossaise*, Paris, 1918.

Meyer Jacques, *La Biffe*, Paris, Albin Michel, 1931.

Norton Cru, *Témoins*, Paris, Les Etincelles, 1929. Réédité. Une critique acérée des témoignages de guerre.

Notin L., curé archiprêtre de Vitry-le-François, *Mon carnet de guerre*, Vitry-le-François, 1917.

Péguy Charles, « Quelques lettres inédites de la guerre », in *Amitiés Charles Péguy*, n° 80, 1960.

Pingaud A., *La Guerre vue par les combattants allemands*, Paris, Perrin, 1918.

Pourcher Yves, *Un commandant bleu horizon, souvenirs de guerre de Bernard de Ligonnès*, Paris, éditions de Paris Max Chaleil, 1998.

Reiss R.A., *Lettre du front macédono-serbe*, Genève, 1921.

Remarque Erich Maria, *A l'ouest rien de nouveau*, Paris, Stock, 1929.

Renn Ludwig, *Guerre*, Paris, Flammarion, 1929.

Rimbault, capitaine, *Journal d'un officier de ligne*, Paris, Berger-Levrault, s.d.

Rivière Jacques, *Carnets. 1914-1917*, Paris, Fayard, 1974.

Rolland Romain, *Journal des années de guerre*, Paris, Albin Michel, 1952.

Rosner Karl, *Au quartier général du Kaiser pendant la seconde bataille de la Marne*, Paris, Plon, 1933.

Sargos Roger, *Témoignage d'un officier forestier. 1916*, Bordeaux, La Somme, 1966.

Violette Maurice, *Journal de guerre.* Office d'édition du livre d'histoire, Paris, 1994.

Voivenet Paul, *A Verdun avec la 67e DR*, Presses universitaires de Nancy, 1991.

II. Questions particulières

Sur les cavaliers

Chambe René, *L'Escadron Gironde*, Baudinière, 1935.

Coudray Honoré, *Mémoires d'un troupier*, Paris-Bordeaux, A. Coudray éd., 1986.

Desazards de Montgailhard, capitaine, *Une charge heureuse de cavalerie, le 7e hussards à Rethel le 30 août 1914.*

Henriot Emile, *Carnets d'un dragon*, Paris, Hachette. 1923.

Vibraye, comte Tony de, *Carnet de route d'un cavalier*, Paris, 1939.

Sur les premières batailles

Boudon Victor, *Avec Charles Péguy de la Lorraine à la Marne*, Paris, Hachette, 1916.

Dieterlin Jacques, *Le Bois-le-Prêtre. Octobre 1914-avril 1915*, Paris, Hachette, 1917.

Drieu la Rochelle Pierre, *La Comédie de Charleroi*, Paris, Gallimard, 1934.

Maginot André, *Carnets de patrouille*, Paris, Grasset, 1940.

Mordacq, *Le Drame de l'Yser. La surprise des gaz*, Paris, éditions des Portiques, 1933.

Porta G., *Les Loups devant Bois-le-Prêtre*, Guénange, Moselle, s.d.

Sur les poilus d'Orient

Carcopino Jérôme, *Souvenirs de la guerre en Orient*, Paris, Hachette, 1970.

Cordier Louis, *Victoire-Eclair en Orient*, Aurillac, éditions USHA, 1968.

Deygas F.J., capitaine, *L'Armée d'Orient*, Paris, Payot. 1932.

Ducasse A., *Balkans 14-18 ou le Chaudron du Diable*, Paris, Robert Laffont, 1964.

Huntziger, lieutenant-colonel, *L'Offensive des armées alliées en Orient.* Manuscrit cité par Cordier (L.), in *op. cit.*

Roux Charles, *L'Expédition des Dardanelles*, Paris, 1920.

Sur Verdun

Beumelburg Werner, *Douaumont*, Paris, Payot, 1932.

—, *Combattants allemands à Verdun*, Paris, Payot, 1934.

Castex Henri, *Verdun*, Paris, Albatros, 1980.

Guillemeau, lieutenant-colonel, « Le 137e d'infanterie et la tranchée des baïonnettes », in *Revue de l'Armée*, no 3, 1970.

Mac Orlan Pierre, *Verdun*, Paris, Sorlot, 1935.

Péricard, *Verdun* : une somme de trois mille témoignages réunis par l'auteur, Librairie de France, 1983.

Raynal, commandant, *Journal*, Paris, Albin Michel, 1919 (commandant le fort de Vaux, à Verdun).

Sur le Chemin des Dames

Bessières Albert, *Le Chemin des Dames, carnet d'un territorial*, Bloud et Gay, 1919.

Bounoure Gabriel, *La 22e division au Chemin des Dames.*

Deverin Edouard, *Du Chemin des Dames au GQG. RAS*, Paris, Les Etincelles, 1931.

Gaudy Georges, *Le Chemin des Dames en feu*, Paris, Plon, 1938.

Héricourt, *Le 418e*, Paris, Nouvelle Imprimerie nationale, 1922.

Nobécourt R.G., *Fantassins du Chemin des Dames*, 76810 Luneray, éditions Bertout, 1983.

Perré, lieutenant-colonel, « Première apparition des chars français sur les hauteurs du Chemin des Dames », in *Revue d'infanterie*, 1936.

Préval (de), « Le 4e régiment de cuirassiers à pied aux attaques de Laffaux », *Revue de cavalerie*, mars-avril 1936.

Thézenas du Montcel J., *L'Heure H. Etapes d'infanterie*, Valmont, 1960

Sur les questions de santé

Delaporte Sophie, *Les Gueules cassées. Les blessés de la face de la Grande Guerre*, Paris, Noêsis, 1996.

Edmond Delorme (docteur), *War Surgery*, Washington, 1916.

Duhamel Georges, *Vie des martyrs*, Paris, Mercure de France, 1945.

Frouté Rémi, *Les Derniers Combats de la 2e compagnie du 415e régiment d'infanterie*, exemplaire ronéoté, 1974.

Gilbrin E., « Le docteur Louis Dartigues, l'hôpital chirurgical français de Tiflis. Août 1917-mai 1918 », in *Revue d'histoire des sciences médicales*, nos 12, 13, 1978-1979.

Gilbrin E. et Sauvé G., « L'hôpital français de Kiev. Août 1917-février 1918 », in *Revue d'histoire des sciences médicales*, t. X, nos 1, 2, 1976.

Lacombe Léon de, « L'ambulance automobile chirurgicale pour le front sud-ouest de la Russie. L'hôpital français d'Odessa », in *Revue d'histoire des sciences médicales*, 1976-1977, no 10-11. Par E. Gilbrin.

Lepick Olivier, *La Grande Guerre chimique*, Paris, PUF, 1998. Collection dirigée par Pierre Chaunu.

Martin Albert, *Souvenirs d'un chirurgien de la Grande Guerre*, présentés par le docteur Pierre-Albert Martin, Luneray, Bertout imprimeur-éditeur, 1996.

La Mazière Pierre, *L'HCF, hôpital chirurgical flottant*, Paris, Albin Michel, s.d.

Mignon-Nadeau, *Le Service de santé pendant la guerre*, Paris, Masson, 1922, 4 vol.
Rodiet, docteur Antonin, *Au village pendant la guerre, par un médecin de campagne*, Bourges, sd.

Sur le moral

Becker J.-J., *1914. Comment les Français sont entrés en guerre*, Paris, Presses de la Fondation nationale des Sciences politiques, 1977.
Contamine Henri, *La Revanche*, Paris, Berger-Levrault, 1957.
Devos et Waksman, *Le Moral à la 3e armée en 1918 d'après les archives de la justice militaire et du contrôle postal*, multigr., Bibl. Vincennes.
Galtier-Boissière, « Le bourrage de crâne », numéro spécial du *Crapouillot*, juillet 1937.
Imbrecq (abbé), *Lettre (dactylographiée) sur deux tués de 14-18.*
Jeanneney Jean-Noël, « Les archives des commissions de contrôle postal aux armées. 1916-1918 », in *Revue d'histoire moderne et contemporaine*, janvier et mars 1968, p. 210-215.
Kupferman A., « Les débuts de l'offensive morale allemande contre la France. Décembre 1914-décembre 1915 », in *Revue historique*, nº 505, 1973.
—, « L'offensive morale contre la France. Nov. 1914-nov. 1917 », in *Revue d'Allemagne*, décembre 1972.
Mayeur Jean-Marie, *Le Catholicisme de la Première Guerre mondiale*, Paris, Francia, 2, 1974.
Nicot Jean, « Psychologie du combattant français de 1918 », in *Revue historique de l'Armée*, nº 2, 1972.
Nouailhat Yves-Henri, *L'Opinion publique à l'égard des Américains à Saint-Nazaire en 1917.*
Noussanne (de) Henri, *Journal d'un bourgeois de Senlis*, Paris, De Brocard, 1916.

Sur les mutineries

Durand Pierre, *Vincent Moulia, Les Pelotons du maréchal Pétain*, Paris, Ramsay, 1978. Préface d'Armand Laroux.
Facon-Nicod, *La Crise du moral en 1917 dans l'armée et la nation d'après la commission du contrôle postal de Belfort*, Paris, BN, 1979.
Lettre d'un prêtre sur un fusillé de 1917, communiquée par M. et Mme Célestin Dauphin.
Pédroncini Guy, *Les Mutineries de 1917*, Paris, PUF, 1974.

Sur les batailles de 1918

Ayres Leonard P., *The War with the Germans. A Statistical Summary*, Washington Government Printing Office, 1919.

Dardart Gérald, *Vrigne-Meuse, Le Dernier Assaut de la der des der, 10 et 11 novembre 1918*, Nouzonville, Ardennes, La Cerise-aux-Loups éditeur, 1999.
Documents sur la deuxième bataille de la Marne lisibles sur Internet. http :/perso.clubinternet.fr/batmarn.htm.
Servos Francisque, « Sous le casque », récits de guerre parus dans le journal *Les Mutilés du Centre.*
Zambon Angelo et Magliocchetti (colonel), *L'Esercito italiano nella Grande Guerra*, Instituto Poligrafico dello Stato, 1951, 2 t.

Sur les prisonniers et déportés civils
Basdevant Jules, *Les Déportations du Nord de la France et de la Belgique*, Paris, Sirey, 1917.
Cahen-Salvador Georges, *Les Prisonniers de guerre. 1914-1919*, Paris, Payot, 1929.

Sur les troupes africaines
Meynier Gilbert, *L'Algérie révélée*, Paris, Droz, 1981.
Michel Marc, Le concours de l'AOF à la France pendant la Première Guerre mondiale, Université de Paris I.

III. Documents d'archives

1. Archives régimentaires

Historique du groupe de chasse 1/2 « Les cigognes » par Yves Brèche et Patrice Buffotot. Service historique de l'armée de l'air, 1981.
Historique du premier régiment de tirailleurs algériens. 1898-1925. Présenté par René Fox, Paris, 1936.
Historique du 26e régiment d'infanterie, Imprimerie Berger-Levrault, Paris, 1919.
Rapport du colonel Pastoureau de Labesse sur l'appareil de dressage de chevaux du maréchal des logis Dumas, du 54e d'artillerie. XVe région. Nîmes, 4 décembre 1915. In archives de la Direction de l'Artillerie, SHAT Vincennes, dossier Dumas.
Série 26 N des archives du SHAT, voir l'infanterie coloniale, les spahis, les tirailleurs algériens, les zouaves, le 15e bataillon de chasseurs à pied, le 12e régiment d'infanterie

2. Archives générales de la guerre

Série 5N. Cabinet du Ministre. Les Sénégalais. L'armée d'Orient. Algérie. Recrutement. Incidents de Mascara. Plaintes des Marseillaises dont le mari est au front. Russie. Envoi de troupes en France. Rapport Lyautey sur la situation militaire en 1916. Offensive de l'Aisne. Commission d'enquête.

Série 7N. Archives du GQG. Déserteurs et insoumis. Les automobiles. Le contrôle postal.

Série F7 sur l'antimilitarisme et le pacifisme. Sur les activités socialistes. Sur les anarchistes.

Série A du service historique de l'armée de l'Air sur l'aéronautique militaire.

3. Archives publiées du Service historique de l'armée

Les Armées françaises dans la Grande Guerre. Série de 11 volumes, avec cartes et annexes.

4. Archives de la Préfecture de Police de Paris

Rapports des commissaires pour 1918.

Série des mains courantes par arrondissements.

IV. Ouvrages généraux sur la guerre

Ayçoberry Pierre, *La Question nazie*, Le Seuil, 1979. Discussion des thèses sur le nazisme.

Bariéty Jacques, *Les Relations franco-allemandes après la Première Guerre mondiale*, Paris, éd. Pedone, 1977.

Bonnefous Georges, *Histoire politique de la IIIe République*, Paris, PUF, t. II, *La Grande Guerre*, 1957.

Castellan Georges, *Le réarmement clandestin du Reich. 1930-1935 vu par le 2e Bureau de l'état-major français*, Paris, Plon, 1954.

Droz Jacques, *Les Causes de la Première Guerre mondiale, essai d'historiographie*, Paris, Le Seuil, 1973. Contient une bibliographie de tous les ouvrages allemands de la *Kriegsschuldlüge*.

Duroselle Jean-Baptiste, *La Grande Guerre des Français*, Paris, Perrin, 1994.

Fischer Fritz, *Griff nach der Weltmacht*, Düsseldorf, 1961. Publié en français sous le titre : *Les Buts de guerre de l'Allemagne impériale. 1914-1918*, Paris, Trévise, 1970.

—, *Krieg der Illusionen*, Düsseldorf, 1969.

Gambiez, général, et Suire, colonel, *Histoire de la Première Guerre mondiale*, Paris, Fayard, 1968-1971, 2 vol.

Geiss Immanuel, *July 1914*, BT, Batsford London, 1967. Remarquable étude critique des textes d'archives.

Girault René et Frank Robert, *La Puissance en Europe*. Publications de la Sorbonne, 1984, résultat d'un colloque international avec, notamment, des historiens allemands et discutant les thèses de Fischer et Geiss.

Henry A., *Turner : German big business and the Rise of Hitler*, Oxford, University Press, 1985.

Hitler parle à ses généraux, Paris, Albin Michel, 1964. Transcription des sténographies du QG de Hitler de novembre 1942 à mars 1945.

Kitchen M., *The German Officer Corps. 1890-1914*, Oxford, 1968.

Liddle Hart, *La Première Guerre mondiale racontée par un Anglais*, Paris, Payot, 1932.

Matzerath Horst et Henry A., *Turner*, Geschichte und Gesellschaft.3.1977.

Mayer Arno, *Political Origins of The New Diplomacy. 1917-1918*, New Haven, Yale University Press, 1959.

Méchin-Benoist Jacques, *Histoire de l'armée allemande depuis l'armistice*, Paris, 1964-1966, 6 vol.

Mommsen W., « Die Deutsche Kriegszielpolitik. 1914-1918 », in *Kriegsausbruch 1914. Deutsche Herausgabe* du *Journal of Contemporary History*, 1967.

Pédroncini Guy, *Le Haut Commandement et la conduite de la guerre*, thèse d'Etat, Paris, Publications de la Sorbonne, 1971.

—, *Les Négociations secrètes pendant la Grande Guerre*, Paris, Flammarion, 1969.

Renouvin Pierre, *La Crise européenne et la Première Guerre mondiale*, Paris, PUF, 1948.

Ritter G., *Staatskunst und Kriegshandwerk*, Munich, 1954-1968, 4 vol. Sur le militarisme allemand.

—, *L'Armistice de Rethondes*, Paris, Gallimard, 1968.

Scherer A. et Grunewald J., *L'Allemagne et les problèmes de la paix pendant la Première Guerre mondiale*, Paris, 1962-1966, 2 vol.

Soutou G., « La France et les marches de l'Est », in *Revue historique*, n° 260, 1978. Analyse des buts de guerre français.

Steinert Marlis G., *Les Origines de la Seconde Guerre mondiale*, Paris, PUF, 1974.

—, *L'Allemagne national-socialiste*, Paris, éd. de Richelieu, 1972.

Toynbee Arnold, *The World after the Peace Conference*, New York, 1925.

Valuy, général et Dufourcq Pierre, *La Première Guerre mondiale*, Paris, Hachette, 1968, 2 vol.

Vermeil Edmond, *Histoire de l'Allemagne contemporaine*, Paris, Aubier, 1952, 2 vol.

Watson David Robin, *Georges Clemenceau. A Political Biography*, Londres, Eyre Methuen, 1974.

Index des noms propres

Index des noms de lieux

Index thématique

CARTES

Toute les cartes sont extraites de l'ouvrage : *La Première Guerre mondiale* / Général Valuy et Pierre Dufourcq, Paris, Hachette, 1968. 2 vol.

Les concentrations et les premiers engagements
jusqu'au 20 août 1914.

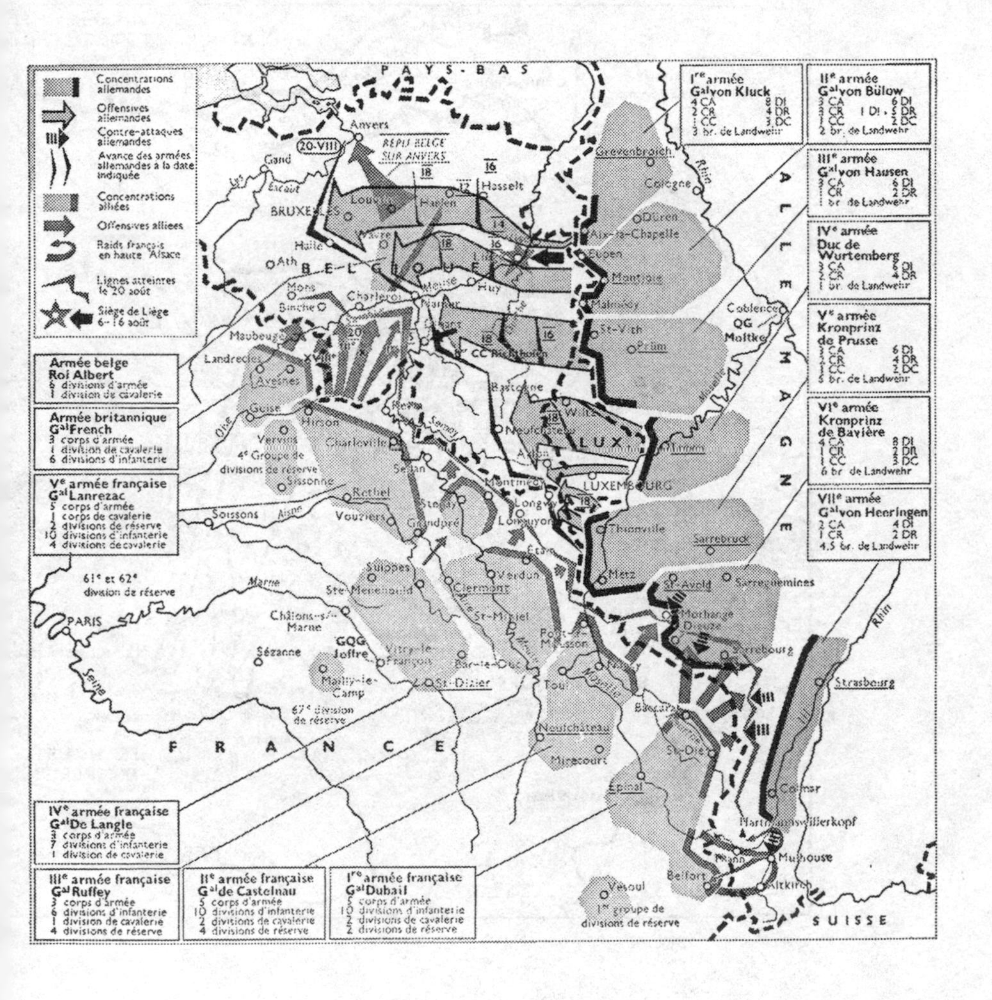

La bataille de la Marne : 6-14 septembre 1914

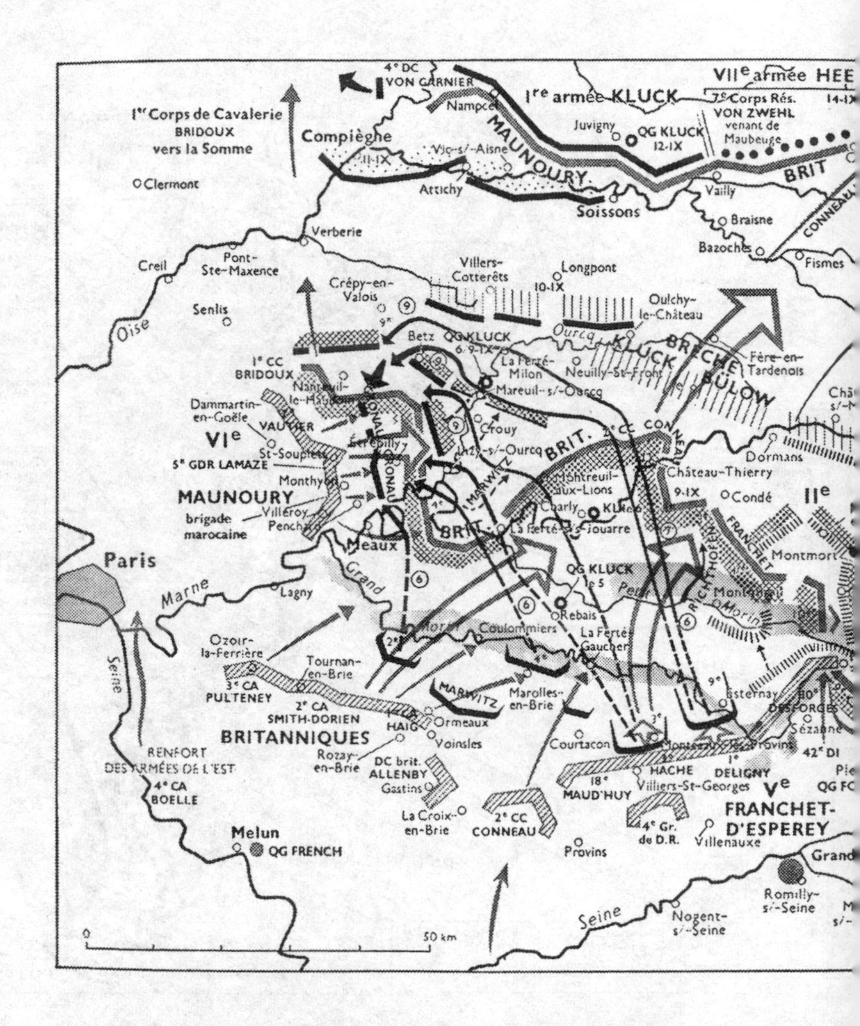

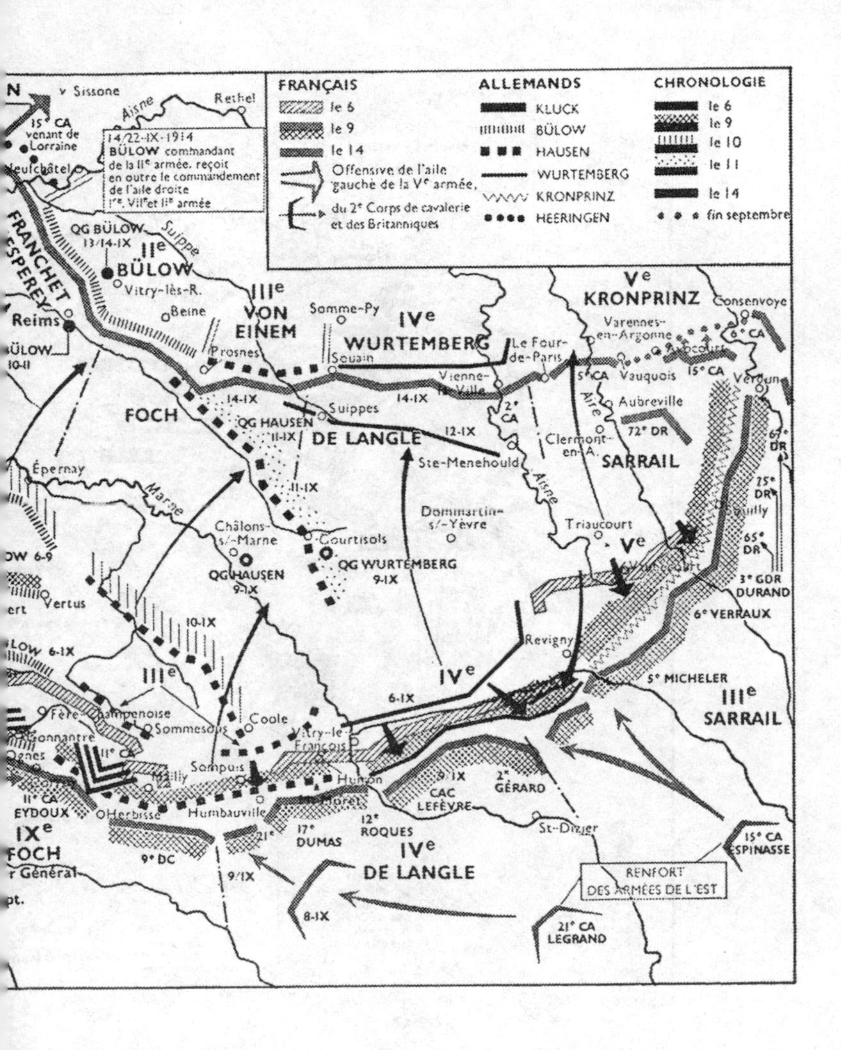
FRANÇAIS
le 6
le 9
le 14
Offensive de l'aile gauche de la Vᵉ armée,
du 2ᵉ Corps de cavalerie et des Britanniques
ALLEMANDS
KLUCK
BÜLOW
HAUSEN
WURTEMBERG
KRONPRINZ
HEERINGEN
CHRONOLOGIE
le 6
le 9
le 10
le 11
le 14
fin septembre
14/22-IX-1914
BÜLOW commandant de la IIᵉ armée, reçoit en outre le commandement de l'aile droite
Iʳᵉ, VIIᵉ et IIᵉ armée
v Sissone
Rethel
Aisne
15ᵉ CA venant de Lorraine
FRANCHET D'ESPEREY
QG BÜLOW 13/14-IX
IIᵉ BÜLOW
Suippe
Vitry-lès-R.
Reims
Beine
IIIᵉ VON EINEM
Somme-Py
IVᵉ WURTEMBERG
Vᵉ KRONPRINZ
Consenvoye
Varennes-en-Argonne
6ᵉ CA
Le Four-de-Paris
Prosnes
Souain
Vienne-la-Ville
5ᵉ CA
Vauquois
15ᵉ CA
Verdun
14-IX
Aubreville
FOCH
Suippes
2ᵉ CA
Aire
QG HAUSEN 11-IX
DE LANGLE
12-IX
Clermont-en-A.
72ᵉ DR
67ᵉ DR
Ste-Menehould
SARRAIL
Épernay
11-IX
Aisne
75ᵉ DR
Marne
Dommartin-s/-Yèvre
Châlons-s/-Marne
Courtisols
Triaucourt
Vᵉ
65ᵉ DR
QG HAUSEN 9-IX
QG WURTEMBERG 9-IX
3ᵉ GDR DURAND
Vertus
6ᵉ VERRAUX
10-IX
Revigny
6-IX
IIIᵉ
IVᵉ
6-IX
5ᵉ MICHELER
IIIᵉ SARRAIL
Fère-Champenoise
Sommesous
Coole
Vitry-le-François
11ᵉ CA
Mailly
Sompuis
Huiron
9-IX
2ᵉ GÉRARD
11ᵉ CA
CAC LEFÈVRE
Herbisse
Humbauville
St-Dizier
IXᵉ FOCH
21ᵉ
17ᵉ DUMAS
12ᵉ ROQUES
15ᵉ CA ESPINASSE
9ᵉ DC
9/IX
IVᵉ DE LANGLE
RENFORT DES ARMÉES DE L'EST
8-IX
21ᵉ CA LEGRAND

Carte des opérations de la bataille de Verdun
du 21 février au début d'août 1916

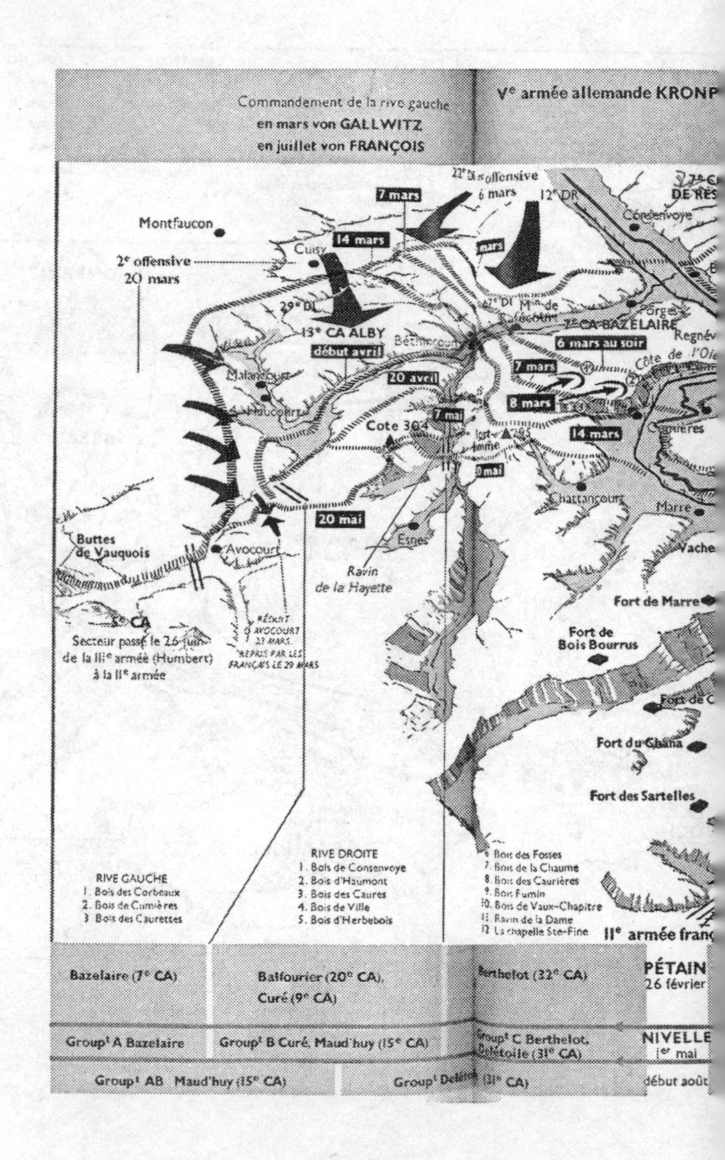

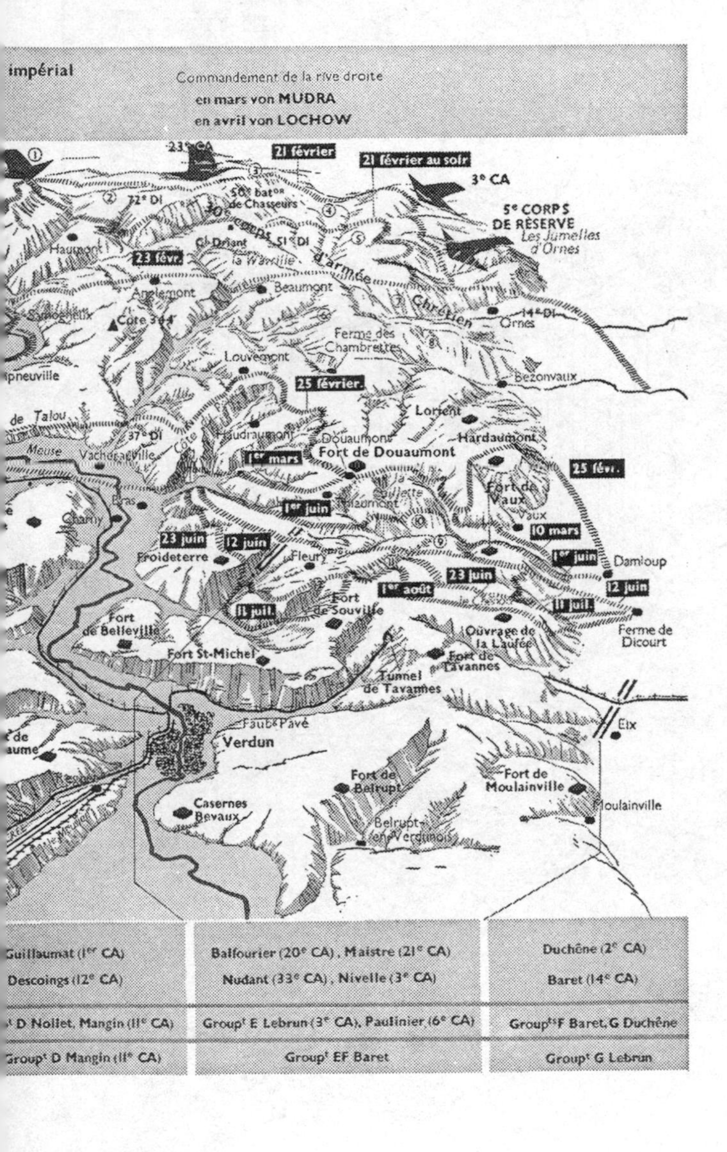
impérial
Commandement de la rive droite
en mars von MUDRA
en avril von LOCHOW
21 février
21 février au soir
3e CA
5e CORPS DE RÉSERVE
Les Jumelles d'Ornes
72e DI
56e batons de Chasseurs
51e DI
Haumont
23 févr.
la Wavrille
Beaumont
Samogneux
Côte 344
Ornes
14e DI
Ferme des Chambrettes
Louvemont
Bezonvaux
25 février.
Lorient
de Talou
37e DI
Meuse
Vacherauville
Douaumont
Fort de Douaumont
Hardaumont
1er mars
25 févr.
Bras
1er juin
Fort de Vaux
Vaux
Charny
10 mars
23 juin
12 juin
Froideterre
Fleury
1er juin
Damloup
23 juin
1er août
12 juin
11 juil.
11 juil.
Fort de Souville
Fort de Belleville
Ouvrage de la Laufée
Ferme de Dicourt
Fort St-Michel
Fort de Tavannes
Tunnel de Tavannes
Eix
Verdun
Fort de Belrupt
Fort de Moulainville
Casernes Bevaux
Moulainville
Belrupt-en-Verdunois
Guillaumat (Ier CA)
Descoings (12e CA)
Balfourier (20e CA), Maistre (21e CA)
Nudant (33e CA), Nivelle (3e CA)
Duchêne (2e CA)
Baret (14e CA)
t D Nollet, Mangin (IIe CA)
Groupt E Lebrun (3e CA), Paulinier (6e CA)
Groupts F Baret, G Duchêne
Groupt D Mangin (IIe CA)
Groupt EF Baret
Groupt G Lebrun

L'impérialisme allemand dans l'est après 1917

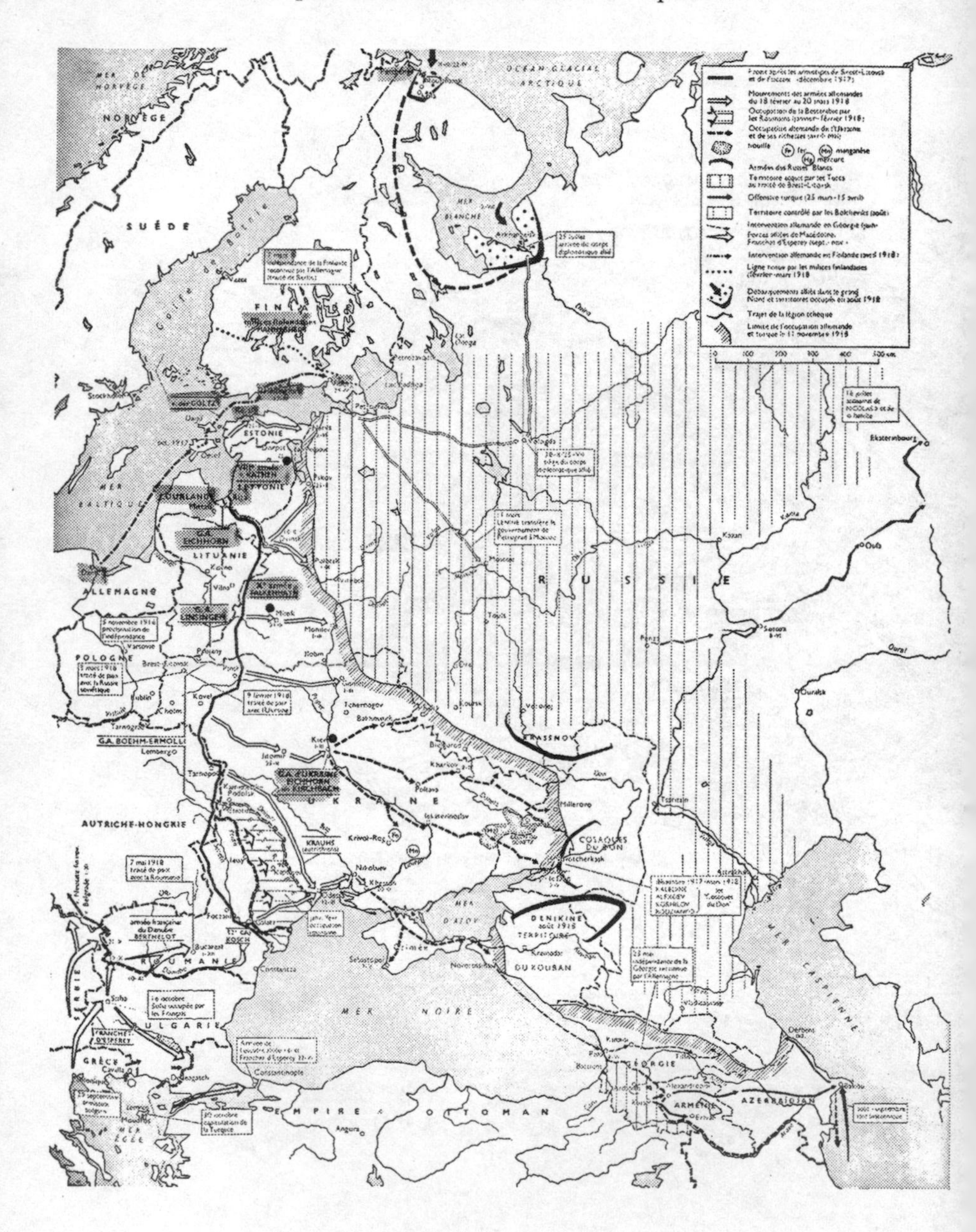

Les batailles de 1918

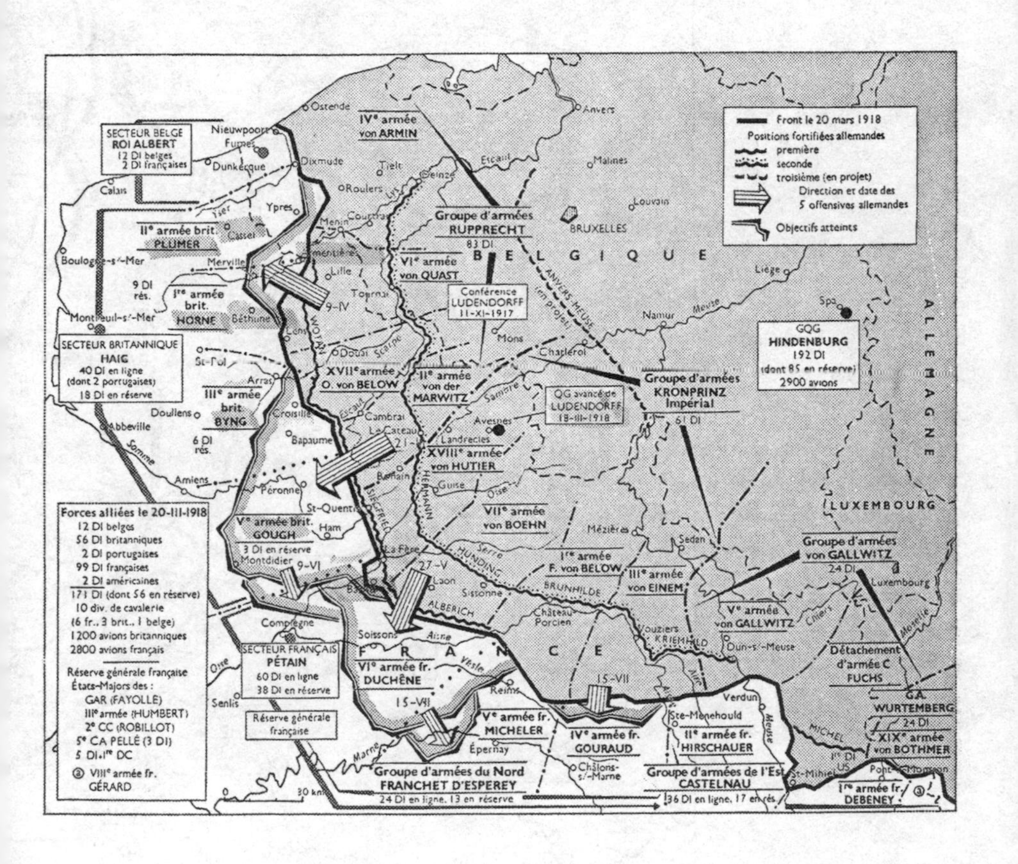

Les ultimes offensives de la Victoire alliée,
du 26 septembre au 11 novembre 1918.

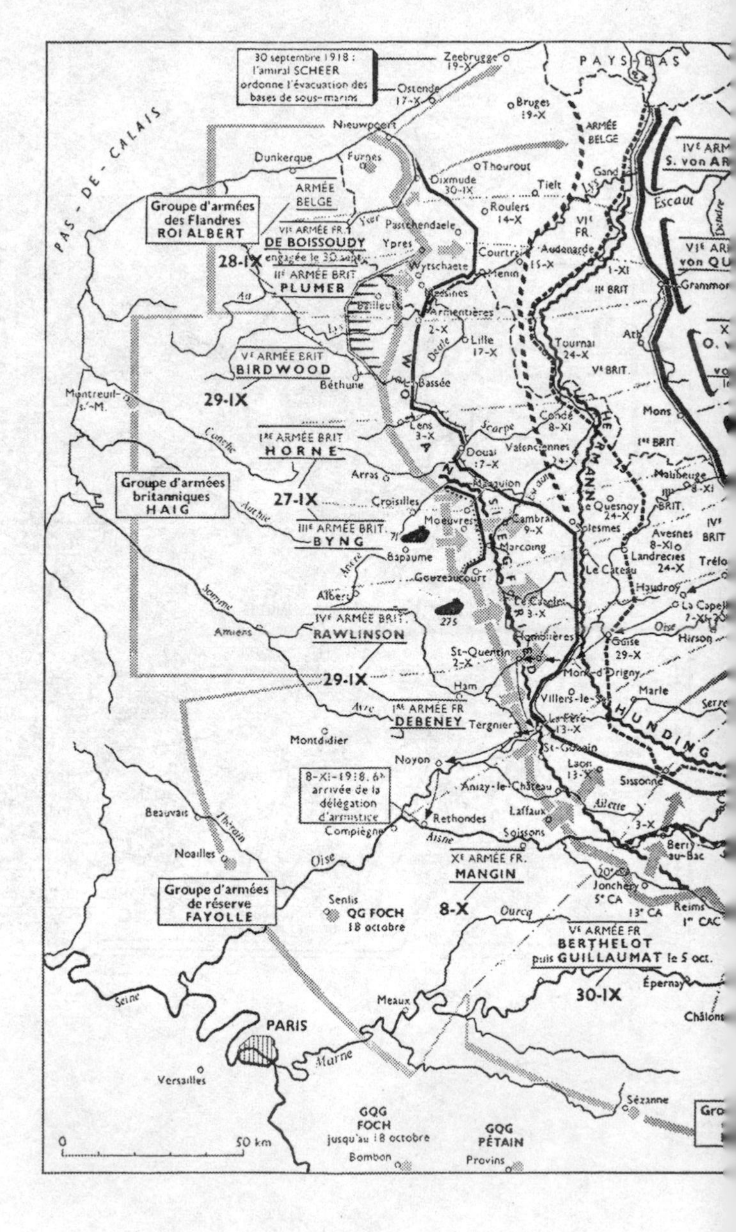

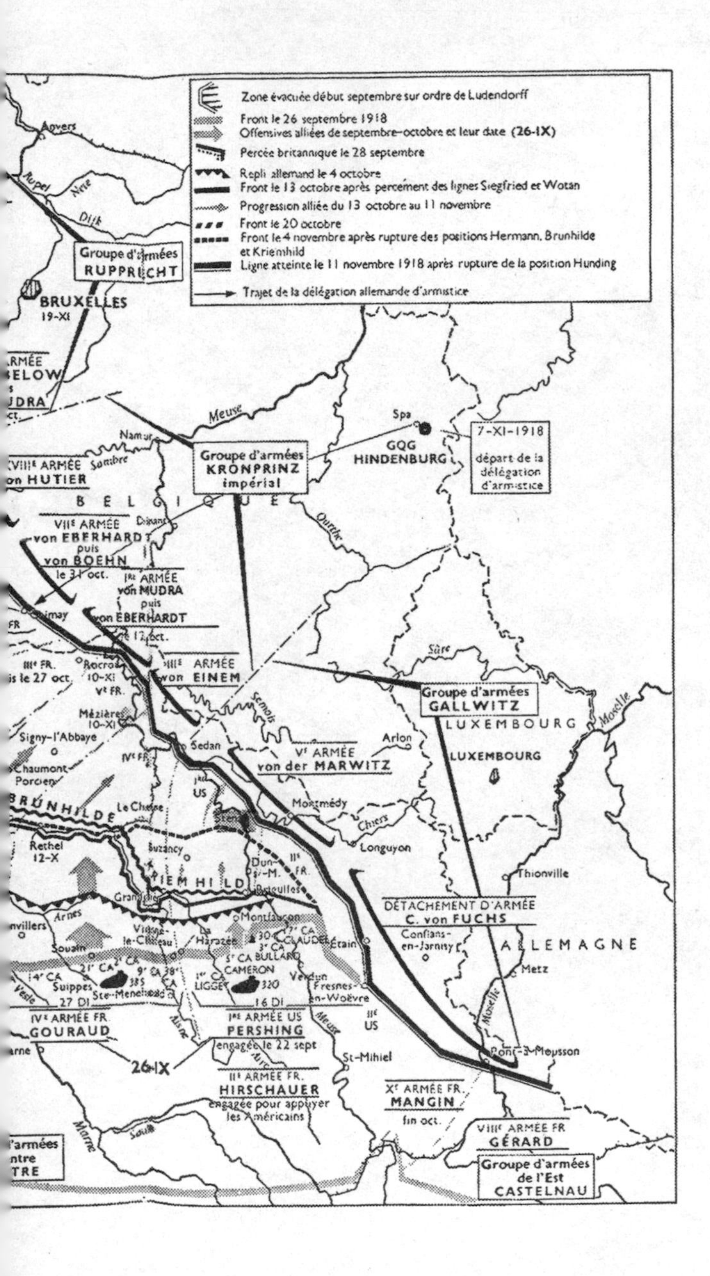

Zone évacuée début septembre sur ordre de Ludendorff
Front le 26 septembre 1918
Offensives alliées de septembre-octobre et leur date (26-IX)
Percée britannique le 28 septembre
Repli allemand le 4 octobre
Front le 13 octobre après percement des lignes Siegfried et Wotan
Progression alliée du 13 octobre au 11 novembre
Front le 20 octobre
Front le 4 novembre après rupture des positions Hermann, Brunhilde et Kriemhild
Ligne atteinte le 11 novembre 1918 après rupture de la position Hunding
Trajet de la délégation allemande d'armistice
Anvers
Rupel
Nete
Dijle
Groupe d'armées RUPPRECHT
BRUXELLES 19-XI
Meuse
Namur
Sambre
Spa
GQG HINDENBURG
7-XI-1918 départ de la délégation d'armistice
Groupe d'armées KRONPRINZ impérial
BELGIQUE
Ourthe
VIIE ARMÉE von EBERHARDT puis von BOEHN le 31 oct.
I^RE ARMÉE von MUDRA puis von EBERHARDT le 12 oct.
Dinant
Rocroi 10-XI
V^E FR.
IIIE FR.
IIIE ARMÉE von EINEM
Mézières 10-XI
Sûre
Groupe d'armées GALLWITZ
LUXEMBOURG
Moselle
Semois
Sedan
Signy-l'Abbaye
Chaumont-Porcien
IVE FR.
Arlon
V^E ARMÉE von der MARWITZ
LUXEMBOURG
BRUNHILDE
Le Chesne
Stenay
Montmédy
Chiers
Longuyon
Rethel 12-X
Buzancy
Dun-s/-M.
IIE FR.
KRIEMHILD
Grandpré
Brieulles
Thionville
DÉTACHEMENT D'ARMÉE C. von FUCHS
Montfaucon
Arnes
Vouziers
Souain
Ville-sur-le-Château
La Harazée
17^E CA CLAUDEL
Étain
Confians-en-Jarnisy
ALLEMAGNE
Metz
14^E CA
21^E CA
2^E CA
9^E CA
38^E CA
5^E CA BULLARD
3^E CA CAMERON
1ER CA LIGGET
Verdun
Suippes
27 DI
Ste-Menehould
16 DI
Fresnes-en-Woëvre
Vesle
IVE ARMÉE FR. GOURAUD
I^RE ARMÉE US PERSHING engagée le 22 sept
IIE US
Aisne
Meuse
Moselle
Pont-à-Mousson
26-IX
St-Mihiel
Aire
IIE ARMÉE FR. HIRSCHAUER engagée pour appuyer les Américains
X^E ARMÉE FR. MANGIN fin oct.
Marne
Saulx
VIIIE ARMÉE FR GÉRARD
Groupe d'armées de l'Est CASTELNAU

TABLE

TABLE

61250 Lonrai

Reproduit et achevé d'imprimer en janvier 2005
N° d'édition 04134 / N° d'impression : 050015
Dépôt légal : janvier 2005
Imprimé en France

ISBN : 2-7382-1834-2